NATUUR EN KUNST

for Douglas
'amicitia inaxit nos'
[...], Dumbarton Oaks
13 . X . 93

Natuur en Kunst

Nederlandse tuin- en landschapsarchitectuur 1650–1740

Erik de Jong

UITGEVERIJ THOTH

PROEFSCHRIFT TER VERKRIJGING VAN HET DOCTORAAT IN DE LETTEREN AAN DE RIJKSUNIVERSITEIT GRONINGEN

Afbeelding omslag
Frans Decker, *De tuin van het Proveniershuis in Haarlem*, olieverf op doek, na 1707 (detail)

Deze publikatie is tot stand gekomen met financiële steun van de Stichting Fentener
van Vlissingen Fonds, het De Gijselaar Hintzen Fonds, de M.A.O.C. Gravin van Bylandt Stichting,
het Prins Bernard Fonds en de Rijksdienst voor de Monumentenzorg

© 1993 Erik de Jong en Uitgeverij Thoth, Amsterdam
Grafische vormgeving Joost van de Woestijne, Utrecht
Druk Veenman Drukkers, Wageningen

ISBN 90 6868 045 5 / NUGI 922

Natuur en Kunst

Nederlandse tuin- en landschapsarchitectuur 1650–1740

Erik de Jong

UITGEVERIJ THOTH

PROEFSCHRIFT TER VERKRIJGING VAN HET DOCTORAAT IN DE LETTEREN AAN DE RIJKSUNIVERSITEIT GRONINGEN

Afbeelding omslag
Frans Decker, *De tuin van het Proveniershuis in Haarlem*, olieverf op doek, na 1707 (detail)

Deze publikatie is tot stand gekomen met financiële steun van de Stichting Fentener
van Vlissingen Fonds, het De Gijselaar Hintzen Fonds, de M.A.O.C. Gravin van Bylandt Stichting,
het Prins Bernard Fonds en de Rijksdienst voor de Monumentenzorg

© 1993 Erik de Jong en Uitgeverij Thoth, Amsterdam
Grafische vormgeving Joost van de Woestijne, Utrecht
Druk Veenman Drukkers, Wageningen

ISBN 90 6868 045 5 / NUGI 922

Inhoud

Voorwoord

De geschiedenis van de tuin- en landschapsarchitectuur in Nederland vormt een betrekkelijk jonge discipline, die nog een plaats onder de historische wetenschappen moet veroveren. Ed Taverne heeft als een van de eersten het belang van dit onderwerp onderkend en ik ben daarom verheugd dat hij deze tekst als proefschrift heeft willen accepteren.

Veel ben ik verschuldigd aan de stimulans die ik ondervond van drie buitenlandse collega's: prof. Michel Baridon (Dijon), prof. Douglas Chambers (Toronto) en dr John Dixon Hunt (Upperville, Virginia). Zij lieten mij regelmatig van hun kennis profiteren en maakten het mogelijk mijn eigen inzichten in de Nederlandse tuin- en landschapsgeschiedenis in een Europese context te plaatsen. Binnen de Nederlandse grenzen heb ik veel gehad aan mijn discussies met Florence Boom-Hopper. De lezer zal verder in deze tekst de invloed aantreffen van de lessen van mijn Utrechtse leermeester prof. Eddy de Jongh. Hem en Lammijna Oosterbaan zeg ik dank voor hun continue geestelijke en materiële gastvrijheid.

Verschillende andere collega's hebben vrijgevig ideeën en materiaal aangereikt; hun bijdragen worden in de noten bij de verschillende hoofdstukken vermeld. Twee daarvan wil ik hier in het bijzonder danken: Dr Katharine Fremantle die mij haar aantekeningen over de tuinen van Heemstede afstond. Ik ben haar door deze geste zeer verplicht. Hopelijk neemt zij het mij niet kwalijk dat mijn aanpak uiteindelijk in iets anders resulteerde dan de studie die zijzelf voor ogen had. Als tweede wil ik noemen de neerlandica Willemien de Vries-Schenkeveld met wie ik vruchtbare gesprekken voerde over het Nederlandse hofdicht.

Zonder Kees van den Hoek, de uitgever, Joost van de Woestijne, de vormgever en een aantal genereuze subsidiegevers was mijn manuscript niet dit boek geworden. Bij het persklaar maken van de tekst was het Wim Platvoet die mij met de hem eigen acribie voor vele inconsequenties heeft behoed; hij heeft ook de registers samengesteld.

Op locatie 'in horto' en in de studeerkamer heeft dr Derk P. Snoep als vriend en collega het onderwerp van deze studie op talloze wijzen geïnspireerd. Als geen ander heeft hij daarmee eer gedaan aan de traditie die sinds de klassieke oudheid de tuin beschouwt als de locatie bij uitstek voor het uitwisselen van kennis en inzicht en het stimuleren van gevoel en verbeelding.

Haarlem, april 1993

'*Felix, qui potuit rerum cognoscere causas*'
Vergilius, *Georgica* Boek II, vers 490

'*Geluckigh is hy, die der dingen oirzaeck weet*'
in de vertaling van Joost van den Vondel,
Lantgedichten Boek II, vers 704

A garden is not an object but a process.
Ian Hamilton Finlay (geb. 1925),
Unconnected Sentences on Gardening

Introductie

De Nederlandse tuin- en landschapsarchitectuur als onderwerp van architectuurhistorisch onderzoek

De stedelijke cultuur heeft in Nederland onderwerp, doel en methode van de architectuurgeschiedenis in hoge mate bepaald. Architectuur en stedebouw staan in deze historische discipline nog altijd centraal, en dat geldt ook voor een instelling als de monumentenzorg en voor de monumentenbeleving in het algemeen. Landschap en tuin zijn synoniem met natuur, en worden daarom meestal het domein geacht van de bioloog, de landschapsarchitect of de historisch geograaf. De historicus beziet het landschap in termen van landbouw, de kunsthistoricus houdt zich bezig met de landschapsschilderkunst, maar zelden zijn tuin en landschap het onderwerp van interdisciplinair architectuur- of cultuurhistorisch onderzoek.

Sprekend over de taken van de beschavingsgeschiedenis merkte Johan Huizinga in 1926 op dat de onderwerpen van de cultuurgeschiedenis volstrekt niet alleen in het domein van het geestesleven gezocht hoeven te worden: 'Hoe gaarne zou men de geschiedenis geschreven zien van den Tuin als cultuurvorm, of van den Weg, de Markt en de Herberg'.[1]
Wie een dergelijke cultuurgeschiedenis van de tuin het beste zou kunnen schrijven, de biohistoricus, de historicus of de tuin- en landschapsarchitect, daar liet Huizinga zich niet over uit. De tuin is in de twintigste eeuw dermate verbonden met natuur, dat Huizinga zeker niet heeft gedacht aan een kunsthistoricus. In de algemene opinie is kunst het tegenovergestelde van natuur, en als duurzaam produkt in een museum te bezichten of als architectuur op straat te bekijken. Deze gescheiden werelden van natuur en kunst laten weinig ruimte over voor het feit dat in het verleden veel tijd, geld en energie werd besteed aan efemere, tijdelijke kunstvormen als triomfale intochten met erepoorten en cortèges, feestversieringen ter ere van belangrijke gebeurtenissen in de stad of de aanleg van een architectonische tuin met de natuur als bouwmateriaal. Omdat deze kunstvormen ons niet als historische getuigen omringen, hebben zij in ons geheugen en in onze algemene voorstellingswereld geen plaats van betekenis gekregen.

Deze studie is dan ook niet ontstaan vanuit een confrontatie met kunstwerken 'in situ'. De tuinarchitectuur uit de late 17de en vroege 18de eeuw, die in dit boek centraal staat, is in Nederland verdwenen. Belangstelling voor dit onderwerp werd allereerst gewekt door de kennismaking met de visuele getuigen van wat rond 1700 een ware rage was van burgers, hoge ambtenaren, hovelingen en van de stadhouder zelf: de aanleg van een tuin. In archiefstukken, topografische afbeeldingen, schilderijen, ontwerpen en kaarten, in reisbeschrijvingen en gedichten vinden we een omvangrijke documentatie, die bewijst hoe algemeen de passie voor tuinarchitectuur is geweest.
Niet de natuur speelde in deze tuinen de hoofdrol, maar de vormgeving, die de natuur onderwierp aan de regels van de kunst. Nederland is in tal van opzichten de resultante van ingrepen door arbeid, techniek en kunst in de natuurlijke gesteldheid: in de context van West-Europa vormt ons land het cultuurlandschap bij uitstek. De tuin vertegenwoordigt in dat landschap het meest directe raakvlak tussen natuur en cultuur. Hij vormt een dubbelideaal, waar de houding van de mens ten opzichte van zowel de natuur als de kunst haar meest concrete gestalte krijgt in materiële maar ook in conceptuele zin. De diepgewortelde plaats van de tuin in de Westeuropese mentaliteitsgeschiedenis moge blijken uit de christelijke heilsgeschiedenis waar de levensgang van de mens zich afspeelt tussen tuin en stad, tussen Paradijs en Hemels Jeruzalem.[2]
Het 17de-eeuwse natuurbeeld verschilt in hoge mate van het onze, dat pas tegen het einde van de 18de eeuw is ontstaan en vanaf de 19de eeuw in tuin, park en landschap 'natuurlijkheid', schilderachtigheid, vrijheid en onregelmatigheid projecteert. In die visie wordt natuur in eerste instantie geassocieerd met water, aarde, bomen en planten. Deze opvatting werd in de 19de eeuw door de opkomst van de veldbiologie en de kweek van planten extra gestimuleerd met als effect dat het autonome 'landschap' in onze eeuw hoger wordt gewaardeerd dan het ontworpen, 'kunstmatige' landschap. Paradoxaal genoeg gingen in die visie ook de sinds de 17de eeuw ontworpen parken en tuinen, die door verwaarlozing verwilderd waren, tot ons landschappe-

---

1 J. Huizinga in *Verzamelde Werken* Deel 7 *Geschiedwetenschap. Hedendaagsche cultuur*, Haarlem 1950, 32-95.

2 Zie voor een uitwerking van dit thema: William A. McClung, *The Architecture of Paradise. Survivals of Eden and Jerusalem*, Berkeley en Los Angeles, California, 1983.

3 Zie Van Luttervelt 1970 (tweede druk), 192. Deze mening ook bij ondermeer H. Nieuwenhuis,

lijke, nationale natuurbeeld behoren. Het ideaal van de vrije natuur en het zuivere milieu werd tot een icoon, tot een nieuwe, 20ste-eeuwse pastorale die een hoogtepunt vond in het natuurmonument. Een pastorale die scherp contrasteert met de genadeloze uitbuiting van de natuur door landbouw, industrie en stedelijke expansiedrang.

Artificialiteit brengen wij niet in verband met natuur, en het is dan ook de als negatief bedoelde kwalificatie artificieel die de bij uitstek architectonische en geometrische tuin- en landschapsarchitectuur uit de 17de en vroeg 18de eeuw ten deel is gevallen. Bovendien ontving zij het predicaat 'Frans', suggererend dat Nederland wat tuinarchitectuur betreft in deze periode niet, zoals de schilderkunst, iets eigens en origineels voort zou hebben gebracht. Het architectonisch karakter maakte de tuin- en landschapsarchitectuur uit deze periode daarom lange tijd weinig geliefd.

Dat architectonische karakter is in deze studie juist de aanleiding en rechtvaardiging voor de architectuurhistoricus om onderzoek naar vorm en concept van deze tuinontwerpen te verrichten. Een ideeënhistorische invalshoek voor het denken over en het analyseren van de betekenis van de tuin- en landschapsarchitectuur is echter geen vanzelfsprekendheid. De benadering van tuin en landschap is voor een groot deel bepaald door de erfenis van de 20ste-eeuwse functionalistische architectuur en stedebouw, waarin natuur en kunst als gescheiden in plaats van als samenhangende grootheden worden gedefinieerd. In die visie staat het nutsaspect meestal op de voorgrond; de landschapsinrichting van polders en droogmakerijen wordt voornamelijk beschreven in termen van grondbeheer, waterhuishouding en exploitatie. Wat de inhoudelijke betekenis van dergelijke ingrepen is geweest en in hoeverre ze verband hielden met het denken over natuur en menselijk handelen, daarmee houdt het historisch onderzoek in Nederland zich niet echt bezig. Nog steeds heerst er bijvoorbeeld het hardnekkige vooroordeel dat de nuchtere Nederlander in zijn tuin alleen op nut was ingesteld en niet geïnteresseerd was in geleerde iconologische systemen die wel in het buitenland zijn aan te treffen.[3] Dat contrasteert met de wijze waarop in het buitenland de tuin- en landschapsgeschiedenis voorwerp van interdisciplinair onderzoek is geworden.

Tijdens de voorbereiding van deze studie deden zich in de afgelopen jaren op het gebied van de geschiedschrijving van de Nederlandse tuin- en landschapsarchitectuur verschillende gebeurtenissen voor die een kentering hebben ingeluid. In 1981 wijdde het pas opgerichte, en interdisciplinair georiënteerde, *Journal of Garden History* haar eerste themanummer aan Nederland.[4] Hierin kwamen verschillende aspecten aan bod, van historisch onderzoek naar de Nederlandse tuin- en landschapsarchitectuur van de 17de tot en met de 20ste eeuw, tot bijdragen op het gebied van biohistorie, restauratie en conservatie, dat alles ondersteund door een bibliografie. In mei 1988 organiseerde het prestigieuze Studies in Landscape Architecture van Dumbarton Oaks in Washington (dat valt onder de verantwoordelijkheid van de Trustees van Harvard University) een symposium over de *Dutch Garden in the 17th Century*, waarvan de voordrachten in 1990 gebundeld werden in een boek met dezelfde titel.[5] Voor het eerst werd op dit symposium de betekenis van dit onderdeel van de Nederlandse cultuur- en architectuurgeschiedenis internationaal erkend en nam de Nederlandse tuin- en landschapsarchitectuur haar plaats in naast de Italiaanse, Engelse, Franse, Romeinse, Perzische en islamitische tuinen, waaraan Dumbarton Oaks eerder al aandacht had besteed. De rijkdom van de Nederlandse erfenis op dit gebied heeft velen toen verbaasd. Men had niet vermoed dat de Nederlandse tuinarchitectuur uit de 17de eeuw over zo'n overdaad aan ideeën en vormen beschikte, en bovenal dusdanig bleek ingebed in de Nederlandse en Westeuropese cultuur dat zij temidden van de meer bekende Italiaanse, Franse en Engelse tuinarchitectuur een heel eigen gezicht vertoonde. Een eigen karakter dat in 1988 ook uitvoerig werd gevisualiseerd in de in Apeldoorn en Londen gehouden tentoonstelling over de tuinarchitectuur ten tijde van stadhouder-koning Willem III.[6]

Een derde belangrijk moment was het symposium *The Authentic Garden* dat de Clusius Stichting in Leiden in mei 1990 organiseerde.[7] Dit was het eerste internationale symposium op eigen bodem, waarin de betekenis van de Leidse Hortus als onderdeel van de universitaire humanistische cultuur uit de 16de en vroeg 17de eeuw duidelijk werd gemaakt in relatie tot de islamitische en oosterse tuintraditie. Het waren eigenlijk drie Dumbarton Oaks symposia in één keer, een inhaalmanoeuvre. Door ook uitvoerig in te gaan op de wezenlijke problemen van studie, beheer, behoud en de daarmee samenhangende vraag naar de culturele betekenis van de historische tuin- en land-

Vijf eeuwen Nederlandse tuinkunst, Zwolle 1981, 34.
4 *Journal of Garden History* 1 (1981) nummer 4 'Special Dutch Issue'.
5 J.D. Hunt (ed.), *The Dutch Garden in the Seventeenth Century*, Washington, 1990 (Dumbarton Oaks Colloquium on the History of Landscape Architecture XII).
6 Zie de uitgave van Hunt/De Jong 1988.
7 De lezingen van dit symposium werden gepubliceerd: L. Tjon Sie Fat en E. de Jong (eds), *The Authentic Garden. A Symposium on Gardens*, Leiden, Clusius Stichting, 1991.
8 Vgl. A. van der Staay, 'The Authentic Garden. The garden as cultural heritage' en zijn 'Evaluation' in Tjon Sie Fat/De Jong 1991.
9 Voor de variabelen in het moderne natuurbeeld zie Henny J. van der Windt en Hans Harbers, 'Welke natuur is het beschermen waard? De

schapsarchitectuur, leverde dit symposium een belangrijke bijdrage. Het bevestigde nog eens dat de tuin tot het meest kwetsbare erfgoed behoort dat wij kennen.[8] Degenen die al overtuigd waren van het gegeven dat de tuin eerder een produkt is van cultuur dan een resultante van pure natuur, confronteerde het Leidse symposium opnieuw met de noodzaak na te denken over een nationaal programma van studie, beleid en beheer op het gebied van de Nederlandse tuin-en landschapsarchitectuur. Een programma dat de tot nu toe als incidenten te beschouwen activiteiten tot een geheel zou moeten bundelen.

Waarom is dat op dit moment belangrijk? In ieder geval niet alleen om onze historische nieuwsgierigheid te bevredigen. Wel omdat het tijd wordt dat we ons bewust worden dat veel van onze groene omgeving een ontwerp- en ideeëngeschiedenis kent. Dat tuin en park een produkt zijn van wetenschap, kennis, arbeid en techniek en een resultaat van ons denken over en onze verhouding tot natuur en kunst. Groen in de stad en daarbuiten is niet een natuur die voor zichzelf kan zorgen. Dit inzicht is des te belangrijker omdat aan de duurzaamheid van tuin- en landschapsontwerpen uit de 17de, 18de en ook de 19de eeuw een eind is gekomen. Willen we er iets van behouden dan zullen we ons moeten buigen over de vraag op welke wijze verjonging en vernieuwing tot stand gebracht kan worden en wel zo dat natuur- en cultuurwaarden recht gedaan wordt.

Het samen laten gaan van deze twee is niet eenvoudig. Dat heeft deels te maken met het groeiproces dat in de meest letterlijke zin bepalend is voor de tuin- en landschapsarchitectuur als kunstvorm, telkens wisselend en veranderend. Maar meer nog met ons huidig natuurbeeld dat voor velen bestaat uit een ideaalprojectie van vrije, wilde natuur waaraan geen kunst, geen arbeid en geen beheersing te pas mogen komen.[9] En dat terwijl ons landschap en onze tuinarchitectuur al in de 17de eeuw in West-Europa golden als een uniek voorbeeld van het volledig geïntegreerd zijn van de natuur met de cultuur. Wat wij ook doen, onze natuur, ons landschap, onze parken en onze tuinen maken meer dan elders in Europa deel uit van een algemene ruimtelijke ontwerpopgave en zij zullen altijd, samen met de stedebouw en de architectuur, het resultaat zijn van een ontwerpproces. Zelfs nieuw aan te leggen 'oernatuur' zal als een enclave in ons geordende, 20ste-eeuwse landschap afsteken, net zoals de geometrische tuinen dat deden in het ongeorganiseerde Nederland van de 17de en 18de eeuw. Deze behoefte aan 'oorspronkelijke' natuur heeft echter meer met natuurbeelden en cultuuridealen te maken dan met de natuur zelf. Juist daarom kijken buitenlandse planologen met grote belangstelling naar de wijze waarop wij in het verleden zijn omgegaan en nog steeds omgaan met natuur, landschap en tuin in een verstedelijkte samenleving. Koos van Zomeren gaf een rake typering van deze problematiek in zijn column 'Vandaag of morgen' in *NRC-Handelsblad* onder het kopje 'Groot Nederland'. Hij deed de suggestie Nederland als een *park* te beschouwen, waarvan het wezen ligt in: 'een suggestie van savanne, bos, heuvels, rivieren en zee, een suggestie van ruimte, avontuur en wilde dieren. Een park is een droom. [...] Een park is aangelegd, eerder stad dan paradijs, eerder een onderneming dan natuur.'[10]

Wie zich wil verdiepen in de geschiedschrijving van de Nederlandse tuinarchitectuur zal merken dat het hier gaat om een betrekkelijk verwaarloosd gebied. Deze situatie doet geen recht aan de rijkdom aan materiaal die ons bij het onderzoek naar dit fenomeen ter beschikking staat.

Oorspronkelijk is het onderzoek naar de tuinkunst voortgekomen uit de praktijk van de laat 19de-eeuwse en vroeg 20ste-eeuwse tuin-en landschapsarchitectuur. Ontwerpen en reconstructies kenmerkten zich door een grote belangstelling voor de geometrische en landschappelijke traditie. Met name Leonard Springer (1850–1940) is een buitengewoon belangrijk tuinhistoricus geweest.[11] Zijn collectie, bewaard op de Landbouwuniversiteit te Wageningen, vormt nog altijd een bron voor iedereen die zich met de Nederlandse tuinarchitectuur wil bezig houden. Een tweede fase van onderzoek werd ingeluid in de jaren veertig door het onderzoek van de hoogleraar en landschapsarchitect J.P. Bijhouwer (1898–1974): nog steeds liep het onderzoek parallel met de uitvoeringspraktijk.[12] Daarnaast resulteerden ontwikkelingen binnen de moderne kunstgeschiedenis in basisstudies als het overzichtswerk van Bienfait uit 1942 en Van Luttervelts studie over de Vechtstreek uit 1948.[13] Daarna trad er een stilte in. Wel publiceerde Van Veen in 1960 zijn belangrijke studie over het Nederlandse hofdicht en liet de cultureel antropoloog Lemaire in 1970 zijn inspirerende boek *Filosofie van het landschap* verschijnen.[14] Pas in de jaren

Nederlandse natuurbescherming en de kennispolitieke betekenis van het concept "natuur"', *Op de Grens. Onderzoek naar het scheiden van natuur en cultuur* nummer van *Kennis & Methode* IV (1991) 1, 38–62.

10 Koos van Zomeren, 'Groot Nederland' in: 'Vandaag of morgen', *NRC-Handelsblad*, 22 oktober 1992.

11 L. Springer, *Oude Nederlandsche Tuinen*, 's Gravenhage 1910, een bundel artikelen en zijn *Bibliografisch overzicht van geschriften, boek- en plaatwerken op het gebied van de tuinkunst*, Wageningen 1936.

12 Van J.T.P. Bijhouwer verscheen, naast vele andere publikaties, op historisch gebied ondermeer *Nederlandsche Tuinen en Buitenplaatsen*, Amsterdam 1942.

13 Bienfait 1943, 2 delen en R. van Luttervelt,

zestig kreeg de bestudering van de Nederlandse tuinarchitectuur een belangrijke impuls door de bezinning op de functie en betekenis van de Nederlandse buitenplaats. Deze werd (en wordt overigens nog steeds) op grote schaal bedreigd door economische en/of planologische factoren. De belangstelling richtte zich vooral op de landschapsparken uit de late 18de en de 19de eeuw: deze waren immers een integraal onderdeel gaan uitmaken van het Nederlandse landschap. Het toenemende milieubewustzijn, gepaard aan de noodzaak van een voor conservatie en bescherming broodnodige historische kennis, heeft in de laatste twintig jaar gezorgd voor een groeiende belangstelling voor tuinarchitectuur en het fenomeen buitenplaats. Het boek van Van der Wijck over de Nederlandse buitenplaats en het in 1980 door de Rijksdienst voor de Monumentenzorg geïnitieerde *Bronnenonderzoek naar de Ontwikkeling van Nederlandse historische tuinen, parken en buitenplaatsen* hebben hierbij een belangrijke rol gespeeld.[15]

Belangrijk was ook de reconstructie van de tuinen van Het Loo, afgesloten in 1984, waarvoor een grote hoeveelheid kennis op basis van historisch, biohistorisch, technisch en stilistisch onderzoek werd ingezet. Hoewel deze reconstructie niet in alle opzichten geslaagd is, was en is Het Loo een openbaring: voor het eerst werd duidelijk wat men zich nu bij 17de-eeuwse gravures en beschrijvingen diende voor te stellen. Een groter publiek ging inzien dat een geometrisch ingerichte tuin ook tot het natuurbeeld kan behoren.[16]

Pas de laatste jaren is er werkelijk sprake van belangstelling voor de tuin in Nederland als een (cultuur)historisch verschijnsel en worden er pogingen ondernomen tot een synthese van benaderingen te komen: de tuin als een architectonisch ontwerp, als produkt van horticulturele techniek en wetenschap, als object van literaire beschrijving, als voorwerp van allegorische of politieke betekenis, als laboratorium van experimenten, als verlangen naar een ideale natuur.[17]

Toch draagt de studie naar de Nederlandse tuin- en landschapsarchitectuur nog altijd een willekeurig karakter en is er van georganiseerd onderzoek geen sprake. Dat alles staat in schril contrast met de belangstelling bij het publiek, gevoed door wat er de laatste tijd door tentoonstellingen en in tijdschriften en andere publikaties bekend is geworden.[18] Op de opleidingen van landschapsarchitecten wordt weinig aandacht besteed aan de geschiedenis van hun eigen vak, terwijl het daar misschien wel het hardst nodig is en de belangstelling het grootst. Op de meeste kunsthistorische instituten is de geschiedenis van tuin en landschap geen vast onderdeel van het studiecurriculum; het *Bronnenonderzoek*, zoals uitgevoerd bij de Rijksdienst voor de Monumentenzorg, stagneert en loopt gevaar bij de reorganisatie van deze instelling te verdwijnen. Natuurmonumenten, Nederlands grootste particuliere landeigenaar, is maar weinig in de cultuurgeschiedenis van haar bezit geïnteresseerd.[19]

Toch valt op verschillende plekken een verandering van mentaliteit te bespeuren. Meer dan kunst- en architectuurhistorici hebben archeologen en historisch geografen de samenhang van tuin en park binnen het historische cultuurlandschap beseft. Door deze disciplines zijn dan ook belangrijke aanbevelingen ten aanzien van studie en beheer gedaan.[20] Vanuit de praktijk is een groeiende behoefte aan kennis en expertise, zoals bij de Stichting Particuliere Buitenplaatsen waar de geschiedenis en de problematiek van beheer en behoud constant met elkaar geconfronteerd worden en waar al veel praktische kennis omtrent beheer en behoud is opgedaan. Monumentenzorg heeft de laatste jaren, samen met de Commissie Buitenplaatsen van de Raad voor het Cultuur Beheer, enig succes geboekt om tuinlandschappen de status van monument te bezorgen, zoals het laat 18de/19de eeuwse park van het landgoed Elswout, bij Overveen (Haarlem). Daar tracht Staatsbosbeheer, met opmerkelijk resultaat, op een intelligente wijze de kwaliteit en schoonheid van het historisch landschappelijke scenario te reconstrueren.

Aan de Technische Universiteit Delft is een aantal landschapsarchitecten intensief bezig de ontwerpgeschiedenis van de Europese tuin- en landschapsarchitectuur nader te onderzoeken.[21] Opnieuw is daarmee de historische belangstelling binnen het vak landschaps-

De buitenplaatsen aan de Vecht, Lochem 1948, 2de druk 1970.

14 Van Veen 1960 en Ton Lemaire, *Filosofie van het landschap*, Bilthoven 1970.

15 Van der Wijck 1974. Van het *Bronnenonderzoek* verschenen 23 delen.

16 Voor een kritiek zie De Jong 1985.

17 Zie voor een algemeen, maar niet meer up-to-date overzicht mijn bibliografie uit 1983 en voor de 17de en vroeg 18de eeuw het werk van Bezemer-Sellers, Dominicus-van Soest, Diedenhofen, Hopper, De Jong, Oldenburger-Ebbers,

Tromp, W.B. de Vries en Wijnands.

18 Voor een overzicht van publikaties uit de laatste jaren zie de jaarlijkse bibliografie in het tijdschrift *Groen*.

19 Alhoewel er sinds de laatste twee jaar een kentering te bespeuren valt nu er middelen zijn vrijkomen uit de gelden van de Postcodeloterij.

20 Vgl. H.T. Waterbolk, *Archeologie en Landschap*, Haarlem 1984 (Zevende Kroon-voordracht gehouden voor de Stichting Nederlands Museum voor Anthropologie en Praehistorie). Belangrijk is ook: A.J. Haartsen, A.P. de Klerk en J.A.J.

Vervloet, *Levend verleden; een verkenning van de cultuurhistorische betekenis van het Nederlandse landschap*, Den Haag, Ministerie van Landbouw en Visserij/SDU, 1989 (Achtergrondreeks Natuurbeleidsplan 3).

21 Resulterend in ondermeer Clemens M. Steenbergen *De stap over de horizon. Een ontleding van het formele ontwerp in de landschapsarchitectuur*, Dissertatie, Technische Universiteit Delft, Publikatiebureau Bouwkunde, 1990 en Eric van der Kooij, Clemens M. Steenbergen (samenstelling en eindredactie), *Het montagelandschap. Het stadspark*

architectuur teruggekeerd. Men onderkent er, als onderdeel van een recente emancipatie onder het juk van de stedebouwers vandaan, dat de oudere landschapsarchitectuur een actuele betekenis heeft. De oriëntatie op de mogelijkheden van het verleden betekent een hernieuwde aandacht voor de geometrische planningsprincipes van de 17de- en 18de-eeuwse tuin- en landschapsarchitectuur.[22] Uit de tuinarchitectuur van de 17de en 18de eeuw laten zich tal van ontwerpprincipes destilleren die oplossingen kunnen aandragen voor actuele ordenings- en schaalproblemen. De grote waarde van deze tuinontwerpen ligt met name in hun leerzame abstrahering van de natuur waarmee ze op originele wijze een samenhang demonstreren tussen beeldende en ruimtelijke principes. De Randstadgroenstructuur, als ruimtelijk planologische opgave, zou in zijn regionale samenhang hersteld kunnen worden door ingrepen te doen die zich inspireren op deze historische landschapsarchitectuur. Diverse bureaus voor landschapsarchitectuur en stedebouw zijn actief bezig om dergelijke nieuwe ontwerpideeën tot uitvoering te brengen.[23] Hun nieuwe visies komen niet alleen de moderne ontwerppraktijk ten goede maar ook de revitalisering van oudere tuinen en parken.

In deze actualiteit ligt dan ook de mogelijkheid tot de verbintenis van de verschillende individuele belangstellingen: de huidige milieucrisis maakt een herintegratie van de natuur op elk planniveau in onze ruimtelijke ordening noodzakelijk. Dit proces kan een betere kans van slagen hebben indien daarbij landschapshistorische en landschapsarchitectonische vakkennis wordt ingezet om de beleving van natuur, tuin, park en landschap te versterken. Een grotere maatschappelijke en politieke bewustwording van en verantwoordelijkheid voor deze erfenis zou enerzijds moeten leiden tot de conservering en/of reconstructie van de kwaliteiten van historische, landschappelijke ontwerpen, anderzijds tot verantwoord onderhoud en beheer en vooral ook tot nieuw groen en nieuwe ontwerpideeën. Het maken van historisch gefundeerde beheersplannen, het documenteren en het registreren vormen een essentieel instrument bij het afwegen van be-

houd en vernieuwing. Tenminste, als we in de toekomst nog willen genieten van de erfenis van het historisch groen en in onze rijke traditie voldoende mogelijkheden willen scheppen voor nieuwe, moderne groenstructuren die een uiting zijn van onze eigen cultuuridealen.

Wat het besef van het belang van historische achtergronden betreft verschilt de Nederlandse situatie met die in het buitenland, waar de tuin- en landschapsarchitectuur onderwerp is geworden van interdisciplinair onderzoek. De klassieke studie is David Coffins studie over de laat 16de-eeuwse Villa d'Este bij Rome uit 1960.[24] Onder invloed van de iconoloog Erwin Panofsky werden architectuur en beeldenprogramma van huis en tuin geanalyseerd als een complex samenspel van vorm en betekenis, van literatuur, architectuur, allegorie, klassieke overlevering en verheerlijkingscultus en van opdrachtgever en kunstenaars. In vervolgstudies heeft Coffin onderzoek gedaan naar de villa- en tuincultuur in Rome, terwijl zijn studenten hun aandacht richtten op andere ensembles en de tuinarchitectuur van de Renaissance in het algemeen.[25] Uit deze diverse onderzoeken naar vooral de Italiaanse tuinarchitectuur rijst een uitermate boeiend beeld op van een fenomeen dat een context bood voor de toepassing van tal van kunsten en wetenschappen en een vitale rol speelde in het sociale leven. De tuin is onderdeel van de intellectuele èn materiële geschiedenis. Inmiddels is ook op het gebied van de Engelse, Franse en Duitse tuinarchitectuur een aantal studies over de 16de, 17de en vroege 18de-eeuwse tuin- en landschapsarchitectuur beschikbaar, meestal geschreven door biohistorici, kunst-, architectuur- en literatuurhistorici.[26] Inmiddels beschikt men elders over onderzoeksinstituten als Dumbarton Oaks, of over opleidingen als in Hannover (Duitsland) of York (Engeland) waar de praktijk en de geschiedenis van tuin en landschap in samenhang wordt onderwezen en waar men zich scholen kan als historicus of als ontwerper of, als synthese van deze twee, expert kan worden op het gebied van behoud, beheer en restauratie en reconstructie. Historische gegevens kunnen vastgeroeste opinies over

13

als actuele ontwerpopgave, Technische Universiteit Delft, Publikatiebureau Bouwkunde, 1991.
Een aantal van de navolgende formuleringen is, met variaties, ontleend aan de stellingen bij Steenbergens proefschrift.
22 Vergelijk bijvoorbeeld ook Han Lörzing, De angst voor het nieuwe landschap. Beschouwingen over landschapsontwerp en landschapsbeheer, Den Haag 1982.
23 Van de recente explosie aan literatuur kan hier genoemd worden het tijdschrift De Blauwe Kamer, de publikatie van het Architectuurinstituut

Het Nieuwe Stadspark. Opvallende vormen en pakkende scenario's, Tj. Boersma en G. ter Haar (red.), Rotterdam 1991, Han Lörzing, Van Bosplan tot Floriade. Nederlandse park- en landschapsontwerpen in de twintigste eeuw, Rotterdam 1992 en Meto Vroom (red.), Buitenruimten/Outdoor Space. Ontwerpen van Nederlandse tuin- en landschapsarchitecten na 1945, Amsterdam 1992. Voor recent werk van een enkel bureau zie Twaalf projecten 1977–1991 Bureau B+B. Stedebouw en Landschapsarchitectuur bv, Amsterdam 1991.
24 D.R.Coffin, The Villa d'Este at Tivoli, Prin-

ceton 1960.
25 Voor dit laatste zie bijvoorbeeld de studie van Lazzaro 1990.
26 Vgl. bijvoorbeeld het werk van Hennebo en Hoffmann 1965, Wenzel 1970, Strong 1979, Adams 1979, Hamilton Hazlehurst 1980, Dennerlein 1981, Hunt 1986, Woodbridge 1986, Weber 1985.

landschap en tuin doorbreken en door andere interpretaties nieuwe dimensies voor de praktijk van het ontwerpen en het behouden openen. Deze integratie van disciplines moeten wij in Nederland vooralsnog ontberen bij gebrek aan institutionele belangstelling, of interesse bij de overheid.

Geïnspireerd door onderzoek in het buitenland probeert de onderhavige studie vanuit een architectuurhistorische invalshoek vormgeving en betekenis van een aantal Nederlandse tuinen uit de periode 1650 tot 1740 te verklaren. Als uitgangspunt geldt dat de tuin een complex samenstel vormt waarin architectuur, inrichting, gebruik en belevingswereld nauw met elkaar zijn verbonden. In tegenstelling tot de gedachte dat een ontwerp alleen een formele betekenis heeft, wordt hier een poging gedaan concepten achter dat ontwerp bloot te leggen. Centraal staat de opdrachtgever. Zijn positie moet aangeven hoe de tuin in verschillende lagen van de hiërarchisch geconstrueerde 17de- en vroeg 18de-eeuwse samenleving heeft gefunctioneerd. Achtereenvolgens komen aan bod de stadhouder en zijn hof, een hoge ambtenaar uit het Sticht, een burger-koopman uit Amsterdam en vervolgens de beroepsgroep van artsen, chirurgijns en apothekers in Leiden en Haarlem. Een ander belangrijk criterium bij de selectie van voorbeelden was de aanwezigheid van bronnenmateriaal, visueel of anderszins, om daarmee de materiële verschijningsvorm van de tuin te

kunnen reconstrueren. Dit vaak heterogene bronnenmateriaal, zoals archiefstukken, kaartmateriaal, topografie, reisbeschrijvingen en gedichten, moest op zijn waarde getoetst, geïnterpreteerd en geïntegreerd worden. Vervolgens is geprobeerd de verschillende factoren die bij het ontwerp een rol speelden, in kaart te brengen: de visie van de opdrachtgever, de organisatie van het ontwerp, de vormgeving, de inrichting, het gebruik en de betekenis. De architectuur van een tuin blijkt in alle gevallen bepaald te zijn door zijn functie, plaats en ligging: de tuin is vaak de geschiedenis van een specifieke plek. In plaats van een uniforme kunstvorm is de tuin in deze periode vooral pluriform van karakter, al zijn er wat vormgeving, inrichting en betekenis betreft tal van overeenkomsten aan te wijzen. Overeenkomsten die zich laten verklaren door de heersende mode en smaak, maar vooral ook door de maatschappelijke positie die de verschillende opdrachtgevers ten opzichte van elkaar innamen.

Om deze vier monografische hoofdstukken in te leiden worden twee belangrijke thema's behandeld. Eerst de contemporaine ideeën over het buitenleven, dat het overkoepelende kader voor de meeste tuinarchitectuur vormde. Als tweede wordt aandacht besteed aan de verhouding tussen natuur en kunst. Niet de scheiding maar juist de intrinsieke samenhang tussen deze twee grootheden vormde voor de 17de- en vroeg 18de-eeuwer één van de fascinaties bij het ontwerp en de beleving van een tuin.

In de tekst verwijst 'afb.' naar een afbeelding in zwart-wit en 'plaat' naar een afbeelding in kleur (bladzijde 98–112).

Deel I

Voor profijt en ornament. Tuinkunst in 17de- en vroeg 18de-eeuws Nederland

Hoofdstuk 1. *Buitenleven als ideaal*

Op 16 juni 1660 vond in het Oude Herenlogement te Loenen aan de Vecht de publieke verkoop plaats van 'een hoffsteede omtrent veertien en een halve morgen, leggende in de jurisdictie van Loenen'. Dit voormalige eigendom van Joris Backer, raad en schepen van Amsterdam, werd gekocht door Agneta Block, een rijke doopsgezinde, eveneens afkomstig uit Amsterdam (plaat 11).[1] Drie juli daaropvolgend transporteerden schout en schepenen van Loenen aan haar 'seeckere huysingen, hoff, berghen [graan- of hooischuur], schuere, stallingen ende verdere getimmert ende plantage'. Nadat de heer van Nijenrode, leenheer van het door Agneta Block gekochte stuk grond, een nieuwe leenbrief voor haar had laten opstellen, bezat zij een landelijk goed aan de rivier de Vecht.

Agneta Block was een van de vele stedelingen die een agrarisch stuk grond met opstallen kocht, waarop een buiten gebouwd en een tuin aangelegd zou worden. Dergelijke buitens waren in de 17de eeuw langzaamaan geliefd geworden bij regenten en kooplieden in Holland, Zeeland, Utrecht en elders in de Verenigde Provinciën. Ook aan het stadhouderlijk Oranje-hof werd het bezit van een huis buiten de stad populair en bij ieder van deze verschillende standen in de Republiek zouden villa's en bijbehorende tuinarchitectuur vooral aan het einde van de 17de eeuw in aantallen toenemen.

Een buiten, waaronder we in zijn ideale vorm een eenheid van huis, tuin en landerijen moeten verstaan, kon een economisch doel en als geldbelegging dienen. Het fungeerde vaak, met name wanneer het in de duinen of in een wildrijk gebied was gelegen, als centrum voor de jacht. Status was op velerlei wijzen verbonden met het bezit van een buiten en dit werd in de vormgeving van het huis en van het landschap eromheen tot uitdrukking gebracht. Niet in de laatste plaats waren buitens bedoeld om *buiten* te leven. Een idyllische visie op het landleven, in het westen gestimuleerd door de toenemende verstedelijking, had een trek naar het platteland ten gevolge en resulteerde in

een mode waarvan de sporen nog altijd in het huidige landschap waarneembaar zijn.

JAN VAN DER GROEN EN ZIJN TRACTAAT

Hoe moeten wij dit buitenleven naar 17de-eeuwse Nederlandse normen interpreteren? Een antwoord hierop kunnen we vinden in Jan van der Groens *Den Nederlandtsen Hovenier*, dat in 1669 in Amsterdam verscheen, drie jaar voor zijn dood in januari 1672 (afb. 1).[2]

Dit boek van de 'Hovenier van sijn Doorluchtige Hoogheydt den heere Prince van Orangien' beleefde tot 1721 negen herdrukken en werd vertaald in het Duits en het Frans. De vele herdrukken en vertalingen van dit tractaat zijn een indicatie voor de populariteit van alles wat met buitenleven, tuinarchitectuur en horticultuur te maken had.

Van der Groens tractaat verscheen als Deel I van *Het Vermakelijck Landt-leven*, veelal samen in een band met *Den Verstandigen Hovenier* (deel II), *Den Ervaren Huys-houder*, *Den Naerstigen Byen-houder en De Verstandige Kock* (tezamen Deel III). Deze combinatie verraadt de herkomst van Van der Groens tekst uit de traditie van de almanak- en 'Hausväter'-literatuur.

De in Van der Groens tijd gebruikelijke *Jaerbeschryvers* en *Verstandige Huys-Houders* vormden een handleiding vol raadgevingen voor de goede gang van zaken gedurende alle seizoenen rond huis en hof. Praktische informatie over het onderhoud van bomen en kruiden, het belang van de maanstanden voor het zaaien, de eigenschappen van de grond en de activiteiten die in de verschillende maanden ondernomen dienen te worden, wisselen af met opmerkingen over de tegenstelling tussen stad en land. De *oeconomia*, of huishouding, vormt de basis van het leven op het land en brengt voor de huisvader plichten met zich mee voor zowel een goed beheer van de landerijen als voor het eten en de kleding van gezin en personeel.[3] Deze traditionele en

1 Zie Van der Graft 1943, 64 en De Jong 1984/85.

2 Citaten naar de editie van 1683. Voor Van der Groen zie: Oldenburg-Ebbers 1984, 245–257. Van Van der Groen verscheen ook een facsimile, samengesteld uit diverse uitgaven: *Den Nederlandtsen Hovenier* door Jan van der Groen, met een voorwoord door Carla S. Oldenburg-Ebbers en een plantenlijst van D. Onno Wijnands, Utrecht, 1988.

3 Vgl. *De vermeerderde wyse jaerbeschryver vertoondende den hemelsloop, een onfeylbaren almanack, oorsprongh en vaste-tijdt der heylige dagen. Item, ontdeckingh van de wonderlijckse wercking der Natuur; Eygenschappen van Beesten en Kruyden, plichten der Huyshouding, Visschererye en Land-Bouërye; Opmerckinghen voor de Gesontheyt; alles ider dagh van yeder Maent toegepast.* Door J.C., Amsterdam, Cornelis Jansz., 1661. Het exemplaar in de Amsterdamse

17

op de praktijk gerichte adviezen heeft Van der Groen in de opzet van zijn boek aangepast aan een opkomende mode in de jaren zestig van de 17de eeuw, waarin meer dan voorheen belangstelling ontstond voor bloemen en planten en voor een architectonische vormgeving van de tuin met kunstige tuinversieringen.

Van der Groens tekst bestaat enerzijds uit praktische tuinbouwkundige aanwijzingen voor het kweken en planten van bomen en bloemen, het te gebruiken tuingereedschap en een lijst van planten, voorzien van enkele illustraties (afb. 2). Anderzijds spreekt hij in zijn voorwoord de lezer toe over de 'loflijckheyt des Land-levens' en wijdt hij veel aandacht aan modellen voor tuinversieringen als fonteinen, latwerk en parterres, die ook uitvoerig worden geïllustreerd (afb. 3). Samen met de *Inleyding* behoort zijn lofzang op het buitenleven tot de weinige 17de-eeuwse teksten, waarin een hovenier over andere zaken dan puur horticulturele aan het woord is. Met zijn boek speelde Van der Groen handig in op een groeiende belangstelling voor de tuinkunst en op de behoefte aan een informatief handboek, waarin het eenvoudige handwerk van het tuinieren werd verheven tot een nobele bezigheid. Van der Groens teksten vormen dan ook een geschikte leidraad om meer helderheid te verschaffen over 17de-eeuwse opvattingen over het buitenleven en de betekenis ervan voor de praktijk van de tuinarchitectuur.

HET IDEALE LANDLEVEN

'Den Hof-bouw', zo schrijft Van der Groen, 'en 't buyten-leven, Js naer 't seggen van veel Geleerden, het *vermaeckelijckste, voordeelighste, gesondtste*, ja menighmaal ook wel het *salighste* leven, dat men sou kunnen wenschen, voor die geene, die aen geen beroep, in de Steden vastgebonden is.' Vervolgens licht Van der Groen toe waarom dit buitenleven vermakelijk, voordelig, gezond en zelfs zalig is en in zijn betoog komt telkens de relatie tussen stad en platteland naar voren: ''t *Vermaeckelijckste* leven is het omdat alles wat adem haelt, in de Lente, Somer, ja ook selfs in 't begin des Herfsts, door de aengename en soete lucht, uyt de steden *naer* buyten gelokt, ja getrocken wordt.' Hij beschrijft vervolgens de bloemen die in de lente uit de aarde opkomen en die met hun reuk de neus, met hun kleuren het oog vermaken, terwijl de tong bekoord wordt door zomer- en herfstvruchten: het buitenleven prikkelt de zintuigen.

De vruchten en groenten van het eigen land – ongetwijfeld richt

Van der Groen zich hier tot bezitters van een buitenplaats en tot toekomstige eigenaren ervan – zijn goedkoper dan in de stad, en maken het buitenleven tot het *voordeeligste* leven. Het *gesondtste* leven is het 'door dien de versche lucht met geen vuyle stinckende dampen, gelijk in de steden, besmet is, waer door 't verteeren der spijsen in de maegh belet wordt'. De stad is een bron van grote weelde, die aanzet tot veel te copieuze maaltijden. Buiten daarentegen leeft men regelmatig. Eten, drinken, slapen en opstaan wisselen elkaar af zoals de nacht en de dag en zorgen voor een bestaan van gezonde eenvoud. Al deze voordelen betreffen voornamelijk de lichamelijke conditie van de stadsmens, maar het buitenleven kan zich als het *salighste* leven ook uitstrekken tot de morele gezondheid van de mens, tenminste, indien deze zich daarvoor openstelt. 'Want', zo schrijft Van der Groen, 'dit is seker: dat buyten op 't landt, soo veel valsheyt en Goddeloosheydt niet om gaet, als in de Steden. Maer daer-en-tegen heeft men veelvoudige stoffe, om de name des Grooten Scheppers van alle dese Kruyden, Bloemen, Vruchten, Boomen, & te verheerlijken, loven, danken en prijsen.'

DE AUTORITEIT VAN DE HOFDICHTERS

Om zijn opvattingen over het buitenleven kracht bij te zetten, beroept Van der Groen zich op de 'latijnsche poeten' die de lof van het landleven bezongen hebben. Hij noemt ze niet bij name, maar zijn opvattingen over het ideale buitenleven verraden zijn kennis van de verschillende algemeen aanvaarde standpunten hierover die sinds de renaissance in omloop waren en in de Nederlanden al in de 16de eeuw door de humanisten Erasmus, Lipsius en Marnix van St. Aldegonde waren verkondigd.[4] Het is niet waarschijnlijk dat Van der Groen de teksten van Romeinse schrijvers als Varro, Cato, Columella en Palladius (de *scriptores rei rusticae*) en Vergilius zelf gelezen heeft. Hij kende hun ideeën eerder via de in zijn tijd gangbare hof- of tuindichten, die hij zelf zijn lezer aanraadt op te slaan als deze meer over de betekenis en het nut van het landleven wil weten. Van de gedichten noemt hij er enkele, en het zijn nog altijd de meest belangrijke: Petrus Hondius' *Dapes Inemptae, of de Mouffeschans, dat is, de soeticheydt des buytenlevens vergheselschapt met de boecken* (1621), Constantijn Huygens' *Vitaulium, Hofwyck* (uit 1653), Jacob Westerbaens' *Arctoa Tempe. Ockenburg* (1653) en Jacob Cats' *Ouderdom, buytenleven en hofgedachten, op Sorghvliet* (uit 1656).[5]

UB is ingebonden met *De Verstandige Huys-Houder, Voorschryvende De Alderwyste Wetten om profijtelick / gemackelick en vermakelick te leven / so inde Stadt als op 't lant. In 't bestieren der Hof-steden, lanthuysen, Boomgaerden, Hoven, Tuynen, Zaey- en Way-* *landen (etc.)*, Vermeerderd en verbeterd, door J.C., Amsterdam 1661 en eveneens met *D'ervaren landt-bouwer en de Wonderlycke genees-en heelkonst* ook Amsterdam 1661. Voor een beschouwing over deze traditie zie Buis 1985, Vol. II, 568 en verder.

4 Zie Beening, 1963, hoofdstuk II; voor opmerkingen over de tuinkunst in Erasmus' colloquium 'Het Goddelijk feest' uit 1522, in Lipsius' *Over standvastigheid bij algemene rampspoed* (1584) en voor het belang van de tuinkunst voor Marnix

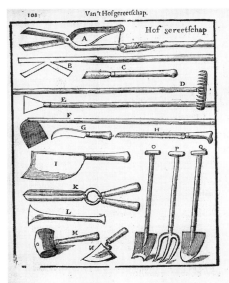

1. Titelpagina van J. van der Groen, *Den Nederlandtsen Hovenier*, Amsterdam 1679.

2. Tuingereedschap en aanwijzingen voor het planten van een boomgaard, uit J. van der Groen, *Den Nederlandtsen Hovenier*, Amsterdam 1679.

3. Model voor latwerk, uit J. van der Groen, *Den Nederlandtsen Hovenier*, Amsterdam 1679.

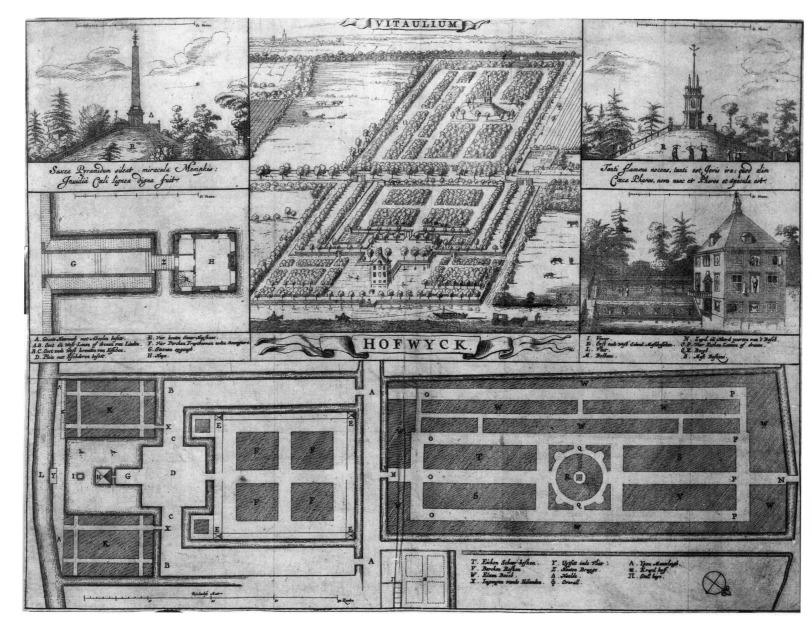

4. Aanzicht en plattegrond
van Hofwyck, illustratie
bij C. Huygens' hofdicht
*Vitaulium. Hofwyck. Hofstede
van den heere van Zuylichem*

onder Voorburg, Den Haag
1653.

Dat Van der Groen in zijn hoofdzakelijk vanuit de praktijk opgezette tuintractaat toch zo expliciet aan deze schrijvers (de zogenoemde 'hofdichters') en hun werken refereert – zelfs in zijn inleiding uitvoerig citeert – bewijst het belang dat deze hofdichten voor hem vertegenwoordigden. Ze bezaten kennelijk meer dan een louter literaire functie. Wat kon Van der Groen en met hem zijn 'naukeurigen Leser, die den lof en nuttigheyt van 't buyten leven verder wil ondersoeken' in deze gedichten lezen?

Het bezingen van een buitenplaats door middel van een hofdicht was in de 17de en 18de eeuw dermate algemeen dat men wel van een apart literair genre spreekt.[6] Als genre werd het hofdicht niet door de minste dichters beoefend. Huygens en Cats – diplomaat en staatsman – waren de auteurs van de meest invloedrijke hofdichten. Daaruit spreekt niet alleen hun literaire talent, maar ook hun grote praktische kennis van en persoonlijke belangstelling voor tuinieren en tuinkunst. Huygens' gedicht op zijn buitenhuis met tuin bij Voorburg *Hofwyck* (1653), is een van de langste hofdichten (2824 verzen) (afb. 4). Van Cats mag met name het tweede deel van de *Ouderdom en buytenleven*, waarin hij zijn tuin *Sorghvliet* bij Den Haag beschrijft (1656), gelden als hofdicht; het is echter veel beperkter in omvang (afb. 5).[7]

Het hofdicht werd als genre bepaald door traditionele literaire conventies en creëerde een voorstelling van de tuin, waarbij de motieven ontleend waren aan de werkelijkheid en werden vermengd met de literaire verbeelding. Afhankelijk van het talent van de dichter en, zo mogen we aannemen, de wensen van de opdrachtgever, geeft het gedicht bijna altijd een – topografisch herkenbare – rondgang door de tuin.[8] Bloembedden, boomgaard, keukentuin, vaak met een opsomming van bloemen, bomen, vruchten en groenten, komen samen met andere bezienswaardigheden aan bod. Dikwijls benadrukken de schrijvers de praktijk van het tuinieren: het zaaien, planten, enten en snoeien worden door Cats bijvoorbeeld uitvoerig genoemd. Voor hem is de ontginning van arme gronden, waarvoor hij zijn buiten Zorgvliet bij Den Haag in de duinen als voorbeeld aanhaalt, in economisch én zedelijk opzicht heilzaam. De opbrengst van de tuin beschouwen Cats en de meeste andere hofdichters als goede gaven van God, waarvan men, mits dankbaar, gebruik mag maken. De tuin is er niet alleen voor materieel genot. Telkens wordt de stichtende en di-

dactische waarde van Gods natuur benadrukt: de tuin is een afspiegeling van het Paradijs, of van Gods schepping. Bij Huygens en vooral bij Cats is de natuur een bijbel die morele en godsdienstige lessen leert. In de kleinste natuurverschijnselen als bloem, bij en spin, de bladeren aan de bomen of de schelpen in de grot openbaart zich Gods grootheid en de rijkdom van zijn schepping (afb. 6, 7). Van der Groen citeert met instemming Jacob Cats:

't Wierd Adam opgeleyd het Paradijs te bouwen,
Om in dat schoon Prieelen den Schepper aen te schouwen
Te sien sijn hoog beleydt, en onbegrepen macht,
En wat hy voor den mensch in wesen had gebracht.
Het Veldt heeft wonder in, de stomme Boomen spreecken;
Ja, dat noch hooger gaet, de domme Beesten preeken;
Niet een soo kleynen Dier, niet een soo teeren Kruydt,
Of 't roept, ook sonder stem, den Grooten Schepper uyt.'

Deze emblematische en religieuze natuurbeschouwing, die we ook in de theologie en wetenschap van die tijd tegenkomen, doet deze Nederlandse hofdichten overigens afwijken van vergelijkbare dichtwerken in de Franse, Italiaanse of Engelse taal.[9]

De meeste hofdichters zien deze praktische en beschouwelijke betekenis van het buitenleven in samenhang met de studie van literatuur en kunst. Zonder een bibliotheek, zonder erudiete discussies met vrienden over de geschiedenis van de oudheid, de letterkunde, de mythologie, de kunst en de filosofie, zou het leven op het land incompleet zijn. Het buitenleven vertegenwoordigt een dubbelideaal van natuur en cultuur en deze achtergrond is van fundamenteel belang voor vorm, inhoud en beleving van de natuur in de tuin.

BIJBELSE EN KLASSIEKE VOORBEELDEN

Veel van de thema's die de dichters in hun hofdicht gebruiken, ontleenen zij aan de literatuur van de Oudheid, die in de cultuur van de Italiaanse renaissance een nieuwe betekenis hadden gekregen. Met name Vergilius (70–19 voor Chr.) en zijn dichtwerk de *Georgica* is bepalend geweest voor een groot aantal literaire conventies over het buitenleven en de landbouw, die we in de hofdichten aantreffen.[10] Zijn lange leerdicht beschrijft in vier boeken de landbouw, het kweken van bomen, de veeteelt en de bijenteelt. Hoewel dit klassieke

van St. Aldegonde zie respectievelijk Thompson 1965, 46; Lipsius, Boek II, hoofdstuk I–III; Cornelissen 1940.

5 Voor deze hofdichten zie Van Veen, 1960.
6 Zie Van Veen 1960.

7 Voor Huygens zie ondermeer Van Pelt 1981 en De Vries 1978 en 1987. Voor Cats, Dominicus-van Soest 1988.

8 Voor het hofdicht als bron voor onze kennis van de tuinarchitectuur zie de hoofdstukken over

Heemstede en Zijdebalen.

9 Voor theologie en wetenschap zie Van Veen 1960, 208–215.

10 Voor de invloed van Vergilius op het hofdicht zie Van Veen 1960, 140–47.

werk oorspronkelijk niet als handleiding voor de boer was geschreven, maar veeleer was bedoeld als lyrische literatuur die de reputatie van het leven op het land voor de erudiete stadsmens moest vergroten, genoot de *Georgica* lange tijd grote faam, zowel om de land- en tuinbouwkundige beschrijvingen als om de erin voor komende literaire verheerlijking van het pastorale buitenleven. Een van de belangrijkste passages van de *Georgica* wordt gevormd door de lof op het landleven aan het einde van Boek II (vers 458-542), die tegelijkertijd als rechtvaardiging voor het schrijven van het gedicht fungeert.[11] Ondanks de soms harde omstandigheden kan de landman zichzelf buitengewoon gelukkig noemen met de gunsten van natuurgoden als Ceres, Bacchus, Pan en de Nimfen. Hém immers schenkt de aarde haar giften, hem valt direct de tinteling van de lente ten deel en hem is de vreugde beschoren van het zien van een regelmatige aanplant van bomen. Deze lofzang roemt het geluk van het landleven waar eenvoud en rechtvaardigheid heersen en men ver is van stadse luxe en wereldse ambitie. In het landleven reflecteert zich de mythische Gouden Eeuw waar in plaats van wapengekletter de vrede regeert: 'O fortunatos nimium, sua si bona norint, agricolas! [...]', 'O huislien [landvolk], men moght u met recht geluckigh schatten / Die buiten krijghskrackeel, in uwen schoot geniet / De voedtzaemheit, daer d'aerde u milt mede overgiet, / Rechtvaerdigh u verleent.'[12]

Veel geciteerd werd Vergilius' versregel 'laudatio ingentia rura, exiguum colito' door Vondel vertaald als 'Dus prijs een groot vergrijp [landgoed], maar bou en ploegh een kleen / En vruchtbaer akkerlant', alsof men ermee wilde beweren dat al dit landelijk geluk voor eenieder binnen handbereik lag.[13] Was het ook niet kenmerkend voor de Gouden Eeuw dat zij op ieder moment kon terugkeren en voor het Paradijs dat men zelf aan een reconstructie daarvan kon bijdragen? Geïnspireerd door Vergilius bracht het leven op het land een liefde bij tot het landschap en tot beek, bron en bos.

Met de centrale versregel 'felix, qui potuit rerum cognoscere causas' (in Vondels vertaling: 'Geluckigh is hy, die der dingen oirzaeck weet') bracht Vergilius in deze context van elegische lof op het landleven ook een liefde tot de natuur naar voren met een wetenschappelijk-filosofisch karakter.[14] Buiten immers leert men de loop van zon, maan en sterren kennen, de betekenis van de seizoenen en de eigenschappen van de aarde en de drie rijken der natuur, van planten, mineralen en dieren. De natuur vormt de bron bij uitstek voor het vergaren van kennis en voor het uitvoeren van wetenschappelijke experimenten. Voor de 17de- en 18de-eeuwse lezers van zijn werk zouden deze verschillende aspecten van Vergilius' natuurbeleving dan ook een grote aansporing blijken tot het verheerlijken en het verkennen van de natuur.

Vergilius' reputatie in de Nederlandse hofdichten geeft goed aan hoe de belangstelling voor de tuin was ingebed in opvattingen over buitenleven en boerenbedrijf. Vergilius liet in de *Georgica* het beschrijven van tuinen aan een latere generatie schrijvers over, een suggestie die de 17de-eeuwse hofdichters zich ter harte lijken te hebben genomen.[15] Naast de *Georgica* waren de laatromeinse schrijvers Cato (234–149 voor Chr.), Varro (116-26 voor Chr.), Columella (ca. 4 voor tot 70 na Chr.) en Palladius (4de eeuw na Chr.) populair.[16] Zij stonden te boek als de *scriptores rei rusticae* omdat ieder van hen tractaten over de landbouw had geschreven.[17] Ook deze waren in eerste instantie niet als handleidingen voor de boer bedoeld, maar als propaganda voor en verheerlijking van het leven in een hoeve of villa op het land, ver van de stad. Toch werden hun boeken als praktische compendia geraadpleegd. Van deze auteurs was Columella de meest systematische. Zijn praktische beschrijvingen behelsden bodemgesteldheid, wijnstok, vee, pluimvee, bijen, snoeien, enten en oculeren, ziekten, en een jaarkalender van werkzaamheden. Hij was de eerste die, aangespoord door Vergilius, een apart hoofdstuk in versvorm schreef over de *Cultura Hortorum*, de tuin en haar planten, en een beschouwing wijdde aan de bomen (zijn *De Arboribus*). Daarmee werd deze auteur

11 Vgl. voor een studie over de *Georgica*, Wilkinson 1978.

12 *Georgica* vers 458/459, de vertaling is uit Vondels *Lantgedichten* (ed. Van Lennep Deel VIII), Bk II, vers 649–653.

13 *Georgica* vers 412/413, de vertaling is uit Vondels *Lantgedichten* (ed. Van Lennep Deel VIII), Bk II, vers 588/589.

14 *Georgica* vers 490, de vertaling is uit Vondels *Lantgedichten* (ed. Van Lennep Deel VIII), Bk II, vers 704. Overigens gaat Vergilius hier terug op een gedachte van Lucretius in zijn *De Rerum Natura* 3.1072.

15 Vergilius, *Georgica*, Boek IV, vers 116 en verder.

16 Vgl. A.R. Littlewood, 'Ancient Literary Evidence for the Pleasure Gardens of Roman Country Villas', in E.B. MacDougall (ed.), *Ancient Roman Villa Gardens*, Washington D.C. 1987 (Dumbarton Oaks Colloquium on the History of Landscape Architecture X), 7–31.

17 Vgl. Cato's *De re rustica*, Varro's *Rerum rusticarum libri III*, Columella's *De re rustica Libri XII*. Tot dit genre behoort ook Palladius' *De re rustica* (uit de vierde eeuw na Chr.).

18 Columella's boek was de basis voor Piero de Creszenzi's *Commodorum Libri XII*, in 1305 in handschrift, in 1471 voor het eerst in druk verschenen. Als laatmiddeleeuws tractaat verbond het de landbouwkundige tractaten van de antieke wereld met de latere 'hausväter'-literatuur. Via De Creszenzi vinden we Columella's invloed op ondermeer Charles Estienne's *Praedium Rusticum* (Parijs 1554), in 1564 en 1565 in de Franse taal uitgebreid door Estienne en Liébault onder de titel *L'Agriculture et la Maison Rustique*. Dit populaire tractaat verscheen in het Italiaans, het Engels en het Duits en in 1582 in het Nederlands onder de titel *De Veltbouw ofte Lant-winninghe* (bij Carel

het voorbeeld voor de opzet van vele latere landbouw- en tuintractaten.[18]

Uit de correspondentie van Huygens met de dichter Westerbaen en het hoofd van de Bredase Hortus Medicus, Johannes Brosterhuysen, weten we dat zij in hun discussie over de kweek en de cultuur van planten en andere gewassen herhaaldelijk refereerden aan de door hen gelezen klassieke auteurs.[19] Huygens noemde de *scriptores rei rusticae* zelfs zijn 'huisvrienden', en zijn gebruik van hun voorschriften blijkt ondermeer uit aantekeningen in de marge van zijn gedicht *Hofwyck*.[20]

Overigens werden naast deze auteurs ook nog tal van andere klassieke schrijvers gelezen, zoals de brieven van Plinius (ca. 61–113 na Chr.), waarin deze een uitvoerige beschrijving geeft van huis en tuinaanleg van zijn villa's in Laurentum (aan zee in de buurt van Rome) en in Toscane (aan de voet van de Apenijnen).[21]

Voor de 17de-eeuwse lezer verbeeldden deze twee brieven de complete idee van een volmaakte Romeinse tuin, waaraan natuur en kunst ieder hun bijdrage (apart en in samenhang) leverden. Bij beide villa's speelt de onderlinge relatie van landschap, huis en tuin een belangrijke rol. Veel aandacht besteedt Plinius aan de oriëntatie op zon en wind, die er ook voor moet zorgen dat het huis koel in de zomer en warm in de winter is. Verscheidenheid in het ontwerp moet zorgen voor een aaneenschakeling van binnenvertrekken en binnenplaatsen die door colonnades, begroeide arcades en vensters in verbinding gebracht worden met de terrassen waarop de tuin is aangelegd en met het omringende landschap. Het uitzicht wordt door Plinius van eminent belang geacht. In Laurentum kon men uitzien op zee, bergen en een ruraal landschap. In Toscane daarentegen vormde de vlakte met beboste bergen één groot amfitheater 'zoals dat alleen maar een werk van de natuur kan zijn' en getuigden wijngaarden, weiden, korenvelden en waterlopen van overdadige vruchtbaarheid. De rijke aanwezigheid van water maakte in zijn Toscaanse villa de aanleg van fontei

nen, waterwerken en een ornamentale vijver met waterval mogelijk, een lust voor oog en oor die Laurentum moest ontberen. Een fresco met vogels op takken sierde een klein vertrek met borrelende fontein, verschillende baden zorgden voor andere afleiding. *Ars topiaria* of vormsnoei was overal aanwezig. Zo spelden in vorm gesnoeide buxusplanten de naam van de tuinman en van Plinius zelf, terwijl als kleine obelisken geknipte buxus afgewisseld werd met fruitbomen. Deze ornamentale natuur werd op een onverwacht moment gecontrasteerd met de ongecultiveerde charme van landelijke natuur, door Plinius als bewuste navolging daarvan ('ruris imitatio') aangeplant. Ook geven de brieven een idee van de sociale functie van de villa: hij ontvangt er zijn vrienden, er wordt gegeten, gebaad en paardgereden; lichaam en ziel ontspannen zich door de afwisseling van wandelen en rusten. Villa- en tuinleven stonden voor *otium*, de eerbaar doorgebrachte vrije tijd die in schril contrast stond met de eisen en plichten van de *negotium*, het leven in de stad, gewijd aan stadse politiek of zaken.[22]

Invloedrijk was ook Horatius' *Tweede Epode*, het fameuze *Beatus ille qui procul negotiis [...]*, dat, ondanks de oorspronkelijke satirische strekking, in de 17de eeuw beschouwd werd als de lyrische samenvatting van de klassieke lof op het buitenleven.[23] In de hofdichten vinden we verschillende varianten op dit gedicht, zoals in Arnold Hoogvliets *Zydebalen* uit 1740:

'Gelukkigh is de mensch, die, buiten heerschappy,
Van waereltzorgen, en van magere armoê vry
Door staatzucht, zelfbelang, noch eigenmin gedreven,
Van niemant, dan van Godt afhanglyk, stil kan leven'

Uit Hoogvliets verwerking van het *beatus ille*-thema blijkt dat de autoriteit van de klassieken geenszins in tegenspraak was met een christelijke visie: de tuin is zowel een aards paradijs als een klassieke tuin der Hesperiden. Al in de middeleeuwse literatuur werden de

23

Plantijn te Amsterdam). De essentie van Columella's opzet vinden we ook terug in de diverse almanakken, in Van der Groens boek alsook in P. de la Courts, *Byzondere Aenmerkingen over het aenleggen van pragtige en gemeene Landhuizen, Lusthoven, Plantagien en aenklevende cieraeden*, Leiden 1737.

19 Zie Van Veen 1960, 128. Vergelijk ondermeer Van Seters 1953.

20 'Scriptoribus rei rusticae Latinis, M.Catone, puta, Tèr. Varrone, Palladio et L. Columella, contubernalibus in Vitaulio meo, uti soleo quam familiariter [...]', zie J.A. Worp, *Briefwisseling*, V, pag. 184–85 (brief van Huygens aan de Leidse bio-

loog A. Vorstius, 1653). In Huygens' bibliotheek vinden we de werken van deze schrijvers: zie *Catalogus der Bibliotheek van Constantijn Huygens [...] 1688*, uitgegeven naar het eenig overgebleven exemplaar, 's-Gravenhage, W.P. van Stockum en Zoon, 1903. In de tweede editie van *Hofwyck* in de *Korenbloemen* van 1658, verwijst Huygens, als hij de plek die hij voor zijn eigen Hofwyck heeft gekozen beschrijft, in de marge naar Cato's voorschriften voor de meest gunstige ligging van een boerderij c.q. villa. Zie De Vries 1978, 308.

21 Vgl de briefwisseling van Huygens en Westerbaen (zie noot 20) die blijk geven Plinius te heb-

ben gelezen. De tweede editie van J.F. Félibien des Avaux' reconstructie van Plinius' villa te Laurentum, *Les plans et les descriptions de deux des plus belles maisons de campagne de Pline le Consul [...]*, verscheen in 1706 in Amsterdam (eerste editie Parijs 1699). Deze uitgave werd in 1736 nogmaals in Amsterdam herdrukt als *Délices des maisons de campagne appelées le Laurentine et la Maison de Toscane*. Voor de invloed van Plinius' beschrijving zie: *La Laurentine et l'invention de la villa romaine*, Parijs, Editions du Moniteur, 1982. Voor de brieven zie de uitgave *The letters of the younger Pliny*, vertaald door B. Radice, Harmondsworth 1977, Boek II,

geschriften van de klassieke landbouwschrijvers overgeschreven vanwege de daarin vervatte kennis en werden hun teksten uitvoerig van christelijk allegorische interpretaties voorzien.[24] In het eerste hofdicht in de Nederlandse taal, *De Binckhorst* van Philibert van Borsselen uit 1613, vinden we niet alleen tal van verwijzingen naar klassieke auteurs, maar ook naar theologen als Augustinus. Van Borsselens grote voorbeeld was een gedicht uit 1578, *La Sepmaine* van de protestantse schrijver Du Bartas. Hierin wordt een beschrijving gegeven van de eerste dagen van de schepping, een schepping die Du Bartas beschouwt als openbaring Gods, een opvatting die we in *De Binckhorst* vele malen aantreffen.[25]

In hun verweving van klassieke en christelijke thema's en in hun aandacht voor de seizoenen, voor bloemen, planten en bomen, voor het snoeien en enten, weerspiegelen de hofdichten de grote voorliefde voor de tuin als een belangrijk onderdeel van de 17de- en 18de-eeuwse cultuur. Verschillende opdrachtgevers zouden door een hofdichter hun tuin laten bezingen.[26] En op hun beurt werden de hofdichters, zoals Cats en Huygens, om hun praktische raadgevingen en ideale verwoording van de liefde tot het buitenleven geciteerd. Zowel voor een hovenier als Van der Groen als voor een belangrijk botanicus als Caspar Commelin zijn beide hofdichters kennelijk met dezelfde autoriteit bekleed als klassieke auteurs.[27] Voor ons inzicht in de tuincultuur van de 17de en 18de eeuw zijn zij een belangrijke bron voor de ideeën die bij het ontstaan en het vormgeven van een Nederlandse variant van het buitenleven zo'n waardevolle rol hebben gespeeld. Op het Hollandse polderland kon men zich tot ver in de 18de eeuw in een classicistische villa, gezet in een geometrisch aangelegde tuin temidden van landbouwgebied, een tweede Cato of Plinius wanen. Zij het dat men hier het landleven tegelijkertijd met een christelijk en moraliserend oog beschouwde (afb. 7).

GESCHIEDENIS VAN DE TUINKUNST
Het belang van het klassieke voorbeeld wordt door Van der Groen nog eens bevestigd als hij in zijn *Inleyding* schrijft dat 'de eerste die men weet, dat de *Lust-hoven* in eenige schickelyke orden hebben gebracht, zijn geweest de oude Romeynen'. Zij zijn de grondleggers van het buitenleven en de tuinkunst waarin ze door de 16de-eeuwse Italianen zijn nagevolgd. Zo is Italië de bakermat van de tuinkunst gebleven en vandaaruit heeft zich deze 'lustige vermakelijkheyt' door heel Europa verbreid. Deze ontwikkeling van de tuinkunst wordt door Van der Groen heel summier als een historisch proces geschetst dat zich kenmerkt door verbetering van de Romeinse modellen door de recente Italiaanse. Verbetering betekent voor hem een toename van 'nieuwigheden' die de tuinkunst tijdens de verspreiding buiten Italië hebben verrijkt. Voor de auteur is Frankrijk in die ontwikkeling het voorlopig hoogtepunt, dat de oude Romeinse modellen overtreft. Daar pronken niet alleen vorsten en prinsen, maar ook hovelingen met 'Lust-hoven als aertsche Paradijsen'.

Van der Groen brengt hier niet voor niets de eerbiedwaardige herkomst van de tuinkunst naar voren. Als hovenier van de Nederlandse stadhouder is hij vast en zeker extra gevoelig geweest voor de lange traditie van vorstelijke opdrachten op zijn gebied. Het verhoogde immers het aanzien van zijn eigen positie. Het hoveniersvak dat hij beoefende werd geenszins gewaardeerd als bijvoorbeeld het architectenvak. Het aanleggen van een lusthof werd zelfs niet als een van de geaccepteerde kunsten zoals schilder- en beeldhouwkunst beschouwd. Maar voor Van der Groen kon de tuinarchitectuur daar zeker mee wedijveren, deze kunstvormen zelfs overtreffen, want was Italië niet mede 'onder andere uytstekentheden', door haar tuinkunst beroemd?

In deze opvatting stond Van der Groen niet alleen. Een lange traditie verbindt zijn uitspraak met die van anderen die vanaf de 16de eeuw in Nederland trachtten de beoefening van de tuinkunst van een op historische gronden gevestigde waardigheid te voorzien. Prestigieus waren de voorbeelden die men kon aandragen. In 1584 schreef de filosoof en humanist Lipsius in zijn in Leiden verschenen tractaat *De Constantia* (*Over standvastigheid bij algemene rampspoed*) dat het tuinieren een bezigheid is waartoe de beste en zachtzinnigste karakters zich

nr 17 (pag. 75–79) en Boek V, nr 6 (pag. 139–144).

22 Vgl. Coffin 1979, hoofdstuk I.

23 Van Veen 1960, ondermeer 126 en 140.

24 Zie Van Veen 1960, 148.

25 Voor de invloed die de traditie van de hexameron (de preekteksten over de eerste dagen van de schepping) op Du Bartas heeft gehad en zo indirect op het Nederlandse hofdicht zie de interessante suggesties van C.H. Staal, *Bijen op de Binckhorst – een speurtocht naar renaissancistische imitatio in een Nederlands hofdicht*, ongepubliceerde docto-

raalscriptie R.U. Utrecht 1975. De auteur traceert de bronnen van De Binckhorst naar tal van klassieke en middeleeuwse bronnen. De invloed van Augustinus komen we ook tegen in het sterk christelijk-allegorische hofdicht van E. Meyster *Des weerelds Dool-om-berg ont-doold op Dool-in-bergh*, Utrecht 1699.

26 Van Veen 1960 verzamelde zo'n honderdvijfentwintig hofdichten uit de 17de en 18de eeuw. Recentelijk werd daar nog een aantal aan toegevoegd, zie De Vries 1985.

27 In Commelins boek over de citruskweek, de *Nederlantze Hesperides* (1676), worden herhaaldelijk voorbeelden uit de praktijk ten aanzien van mesten en enten afgewisseld met citaten van Palladius, Vergilius' *Georgica* (in de vertaling van Vondels *Lantgedichten*) en Cats.

28 Schrijvers 1983, 88 en verder.

29 Dit gegeven kent zelf een Romeinse herkomst en is te vinden in Plinius' *Historia Naturalis* Boek VIII, hoofdstuk 3: 'Imperatorum olim manibus colebantur agri [...]'.

van nature aangetrokken hebben gevoeld.[28] Er is geen liefhebberij waarover 'de elite van alle volken het zo hartstochtelijk eens is'. Zij is zo oud als de wereld, want met het ontstaan ervan schiep God zelf de tuin van het Paradijs voor de mens als 'woonstee en verblijfplaats voor een gelukzalig leven'. Lipsius vond in de literatuur uit de oudheid het voorbeeld van de legendarische tuin der Hesperiden, waar de gestorven zielen van helden zich ophouden. Bij Homerus las hij over de tuin van Alcinoüs, de klassieke geschiedschrijvers verhaalden hem van koning Cyrus, die eigenhandig boomgaarden aanlegde, en van Semiramis met haar hangende tuinen in Babylon. Belangrijker voorbeelden om de nobele eenvoud van het tuinbedrijf te bewijzen, vond Lipsius in de Atheense filosofen die zich ver van de wereld in belommerde tuinen en zuilengaanderijen overgaven aan bespiegelingen over hun vak. Wereldse heersers, politici en legeraanvoerders als Tarquinius, Cato, Lucullus, Sulla en Diocletianus zochten in Rome na hun openbare leven het genot van de tuin of wijdden zich na een eervolle militaire carrière aan de eenvoudige, maar zedelijk verheffende taken van de landman en de hovenier.[29]

Dankzij deze voorbeelden kon ook Lipsius zelf een lofprijzing op de tuin van zijn vriend Langius houden. De beoefening van de tuinkunst was immers meer dan louter vuil boerenhandenwerk, meer dan enkel een plaats van ijdel plezier. De tuin was een plaats van geestelijke en lichamelijke arbeid, een oord van contemplatie over deugd, rede en goddelijke voorzienigheid.

Varro had al geschreven dat de landbouw, waartoe de tuin als bezigheid behoorde, een belangrijke en nobele kunst was, die gepaard ging met wetenschap.[30] En er was niet alleen het profijt van te vergaren vruchten, maar ook het plezier van te verwerven vreugden.[31] Deze combinatie van het nuttige en het aangename, van puur mechanisch handwerk en vreugde verschaffende kunst en wetenschap, maakte de beoefening van de landbouw en de tuinkunst tot de ideale bezigheid van de dilettant. Bij zijn villa of elders kon hij zich naar hartelust overgeven aan een ontspannen en eerbaar handenwerk waarvoor hij zich niet hoefde te schamen. Daarom waren de vergelijkin-

gen met illustere voorgangers uit het verleden zo populair. Veel verschillende bronnen refereren aan de eerbiedwaardige status van 'het soet vermaeck ontrent de groene kruyden'.[32] We treffen ze aan in de almanakken en in de hofdichten, zoals bij Cats, die de landbouw en het buitenleven op een hoog voetstuk plaatst.[33] Bij hem behoren geleerden en keizers, bijbelse en klassieke personen tot de beroemdheden die het leven op de boerenhoeve verkozen: Mozes, Abraham en Isaäk, Cato, Diocletianus, Cincinnatus, Lucullus, Sulla, Seneca en uit recenter tijden Karel v en De Busbecq.[34] In tuintractaten vinden we de notie bijvoorbeeld in Commelins *Nederlantze Hesperides* (Amsterdam 1676), waarin deze zijn lezers met nadruk op hun hoogstaande voorgangers wijst, omdat het kweken van gewassen 'meer het werk schijnt van een Boer, als van aanzienlijke Persoone'.[35]

Op velen die zich met de tuinkunst bezighielden, hebben deze ideeën een grote aantrekkingskracht gehad. Hun uitlatingen werpen een belangrijk licht op de achtergronden waartegen het 17de- en vroeg 18de-eeuwse buitenleven eigenlijk begrepen moet worden. Als buitenplaatsbezitter verschaft Christoffel Beudeker in zijn *Historische Aantekeningen, en Aanmerkingen* bij het hofdicht op zijn lustplaats Soelen uit 1742, uitvoerig bijzonderheden over zijn illustere voorgangers. Claes Bruin dichtte in hetzelfde boek:

'Zo wierd de Lusthof een uitspanning van vermaak / In leedige uuren: toen wierd eerst de zuiv're smaak / Genooten van de vrucht der groene veldplantagie; / [...] Dus wies van eeuw tot eeuw de hoevenkweekery / En zeker 't zette haar geen 'kleenen luister by / Dat Koningen 't gemeen hier gingen in te boven.'[36]

Het persoonlijkst en meest direct vinden we dit gedachtengoed in de 'Schetz' over het buitenleven, die de Nederlandse lijfarts van tsaar Peter de Grote, Nicolaas Bidloo (1674/75–1735) in handschrift voegde bij negentien eigenhandige tekeningen van de door hem aangelegde tuin bij Moskou (afb. 8).[37] In dit document, dat Bidloo ca. 1720/1730 als aandenken voor zijn kinderen samenstelde, refereert deze doopsgezinde arts allereerst aan het paradijs dat God plantte voor 'nooddruft en vermaak' van het eerste mensenpaar. Ook als zij niet

30 Varro, 185: 'non modo est ars, sed etiam necessaria et magna eaque est scientia'.

31 Ibidem. De boer streeft 'ad utilitatem et voluptatem; utilitas quaerit fructum, voluptas delectationem'.

32 Cats 1656, 38

33 Voor de almanakken zie *De Verstandige Huys-Houder*, Amsterdam 1661, 1ste en 3rde boek; *Derde Deel van de Wijse Jaer-Beschrijver Vertoonende D'Ervaren Landt-Bouwer*, Amsterdam 1661, voorbericht.

34 Cats 1656, 43 en Van Veen 1965, 33. Al in het eerste Nederlandse hofdicht, Philibert van Borsselens *Binckhorst* uit 1613 komt dit thema voor: 'Soo heeft de vrome Heer Scipio sich beraden [...] / In 't eensaem Linternum zijn grijsen cop verbannen / met zijne strijdbaer hand zelfs d' ossen ingespannen, / End 't corendrachtigh land met een gelijcken vlijt / Als eer den strengen crijgh geoeffent langen tijd.' Muller 1937, vers 1037–1044.

35 Commelin 1676, de voorrede. Ook in het belangrijke tuintractaat van Dezailler d'Argenvil-

le, *La Theorie et la Pratique du Jardinage*, Parijs 1709 (tweede druk Den Haag 1711, vervolgens Den Haag 1715 en 1739) vinden we in het eerste hoofdstuk (editie van 1739, 5) het voorbeeld van de vorsten achter de ploeg.

36 Bruin 1742, 4,5. Voor de beschrijving van de historische voorgangers in het gedicht pag. 2–32 en in de *Historische Aantekeningen*, pag. 144 en verder.

37 D. Willemse, *The Unknown Drawings of Nicholas Bidloo, Director of the first Hospital in Rus-*

door de Schepper hieruit verjaagd zouden zijn, dan nog was hun omvangrijk nageslacht wel gedwongen geweest zich in de wereld te verspreiden om een lusthof te zoeken, wat niet zo moeilijk is 'dewijl de
gehele wereld niet dan een lustprieel is'. In Bidloo's nuchtere visie was
het onvermijdelijk dat door arbeid de aarde in cultuur gebracht moest
worden om voedsel te kunnen voortbrengen. Gelukkig werd de mens
hierin bijgestaan door zijn verstand, evenals het handenwerk een
Goddelijke gave.

Arbeid, sinds mensenheugenis een essentiële voorwaarde voor het
bestaan, zorgt ervoor dat de 'landbouwConst, zo nut, noodzaekelijk
voor 's menschenleven en van God tot / voedzel & vermaak gebouwd'
in betekenis zelfs andere kunsten en wetenschappen overtreft. Zowel
vorst als boer was immers de aantrekkingskracht tot de eenvoud en
moreel zuiverende werking van het landleven aangeboren. Bidloo's
woorden zijn illustratief voor de 17de- en 18de-eeuwse zienswijze:
'Ziet men niet Monarchen van haar Throon, Raadsheren, Veldheren / van haar wigtig bewind, zeer geleerde & wijze lieden & vele /
andere van haar woelen afstappen, haar bezigheden als onnut / of immers al te lastig verlaten, en een van de redelijkste, ge / oorloofdste Ja
gebodene verlustiging Ja uijtspanning & rust / op 't land zoeken, daar
van zijn bewijzen.'

Die bewijzen zocht ook Bidloo dit keer niet in Bijbelse voorbeelden maar in klassieke, want hij verwijst direct naar Vergilius, een
ruimte na deze auteur openlatend om later nog andere namen in te
vullen: 'wat schreven Virgilius [...] & vele andere daar heerlijk /van,
die schoon het haar zomtijds niet gebeuren mogt dat te genieten /
Evenwel de zoetigheid en waardigheid daarvan gekend hebben./Men
kan zeggen, dat geene oeffening, geene wetenschap, verma / kelijker,
nutter, geoorloofder zekerder, en met minder zonden / vermengd is,
als het landleven. Die daar een gerust geweten heeft / mag men zeggen dat reeds in 't Paradijz is. Hier gelden geen/bedriegerijen of slimme Streeken, hier moet men arbeijden, en de / zegen en wasdom van
God wagten, die wanneer sij comt niemand / als hem voor hebben te
dancken, wel wetende, dat wij de winst en / het vermaak alleen door
hem ontfangen O! aangenaeme en / regtveirdige winst met vermaak
& Een gerust geweten vermengd.'

Christelijke ethiek vermengd met klassiek gedachtengoed bepaalt
hier, evenals in de hofdichten, de ideeën over het buitenleven. Bidloo

was zo in staat de aanleg van zijn 'thuijn & Cleijn landleven' te rechtvaardigen als onderdeel van zijn *otium* waar hij na een dienstbaar
leven recht op had en dat hij op deze wijze niet ijdel doorbracht.
Dat tsaar Peter herhaaldelijk zijn 'Vergiliaans paradijs' bezocht (ook
indien hijzelf afwezig was) kon voor Bidloo alleen maar bewijzen dat
de liefde tot het buitenleven vorsten inderdaad was aangeboren.[38]

VREDESKUNST

Lof op de tuinkunst en op het buitenleven, die blijkens Bidloo's karak-
teristiek 'thuijn en Cleijn landleven' als synoniemen golden, heeft een
belangrijke rol gespeeld bij de verheerlijking van vorsten of prinsen
die zichzelf actief bezig hielden met de aanleg van een tuin. Een duidelijk voorbeeld daarvan is de rede die Johannes Brosterhuysen in
1647 ter gelegenheid van de oprichting van de Illustere School in
Breda uitsprak aan het adres van prins Frederik Hendrik.[39] In zijn
'Lof over de Planten' refereert deze spreker aan de nobele, schone en
nuttige studie van de plantenwereld die op zo'n eerbiedwaardige ouderdom mag bogen. Salomo, Cyrus en de Romeinse keizers, 15de-
eeuwse vorsten als Alphonsus van Napels en Frederik Hendriks tijdgenoot Lodewijk XIII van Frankrijk brachten planten in tuinen bijeen.
In deze traditie plaatste Brosterhuysen naast diens taken als krijgsman
Frederik Hendriks voorliefde voor de tuinkunst als 'tranquilissimam
pacis artem' (de tot grote rust brengende kunst van de vrede).[40] De
tuinkunst is een vredeskunst. We mogen in Brosterhuysens woorden
een weerklank lezen van Vergilius' opvatting over het landleven als
een Gouden Eeuw 'procul discordibus armis', ver van gewapend, ver-
nietigend geweld. De beoefening van de tuinkunst geeft tegenwicht
aan martiale deugden en brengt deze in evenwicht: oorlogs- en vredeskunst strekken beide de vorst tot deugd en eer. Deze waardering
voor buitenleven en tuinkunst op een vorstelijk niveau was niet zonder belang. De tuinen van de buitenverblijven Honselaarsdijk en Ter
Nieuburgh, met het ontwerp waarvan Frederik Hendrik zich in de
jaren 1630 en 1640 zelfs tijdens zijn veldtochten intensief bezighield,
laten zich verklaren uit een bewuste oriëntatie op een lange traditie.
Daarmee werd de tuinkunst geïncorporeerd in de stadhouderlijke belangstelling voor kunsten en wetenschappen en een wezenlijk be-
standdeel van het mecenaat aan het Oranjehof.[41] Als onderdeel van de
politieke propaganda voor de Oranjes diende de op bijbelse en klas-

sia, Voorburg 1975, geeft een transcriptie van dit
document (Universiteitsbibliotheek Leiden BPL
2727) op pag. 49–50. Voor de tuin van Bidloo zie
De Jong 1981.

38 Dit feit wordt door Bidloo zelf vermeld,
maar is ook bekend uit het dagboek uit 1721–25
van Friedrich Wilhelm von Berholz dat in vier

delen van 1785 tot 1788 werd gepubliceerd in *Magazin für die neue Historie und Geographie (Büschings
Magazin)*, zie ondermeer Deel II in jaargang 20
(1786), 532 (17 September 1720).

39 Brosterhuizen 1647, 'Oratio Inauguralis de
Stirpium Laudibus'.

40 Ibidem, 154: 'Et tandem turbidis hisce tem-

poribus, cum undique totis usque adeo turbatur
agris, tamen Celsissimus Heros noster Auriacus
Horticulturam mediatur; tranquillissimam pacis
artem cum inquietissimo belli excercitio socians,
hancque insignem quoque laudem adjiciens mili-
taris suae gloriae summo cumulo.'

41 Volgens een brief van Constantijn Huygens

sieke leest geschoeide tuinkunst tegelijkertijd als model van buitenleven voor adel en burgerij.

DE BAKERMAT: ITALIË

Het is niet waarschijnlijk dat Van der Groen de naar zijn zeggen beroemde Italiaanse tuinarchitectuur uit de 16de en 17de eeuw met eigen ogen heeft gezien. Een dergelijke ervaring was wel weggelegd voor die jonge Nederlanders die als verplicht onderdeel van hun opvoeding een 'educatiereis' naar Italië en Frankrijk ondernamen.[42] Uit bewaard gebleven reisbeschrijvingen kunnen we ons een goed idee vormen van de indruk die het Italiaanse buitenleven en de Italiaanse tuinkunst op reizigers uit het noorden maakte. Behorend tot de klasse die een voorspoedige carrière in het vooruitzicht had, zouden velen van hen later zelf tot de aankoop of aanleg van een buitengoed met tuin overgaan.

'De streek rond Florence is het mooiste dat men op de Wereld zien kan. De hele campagna is bezaaid met mooie villa's' – zo verwoordde in de late zomer van 1653 François van Aerssen van Sommelsdyck (1630–1658) in zijn Franstalig reisjournaal een bezoek aan het landschap rondom Florence.[43] De huizen die hij bedoelde waren de villa's uit de late 15de en 16de eeuw 'waar de adel en de rijke kooplieden zich verstrooien en de buitenlucht opzoeken'. De drieëntwintigjarige Nederlander beschreef hun ligging in de vlakte aan de voet van de heuvels, of juist hoger op de hellingen. Bomenlanen van eik en cipres leidden uit de stad naar de villa's met hun bezienswaardige tuinen vanwaar het uitzicht zo prachtig is. Voor hem was deze omgeving 'un paradis continuel' waar landschap en tuin in elkaar overgingen: 'het hele naburige landschap is als een tuin'.[44] In zijn lyrische beschrijvingen stond Van Aerssen niet alleen. Engelse reizigers beschreven het Italiaanse landschap eveneens in deze, bijna clichématige termen. Ook een landgenoot als Johan Huydecoper omschreef in 1648 zijn reis door Italië als een tocht door 'den tuyn van Europa'.[45]

Uit Van Aerssens gedetailleerde reisbeschrijving kan men opmaken dat landschap en tuin evengoed een bezienszienswaardigheid waren als de resten van antieke bouwwerken of van stadsarchitectuur uit de 16de en 17de eeuw.[46] De ruïneuze overblijfselen van de Romeinse beschaving maakten voor de reiziger verloren grootheid tast-baar en brachten hem oog in oog met een cultuur waarmee hij tijdens zijn opvoeding door boeken, prenten en door verslagen van anderen vertrouwd was geraakt. Het Italiaanse landschap en de tuinkunst vermeerderden die ervaringswereld met een totaal andere natuur, vol exotische gewassen en sterke geuren waarin men een afspiegeling kon zien van het antieke landleven. Daarvan had de reiziger zich immers enkel uit de literaire bronnen een voorstelling kunnen maken. In het zuidelijke landschap met zijn schilderachtige bomen, watervallen en blauwe verten en gecultiveerde akkers, weiden en wijngaarden projecteerde men graag een klassieke idylle of pastorale van liefde en dood, die de noordelijke literatuur en landschapschilderkunst zo sterk hadden beïnvloed. Hier kon men ervaren wat Vergilius beschreven had als *Saturnia Tellus*, een antiek Italië vol zegeningen van de vruchtbare Gouden Eeuw. Met zulke klassieke kennis in zijn achterhoofd constateerde Van Aerssen op weg naar Napels dan ook dat de oude Romeinen dit landschap terecht 'la campagne felice', 'het gelukkige land' hadden genoemd.

De ligging van villa's omringd door tuinen aan of op de heuvels kon evenzeer klassieke associaties oproepen. De raadgevingen van Varro bijvoorbeeld omtrent de aanleg van een buitengoed, waar situering, uitzicht en toevoer van frisse, verse lucht van de grootste betekenis werden geacht. Of de beschrijving van Plinius van zijn villa te Laurentum, waar vanuit de geometrisch geordende natuur van de tuin uitzicht werd geboden op haar tegendeel: de landschappelijke vrije, ongeordende natuur. Na zijn bezoek aan de 16de-eeuwse tuinen bij de villa's in Frascati (buiten Rome) kon Van Aerssen, naar eigen zeggen, zijn nieuwsgierigheid niet bedwingen om er de resten van een antieke villa te bezichtigen die aan Cicero toebehoord zou hebben. Hoewel het hem onmogelijk was zich uit de resten een voorstelling te maken van de architectuur van de villa, maakten het schitterende uitzicht en de pure lucht een grote indruk op hem. Klassiek buitenleven vond echter in Frascati een directe 'moderne' navolging: lager gelegen in hetzelfde landschap illustreerden de 16de-eeuwse villa's in moderne vorm waar de antieke ruïnes slechts naar konden doen raden.

Landschap en tuin vormden een continue herinnering aan het klassieke buitenleven. De inrichting van de tuin droeg daar ook nog eens het hare toe bij. Natuur en architectonische vormentaal verwezen telkens weer naar de oude Romeinse voorbeelden terwijl de op-

aan Prinses Amalia van Oranje, Juni 1640, vanuit het Kamp te Assenede, hield de prins zich na het souper twee uur bezig 'à ordonner les jardins et Bastimens de Honselardick'. Zie Slothouwer 1954, 348.
42 Frank-van Westrienen 1983.
43 Pélissier 1906, 232: 'Les dehors de Floren-ce sont la plus belle chose du monde. Toute la campagne voisine est parsemée de belles maisons.' Voor Van Aerssens biografie zie Van Westrienen 1983, 325.
44 Ibidem, 'toute la campagne n'est qu'un jardin'.
45 Voor Engelse reizigers zie Hunt 1986. Voor Huydecopers brief van 29 januari 1648 aan zijn vader vanuit Genève vgl. Frank-van Westrienen 1983, 3.
46 Vgl. Frank-van Westrienen 1983, hoofdstuk VII, waarin de tuin als bezienswaardigheid in het kader van de educatiereis genoemd wordt.
47 Voor Alberti's tractaat zie L.B. Alberti,

stelling van klassieke beelden en de aanleg van fonteinen en grotten geënt was op een verbeeldingswereld afkomstig van Romeinse literatuur en mythologie. Het waren architectuur en inrichting van de tuin die bij voortduring de *curiositas* van de reiziger opriepen, die nieuwsgierige belangstelling die samengaat met bewondering en verwondering. Een woord als 'curieus' treft men in de reisbeschrijvingen herhaaldelijk aan en dan meestal in samenhang met begrippen als 'schoon', 'costelijck', 'constich', 'miraculeus', 'heerlyck' en 'fraay'; hiermee beschreven de reizigers de prikkels die zij tijdens hun tuinbezoeken ondergingen.

Van Aerssens euforie in Florence is wellicht geen toeval. Daar immers was men zich in de 15de eeuw bewust geworden van het klassieke erfgoed en had men niet alleen in de architectuur van de stad maar ook in de vormgeving van villa en tuin gepoogd het Romeinse voorbeeld na te volgen en zelfs geprobeerd op basis van de in de teksten voorkomende gegevens dat buitenleven te reconstrueren en te overtreffen. In een passage over tuinen in zijn tractaat *De Re Aedificatoria* uit 1452, bracht de renaissancearchitect Alberti veel van de overgeleverde klassieke raadgevingen tot nieuw leven. Zo bespreekt hij de situering van de villa en het belang van het uitzicht, de aanleg van loggia's die in de winter zon, in de zomer schaduw geven. Belangrijk is dat Alberti de tuin beschouwt als een architectonische verlenging van het huis. Hij rekent daarmee de vormgeving van de buitenruimte tot het domein van de architect. Hoewel hij geen precieze indicaties geeft omtrent de aanleg van de tuin, dienen naar zijn inzicht harmonie en proportie – de op de klassieken gebaseerde standaardvereisten voor architectuur – ook in de tuin tot uitdrukking te komen door een geometrische indeling met symmetrisch beplante paden, halve of hele cirkels.[47] Tot de inventaris van de tuin horen met wijnranken begroeide pergola's, fonteinen, beelden, labyrinten, potten en amforen met bloemen en in vorm gesnoeide buxus, elementen die Alberti regelrecht aan Plinius ontleende. Uitvoerig is zijn beschrijving van een kunstmatige grot, bekleed met ruwe, rotsige stenen, puimsteen en travertin. Omdat Alberti tuin- en villa-architectuur onder in de hiërarchie van bouwtypen plaatste, kon men er – geheel in overeenstemming met de bedoeling van het buitenleven – ontsnappen aan de strenge regels van de stadsarchitectuur. Door deze ontwerpvrijheid fungeerden villa en tuin nog

lang na hem als domein van experimenten op het gebied van vorm, inrichting en betekenis die in de stad onmogelijk waren.[48]

De tuin als afspiegeling van een idyllische klassieke wereld vond in dezelfde periode als Alberti's tractaat op evocatieve wijze uitdrukking in Francesco Colonna's *Hypnerotomachia Poliphili* (Venetië 1499). Dit liefdesverhaal dat de droom van Polyphilo en zijn zoektocht naar Polia beschrijft, speelt zich grotendeels af in een opeenvolging van tuinen waarvan de architectuur en de aanplant minutieus beschreven worden. Uit de houtsneden kan men opmaken hoe architectuur, gecompliceerde vormsnoei, beeldhouwwerk en inscripties naar antieke mode de traditionele middeleeuwse besloten tuin transformeerden tot een klassieke 'locus amoenus', een lieflijke, betoverende plek van geur, kleur en geluid.[49]

De tuin werd door Colonna voor tal van allegorieën ingezet en sprak zo niet alleen door beschrijvingen en afbeeldingen van de tuin, maar vooral ook door de denkwereld daarachter enorm tot de verbeelding van latere Franse, Engelse en ook Nederlandse lezers.

Uit contemporaine beschrijvingen van Florentijnse tuinen blijkt dat Alberti's beschrijvingen effect hebben gehad. Giovanni Rucellai's beschrijving van zijn tuin bij de villa Quadracchi (ca. 1459 en waarschijnlijk met advies van Alberti aangelegd), laat zien dat binnen een eenvoudige, geometrische ordening de Oudromeinse vormsnoei herleefd was. Hier kon men in groen gesnoeide bollen, schepen, tempels, vazen, reuzen, mannen, vrouwen, krijgslieden, draken, centauren, ezels, ossen en een beer, filosofen, pausen en kardinalen bewonderen. In een tuin behorend aan de Medici waren een olifant, een wild zwijn, een schip met zeilen, een ram en een haas met gespitste oren, een wolf voor honden op de vlucht en een hert met gewei te zien: een wereld even wonderlijk als allegorisch en dienend tot vermaak, ontspanning en onderrichting.[50] Vanaf de tweede helft van de 15de eeuw zou de Italiaanse tuin zich de twee eeuwen daarna ontwikkelen tot een object van aanzien en macht. In het beginstadium eenvoudig van structuur met zeldzame planten, vormsnoei en kostbare efemere lattenconstructies groeide de tuin na 1540 uit tot een complex van architectonische grandeur met monumentale sculpturen en een rijke toepassing van watereffecten. Maar ondanks veranderingen en 'verbeteringen' (zoals Van der Groen het noemde) bestond de Italiaanse renaissancetuin tot aan het einde van de 16de eeuw voornamelijk uit drie gedeel-

L'Architecttura (De re aedificatoria), ed. P.Porthogesi, vertaling G. Orlandi, 2 delen, Dl. II, Milaan 1966, Bk IX, iv, 806–9. Dit in 1452 voltooide tractaat werd respectievelijk in 1485, 1553 en 1556 in het Latijn, Frans en het Italiaans gepubliceerd. Voor de navolgende opmerkingen over de Itali-

aanse tuin heb ik gebruik gemaakt van Mason 1966, Battisti 1972, MacDougall 1972 en 1985, Coffin 1979, Comito 1979, Fagiolo 1980, Mastrocco 1981 en Lazzaro 1990.

48 Vgl. de opmerkingen van Alberti in zijn tractaat (zie vorige noot) Dl. II, bk. IX, ii.

49 Vgl. F. Colonna, *Hypnerotomachia Poliphili* ed. critica e commento a cura di G. Pozzi en L.A. Ciapponi, Padua 1980, 2 Dln. Franse vertalingen van dit populaire boek volgden na 1546 (A. Blunt, 'The *Hypnerotomachia Poliphili* in Seventeenth Century France', *J.W.C.I.* 1 (1937/8), 117–137.

5. A. van der Venne, Scène in de tuin van Zorgvliet, voorstudie voor de illustratie in J. Cats, *Ouderdom, buytenleven, en hofgedachten, op Sorghvliet*, Amsterdam 1656.

6. De keizerskroon als een belerend embleem, illustratie uit J. Cats, *Ouderdom, buytenleven, en hofgedachten, op Sorghvliet* in Jacob Cats, *Alle de Wercken*, Amsterdam 1700.

7. Een Christen op zijn Landhoeve, gravure uit R. Feith, *Poëtisch Mengelwerk*, Amsterdam 1788.

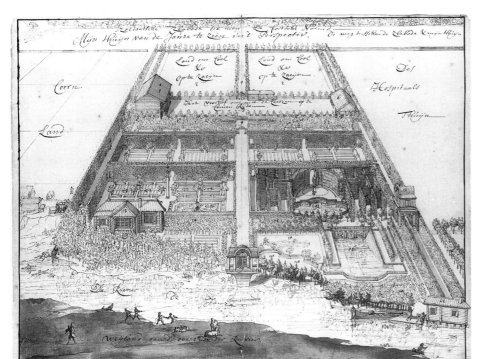

8. N. Bidloo, Vogelvlucht van zijn tuin langs de Jauze bij Moskou in Rusland, tekening, pen in bruin ca. 1730.

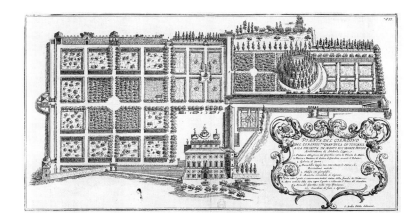

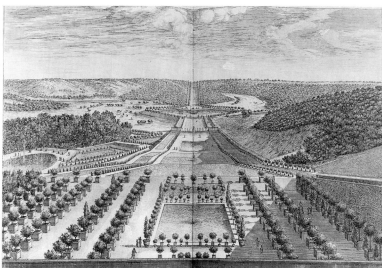

Veüe du Jardin et parc du Château de Meudon apartenant à Monseigneur le Marquis de Louvois.

VEDUTE DEL GIARDINO DELL'EMIN.^{MO} SIG. CARDINALE PAOLO SAVELLO PERETTI VERSO SANTA MARIA MAGGIORE

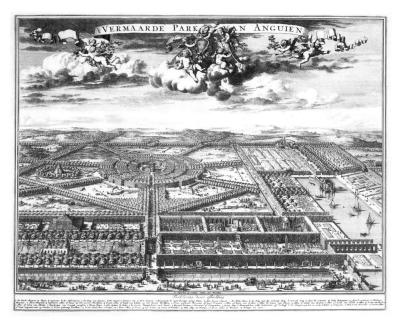

VERMAARDE PARK VAN ANGUIEN

9. G.B. Falda, De villa en tuin van de Villa Medici op de Monte Pincio te Rome, gravure uit *Li Giardini di Roma*, Rome 1670.

10. G.B. Falda, De villa en tuin van de Villa Montalto te Rome, gravure uit *Li Giardini di Roma*, Rome 1670.

11. I. Silvestre, De tuin van Kasteel Meudon, gravure 1686.

12. R. de Hooghe, Vogelvlucht van de tuin van Enghien, gravure 1685.

ten, die al naar gelang tijd, locatie, functie en opdrachtgever in wisselende verhoudingen en beplanting in een ontwerp bijeen werden gebracht. Een geometrisch gedeelte, door kruispaden in vierkanten verdeeld, bevatte kruiden en bloemen in 'compartimenti' of vakken.

Ornamentaal van ontwerp, stonden deze 'compartimenti' op zichzelf en werden zij afgewisseld door tuingedeelten met fruitbomen en het zogenoemde 'bosco', een wilder aangelegde bossage. Deze drie elementen werden in een plattegrond door een geometrische en architectonische ordening samengebonden die de tuin als geheel deed onderscheiden van het cultuurlandschap van 'vigne' (wijngaarden) en akkers waarin de villa met zijn tuinen zich meestal bevond. Deze ordening van de natuur waaruit de tuin was opgebouwd, die als zodanig een weerspiegeling was van de in de renaissance veronderstelde wetmatige ordening van het universum, maakte de verschillende tuinonderdelen echter niet ondergeschikt aan een groots totaalontwerp. Opgebouwd uit op zichzelf staande onderdelen vormden juist verscheidenheid en contrastwerking de belangrijkste kenmerken in het ontwerp van de tuin en dientengevolge ook van de beleving ervan.[51]

Verschillende Nederlandse verslagen vertellen ons dat tuinen tot belangrijke bezienswaardigheden behoorden. Jan Martensz. Merens en P.C. Hooft reisden allebei in 1600 door Italië en verbaasden zich over wat de Italiaanse tuinarchitectuur hen te bieden had.[52] Fonteinen vormden in Genua Merens' eerste confrontatie met de tuinkunst en zij zouden hem ook elders tot gedetailleerde beschrijvingen aanzetten. In de Hortus in Pisa ziet hij onbekende vruchten en kruiden, waaronder de cactus. In de nabijgelegen galerij vallen hem de 'diversche wortelen van cruyden seer uyternatueren groot' op en de verschillende vissen en andere voortbrengselen uit de zee die daar werden bewaard als onderdeel van de collectie *naturalia*. Hoogtepunt voor zowel Merens als Hooft was de tuin van Pratolino in Toscane, van ca. 1569 tot 1581 aangelegd voor Francesco de' Medici.[53] Merens zag hier vanaf het platform rond het huis een lange avenue waarlangs aan twee zijden fonteinen op regelmatige afstand van elkaar water omhoog deden springen. Trappen aflopend, en van 'cleyn boschcage' ('bosco') naar 'cleyn boschcage' wandelend kwam hij marmeren beelden tegen en grotten met watereffecten en 'automata', door water aangedreven mechanieken die figuren deden bewegen, 'alles seer magnifick ende constich'. Merens en Hooft zagen Pan, spelend op

een pijp terwijl hij zijn schapen weidt, nimfen met muziekinstrumenten en vogels, waarvan de geluiden door verborgen waterorgels werden voortbracht. Fonteinen met bewegende draken en een Narcissus die in een bloem verandert, een scène uit Ovidius' *Metamorphosen*. Speelhuizen en grotten, waarvan er een te vinden was in een kolossaal beeld dat de Apenijnen moest voorstellen, verbaasden hen door de rijke versiering met schelpen, koralen en albasten fonteinen. Kunst en techniek imiteerden hier de natuur met ruige vormen (de term is van Hooft) of probeerden de natuur juist te overtreffen door een meer decoratieve vormentaal. Merens 'groote verwondering' gold ook de natuur zelf: de volières met vogels, de vijvers met vissen, de bomen en het groene gras. Voor Hooft was Pratolino ''t heerlijckst waterwerk, dat in Europa bekent is'. Ook in Rome zag Merens verschillende tuinen waar hem de vele antieke beelden opvielen en opnieuw de talloze watereffecten van de diverse fonteinen.[54] Vijftig jaar later was het bezoek aan tuinen in en rond Florence en Rome een standaardonderdeel van iedere Italiëreis geworden.[55] Het in het Frans gestelde reisverslag van Van Aerssen van Sommelsdyck uit het begin van de jaren 1650 staat vol met opmerkingen over tuin en landschap.[56] Drie verschillende soorten natuur vielen hem in Rome op: de 'vigne', het agrarische cultuurlandschap van de wijngaard, vervolgens het wildpark bestaande uit bomen, water en gras, en tenslotte de tuin als architectonisch vormgegeven natuur (afb. 9 en 10). De architectonische indeling, de aanplant, de bezienswaardigheden als beelden en fonteinen, ontdekte hij op zijn wandeling stap voor stap en Van Aerssens beschrijvingen illustreren als geen ander hoe een nieuwsgierige wandelaar telkens verrast werd door een plotseling perspectief, een fraai beeld, een opvallende ruimtelijke indeling. Deze 'diversité', zoals hij het herhaaldelijk noemde, was voor hem de grote aantrekkingskracht van deze tuinen. Meer dan op een nuttige opbrengst van vruchten of groenten waren, volgens zijn observatie, de tuinen van deze lusthoven ingericht op een wandeling, die stimulerend moest werken op de zintuigen van de bezoeker en hem na deed denken over de diverse relaties tussen natuur en kunst.[57] Niet alleen in Toscane en Latium kon de noordelijke reiziger zien wat de imitatie van het klassieke buitenleven aan tuinen en villa's voort had gebracht. Constantijn Huygens was in 1620 opgetogen over de vele Palladiaanse villa's die hij langs de Brenta, niet ver van Venetië, aanschouwde.[58] Elders, bij de villa Valmarana

Een Engelse vertaling kwam uit in 1592 (vgl. Strong 1979, 16/17).

50 Voor deze voorbeelden zie Masson 1966, 62 en Battisti 1972, 15/16.

51 Lazzaro 1990, de inleiding.

52 Merens 1937 en Hooft 1599–1601.

53 Voor Pratolino zie Zanghieri 1979.

54 Merens 1937, 139–143. Hij bezoekt onder meer het Belvedere, de Villa d'Este op het Quirinaal en de Villa Medici op de Pincio.

55 Dat blijkt ondermeer uit het opnemen van tuinen als bezienswaardigheden in reisgidsen als

L. van Bos, *Wegh-wyser door Italien, of Beschryvinge der Landen en Steden van Italien*, Amsterdam 1665.

56 Pélissier 1906.

57 Bijvoorbeeld bij Pélissier 1906, 191.

58 Huygens 1620, 123.

59 Vicenza wordt zo genoemd in L. van Bos,

in de buurt van Vicenza dat ook wel 'den Hof en Boomgaert van Venetien' werd genoemd, bewonderde hij de rijke Italiaanse natuur met zijn citroen- en oranjebomen, ceders en andere exotica.[59] Huygens' *Journaal* is in vele opzichten instructief voor een begrip van de verschillende soorten natuurbeleving in de 17de eeuw. Onderweg naar Italië bekeek hij in de buurt van het Zwitserse Schaffhausen het voorgebergte met de watervallen van de Rijn nog met het oog van de schilder. Maar in het echte berglandschap kwamen de woeste watervallen hem als 'terribles' (verschrikkelijk) voor, de afgronden als 'effroyables' (angstaanjagend) en beschreef hij de bergpiek bij Splügen als 'monstrueuse' (monsterlijk). Deze ongeordende natuur boezemde hem afkeer in. Het cultuurlandschap van de Italiaanse tuin daarentegen was een echt paradijs, niet in het minst omdat in de ordening van de natuur het werk van de mens herkenbaar was en Huygens er zijn voorkennis over de klassieke wereld in projecteerde.[60]

FRANSE TUINARCHITECTUUR

Van der Groen had gelijk met zijn observatie dat de 'lustige vermakelijckheyt' van de Italiaanse tuinkunst zich door heel Europa had verspreid. Huygens stopte op weg naar Italië in Heidelberg om er de pas aangelegde Hortus Palatinus te bezoeken. Hier zag hij fonteinen en grotten, ontworpen door Salomon de Caus, wiens Italiaans geïnspireerde werk over fonteintechniek uit 1615 Huygens ongetwijfeld al kende (afb. 30).[61] Maar andere wegen naar Italië liepen via Frankrijk, waar volgens Van der Groen de tuinkunst haar voorlopig hoogtepunt had bereikt. Hooft zag er langs de Loire de tuinen van Amboise, Blois en Chambord en bezocht rond en in Parijs St. Germain-en-Laye, Meudon en de Tuilerieën.[62] Merens laat ons deelgenoot worden van zijn ervaringen in 1600, een datum die ligt na de grote bloei van de Franse renaissancetuin en net voor de ontwikkelingen die in de loop van de 17de eeuw zouden leiden tot de magistrale ruimtekunst van Le Nôtre. In de ommuurde tuin van Gaillon bij Rouen, aangelegd door Italianen aan het begin van de 16de eeuw, trof Merens een galerij aan, beschilderd met fresco's en hagen van buxus, waarin – naar voorbeeld van de Romeinse *ars topiaria* – wapenschilden, letters, dieren, bankjes en paviljoens waren geknipt. Ook was er een hof met oranje- en ci-

troenbomen en een 'warande', een park vol herten en konijnen. Vorstelijk St. Germain-en-Laye trakteerde Merens op pas voltooide grotten, vormgegeven als een bergspelonk met druipstenen en schelpen, vol onverwachte watereffecten, een bewegende Neptunus op een zeepaard en nachtegalen en koekoeksvogels, die begonnen te zingen en te roepen zodra een kraan werd opengedraaid.[63] Dat alles zo 'echt' en 'natuerelijck' mogelijk. Ommuurd en opgedeeld in compartimenten zou de Franse tuin onder invloed van een steeds strenger wordend classicisme zich transformeren tot een architectonische orkestratie van landschap en tuin met behulp van geometrie en perspectief. De verworvenheden van de Italiaanse tuin, waarin al uitvoerig was geëxperimenteerd met architectonische ordening en uitzicht zouden opgaan in het grote Franse gebaar dat in de tweede helft van de 17de eeuw behagen schiep in het 'plaisir superbe de forcer la nature' (het grote plezier om de natuur te dwingen) (afb. 11).[64]

De professionalisering van de tuinontwerper tot tuinarchitect vormde een belangrijk onderdeel van dit proces van vernieuwing. Zowel Jacques Boyceau's *Traité du Jardinage* van 1638 als André Mollets *Le Jardin de Plaisir* van 1652 waren tractaten die theoretische aandacht gaven aan de tuin als ontwerp en ornament ten behoeve van status en propaganda. Naast aandacht voor grond, landschappelijke situering en planten, is er uitvoerige aandacht voor de organisatie van de tuinruimte met de parterre als pronkstuk, voor bomen als plantmateriaal, de aanleg van paden, waterkanalen en fonteinen. Boyceau bespreekt het effect van variëteit in de compositie en het reliëf in de tuin: de opgaande lanen, loofgangen en architectonische elementen als paviljoens.[65] Mollets boek is een resultaat van de internationale belangstelling voor zijn vak; hij werkte voor de hoven in Zweden, Nederland en Engeland en verschillende van zijn ervaringen verwerkte hij in de theorie van zijn boek.[66] Reizigers die rond het midden van de 17de eeuw Frankrijk bezochten, konden constateren dat de tuin verplicht onderdeel was geworden van de materiële cultuur van zowel het hof als de nieuwe financiële elite.[67] De broers Lodewijk en Christiaan Huygens bezochten op hun reis door het Ile de France in 1655 talloze huizen en tuinen en noteerden in hun reisverslag rake commentaren.[68] Als zonen van Constantijn Huygens bekend met de voorliefde

Wegh-wyser door Italien, of Beschryvinge der Landen en Steden van Italien, Amsterdam 1665, 86.

60 Huygens 1620, 97–100.

61 Voor de Hortus Palatinus zie Patterson 1981.

62 Huygens 1599–1601, 408–418.

63 Voor Gaillon en St. Germain-en-Laye zie Woodbridge 1986, 45–47 en 51–56, 129–134.

64 De uitdrukking is van de Duc de Saint-

Simon in zijn *Mémoires*, Parijs, Bibliothèque de la Pleiade, 1947, Deel IV, 1008.

65 Hamilton Hazlehurst 1956/1980.

66 Vergelijk Hopper 1983.

67 Woodbridge 1986, Deel III.

68 Brugmans 1937.

69 Ibidem, 109, 113.

70 Ibidem, 101, opmerkingen naar aanleiding van de tuin van Liancourt 'qui effectivement est un

des plus beaux ouvrages que l'industrie et la nature ensemble ayent jamais produit'.

71 Faugère 1899, ondermeer 108–109, 214–217.

72. Japikse 1927–37, Deel II, brief nr 206 (1 maart 1698), brief 213 (13 maart 1698).

73 Voor deze brieven zie Hunt/De Jong 1988, cat. nr 40 en Appendix 4; voor de uitkomst van dit contact (een ontwerp van Le Nôtre voor Windsor

van hun vader en van het Oranjehof in Den Haag voor het buiten-leven en de tuinkunst, keken zij met kennis van zaken. Hun eigen Hofwyck vormde meer dan eens het uitgangspunt voor een vergelij-king.[69] Vooral de landschappelijke ligging, de uizichten en de aan-wezigheid van water in de vorm van kanalen, vijvers en fonteinen had-den hun belangstelling. De opmerkingen over de aanleg van parter-res, het onderhoud, de hoogte van het snoeiwerk en de soorten bomen verraadden zelfs een technische belangstelling die verder reikte dan die van de doorsnee nieuwsgierige reiziger. Grondbeginsel voor de beoordeling is ook bij hen de wijze waarop arbeid en natuur samen een produkt hebben geleverd.[70] Andere reisjournalen berich-ten ons over de sociale functie van deze parken. Met name in Parijs wandelde men of reed men in een koets rond in de Tuilerieën, de tuin van het Luxembourg of het Palais Royal om te kijken, mensen te ont-moeten of zelf gezien te worden.[71] Gedurende de gestage opkomst van het buitenleven in Nederland, zou men met belangstelling kijken naar de ontwikkelingen op het gebied van de Franse tuinarchitectuur aan het hof van Lodewijk XIV. Een interesse die werd gestimuleerd door het aflopen van de Tachtigjarige oorlog in 1648, de ontwikkeling van een stabiele economie in de loop van de jaren '60 en, na het korda-te optreden van Willem III tijdens het Rampjaar 1672, het toenemen-de belang van het stadhouderlijk hof.

De aanleg van Versailles vanaf 1661 en de tuinen van Marly, te Meudon, Chantilly en elders werden in Nederland door velen ge-volgd en ook bewonderd. Als Hans Willem Bentinck, de favoriete hoveling van Willem III en groot kenner van de tuinkunst, in 1698 als afgezant van de stadhouder-koning in Parijs verblijft, schrijft hij in zijn brieven enthousiast over de Franse tuinkunst, die hij van afbeel-dingen al zo goed kende. Niet Versailles, hoe 'magnifique' en kost-baar ook, heeft zijn grootste belangstelling, wel Meudon en Marly, die vanwege de ligging, de brede en open compositie, het uizicht en hun minder monumentale schaal op Bentinck een diepe indruk ma-ken (afb. 11 en 52).[72] Twee brieven van Le Nôtre aan Bentinck getui-gen van de gesprekken die zij over hun beider passie, de tuinkunst, hebben gevoerd.[73]

Aan het einde van de eeuw werd het Franse voorbeeld algemeen bewonderd; de vele prenten van de tuinen en hun onderdelen als beeldhouwwerk, fonteinen, parterres, latwerk en andere 'nieuwighe-den' (om met Van der Groen te spreken) werden in Nederland door velen verzameld, en soms tot uitgangspunt genomen voor eigen ont-werpen.[74] Het betekent echter niet dat men totaal afhankelijk was van Franse verworvenheden. Misschien waren voor de Nederlandse ont-wikkelingen in de decennia na 1650 de tuinen van het bij Brussel gele-gen Enghien wel veel belangrijker. Even buiten de grenzen kon men hier een architectonische aanleg van grote omvang en orginaliteit zien. Willem III bezocht de tuin in 1676 en 1677 en was, naar het oor-deel van zijn secretaris, zeer tevreden deze aanleg gezien te hebben (afb. 12).[75]

In Bentinck ontmoeten we iemand met een zelfstandige smaak en een eigen oordeel; Le Nôtre noemde Bentinck 'personne quy a meil-leure goust' (iemand met een zeer goede smaak). Als volleerd amateur kende Bentinck de mogelijkheden en beperkingen van het tuinont-werp. Niet imitatie van het Franse voorbeeld stond bij hem en andere dilletanten centraal. Wel een naar persoonlijke smaak en eigen in-zicht vormgeven aan hun belangstelling voor de klassieke, Franse en Italiaanse tuintradities. De Nederlandse tuinarchitectuur kreeg in de tweede helft van de 17de eeuw op die manier een eigen en herkenbaar karakter. Zij het dat men misschien wel enige spijt had over de be-perkte mogelijkheden die de Nederlandse geografie bood in vergelij-king met de zo bewonderde buitenlandse voorbeelden.

TUIN- EN LANDLEVEN IN NEDERLAND

Over de ontwikkeling van de tuinkunst in de Nederlandse renaissance van de 16de eeuw is nog maar weinig bekend. Nederlandse humanis-ten als Erasmus, Lipsius en Marnix van St. Aldegonde tonen grote be-langstelling voor de tuin in hun filosofische geschriften; Marnix en Lipsius waren zelf ook tuinier.[76] Aan de verschillende hoven, zoals dat van de Nassaus in Breda en van Philips van Bourgondië in Utrecht waar de renaissance in de verschillende kunsten werd geïntroduceerd, heeft ook de tuin een rol gespeeld. Philips van Bourgondië bezat bij zijn vesting te Wijk bij Duurstede in de jaren twintig van de 16de eeuw een kleine, geometrisch ingedeelde lusthof, een Italiaans 'giar-

---

en een ontwerp van Le Nôtre's neef Claude Des-gots voor Het Loo) zie ibidem cat. nr 41 en hierna hoofdstuk 3.

74 Bezemer 1987, Hunt/De Jong 1988, cat. nr 77 en Van der Waals 1988. In de brieven die de Leidse lakenhandelaar en tuinamateur Pieter de la Court in 1700 naar huis schreef, neemt hij direct zijn toevlucht tot prenten als visualisering van en herinnering aan zijn impressies van de tuin van

Versailles: 'wat sal ik van de Tuyn anders zegge als dat het my in 't geheel veel genoegen gaf die te sien alles is in prent en zigbaar zoo ook de onEyndige marmore beelde, vase en metaale afgietsels [...]', Driessen 1928, 53.

75 De Jong 1991A, met verdere literatuur. Deze stadhouderlijke belangstelling voor Enghien resulteerde in een serie gravures die Romeyn de Hooghe in 1685 van de tuin maakte en die chrono-

logisch zijn te plaatsen tussen zijn afbeeldingen van de tuinen van Kleef (ca. 1679-1680), eigen-dom van Willem III's verwante Johan Maurits van Nassau en de serie met afbeeldingen van Het Loo (1695-99).

76 Zie ook noot 4 en het hoofdstuk over de Leidse Hortus.

77 J. Sterk, Philips van Bourgondië (1465-1524). Bisschop van Utrecht als protagonist van de re-

dino segreto' of 'geheime tuin'. De toegangspoort was versierd met een beeld van de antieke vruchtbaarheidsgod Priapus, ontleend aan Colonna's *Hypnerotomachia Poliphili* uit 1499.[77] Belangrijk waren ook de boeken van Hans Vredeman de Vries (1526–1606), zoals zijn *Hortorum Viridariorumque* uit 1583. Daarin werd de tuin in de noordelijke renaissance voor het eerst in een theoretisch kader geplaatst en gedefinieerd als een architectonische vormgeving van de buitenruimte. Geïnspireerd op klassieke en Italiaanse voorbeelden ontwierp De Vries met zijn werk een vormvocabulaire dat de hele 17de eeuw door zijn populariteit zou behouden.[78]

Parallel aan stedelijke ontwikkelingen in de late 16de eeuw ontwikkelde de behoefte aan een buitenleven zich in Nederland bij de rijkere burgerij. Verschillende Amsterdammers investeerden in grond buiten de stad en kochten of huurden aan het einde van de 16de en in het begin van de 17de eeuw buitens. Meestal betrof dit bestaande kastelen, kasteelachtige buitenhuizen of een eenvoudig landhuis (afb. 14).[79] De combinatie van buitenverblijf en boerderij, typerend voor de hele 17de en 18de eeuw, kwam al vroeg voor. Aan de boerderij werd een stenen 'herenkamer' toegevoegd, waaruit zich vaak een zelfstandig buitenhuis ontwikkelde dat los van het agrarisch bedrijf kwam te staan. De inrichting van het landschap rond deze vroege buitens droeg een sterk landelijk karakter: de te verwachten opbrengsten van het land vormden mede een aanleiding voor de investering in een buiten.[80] De tuinen bestonden uit een eenvoudige siertuin, boomgaarden, lanen en visvijvers. Met de opkomst van de classicistische architectuur in de jaren twintig van de 17de eeuw zouden zowel buitens als tuinen een nieuwe fase tegemoet gaan. Goudesteyn aan de Vecht, een tot klassieke villa getransformeerde boerderij, en experimenten aan het stadhouderlijk hof luidden deze fase in (afb. 17, 45). Pas na het einde van de Tachtigjarige oorlog was er op het land voldoende rust om aan het buitenleven te denken. De populariteit van Jan van der

Groens tractaat vormt een bewijs voor de toenemende vraag naar instructies en voorbeelden waarmee dat tuin- en buitenleven vorm gegeven kon worden. Een ander mooi voorbeeld vinden we in een brief uit 1679 van Susanna Huygens aan haar broer Christiaan Huygens waarin zij opmerkt dat de vrouw van neef Suerius meer aan haar koeien denkt dan aan het verfraaien van hun buitenhuis.[81] Kennelijk was er een proces gaande waarin praktisch, agrarisch buitenleven werd vervangen door een meer gestileerde vorm van leven op het land. De tuin, meer ingericht voor sier dan nut, visualiseerde die ontwikkeling in belangrijke mate. Het bezit van een buitenhuis met tuin werd onderdeel van een aristocratiseringsproces onder de regenten en de kooplieden van de Republiek.[82] In de *Zegepraalende Vecht* uit 1719, waarin de buitenplaatsen aan de Vecht worden verheerlijkt, schreef Claas Bruin niet voor niets : 'Dus Vorst'lyk kan een koopheer leeven / Door 's Hemels zeegen, zorg en vlyt / De Waereldstad aan d' Amstelvloed, / Hoe wonderlyk 't U klinkt in de ooren, / Teelt Koningen op schryfkantooren'. In 1742 vertegenwoordigden de kooplieden in Amsterdam het hoogste percentage buitenplaatsbezitters. Van de zestig hoogst aangeslagen bewoners van de Herengracht in het kohier van de Personele Quotisatie van 1742 bezaten er zeven geen buitenplaats. Dat betekent dat een buiten met tuin in een periode van ongeveer honderd jaar een consumptiegoed was geworden en onderdeel van een levensstijl waarin ook grote bedragen aan huizen, of de huur daarvan, werden besteed. Het betekent ook dat het bezit van buitens, naast inkomen, in hoge mate werd bepaald door sociale homogeniteit, en dat gold zeker niet alleen voor Amsterdam.[83]

Deze rage voor tuin- en buitenleven creëerde in de Republiek een typisch eigen, burgerlijke, variant van een overal in Europa populair verschijnsel. Al spoedig waren de Nederlandse tuinen een even grote bezienswaardigheid geworden als de Italiaanse of Franse.

naissance. Zijn leven en mecenaat, Zutphen 1980, 58.

78 Voor De Vries zie Hans Mielke, *Hans Vredeman de Vries. Verzeichnis der Stichwerke und Beschreibung seines Stiles*, Berlijn 1967 en P. Karstkarel, 'Was Hans Vredeman de Vries de eerste tuinarchitect van Noord-Europa?', *Tableau* 1 (1979) 4, 22–27 en 43–44.

79 R. Meischke, 'Buitenverblijven van Amsterdammers voor 1625', *Jaarboek Amstelodamum* 70 (1978), 82–107.

80 Voor het belang van het investeren in landerijen door regenten vergelijk het bezit van bijvoorbeeld de Trippen en De Jonge van Ellemeet in respectievelijk P.W. Klein, *De Trippen in de 17e eeuw. Een studie over het ondernemersgedrag op de Hollandse stapelmarkt*, Groningen 1965 en B.E. de Muinck, *Een regentenhuishouding omstreeks 1700*, Den Haag 1965.

81 *Oeuvres Complètes* Dl. VIII, brief nr 2179 (27 juni 1679), 'il a une Femme qui songe plus a ses vasches, qu'a embellir sa Maison'.

82 Schmidt 1977/78 en 1978/79.

83 Voor Amsterdam zie Diederiks 1976.

Hoofdstuk 2. *Natuur en kunst*

ORDENING EN LANDSCHAP

'The Dutch are great Improvers of Land, and Planters of Trees, of Ornament as well as Profit', schreef W. Mountague in zijn *Delights of Holland*, waarin hij een drie maanden durende reis uit 1695 documenteerde.[1] Veel reisbeschrijvingen becommentarieerden de beheersing van het landschap: de drooggelegde polders, de dijken en dammen, de afwateringskanalen en de windmolens die het water uit de polders pompten. Ook bewonderde men de orde en regelmaat van de rijen bomen langs wegen en op dijken en de goed onderhouden, ordelijke tuinen. De worsteling met de elementen van land en water dwong respect af voor de grote technologische kennis waarmee de Hollanders land droog maalden en op die manier de natuur wisten te temmen. Nieuwe bemalingstechnieken maakten rond 1600 niet alleen betere ontwatering, maar ook droogmaling van meren mogelijk en hadden de polders van de Beemster (in 1608–1612), de Purmer (in 1622), de Wormer (in 1625) en de Schermer (in 1631) doen ontstaan (afb. 13). De toename van bouw- en akkerland in dit nieuw gewonnen land was natuurlijk van groot belang: rijke Amsterdammers investeerden met vooruitziende blik in deze projecten.[2] Landbouw en Akkerbouw, omringd door tekenen van welvaart, vormen niet zonder reden de versiering van kaarten waarop deze polders in beeld werden gebracht (zie afb. 13). Het rechte patroon van afwateringssloten maakt deze drooggemalen landen tot een waarachtig cultuurlandschap, waarin 'tot profijt en ornament' buitens werden aangelegd (afb. 16, 17). De geometrische opzet van de bijbehorende tuinen voegde zich naadloos naar het strakke polderlandschap waarvan de grondvorm door 17de-eeuwse inpoldertechniek en landmeetkunst eveneens geometrisch was bepaald.

In de *Inleyding* tot zijn boek gunt Van der Groen ons een inzicht in zijn denkbeelden over deze Hollandse natuur en het Hollandse landschap. Voor hem kent de overvloedige natuur een door God bestuurde wetmatigheid van de opeenvolging van de seizoenen. Bloemen, vruchten en winteroogst worden voorgebracht door lente, zomer en herfst. Hoewel onaangenaam heeft ook de winter een noodzakelijk plaats in dit grote geheel. Maar ondanks deze kosmische orde is de natuur imperfect. Zij vertoont zich vaak 'wanschikkelyk', dat wil zeggen zonder orde. Alleen door kunst kan natuur volgens Van der Groen 'opgeschikt, op-gepronkt, in goede ordre, cierlijk en vermakelijk' gemaakt worden. Kunst verbetert natuur: zij kan onvruchtbaar land door bemesting vruchtbaar maken en wilde vruchten door enten geschikt maken voor consumptie. Van der Groen stond in deze zienswijze niet alleen. Tot ver in de 18de eeuw kon alleen de kunst, als een van de zuiverste bronnen van vermaak, natuur aanpassen en perfectioneren zodat zij meer zou behagen en tot nut kon zijn.[3] Voor de mens, sinds de zondeval tot arbeid aangewezen, was dit vermaak onontbeerlijk. Kunst, als arbeid en techniek, verbeterde in deze visie niet alleen de natuur, zij kon de natuur ook vervolmaken. Planten en zaden, bijvoorbeeld, konden een optimale groei en hun mooiste bloei krijgen met behulp van door techniek en kunst geconstrueerde kassen.

Zowel landschap als tuin konden van de ingrepen van de mens profiteren. Coenraad Droste dichtte in zijn hofdicht uit 1714 op de buitenplaats Duinrel bij Den Haag:

> 'Men kan aen de Natuer een ander wesen geven,
> Als men in d'oeffening van Landbouw is bedreven:
> En maecken Wildernis tot nut en vrugtbaer Landt; […]
> De gront van DUYNREL was voorheen met Sant bestooven;
> Nu vindt men in de plaets vermaeckelijcke Hooven;'[4]

1 Londen 1696, 70.

2 Harten 1978.

3 Voor opvattingen over natuur, kunst en vermaak zie het *Algemeen Huishoudelyk-, Natuur-, Zedekundig- en Konst-Woordenboek* door M. Nöel Chomel, Leiden/Leeuwarden 1778, Dl. III, 5151–5152. Deze encyclopedie en J. A. de Chalmots *Vervolg* op Chomels publikatie (Kampen/Am-

sterdam 1786) vormt een waar compendium van 17de- en 18de-eeuwse kennis. Chomel en De Chalmot baseren zich voor wat betreft hun opmerkingen over natuur, tuin- en buitenleven geheel op de werken van Van der Groen, De la Court en Knoop.

4 Geciteerd naar De Vries 1985, 111.

5 Geciteerd naar Willem van Toorn e.a., *Dich-

ter en Landschap*, Kasteel Groeneveld Baarn 1989, 15 'Ter bruilofte van den edelen en hoogachtbaren Here Jonkhere Joan van Waveren'.

6 Tayler 1964, met name hoofdstuk I en II en Battestin 1974, hoofdstuk I.

7 Plato, *Timaeus*, vertaald door R. G. Bury, Londen/Cambridge (Mass.), 1966, 51–55 en *Genesis* 1:1–2:7. Voor de relatie tussen wiskunde,

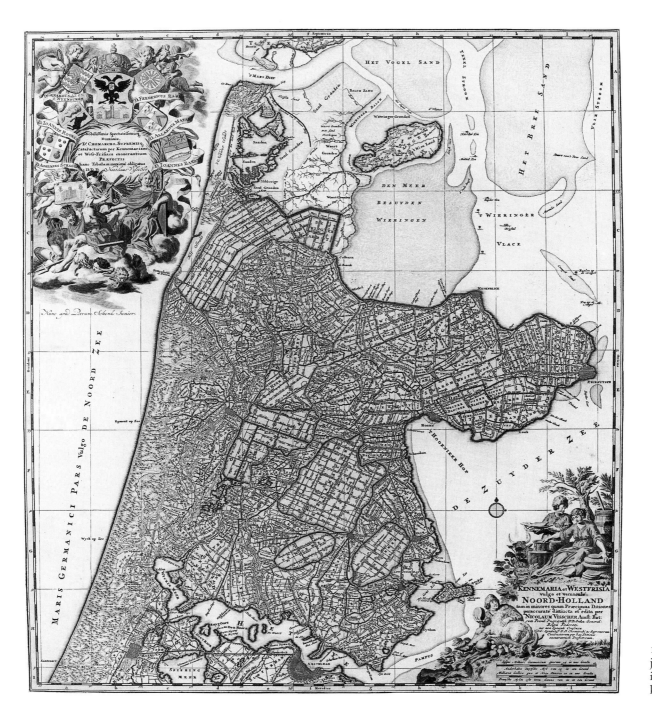

13. N. Visscher en P. Schenk jr, Kaart met inpolderingen in Noord-Holland, inge-kleurde kopergravure.

15. De polder Het Groot-
slag bij Enkhuizen, paneel
ca. 1600.

14. J. Matham, Stad en land
verenigd: de brouwerij in
Haarlem en de buitenplaats
Velserend, penschilderij
1627.

16. D. Stoopendaal, Plattegrond van *Het Watergraafs
of Diemermeer*, in M. Brouë-
rius van Niedek, *Het Verheerlykt Watergraefs-of Diemermeer*, Amsterdam 1725.

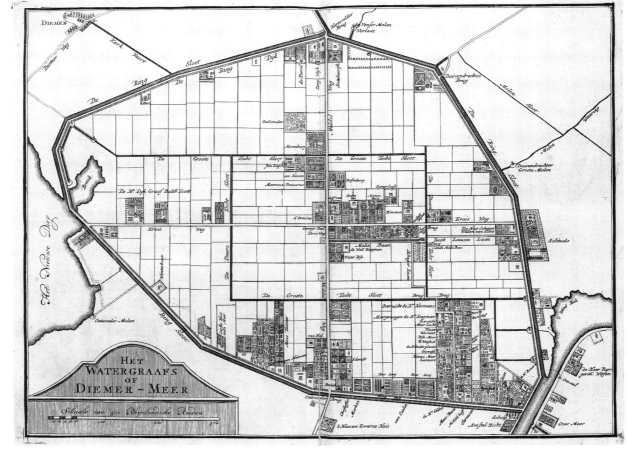

En Vondel schreef in 1658 over de transformatie van de schrale en barre hei bij 's-Graveland tot vruchtbare velden met buitenplaatsen en tuinen dat hier 'komt kunst Natuur te baat, en kan haar leren/Wat landbouw, arbeid en zorgvuldigheid vermag'.[5]

Natuur en kunst waren in de 17de en 18de eeuw ten nauwste verbonden met voorstellingen omtrent de opbouw van de wereld en de kosmos.[6] Als een erfenis van zowel de klassieke, stoïsche als de christelijke traditie lag de nadruk op de wiskundige orde, de regelmaat en de symmetrie die in de schepping heersten. Van hoog tot laag waren alle schepselen in een keten met elkaar verbonden en alles had daarin een eigen plaats. Orde was te vinden in het samenstel van de vier elementen vuur, lucht, aarde en water, die de zichtbare wereld van de natuur beheersten, in de symmetrische opbouw van het lichaam van de mens die tussen natuur en God stond en in de hiërarchische, wetmatige opbouw van de hemelse sferen. De schepping was ontstaan uit de beheersing van chaos en wanorde, een idee dat zowel bij een klassieke auteur als Plato als in de Bijbel viel te lezen.[7] Het protestantisme was gefascineerd door Gods scheppende majesteit. Calvijn bewonderde de 'ordo naturae' en de 'ordo creationis', de wereldorde die ontworpen was tot dienstbaarheid van de mensen en tot lofprijzing van de Schepper zelf.[8] De zondeval en de verdrijving uit het Paradijs was in zijn visie de oorzaak van de imperfectie van de natuur. Die verbreking van de orde kon alleen door arbeid en godsvrucht hersteld worden. Ook in de *Belydenisse des Geloofs der Gereformeerde Kerken* was, volgens de redactie van de Dordtse Synode, de natuur een openbaring Gods, een 'schoon boek' waarin al het geschapene 'de onsienlicke dingen Godts' te aanschouwen geeft.[9] De religieuze inslag van de natuurbeleving in het protestantse Nederland heeft de voorliefde voor de tuinkunst in hoge mate bepaald. In de tuin immers werkten natuur en kunst samen tot het verkrijgen van een zo perfect mogelijk resultaat: samen konden zij het paradijs herscheppen.[10]

De verhouding tussen natuur en kunst was in de 17de en 18de eeuw in Nederland echter allesbehalve eenduidig en de wijze waarop ze gedefinieerd werd was afhankelijk van welk standpunt men op basis van klassiek, christelijk en humanistisch erfgoed wenste in te nemen.[11] Kunst kon met natuur samenwerken, zoals in de tuin, de landbouw of de geneeskunst, de *medicina ars*. Maar in de 17de-eeuwse theorie van de kunsten imiteerde de kunst de natuur: natuur was de kunst van God, de eerste architect. Ook konden natuur en kunst als tegenovergesteld aan of in strijd met elkaar beschouwd worden.

In de tuin konden al deze benaderingen een rol spelen. Maar anders dan de illusie die de schilderkunst van de natuur op het platte vlak schiep, representeerde de natuur zich in de tuin door middel van zichzelf met behulp van kunst. In dat proces concretiseerde de kunst de onderliggende orde van de natuur door een architectonische vormentaal. De architectuur van de tuin liet tegelijkertijd zien hoe natuur met kunst samen kon gaan, al moest voordat met een aanleg begonnen kon worden de natuur eerst aan de regels van de kunst onderworpen worden. In de bloemen of in een verzameling exotische vogels in een volière daarentegen kon men de schoonheid en 'konstsucht van de besichlick schilderende nature' zien: de natuur wedijverde hier met de kunst.[12] Maar in het beeldhouwwerk en in de parterres behaagde de 'konstige naeboetsinge [van de schoonheid van natuurlijke voorwerpen] beter dan de natuerelicke schoonheyd selver'.[13] Die confrontatie van kunst met natuur liet in dat geval zien hoe 'gheluckighlick de Konst met de nature strijd' en de observatie daarvan verschafte plezier en verwondering. Grotten met schelpen en mineralen speelden op een nog ingewikkelder manier met deze begrippen. Ging het hier nu om een imitatie van de natuur door de kunst, imiteerde natuur hier kunst als haar imitator, verhoogde de kunst de schoonheid van schelpen en mineralen of wedijverden zij met elkaar? Dat natuur en kunst in zowel tuintractaten als literaire bronnen en reisjournalen keer op keer het criterium vormen voor de aanleg, de beschrijving, de beoordeling en de beleving van een tuin, geeft aan hoe fundamenteel dit begrippenpaar is geweest. De verandering in natuurbeleving aan het einde van de 18de eeuw betrof dan ook niet minder dan een herdefiniëring van deze gecompliceerde relatie tussen natuur en kunst.[14]

wetenschap en wereldbeeld in de 17de eeuw zie ook Van Berkel 1983, 222–232.

8 W. Balke, 'Calvijn over de geschapen werkelijkheid in zijn Psalmen commentaar', in idem (ed.), *Wegen en Gestalten in het Gereformeerde Protestantisme*, Amsterdam 1976, 89–105, waar ook gewezen wordt op de invloed van Augustinus en de humanistische, stoïsche traditie op Calvijn.

9 Van Veen 1960, 212.

10 Vgl. Rapinus 1672, *De Universa Culturae Hortensis Disciplina. Disputatio*, 28: 'ut naturae e ar-

ti, quibus duobus constat omnis agricultura Hortensis, suae partes ex aequo imponantur.'

11 Tayler 1964, hoofdstuk II.

12 Ontleend aan Fr. Junius, *De Schilder-konst der Oude, Begrepen in drie Boecken*, Middelburg 1641, Tweede Boek, 74, die deze uitspraken doet in het kader van de schilderkunst als nabootsing van de natuur. Dezelfde opvattingen vinden wij bij S. van Hoogstraeten in zijn *Inleyding tot de Hooge Schoole der Schilderkonst: anders de Zichtbaere Werelt*, Rotterdam 1678, 341–343.

13 Ibidem, Eerste Boek, 64.

14 De Jong 1987-1.

15 Zie het *Algemeen Huishoudelyk-, Natuur-, Zedekundig- en Konst-Woordenboek* door M. Nöel Chomel, Leiden/Leeuwarden 1778, Dl. III, 1759–1760 onder 'landbouw' en 'landhuizen' en J.A. de Chalmots, *Vervolg* (Kampen/Amsterdam 1786), Dl. VIII, 4607–4610 onder 'landleeven'.

16 In de Italiaanse renaissance werd de tuin ook wel een 'terza natura' genoemd, een derde natuur. In die gedachtengang wordt de natuur de

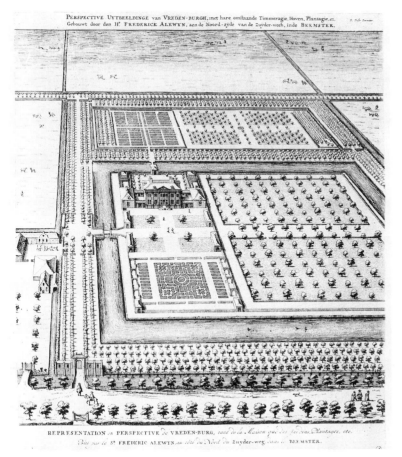

39

17. P. Post en J. Mathys,
Huis Vredenburg in de
Beemster, kopergravure
1654/1655.

18. J. van der Heyden, Elswout vanuit het zuiden, olieverf op paneel ca. 1660.

21. L. de Jongh, Tuinscène,
olieverf op paneel.

19. B. Elshof en J. Smit,
Vogelvlucht van Roosendael
bij Arnhem, gravure ca.
1713.

20. L. Schenk en L. Scherm,
Titelprent voor de serie kopergravures van Clingen-
daal, kopergravure ca. 1690.

Als kunst was de tuinaanleg *techne*, arbeid en techniek en dat moet de reden zijn dat we op zoveel prenten en schilderijen van tuinen zo nadrukkelijk tuinlieden aan het werk zien (afb. 21 en omslag). Door intensief onderhoud kon de natuur blijvend worden beheerst en geperfectioneerd. Van der Groen begint zijn uiteenzetting over het tuiniersgereedschap dan ook met het motto 'Goet gereetschap is het halve werk' (afb. 2).

De aanleg van een tuin werd vanwege deze associatie met handwerk dan ook niet als een kunstvorm gezien zoals de architectuur of de schilderkunst. De kweek van kruiden, bloemen, bomen en groente viel samen met akkerbouw en veefokkerij onder de landbouw, door klassieke auteurs al als een *ars* en een *scientia* beschreven.[15] Landbouwkunst temde de wilde natuur en cultiveerde haar. Zij maakte van de wildernis een vruchtbaar land en bracht een cultuurlandschap tot stand, waarin de tuin een derde, eigen, natuur vormde.[16] Landbouw en tuin vielen dan ook samen onder het Vergiliaanse ideaal van het buitenleven en het werken op het land. Ieder voor zich schonken ze een nuttig en eerlijk vermaak, brachten ze zowel profijt als sier en inspireerden ze tot godsdienst en deugd.

Deze verbintenis met de landbouw bestempelde de aanleg van een tuin tegelijkertijd tot een wetenschap. Een wetenschap van landmeetkunde en van mathematiek. Daniel Marot werd als tuinontwerper in eerste instantie 'mathematicus' genoemd. Zo noemde ook Johann Hermann Knoop zich: 'hortulanus, mathematicus et scientarum amator' (hovenier, mathematicus en liefhebber van wetenschappen).[17] Landmeters en tuinlieden hielden zich vanuit de praktijk met ontwerp en aanleg van de tuin bezig en dat kan verklaren waarom zoveel tuinontwerpen anoniem zijn gebleven.[18] Het levert ook een verklaring waarom architecten en eigenaren zelf zich met het ontwerpen bezig hielden; de een vanuit zijn eigen ontwerptraditie, de ander omdat hij in zijn opvoeding mathematica en tekenen had geleerd. Op de titelpagina van de serie prenten van Clingendaal uit ca. 1690 (afb. 20) zien we de Tuinkunst door een aantal allegorische figuren verbeeld. Rechts vinden we de Natuur, aangeduid door een waternimf,

Diana (godin van jacht en bomen), Flora en de Overvloed. Links wordt de Kunst vertegenwoordigd door Apollo (zowel de Zon als beschermer der kunsten) en Architectura met de plattegrond van de tuin, terzijde gestaan door een vrouw met snoeischaar. Putti, spelend met een wapenschild en zwaard, verwijzen naar de vrede die deze verbintenis tussen natuur en kunst mogelijk maakt.

Het resultaat van de verbintenis van natuur met kunst betekende voor Van der Groen dat men voor de aanleg van een tuin 'somtijts bergen en heuvelen wech (kruyt); laegten en dalen verhoogt men, men maekt water tot landt, en landt tot water, &c.' Bij deze naar ingenieurstechniek neigende activiteit maakt de kunst 'alles regulier, dat is, beyde de zijden gelijkformig'. Symmetrie, ontleend aan de classicistische architectuurtheorie, brengt hier orde en harmonie in de natuur.[19] Maar de kunst leert meer. Zij onderwijst dat men boomgaarden en tuinen dient te omheinen met eiken, iepen of populieren om zo de wind buiten te houden. Water rond de hofstede schept veiligheid tegen boeven en kan ook als visvijver dienen. De uitgegraven aarde bestemt men voor het ophogen van de boomgaard en de tuin. Met behulp van de kunst kunnen ook fonteinen aangelegd worden en de bloembedden ingedeeld in perken. 'Alsulcke en diergelijcke konsten, ervaringen en uytvindingen, daer door de natuur geholpen, verbetert en verciert wordt', zo schrijft Van der Groen, 'zijnder ontallijck.'

Met deze observaties heeft Van der Groen natuurlijk de specifieke eigenschapen van het Nederlandse landschap en het Nederlandse klimaat voor ogen gehad. De sterke winden over het vlakke land bijvoorbeeld. Of het vele water dat moest worden afgevoerd en dat in afwateringssloten zo vaak percelen land van elkaar scheidde dat het moeilijk was om tot een samenhangend ontwerp van een tuin te komen (afb. 15).[20] Elders was er het stuivende duinzand dat buiten de tuin gehouden moest worden (afb. 18). Van der Groen wist uit de praktijk maar al te goed hoe belangrijk deze elementen bij de aanleg van een tuin waren. Ze bepaalden dan ook in hoge mate de tuinaanleg

schepper van kunst en deelt zij de essentie van de kunst. Samen brengen ze iets voort dat noch kunst, noch natuur is, maar iets nieuws waaraan beide hebben bijgedragen. Voor dit begrip zie Lazzaro 1990, 9 en 10.

17 Voor Marot zie Harris 1699, 47. Voor Knoop het titelblad van diens *Pomologia* uit 1758. We vinden deze opvatting ook in de diverse 17de-eeuwse tuintractaten zoals Olivier de Serre's *Le Theatre d'Agriculture e Mesnage des Champs*, Parijs 1608 (vierde druk), Voorwoord.

18 Over de rol van landmeters bij het ontwerp van tuinarchitectuur is nog niet veel bekend, maar vergelijk G. Köhne, 'Uit het leven van een Beemster landmeter in de 18de eeuw', *De Schouwschuit* 1938, 323 en verder. Deze auteur verwijst naar het dagboek van de tuinman Switser. Zoon van een tuinman wordt hij, na zelf tuinman geweest te zijn, landmeter bij het Beemster polderbestuur.

19 Voor de architectuurtheorie in de renaissance, waarin het architectonische systeem van symmetrie, harmonie en proportie vergeleken

werd met de opbouw van de kosmos, de muziek en het menselijk lichaam zie R. Wittkower, *Architectural Principles in the Age of Humanism*, Londen 1962 (3de druk) en Battestin 1974, hoofdstuk I. Voor Nederland zie ondermeer Van Pelt 1981.

20 Audrey Lambert, *The Making of the Dutch Landscape*, Londen/New York 1971, hoofdstuk 3, 4 en 5 voor de wordingsgeschiedenis van het Nederlandse landschap.

21 *Woordenboek van de Nederlandse Taal*, Den Haag 1979, Dl. 17, 2de Stuk, kolom 3813–3898.

in de Republiek, want wat de kunst ook vermocht, landschap en klimaat stelden hun eisen. Hoge hagen, boomsingels of wallen zorgden voor een gunstig tuinklimaat maar hadden tegelijkertijd als effect dat de tuin zowel in hoofdopzet als in onderdelen een naar binnen gericht karakter kreeg zoals op Elswout (plaat 1 en afb. 18), Huis Vredenburg in de Beemster (afb. 17) of op Clingendaal en Zorgvliet (afb. 23 en 24). Afwateringssloten moesten op een of andere wijze in het ontwerp geïncorporeerd worden, hetzij als vijver of waterkanaal in de tuin of als een systeem van waterlopen eromheen (afb. 17, 24, 76 en plaat 1, 2 en 9). De Nederlandse tuin is door deze eisen van geografie en klimaat altijd in hoge mate besloten van karakter gebleven, geheel in lijn met de oorspronkelijke betekenis van het woord tuin dat omheining, afscheiding betekent.[21] De tuin is daardoor ook altijd een architectonische constructie, al werden de ontworpen lijnen in de tuin verzacht door de natuurlijke groei van bomen en planten. Zelfs de introductie van nieuwe stijlcomponenten heeft deze traditie niet echt aangetast. Het gebruik van een diepe hoofdas in de tuinen van het stadhouderlijk hof in de jaren 1670 en 1680 was eerder van belang voor de interne organisatie van de tuin, dan dat het de compositie openbrak. De as bood een zichtlijn die vaak zo diep was en geaccentueerd door laanbomen, dat hij wel uitzicht bood op een kerktoren of een ander opvallend focuspunt, maar zeker niet op omliggende landerijen. Die zag men pas als men aan het einde van de laan was, of tussen en onder de laanbomen van de windsingels door. Evenals eerder in de 17de eeuw staken buitenplaatsen als Zeist en Heemstede als groene enclaves af in het vlakke landschap (afb. 76, plaat 9). Hun architectuur was in vele opzichten bepaald door de traditionele, geometrische perceelindeling van het Utrechtse landschap.

De eisen die het landschap stelde en de gevolgen daarvan voor de praktijk van het aanleggen van tuinen zouden ons terughoudend moeten doen zijn voor een al te snel toepassen van stijlnormen als renaissance, barok of Frans classicisme;[22] de praktijk baseerde zich vaak op tradities die hun waarde bewezen hadden. Van der Groen zelf lijkt zich van het verschil tussen de meer open Franse en de meer gesloten Hollandse tuin goed bewust te zijn geweest (afb. 22a–b). Op zijn titelpagina noemde hij deze ontwerpen zelfs 'na de Nederlandtse en Franse ordre', wat een specifiek architectonisch onderscheid lijkt in te houden. En Commelin gaf zijn boek over de kweek van oranjebomen nadrukkelijk de ondertitel mee 'gestellt na den aardt, en climaat der Nederlanden'.[23]

In zowel de buitenlandse als de Nederlandse tuinarchitectuur valt veel meer pluriformiteit dan uniformiteit te bespeuren, een gegeven dat zich laat verklaren door de aanpassing van het tuinontwerp aan een telkens andere landschappelijke situering. De tuinen van Cats' Zorgvliet en Huygens' Hofwyck, gelijktijdig ontstaan vanaf de jaren '40 van de 17de eeuw, tonen ieder een volkomen ander concept van aanleg en inrichting (afb. 4 en 5). Dertig tot veertig jaar later zou een vernieuwd Zorgvliet hemelsbreed verschillen van Clingendaal, terwijl beide tuinen in de duinen bij Den Haag lagen en in dezelfde tijd waren ontstaan. Hun eigenaren Bentinck en Doublet golden allebei als volleerde amateurs op het gebied van de tuinkunst (afb. 23 en 24). Ligging, hoeveelheid grond en persoonlijke smaak speelden hier een belangrijkere rol dan algemeen stijlbesef. Zodra zich accidentatie voordeed in het landschap, werd ook de architectonische organisatie van de tuin anders, zoals bewezen wordt door de aanleg van Roosendael bij Arnhem, of door de terrassentuinen bij Kleef en Neercanne bij Maastricht, allebei in het bezit van eigenaren met contacten aan het stadhouderlijk hof (afb. 19).

Fundamenteel voor ons inzicht in het karakter van deze tuinarchitectuur is veeleer de wijze waarop door middel van mathematica de tuin in het landschap werd gesitueerd en in onderdelen geordend. Er is in dat opzicht weinig onderscheid tussen de inrichting van de polders als de Beemster en de Watergraafsmeer en de grote en kleine tuinen die werden aangelegd: in alle gevallen was mathematisering het middel tot ordening en zingeving van natuur en landschap.[24] Daarom ook kon Leeghwater de Beemsterpolder 'Het Groote Lust-hof van Noordt-Hollandt' noemen.[25] Een lusthof kenmerkte zich immers door mathematische ordening, waar arbeid en techniek de natuur hadden geperfectioneerd. Het oog vond welbehagen in deze ordening of het nu een polder, een tuin of een welbeplante laan door het landschap betrof.[26] Niet stijl maar natuur en kunst werden als criteria gehanteerd om aan te geven of die ordening wel of niet geslaagd was.

22 Vergelijk C.S. Oldenburger-Ebbers, 'De ontwikkeling van de tuinarchitectuur in Nederland door de eeuwen heen. Een afwisseling van open en besloten ruimten', *Groen* 1987, nr. 7/8, 11–17. Zie ook haar inleiding in Oldenburger-Ebbers 1989.

23 Commelin 1676.

24 Voor het begrip mathematisering zie K. van Berkel, 'Ter inleiding. Wiskunde als cultuurelement in de zeventiende eeuw', *De Zeventiende Eeuw* 7 (1991)1.

25 J.A. Leeghwater, *Haarlemmermeer-boek*, Amsterdam 1654, 21.

26 Voor observaties over lanen in het Hollandse landschap zie J.A. Leeghwater, *Haarlemmermeer-boek*, Amsterdam 1654, 21 (over de Volgherweg in de Beemster) en het reisverslag van Southwell uit 1696 in Fremantle 1970.

27 *Letters to a Nobleman From a Gentleman travelling thro' Holland, Flanders and France [...]*, Londen 1709, 25.

28 C. Huygens, *Hofwyck*, 1653, vers 145 in de editie van Zwaan 1977.

29 Stelling nummer 1 in de *Consideratiën op*

22A. J. van der Groen, 'Een
Nederlandtse Hof of Tuijn',
in *Den Nederlandtsen Hovenier*, Amsterdam 1679.

22B. J. van der Groen, 'Een
Frans gebouw, met cierlijke
Parterres', in *Den Nederlandtsen Hovenier*, Amsterdam 1679.

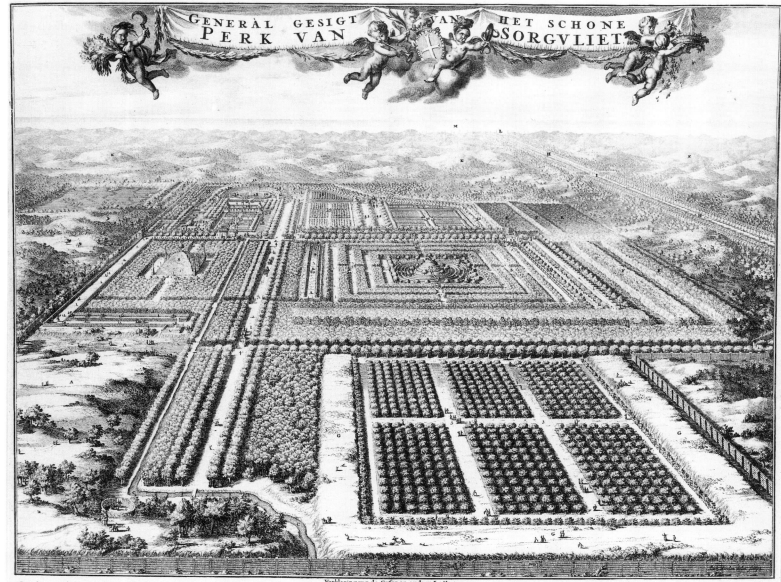

44

23. J. van Avelen, Vogelvlucht
van de tuin van Zorgvliet bij
Den Haag, gravure tussen
1692 en 1698.

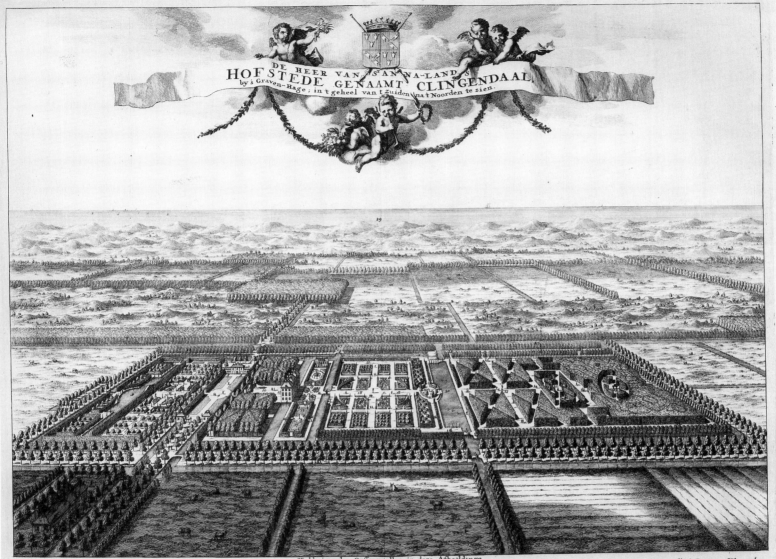

24. D. Stoopendaal, Vogelvlucht van Clingendaal bij
Den Haag, gravure ca. 1690.

25. R. de Hooghe, De 'wilde' tuin onderaan de Prinsentuin te Kleef, ets ca. 1685.

26. De Lespine, De oranjerie van Gunterstein, kopergravure ca. 1690.

Ze konden ook gebruikt worden om de indrukken van een aanleg te beschrijven. De Engelse reiziger J. Shaw schreef in 1709 naar aanleiding van een bezoek aan Zorgvliet dat 'if the Production of Art has been but half so plentiful as those of Nature it would be one of the most charming seats in the Universe' terwijl hij naar aanleiding van Clingendaal schreef dat daar: 'Art is so much superior to nature'.[27] Inderdaad speelde op Zorgvliet de aanplant van vrijstaande bomen in lanen een veel belangrijkere rol dan de strenge architectonische behandeling van de natuur op Clingendaal (afb. 23 en 24). Waar de gravures ons een idee geven van een overal aanwezige formaliteit, doet Shaws opmerking, ook al werd deze ingegeven door zijn eigen smaak en achtergrond, ons de betekenis inzien van de observatie op ooghoogteniveau. Voor de wandelaar speelden de tijd, de seizoenen, de zon en de wind een belangrijke rol bij zijn waarneming van de natuur in de tuin. Lang niet altijd zal hem de tuin zo perfect architectonisch zijn overgekomen als de gravures ons willen doen geloven.

In sommige gevallen werd het contrast tussen de georganiseerde natuur van de tuin en de wilde natuur bewust uitgebuit, zoals in de formulering van Huygens die zijn tuin van Hofwyck (afb. 4) een tamme wildernis van 'woeste schick'lickheden' noemde, een combinatie van wild en tam, van geometrische ordening en vrij uitgroeiende bomen (afb. 42).[28] Ook op Zorgvliet werd met dit soort tegenstellingen gespeeld. Bentinck liet er op het advies van Johan Maurits van Nassau uit 1674 de beek kronkelend omdat 'Het vraeiste en raerste in Hollandt is eene levendige beeck te hebben' (afb. 23).[29] De overgang van tuin naar duin werd gemarkeerd door een beeld van Diana, naast bosgodin ook godin van de jacht, die in de duinen werd beoefend (afb. 92). Op Van Avelens vogelvlucht van Zorgvliet lijken de duinen (ook wel 'wildernis' genoemd) als wandelgebied tot de tuin te zijn gaan behoren. Deze tegenstelling tussen kunst en natuur, tussen geometrie en ongeordende wildernis werd door Johan Maurits van Nassau al eerder toegepast in de aanleg van een tuin onderaan de Prinsentuin in Kleef, compleet met banken en uitzichtspunten en zou later nog worden gebruikt door Bidloo in zijn Russische tuin bij Moskou (afb. 8 en 25).[30] Deze bewuste keuze voor contrast doet in alle opzichten denken aan de wijze waarop de tegenstelling tussen natuur en kunst, tuin en landschap ook in de Italiaanse tuinarchitectuur was toegepast en al

door Plinius was beschreven (afb. 25).[31] In de 17de en 18de eeuw waren natuur en kunst essentiële begrippen waarmee in Nederland de wildernis, het agrarisch landschap, het georganiseerd polderlandschap en de tuin een plaats in de wereld van de mens toegewezen konden krijgen.

DE NATUUR ALS STUDIE- EN VERZAMELOBJECT

In het hiërarchisch opgebouwde universum van de renaissance stonden de drie rijken der natuur (aarde, zee en lucht) ten dienste van de mens. Als kroon op de schepping was hem de heerschappij gegeven over dieren, planten, de aarde en haar grondstoffen. De tuin was als cultuurvorm maar één uitkomst van dit exploitatieproces, de ontginning van veenderijen bijvoorbeeld een andere.

We vinden een overzicht van de diverse functies van de plantenwereld in de al genoemde redevoering die Johannes Brosterhuysen in 1647 hield bij de opening van de medicinale tuin in Breda, waarvan hij opzichter was geworden.[32] Brosterhuysen was een veelzijdig man. Bevriend met Huygens deelde hij met hem een belangstelling voor architectuur en natuur. Hij was classicus, botanist en etser van landschappen. In zijn fraaie rede 'Lof over de Planten' vinden we terug wat Vergilius in zijn *Georgica* bedoelde met de zinsnede dat de natuur de oorsprong der dingen leert. Voor Brosterhuysen was de natuur 'allerschoonst en buitengewoon instructief'. Instructief niet alleen ten aanzien van Gods grootheid, maar ook aangaande de nobelheid van de planten, hun schoonheid en hun gebruik.[33] Nobel zijn de planten vanwege hun verbondenheid met de mens sinds het begin der tijden en Brosterhuysen verschaft een hele genealogie van illustere mannen die zich vanaf het Oude Testament met de kweek van planten bezig hadden gehouden tot aan Frederik Hendrik toe. Wie, zo vervolgde hij zijn betoog, wordt niet bevangen door de schoonheid van kruiden en planten en de enorme variatie aan soorten? Hij beschrijft lyrisch hun geuren en de overvloed aan verschillende kleuren, die schitteren als edelstenen. Bloemen zijn 'sydera terrena', aardse sterren.[34] Vanwege hun schoonheid decoreerden bloemen en palmen de tempel van Salomo en sieren bladeren het Corinthisch kapiteel. Daarom worden bloemen en planten ook aangebracht op kleding en vinden we ze op schilderijen, waar de kunst hun schoonheid imiteert. Verbonden met

Sorghvliet geschreven door Johan Maurits van Nassau in 1674, zie Appendix 5 in Hunt/De Jong 1988, 335–336.

30 Voor het begrip 'wildernis' zie E. Verwijs en J. Verdam (voltooid door F.A. Stoett), *Middelnederlandsch Woordenboek*, Den Haag 1929, Dl. 9, kolom 2543.

31 De Jong 1981, waarin een relatie wordt gelegd met de passage in het in Haagse kringen bekende *The Elements of Architecture* van Henry Wotton uit 1624, waarin gesproken wordt over het uitzicht van een terras, waarvan men een stuk grond kan overzien 'rather in a delightfull confusion, than with any plaine distinction of the pieces'.

32 Brosterhuysen 1647. Voor hem zie Van Se-ters 1953.

33 Brosterhuysen 1647, spreekt over de planten als 'de re nobilissima, pulcherrima et utilissima'.

34 Deze vergelijking werd ook door Lipsius gebruikt, Lipsius 1584, Boek II, hoofdstuk I–III.

35 Deze aansporing vertoont veel gelijkenis met die van Brosterhuysens Leidse leermeester

de mens zijn de planten ook vanwege hun nut. Zij leveren brood, vruchten, groenten en oliën, noten, aromaten en sappen. Medicijnen worden uit planten gedestilleerd tot gezondheid van de mens. De natuur levert hout voor de bouw van schepen en huizen. Die verscheidenheid aan functies maakt de studie der natuur zo interessant. Brosterhuysen spoorde de studenten onder zijn gehoor dan ook aan hem te volgen naar bos, berg en dal, naar bloeiende velden en vochtige bronnen: daar, in situ, vindt men de planten die men kan ruiken, plukken en proeven en die tonen hoe lieflijk God is 'quam suavis sit Dominus'.[35]

Uit de correspondentie met zijn vriend Constantijn Huygens blijkt nogmaals hoe de studie van de natuur deze twee ter harte ging. Zij schrijven over het afgieten van planten, het samenstellen van een kabinet met drogerijen en mineralen, het destilleren van kruiden ten behoeve van geneeskundige experimenten.[36] Brosterhuysen helpt Huygens met het inrichten van zijn Haagse tuin en zend hem een lijst van altijdgroene planten die ook in de winter de tuin een aangenaam aanzien zullen geven.[37] Brosterhuysens interesse blijkt ook uit zijn voorstellen voor de inrichting van de Bredase hortus met mastbomen, hulst, wilde bomen en een 'cabinet van vreemdicheden', waarmee hij een verzameling van *naturalia* en *artificialia* bedoelde, van zeldzaamheden op het gebied van natuur en kunst.[38] Huygens belangstelling voor de natuur blijkt ook uit zijn gedicht *Hofwyck* uit 1653 (afb. 4), dat vooral een gedicht over de bomen in deze tuin is.[39]

Vanaf de tweede helft van de 17de eeuw werd de studie van de natuur voor veel mensen een geliefde hobby. Dat blijkt uit geleerde verhandelingen over de natuur, zoals Rapins in 1672 in Utrecht verschenen *Hortorum Libri IV* als ook uit de verschillende tuintractaten van bijvoorbeeld Van der Groen, Gabbema, Commelin of De la Court. Deze belangstelling voor bloemen en planten is nadrukkelijk aanwezig in de vele hofdichten en vindt een parallel in het toenemende aantal gedrukte catalogi van particuliere plantenverzamelingen en de diverse plantenveilingen.[40] De verzamelwoede werd gestimuleerd door een internationaal vermaarde horticultuur en de introductie van vele exotische gewassen uit alle delen van de wereld, vaak afkomstig uit speciaal daartoe door Nederlanders gestichte tuinen (afb. 29).[41] Deze bereikten via de schepen van de VOC de Amsterdamse of Leidse Hortus en via deze tuinen ook particuliere verzamelaars aan het hof en in de stedelijke burgerij.[42] Op de titelpagina van Gabbema's *De Friesche Lustgaarde* uit 1686 zien we hoe de in het wild verzamelde bomen en planten uiteindelijk hun plaats krijgen in de ordening van de tuin (afb. 28). Samen met de planten arriveerden ook exotische schelpen, mineralen en dieren op Nederlandse bodem die stuk voor stuk van de enorm gevarieerde samenstelling van de schepping getuigden.

Innovaties op het gebied van de tuintechnologie droegen hun steentje bij en een van de meest opvallende uitvindingen was de constructie van kassen of oranjerieën. Vaak was dit de trots van de verzamelaar, zoals op Gunterstein aan de Vecht, eigendom van Magdalena Poulle (afb. 26).[43] De plaatsing van de oranjerie – de winterplaats met de hof ervoor – komt geheel overeen met de voorschriften in Commelins *De Nederlantze Hesperides* uit 1676. Het uit de jaren 1680 daterende oranjehuis is tien vensters breed, ligt met de voorhof op het zuiden en heeft op de hoeken nog twee extra tropische kassen. Door een houten omheining is de 'open-lughtige louwte' ontstaan die Commelin voor de buiten in potten opgestelde gewassen zo belangrijk vond.[44] De twee schoorstenen doen vermoeden dat de ruimte in de winter met twee kachels werd gestookt. Vensters waren met twee- of driedubbele sponningen tochtvrij gemaakt. Het openen en sluiten van de vensters en glazen, het reguleren van de warmte van de stoven en de zon moest nauwkeurig in de gaten worden gehouden. Een collectie als deze bestond niet alleen omwille van zichzelf. Commelin geeft tal van recepten voor geneeskrachtige en huishoudelijke middeltjes als olie en zalf die met de gekweekte planten konden worden bereid. Gesuikerde oranjebloesem (*pastilli* genoemd) werden misschien ook wel op Gunterstein aangeboden in een vertrek dat met geurende snoeren kleine oranjeappels was versierd. De oranjerie van Gunterstein kon met recht een afspiegeling genoemd worden van de legendarische tuin der Hesperiden uit de klassieke mythologie waar Hercules alles trotseerde om de gouden appels te kunnen plukken. Immers in de voorhof bewaakte ook op Gunterstein een draak in de

Pieter Pauw in zijn *Primitiae Anatomicae de Humani Corporis Ossibus*, Leiden 1615, Praefatio, II.

36 Van Seters 1953 en J. A. Worp, *De briefwisseling van Constantijn Huygens*, Den Haag 1911–1916, Rijksgeschiedkundige Publicatiën, Dl. I, brief nr 373, 429, 432, 435, 497; Dl. III, brief nr 2942, 4574, 4665, 4752; Dl. V, brief nr 5307.

37 Vgl. Vergilius, *Georgica* II, 149 'Hic ver assiduum, atque alienis mensibus aestas'.

38 J. A. Worp, *De briefwisseling van Constantijn Huygens*, Den Haag 1911–1916, Rijksgeschiedkundige Publicatiën, Dl. V, brief 5307. Als voorbeeld noemt Brosterhuysen de verzamelingen van Paludanus in Enkhuizen, die in zijn Ark en tuin een omvangrijke verzameling 'rariteiten' van natuur en kunst bijeen had gebracht. Zie ook het hoofdstuk over de Leidse Hortus.

39 De belangstelling voor bomen blijkt ook uit de correspondentie van Christiaan Huygens, *Oeuvres Complètes*, Dl. IV, brief 1046 (18 september 1662), waarin hij R. Moray vraagt om een exemplaar van Evelyns *Sylva or a Discourse on Forest-Trees [...]*, dat pas in 1664 gepubliceerd zou worden. Zowel Moray en Huygens als Evelyn waren lid van de Londense Royal Society.

40 Zie Kiel 1983 en Kuijlen 1983; ook J. Kuijlen, 'Plantenveilingen in de Noord- en Zuid-Nederlanden 1600–1839', *Groen* 1983, nr 9, 320–323.

41 Voor de bloei van de land- en tuinbouw zie Sangers 1952.

vorm van een fontein de kostbare verzameling planten. De eigenaresse en haar tuinman konden, met Commelin in gedachten 'elk sigh een Hercules [...] betoonen' in de kommervolle en moeizame arbeid die het kweken van zeldzame en exotische planten in een noordelijk klimaat met zich meebracht. Maar als het lukte was er alle reden om jezelf te laten afbeelden als Flora Batava, een Nederlandse Flora, zoals Agneta Block deed in 1700 (afb. 27).

De groeiende belangstelling voor de natuur stimuleerde het wetenschappelijk, botanisch onderzoek. Jan Commelin, vanaf 1682 beroepsbotanicus bij de Hortus Medicus van Amsterdam, publiceerde in 1683 de eerste flora van de Nederlanden, de *Catalogus Plantarum Indigenarum Hollandiae*.[45] Paulus Hermann deed in 1687 de catalogus van de collectie van de Leidse Hortus Botanicus, waarvan hij prefect was, het licht zien. Zijn publikatie, de *Horti Academici Lugduno-Batavi Catalogus*, geldt als een van de eerste werken die de inzichten op het gebied van de recente exotische plantenintroducties naar voren bracht. De vele nieuwe planten deden internationaal een behoefte aan een bruikbare plantensystematiek onstaan waaraan de Nederlanders een belangrijke bijdrage leverden. John Ray's *Methodus Plantarum Nova* uit 1682, dat als systeem de taxonomie van Caspar Bauhins boek *Pinax Theatri Botanici* (Bazel 1623) verving, werd gedrukt in Amsterdam. De tuin, en met name de hortus medicus en de hortus botanicus, speelden met hun collecties bij de ontwikkeling van de botanische wetenschap een cruciale rol.

Ook de vele particuliere verzamelaars moet de nieuwe plantenrijkdom een ander beeld van de schepping hebben gegeven. Hun nieuwsgierigheid, hun 'curiositas', is misschien wel een instrument geweest voor een meer 'wetenschappelijker' begrip van de natuur. Voor vele andere tuineigenaren die minder onderlegd waren, maar toch in aanraking kwamen met de cultuur van zeldzame gewassen, was de tuin met haar planten, schelpen in grotten, fonteinen, beelden, in vorm gesnoeide bomen en kunstige parterres niet minder dan een buitenmuseum van natuur en kunst. Het anonieme schilderij van de tuinen bij de buitentjes Vlietzorg en Zorgvliet aan het Spaarne bij Haarlem geeft ons daarvan nog altijd een prachtige indruk (plaat 2).[46] Ook hier zal de tuin nieuwsgierigheid en verwondering hebben gestimuleerd. Deze interesse voor de natuur, die bij steeds meer mensen gewekt werd, brak met een christelijke traditie die lange tijd een verbod had gelegd op de pogingen van het menselijk intellect om de *aracana naturae*, de geheimen der natuur te leren kennen.[47] Het 17de-eeuwse verlangen naar kennis van de natuur door middel van de natuurwetenschap bleef echter wel met de verwerving van Godskennis samenhangen.

De ruimte van de tuin bood in dat opzicht nog meer ruimte voor experimenten. Vroege wetenschappers als Isaac Beeckman experimenteerden in de eerste twee decennia van de 17de eeuw in tuinen met het aanleggen, verbeteren en repareren van waterleidingen en het construeren van fonteinen. Het in elkaar zetten van een fontein of door water voortbewogen *automata*, geïnspireerd door klassieke teksten en recente boekwerken als die van Salomon de Caus (afb. 30), legde een verband tussen techniek en wetenschap (afb. 31).[48] Experimenten als deze betroffen vooral de constructie van een mechanisme dat water kon voortstuwen (het liefst eeuwigdurend), het vullen van reservoirs en de overbrenging van waterkracht op de beweging van figuren (de koningen, keizers, prinsen, heren, kooplieden, ambachtslieden en bedelaars op een rad van fortuin bijvoorbeeld), zodat er een effect van levensechtheid zou kunnen ontstaan (afb. 31). Tot ver in de 17de eeuw zou bij wetenschappers deze interesse in fonteinmechanieken blijven bestaan, zoals bewezen wordt door Christiaan Huygens, die in de jaren 1670 herhaaldelijk in zijn correspondentie nieuwe Franse uitvindingen op dat gebied beschreef voor zijn familie in Nederland (afb. 32). In de jaren 1682 tot 1686 zou hij de tuin van zijn ouderlijk huis in Den Haag gebruiken voor het observeren van de Halley-comeet, de maan en de sterren.[49]

De rentmeester van de stadhouderlijke domeinen van Breda deed in 1708 met behulp van een luchtbarometer (uitgevonden ca. 1643) aan de buitenmuur van een serre waarnemingen over de temperatuurwisselingen.[50] Ook tekende hij dagelijks de weersgesteldheid op.

42 Wijnands 1983 en zijn bijdrage aan Hunt/ De Jong 1988; Heniger, 1986.

43 Quarles van Ufford 1980.

44 Commelin 1676, 38 en 39.

45 Wijnands 1983 en de bijdragen aan Hunt/ De Jong 1988, cat. nrs 113–135.

46 Voor dit schilderij Hunt/De Jong 1988, cat. nr 7 en B.C. Sliggers, 'Een schilderij van Vlietzorg en Zorgvliet aan het Zuider Buiten Spaarne omstreeks 1700', *Haerlem Jaarboek* 1992, Haarlem

1992, 98–109.

47 Blumenberg 1973 en C. Ginsburg, 'Hoog en laag. Het thema van de verboden kennis in de zestiende en zeventiende eeuw', in: *Omweg als Methode. Essays over verborgen geschiedenis, kunst en maatschappelijke herinnering*, Nijmegen 1988, 150–177. Vgl. De Passe 1614, voorwoord.

48 Van Berkel 1983, 30/31, 68, 71–79 en De Waard 1939–1953, Dl. I, 15, 37, 41–44, 64, 65, 66–78 (met schetsen van fonteinpompen); Dl. II,

199–200, 353, 355, 356. Het grote voorbeeld was Hero van Alexandrië (ca. 62 voor Christus) die in zijn *Pneumatica* en *Automata* experimenten met waterorgels, pompen en automata had beschreven. Zijn overgebleven teksten werden in de 16de en 17de eeuw nauwkeurig bestudeerd, Coulston Gillespie 1970–1975, Dl. VI, 310–315.

49 Voor beschrijvingen van fonteinen zie Oeuvres Complètes Dl. VIII, brief nr 2144 (27 october 1678) en ook Dl. VI, brief nr 1619, 1640,

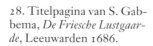

28. Titelpagina van S. Gabbema, *De Friesche Lustgaarde*, Leeuwarden 1686.

29. H. van Schuylenburgh,
De voc-Factorij te Ben-
galen, olieverf op doek.

27. J. Boskam, Penning
met Agneta Block als *Flora
Batava*, zilver 1700.

30. S. de Caus, Probleem
XXIIII uit zijn *Les Raisons des
forces mouvantes*, Frankfurt
1624.

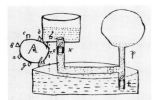

31. I. Beeckman, Ontwerp voor een door water aangedreven Rad van Avontuur, in zijn *Journaal* fol. 64–165, 1622 (uit *Journal tenu par Isaac Beeckman de 1604 à 1634*, ed. C. de Waard, Den Haag 1939–1953).

33. R. de Hooghe, De terrassentuin onderaan de Prinsentuin te Kleef, ets ca. 1685.

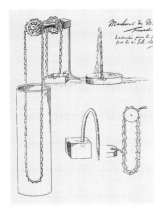

32. Chr. Huygens, Tekening van een fonteinconstructie, in zijn brief van 20 januari 1668 aan Ph. Doublet met de aantekening 'Machine de Monr Franchini. Executée pour la première fois le 21 Jul. 1668 a Paris' (uit *Oeuvres Complètes de Christiaan Huygens*, Den Haag 1888–1905).

51

Raadspensionaris Adriaan Pauw experimenteerde in de tuin van zijn landgoed Heemstede met spiegelkasten om zijn schaarse bezit aan dure tulpen voor het oog te vermeerderen.[51] Johan Maurits van Nassau stelde in de jaren '60 en '70 in zijn tuinen in Kleef eveneens optische instrumenten op. Zo had hij bovenaan de terrassentuin bij de Prinsenhof een grote, concave spiegel neergezet waarin zich, als een landschapschilderij, het hele panorama van het Kermisdal weerspiegelde (afb. 33). Perspectief en optica speelden een belangrijke rol in de tuin, zowel in het ontwerp als in de beleving. Zichtassen en lanen leidden het oog van de bezoeker van de ene scène naar de andere, als golden het geschilderde voorstellingen.[52] Het perspectief werkte als een telescoop en bracht de bezoeker door de beweging van zijn wandeling wisselende tonelen door de verandering van voor- en achtergrond.[53] Ontbrak een dergelijk strak georganiseerd perspectief dan kon een echte telescoop of verrekijker uitkomst bieden. Op de terrassentuin te Kleef werd, zoals De Hooghe ons op een ets uit ca. 1685 laat zien, door een wandelaar een verrekijker gehanteerd om het vergezicht dichterbij te halen. Telescopen en verrekijkers, in de 17de eeuw recente uitvindingen, treffen we ook aan in verschillende inventarissen van tuinkoepels en buitenhuizen.[54] Hun aanwezigheid getuigt van een grote preoccupatie met het zien. Om die reden werden tuinen ook wel een *paradisus oculorum* genoemd, een paradijs van en voor de ogen.[55]

NATUUR EN ALLEGORIE

De wandeling in de tuin leverde diverse ervaringen op en afhankelijk van culturele en professionele achtergrond zal men kennis hebben opgedaan, of alleen zijn nieuwsgierigheid hebben bevredigd. Uit de reisverslagen blijkt meestal het laatste, terwijl vele eigenaren bij de inrichting van hun tuin wel een specifieke zingeving voor ogen hadden. Het lijkt erop alsof men zich in de 17de eeuw van deze tweespalt zelf al bewust was. D'Outrein althans, in zijn gedicht op de tuin van Roosendael bij Arnhem, geeft aan dat de tuin meestal niet meer doet

dan de zinnen tijdelijk verzetten.[56] Beter zou het zijn als men zich wel verlustigt in 'die sienelyke vermakelykheden, dogh ondertusschen daar by niet alleen berusten blyft; maar die de schepselen, 't sy daar de natuur of konst in speelt, gebruykt, als een ladder, om op te klimmen tot den Grooten Maker van het Heel-Al, om de voetstappen van syne wysheid, magt en goedheid in desen gade te slaen'. Voor de wandelaar kunnen de 'Bergen, Daalen, Boomen, Bosschen, Bloemen, Fonteinen, en wat des meer sig aan het oog vertoont, sinnebeelden zyn'. Voor de hofdichters functioneert de natuur vaak als een embleem. Hoe kleiner het insekt, hoe groter de lof op de Goddelijke maker. Tegelijkertijd speelde de natuur in de emblematische boekwerken een rol als nooit te voren.[57] De natuur leert lessen, zij het niet alleen morele of religieuze. Fonteinen, vijvers en een aanplant van bomen konden verwijzen naar hun tegenhangers in de wilde natuur: naar cascades, meren of bossen.[58] Betekenis kon niet alleen door bloemen en dieren worden uitgedragen, maar ook door beeldhouwwerk in de tuin, door vazen, standbeelden of reliëfs; door beschilderde schotten met voorstellingen of door fonteinen, grotten en lattenconstructies. Zij speelden als verticale elementen niet alleen een belangrijke rol in de compositie en de 'welstand' van de tuin, maar ook in het geheel aan betekenissen die de tuinruimte werd meegegeven.[59]

Vaak refereerden deze decoratieve elementen aan de opbouw van de natuur: de vier seizoenen, de vier elementen of de delen van de dag. Ze konden ook verwijzen naar land- en watergoden uit de klassieke mythologie die stonden voor natuurkrachten: Flora, Ceres, Diana, Neptunus en Faunus of de roof van Proserpina, een allegorie voor de Lente die door de Winter werd overwonnen. Hun plaats was meestal niet willekeurig, maar vertelde een verhaal: de watergoden bij een fontein of in een cascade, een Flora in een bloembed konden verwijzen naar de zuiverheid van het water die de overvloed aan bloemen en planten tot stand had gebracht. Op Clingendaal werd de wandelaar op de hoofdas in een sterrebos van lanen geconfronteerd met een beeld van Apollo, de klassieke belichaming van de ideale

1769; Dl. VII, brief nr 1833, 1855, 1871; Dl. VIII, brief nr 2163. Christiaan Huygens bezat een exemplaar van het tractaat over de automata van Hero van Alexandrië (Venetië 1589), zie *Oeuvres Complètes* Dl. XXII, na pag. 816. Voor zijn observaties in Den Haag ibidem Dl. XV, 147.

50 A. Labrijn, 'Het klimaat van Nederland gedurende de laatste twee en halve eeuw', *Mededelingen en Verhandelingen van het K.N.M.I.*, 49 (1945), 11–14.

51 H.W.J. de Boer en H. Bruch, *Adriaan Pauw (1585–1653). Staatsman en ambachtsheer*, Heem-

stede 1985, 24.

52 De vergelijking is te vinden bij De Hooghe 1698 in zijn toelichting onder Fig. XI. Hij gebruikt het woord 'réprésentations' en 'representations' in de zin van 'voorstellingen', die een direct verband lijken te suggereren met beschilderde schotten in tuinen (zie het hoofdstuk over Het Loo en Heemstede) aan het einde van een laan.

53 Zie ook het hoofdstuk over Zijdebalen.

54 Zie bijvoorbeeld Sliggers 1984 en Pijzel-Dommisse 1978. Voor de telescoop en de invloed daarvan in de 17de eeuw: P.A. Kirchvogel en A.W.

Vliegenthart, 'Fernrohr', *Reallexikon zur Deutschen Kunstgeschichte*, München 1987, 257–276.

55 *Paradisus Oculorum* is de titel van series gezichten die de uitgever Petrus Schenk in 1702 op de markt bracht van de tuinen van Het Loo, Dieren, De Voorst, Duinrel, Roosendaal en een aantal Zweedse buitens, Hunt/De Jong 1988, cat. nr 67.

56 D'Outrein 1700, *Voorreden*. Eenzelfde strekking is te vinden in J. de Hennin, *De zinrijke gedachten toegepast op de vijf sinnen*, Amsterdam 1681, 6–10, waar een beschrijving wordt gegeven van de tuinen van Honselaarsdijk.

34. G. van den Eeckhout,
Het Amphitheater te Kleef,
ca. 1653/54.

35. J.W. Heydt en A. Hoffer,
De hoofdas in de tuin van Adriaan Valkenier bij Batavia,
gravure 1739, in J.W. Heydt,
*Allerneuesten geografisch-und
topografischer Schau-Platz…*,
Wilhelmsdorf 1755.

36. 'De Springbron der
Liefde', ets in *Delfts Cupidoos
Schichje…*, Delft 1652.

37. W. Buytewech, Allegorie
op het Twaalfjarig bestand,
ets 1615.

40. De Lespine, De 'fontaine de la Poulle' in de tuin van Gunterstein, kopergravure ca. 1690.

41. S. LeClerc, De haan en de vos, gravure in Ch. Perrault, *Labyrinthe de Versailles*, 1677.

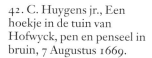

42. C. Huygens jr., Een hoekje in de tuin van Hofwyck, pen en penseel in bruin, 7 Augustus 1669.

43. De Lespine, Het latwerkprieel bij de parterre in de tuin van Gunterstein, kopergravure ca. 1690.

38. D. Stoopendaal en L. Schenk, Het Apollobeeld in de tuin van Clingendaal, kopergravure ca. 1690.

39. D. Stoopendaal en L. Schenk, Het boomwortel-prieel in de tuin van Clingen-daal, kopergravure ca. 1690.

schoonheid, van symmetrie en proportie waarmee ook dat deel van de tuin was vormgegeven (afb. 24 en 38). Vervolgens werd de wandelaar in de doolhof door een slingerend patroon van paden gevoerd en op het einde van zijn tocht beloond met een lustprieel gemaakt van boomwortels, die in hun natuurlijke grilligheid commentaar leverden op de symmetrie en harmonie van het Apollobeeld (afb. 39). Inrichting en versiering van de tuin bepaalden hier in een overdacht samenspel zowel de fysieke beweging als de waarneming van de wandelaar.

De tuin bood een architectonische ruimte die net als kamers en vertrekken in het huis van decoratieprogramma's voorzien kon worden. De ideeënwereld van tuin- en buitenleven gaf legio mogelijkheden tot het opnemen van verwijzingen in beeldhouwwerk of anderszins. Johan Maurits stelde in zijn amfitheater in Kleef kanonskogels op en een harnas van de oorlogsgod Mars om daarmee uitdrukking te geven aan het Vergiliaanse idee van de vrede op het land nu de Tachtigjarige oorlog was afgelopen (afb. 34).[60] Adriaan Pauw versierde zijn tuin in Heemstede eveneens met beelden en inscripties die verwezen naar de vrede en naar zijn functie bij de vredesonderhandelingen van Münster. De beelden van klassieke goden als Mars, Venus, Apollo, Ceres, van de boer en boerin moesten nadrukkelijk, zo gaf een inscriptie aan, geïnterpreteerd worden als christelijke emblemen die opvoedden tot deugd.[61] Literaire motieven, zoals het in de middeleeuwen populaire gegeven van de liefdestuin, bleken in de 17de eeuw nog steeds vatbaar voor een toepassing in de tuiniconografie (afb. 36 en 54). Bijbelse iconografie behoorde ook tot de mogelijkheden en Nederland neemt wat dat betreft ten opzichte van het buitenland een uitzonderingspositie in.[62] Adriaan Valkenier koos aan het begin van de 18de eeuw voor de aankleding van het centrum van zijn tuin bij Batavia zelfs een compositie met Adam en Eva onder de boom der Kennis, alsof hij in de tropische natuur van zijn tuin echt het paradijs had aangetroffen (afb. 35).

Veel van deze beeldtaal verwees naar de eigenaar, die zijn tuin gebruikte om een wereldbeeld uit te drukken of om zijn maatschappelijke positie te illustreren. Zowel de natuur als de kunst leverden tal van mogelijkheden voor een zinvolle inrichting van de tuin, die de wandelaar moest opvoeden, beleren en vermaken. Was uiteindelijk niet heel Holland een tuin, zoals een lange traditie aan voorstellingen op officiële zegels en politieke prenten het voorstelde (afb. 37)?[63]

DE DILETTANT

'Me voilà donc arrivé aux quartiers d'hyver. Il faut pourtant que je vous dise, que ce n'est pas sans regret que je viens ici m'ennuier d'une manière affreuse et que je quitte ma campagne, bien aimée, mon bijou, ou mon sans souci, car il n'y a point de nom assez precieux à lui donner' (Hier ben ik dan gearriveerd in mijn winterkwartier. Toch moet ik U zeggen dat ik het betreur mij hier op een verschrikkelijke manier te moeten vervelen en dat ik mijn zo geliefde buiten verlaat, mijn parel, mijn zorgenvrij, want ik weet er geen kostbaarder naam aan te geven).[64] Zo nam Joseph Elias van der Muelen, burgemeester van Utrecht, in 1749 afscheid van zijn landgoed Dennenburg toen hij tegen de winter het land moest verruilen voor de stad. Zijn brief brengt in herinnering dat het buitenleven tot een heel persoonlijke ervaringswereld kon behoren. De tuin bracht ontspanning, bezigheid met het kweken van planten, het volgen van de groei van bomen, het zich verheugen in een rijke opbrengst van fruit; de tuin verschafte vooral schaduw tijdens de 'hondsdagen', de heetste periode van het jaar aan het einde van de maand juli (afb. 42). Men kon er zitten, nadenken en rusten, wat drinken, zelfs muziek maken (afb. 43). Wandelen was favoriet en werd als fysieke excercitie in de tractaten als gezond aanbevolen.[65] Ergens anders wandelen dan in een tuin was schier onmogelijk en het Franse equivalent voor een 'luchtje scheppen' was dan ook 'se jardiner'. Legio zijn de passages in het dagboek van C. Huygens jr waarin hij noteert dat Willem III zich wandelend verpoost in de tuin van Het Loo. Ook in de correspondentie van zijn broer Christiaan vinden we vele voorbeelden waarin hun zuster de

---

57   Zie Van Veen 1960. Voor emblemata en natuur zie ook W. Harms, 'On Natural History and Emblematics in the 16th Century', *The Natural Sciences and the Arts. Aspects of Interaction from the Renaissance to the 20th Century*, Acta Universitatis Upsaliensis. Figura Nova Series 22, 1985, 67–83 en W. Harms en Ulla-Britta Kuechen, *Einführung. Joachim Camerarius Symbola et Emblemata* (Nürnberg 1590 bis 1604), Graz, 1980. Ik dank Prof. Harms, München, dat hij mij op zijn artikelen opmerkzaam maakte.

58   Rapinus 1672, 78.

59   Voor het begrip 'welstand' zie S. van Hoogstraeten in zijn *Inleyding tot de Hooge Schoole der Schilderkonst: anders de Zichtbaere Werelt*, Rotterdam 1678, 303, naar aanleiding van witte beelden tegen groene hagen.

60   De Jong 1979.

61   J.C. Tessinga, *Enkele gegevens omtrent Adriaan Pauw en het slot van Heemstede. II. Het slot van Heemstede onder Adriaan Pauw*, Heemstede 1949, 4–59.

62   Vgl. MacDougall 1972 en 1985.

63   Van Winter 1957.

64   P. Coumans, 'Geld en geluk; de familie Van der Muelen in gezinshistorisch perspectief 1600–1800', *Jaarboek Oud-Utrecht* 1984, 99–121, in het bijzonder pag. 106, noot 19 (brief van 10 december 1749).

65   *Alle de Wercken zo in de Medicyne als Chirurgie van de Heer Ioan van Beverwijck*, Amsterdam z.j. Hierin de *Schat der Gesontheyt* uit 1672, Vierde Boek, 182: 'Van de Bewekeninge ende Ruste des Lichaems'.

66   *Oeuvres Complètes*, Dl. VIII, bijvoorbeeld brief nr 2179 (27 juni 1679) en brief nr 2184 (18

wandelpartijen op Clingendaal beschrijft, op Zorgvliet of op de buitens van vrienden en familie.[66]

Voor velen behoorde de tuin tot hun beeld van de wereld en was de natuur van deze georganiseerde ruimte even betekenisvol als hun huis in de stad. Opgevoed in een milieu waarin tekenen een belangrijke rol speelde, waren Constantijn Huygens sr, maar ook zijn schoonzoon Doublet en de bevriende Bentinck in staat hun eigen ontwerpen voor de tuin te maken, al dan niet met advies van een architect.[67] 'Il ij a quelque Plaisir a Batir, mais je voij bien qu'il ne se fait pas sans peine aussi', schreef Suzanna Huygens in 1680 aan haar broer Christiaan over haar echtgenoot Doublet: het zelf ontwerpen was een genoegen dat met inspanning en moeite gepaard ging.[68] Gelukkig waren er de vele Franse en Italiaanse prenten van tuinen die een schat aan vormen en ideeën leverden en die daarom gretig werden verzameld.[69] Hun voorbeeldwerking voor het ontwerpen van onderdelen in de tuin moet niet onderschat worden en vormt een van de mogelijkheden na te gaan in hoeverre Italiaanse of Franse invloed in Nederland werd verwerkt (afb. 40 en 41). Ze vormden ook een welkome aanvulling op de ouderwetse voorbeelden in bijvoorbeeld het boek van Van der Groen, dat voor praktische raadgevingen nog wel altijd bruikbaar bleef.[70] Nederlandse uitgevers als Nicolaas Visscher zouden zich zelfs in de publikatie van Franse en Nederlandse tuinprenten specialiseren.[71]

In de bibliotheek en de prentenverzameling van iemand als Simon Schijnvoet, onderschout en hoofdprovoost van het Aalmoezeniers weeshuis vinden we aan het begin van de 18de eeuw bijna alle belangrijke publikaties en prenten op het gebied van de tuinkunst uit de late 17de en het begin van de 18de eeuw.[72] Maar hij was dan ook iemand die als dilettant een dermate hoog niveau had bereikt dat zijn eigen publikaties op het gebied van de tuinkunst een belangrijke rol zou gaan spelen bij het ontstaan van de tuinkunst in het ver verwijderde Rusland.[73] De Hollandse tuin bood een leerzame wereld van natuur en kunst die zonder grenzen was.[74]

augustus 1679).

67 Voor de opvoeding zie bijvoorbeeld A.R.E. de Heer, 'Het tekenonderwijs van Constantijn Huygens en zijn kinderen' in V. Freijser, *Soeticheydt des Buytenlevens. Leven en leren op Hofwijck*, Delft 1988, 43 en verder. Onder deze tekenoefeningen bevindt zich ook een imaginair ontwerp voor een classicistisch landhuis met tuin van de hand van Philips Huygens uit 1651 (afb. 17 in genoemde publikatie).

68 *Oeuvres Complètes*, Dl. VIII, brief nr 2224 (25 juli 1680).

69 Vergelijk Sellers-Bezemer 1984, Van der Waals 1988.

70 Bij een exemplaar van Van der Groen in de collectie van het Rijksprentenkabinet is dan ook een exemplaar bijgebonden van Jean le Pautres' *Nouveaux Desseins de Jardins*.

71 Hunt/De Jong 1988, cat. nr 78.

72 *Een versameling Van veele keurlyke Boeken [...] naagelaten door Simon Schynvoet*, verkoopcatalogus Amsterdam 1728; *Catalogus Van een uytmuntende Party Tekeningen en Prenten [...] Alles nagelaten door Simon Schynvoet*, verkoopcatalogus 1728. Voor leveringen van prenten aan Schijnvoet zie O. Lankhorst, 'Prenten uit het "Cabinet du Roi" in de Republiek. De ruilhandel tussen de Rotterdamse "Libraire" Reinier Leers en de "Bibliothèque du Roi" te Parijs (1694–1710)', *Leids Kunsthistorisch Jaarboek* 1985, Delft 1987, 63–85, in het bijzonder pag. 71.

73 De Jong, 1981 en J. Cracraft, *The Petrine Revolution in Russian Architecture*, Chicago/Londen 1988, 149. Voor Schijnvoets publikaties zie het hoofdstuk over Zijdebalen.

74 Voor opmerkingen over de invloed van de Nederlandse tuinarchitectuur in het buitenland zie Hunt/De Jong 1988 en De Jong 1990–2.

Deel II

'Nederlantze Hesperides'

Hoofdstuk 3. *De tuin van Venus en Hercules*

Het Loo als propaganda voor stadhouder-koning Willem III

I HISTORISCHE ACHTERGRONDEN

Het was een eenvoudige handtekening onder een contract waarmee stadhouder prins Willem III (1650–1704) in 1684 het middeleeuwse kasteel Het Loo bij Apeldoorn kocht. Deze aankoop markeerde echter het begin van een bouwcampagne van ongeveer veertien jaar die resulteerde in een omvangrijk complex van een huis met stallen en uitgebreide tuinen, rijk gestoffeerd met fonteinen en beelden.[1] Het in ca. 1698 voltooide Loo was bedoeld als slot van waaruit de prins op de Veluwe de jacht kon beoefenen (afb. 44). De timpanen van het corps-de-logis getuigen van die functie met hun afbeeldingen van wapen-, dier- en jachttrofeeën rond het borstbeeld van de jachtgodin Diana.

Dat de jacht voor Willem III een geliefde ontspanning vormde, kunnen we opmaken uit brieven aan zijn favoriete hoveling Hans Willem Bentinck (1651–1709). Hierin lezen we over verschillende drijfjachten op de Veluwe waarbij hem niet alleen Het Loo, maar ook een aantal andere jachthuizen ter beschikking stond.[2] Het huis te Dieren had Willem III van zijn vader geërfd (afb. 99). Te oordelen naar de verbouwingen en reparaties in de jaren 1692–1700, was het bij de prins minstens zo in trek als Het Loo. Soestdijk was al in 1674 aangekocht, verbouwd en met tuinen omgeven. Kleinere jachthuizen voor de stadhouder bevonden zich in Hoog-Soeren en Meerveld en op de Rouwenberg bij Ellecom, alle vlak bij het Veluws jachtgebied.

In 1700 werd daar Coldenhove bij Eerbeek door aankoop nog aan toegevoegd.[3]

Nu behoorde het jagen tot een van de privileges waar de stadhouder over beschikte. Vanouds immers was de jacht in West-Europa voorbehouden aan de vorst die deze als een statussymbool hanteerde. Tot nog toe is de functie van Het Loo als jachtslot terecht benadrukt, al heeft men zich teveel afgesloten voor de vraag of in het verlengde van de jacht als statussymbool ook nog andere motieven bij de aanleg van huis en tuinen een rol hebben gespeeld. Een uitspraak van Willem III zelf geeft alle reden dit te veronderstellen, want, zo schreef hij in 1696 vanuit Engeland aan Bentinck, behalve de jacht ging zijn voorkeur uit naar de tuinkunst: beide 'vous saves estre deus de mes passions' ('zijn, zoals U weet, twee van mijn passies').[4]

Meer dan bij de andere jachthuizen het geval was, werd Het Loo bepaald door een omvangrijke tuinaanleg. De aankleding met beelden, fonteinen, cascades en beplantingen overtrof alle andere buitenverblijven van Willem III in ambitieuze lay-out. Ook vormde de tuinaanleg op Het Loo qua architectuur en inrichting een uitzondering in vergelijking met de tuinen van de hovelingen uit zijn directe omgeving.

Het belang van de bouwcampagnes op Het Loo werd nog eens geaccentueerd door de royale wijze waarop de aanleg, en met name de tuinen, in prent en dus in de openbaarheid werden gebracht.

Ik dank Drs A.L.M.E. (Wies) Erkelens, Rijksmuseum Paleis Het Loo, Apeldoorn voor haar commentaar op een eerste versie van deze tekst.

1 Voor de geschiedenis van huis en tuin zie chronologisch de belangrijkste literatuur: Peters 1914; Ozinga 1938, hoofdstuk III-c, 49–77; Bienfait 1943, 83 en verder; De Jong-Schreuder 1968; Royaards 1972; Strandberg 1973, 77; Van der Wijck 1974, 33–35; Kranenburg-Vos 1975; Van Asbeck en Erkelens en Van der Wijck 1976, 119–148 en 183–249; Van der Wijck 1977, 165–178; *Groen* nr 12 (1977); Kuyper 1980, 145–147 en 181–3; Van der Wijck 1982, Deel II, VIe hoofdstuk, 203–221; *Groen* nr 6 (1984) (geheel nummer); Spies 1984, 82–86; Gids Rijksmuseum Paleis Het Loo, 1985; Van der Valk Bouman 1985; De Jong 1985, 235–247; Kranenburg-Vos 1986; Hunt/De Jong 1988; Van Raay en Spies 1988; Jacques en Van der Horst 1989. Wat betreft de rekeningen voor de bouw en de aanleg van huis en tuin zij hier – naast de bron zelf – verwezen naar Peters en De Jong-Schreuder, die ieder verwijzen naar de gegevens uit de Registers van Ordonnantiën van de Nassausche Domeinraad op het Algemeen Rijksarchief te Den Haag. Peters geeft in zijn Bijlage C een (niet volledig en niet accuraat) overzicht van rekeningen op basis van dit archief dat, bij het ontbreken van de rekeningen van de Rentmeester-Generaal over 1683–1701, onze belangrijkste bron blijft.

2 Japikse 1927–37, bijvoorbeeld deel I, eerste gedeelte, brief nr 11 (1679), nr 16 (1683), nr 18 (1683) enz.

3 Van der Wijck 1976, 184–189 en zie ook zijn bijlage I. Van Everdingen-Meyer 1984. Voor Dieren en Coldenhove Hunt/De Jong 1988, cat. nrs 22 en 42.

4 Japikse 1927–37, deel I, 1, brief nr 200 (13.2.

Een zo gedetailleerde verslaggeving als in de prentseries van Gerard Valk, Romeyn de Hooghe, L. Scherm en C. Allard en J. Roman en P. Schenk, zal men van de andere stadhouderlijke verblijven tevergeefs zoeken.[5] De visuele propaganda die uit deze topografische werken spreekt, vindt zijn tegenhanger in de voor Nederland unieke publikatie van Willem III's lijfarts Walter Harris, zijn *Description of His Majesty's Palace and Garden at Loo* (Londen 1699). Het Loo wordt hierin onmiskenbaar een specifieke betekenis toegekend, die aan de andere jachtverblijven heeft ontbroken.

In de prentseries en het boek van Harris gaat de grootste aandacht uit naar de omvangrijke architectonische tuinaanleg. Zijn gedetailleerde beschrijvingen geven aan dat de tuinen een meer dan utilitaire betekenis moeten hebben gehad. Waar het huis een specifieke jachtfunctie toegekend kon worden, hadden de tuinen noch qua vorm, noch qua functie ook maar iets met de jacht van doen. Zij waren ook te kostbaar van vorm en inrichting om enkel een louter versierende waarde aan de functie van het huis toe te voegen. Een reconstructie van hun oorspronkelijke betekenis is echter alleen af te leiden uit de ons overgebleven visuele en schriftelijke bronnen. Het huis bleef weliswaar als jachthuis tot in deze eeuw bewaard; de tuinen en hun betekenis verdwenen volledig door de landschappelijke aanleg van het laat 18de- en 19de-eeuwse park. De veronachtzaming van de oorspronkelijke geometrische vormgeving van de tuin werd ingegeven door een verandering in smaak die deze tuinstijl als natuurbeeld niet meer waardeerde.

Daarenboven waren het de koninklijke jachtpartijen die in de 19de-eeuwse geschiedschrijving en in het feitelijke gebruik de functie van Het Loo domineerden. Toch werd in het begin van deze eeuw de politieke en dynastieke betekenis van Het Loo onderkend toen van staatswege een balzaal werd aangebouwd en Het Loo in verband met het diplomatieke verkeer op tal van plaatsen in neo-17de-eeuwse Marot-stijl werd 'gerestaureerd' als verwijzing naar de glorieperiode van de stadhouder-koning.[6]

De recente reconstructie (voltooid in 1984) heeft aan de tuinen weliswaar de oorspronkelijke geometrische vorm teruggegeven, maar de inhoudelijke betekenis van de tuinaanleg werd ten behoeve van die reconstructie niet of nauwelijks onderzocht.

Dat is des te merkwaardiger omdat een tuin als die van Het Loo specifiek onder te brengen is in de traditie van de vorstentuin, waarvan men in de 17de eeuw de oorsprong graag herleidde tot bijbelse en klassieke voorbeelden en die in de tuintraditie van West-Europa zijn oorsprong vond in het vroege en populaire tuintractaat van Pietro de Crescenzi. Diens *Opus Ruralium Commodorum* uit ca. 1314 beschrijft de aanleg van tuinen en boomgaarden die bij uitstek de vorst als hoofd van staat waardig zijn. Vorstelijke geldbesteding kan monumentaliteit van aanleg en rijkdom van aankleding garanderen en tegelijkertijd een model verschaffen waarnaar hovelingen en burgers zich kunnen richten bij het aanleggen van hun eigen tuin.[7]

Crescenzi's boek staat aan het begin van een traditie waarin de tuinkunst inderdaad onderwerp van vorstelijke begunstiging is geworden. Uitstijgend boven het louter functionele werden, met name in Italië rond Rome en Florence aan het einde van de 15de en vooral in de 16de eeuw, tuinen steeds vaker uitgevoerd als op zichzelf staande architectonische composities met vorstelijke aspecten. Dat het niet louter om formele composities ging is in de inleiding al uiteengezet: hun assenstelsels en hun stoffering met beelden, grotten, paviljoens, waterwerken en kostbare planten visualiseerden veelal denkbeelden over hun prinselijke eigenaars. De Italiaanse vorstentuin fungeerde vooral als plaats van persoonsverheerlijking en is goed te vergelijken met wat de stad als openbare ruimte voor de vorst betekende.[8] Beide vormden een bij uitstek theatraal decor dat voor propagandistische doeleinden werd ingezet.[9] Tijdelijke architectuur van triomfbogen en straatdecors werd in de stad gebruikt bij festiviteiten als intochten en begrafenissen om de ideologische betekenis van een vorst en zijn dynastie in het openbaar breed uit te meten. In de tuin fungeerden architectuur, fonteinen en beeldhouwwerk als aandachtspunten die

1698 uit Kensington): 'je croi aussi que vous poures bientot chasse et voir des jardinages que vous saves estre deus de mes passions'.

5 Voor de prentenseries zie De Jong-Schreuder 1968, hoofdstuk 10, 'Datering van enige prenten, tekeningen en plattegronden', 76–82. De belangrijkste series zijn: 1) *Veues et Perspectives de Loo, Chasteau et Maison de Plaisance du Roy de la Grande Bretagne* [...] a Amsterdam, chez Gerard Valk 1695, 16 prenten; 2) de serie van C. Danckerts, 10 prenten; 3) *Korte Beschrijving Benevens Eene Naauwkeurige Afbeelding en Verdere Gezichten, van*

't *Koninglijke Lusthuis 't Loo op de Veluwe in Gelderland*, te Amsterdam, bij G.W. van Egmond, 1786; 13 prenten door Romeyn de Hooghe (oorspronkelijk uitgegeven door P. Persoy); 4) *Neerlands Veldpracht, Of 't Lusthof gesticht door Z.B.M. Willem III op 't Loo* [...], a Amsterdam chez Charles Allard; 16 prenten door L. Scherm; 5) *Conspectus novi praetorii Loo ex accurata delineatione Jacobi Romani Architecti eximii in lucem editi a Petro Schenk, Sculptore Amstelodamensi, e inscripti Serenissimo ac potentissimo Britanniarum Regi Gulielmo III*; 16 prenten door P. Schenk naar Jacob Roman. De serie van

J. Danckerts (nr 2) kan omstreeks 1697–98, die van Persoy (nr 3) in 1698, die van Allard (nr 4) na 1697 (ong. 1699–1700) gedateerd worden. Voor kopieën en een overzicht van andere tekeningen en prenten zie De Jong-Schreuder. Ik ben evenals zij van mening dat de series van L. Scherm/C. Allard (na 1697) en van J. Roman/P. Schenk (1702) het meest betrouwbaar zijn. De etsen van De Hooghe zijn weliswaar zeer fantasievol, maar toch in sommige opzichten, vooral wat betreft de naamgeving van beelden, betrouwbaarder dan welke serie ook.

6 Vgl. ook mijn opmerkingen in *Bull. KNOB* 84

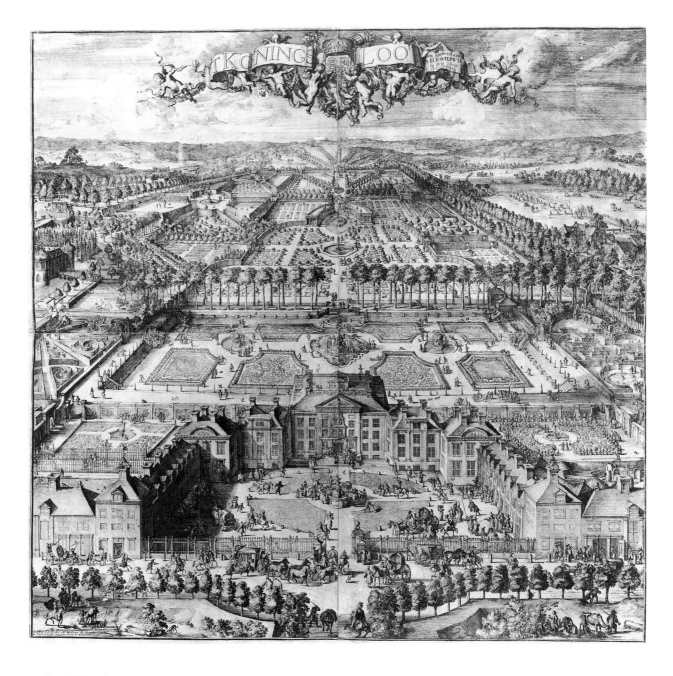

44. R. de Hooghe,
Vogelvlucht van Het Loo,
ets ca. 1698.

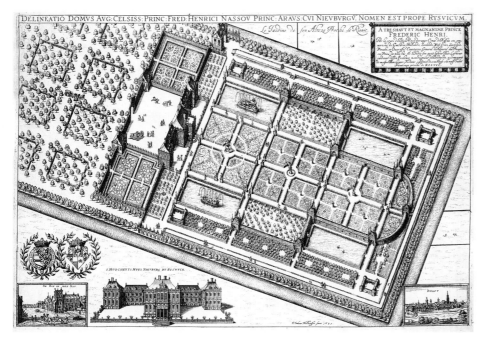

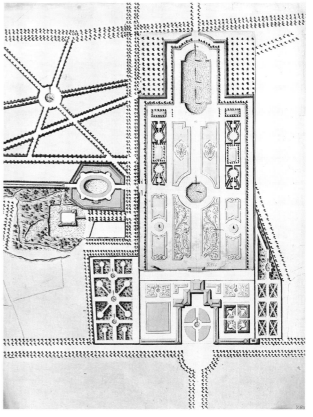

47. Cl. Desgots, Ontwerp
voor de tuinen van Het Loo,
pen en aquarel 1698.

45. J.J. Millheusser,
Huis ter Nieuburgh in vogelvlucht, gravure 1644.

46. Plattegrond van de eerste aanleg van Het Loo,
1686–1691 (naar *Bull. KNOB,*
3/4.1976).

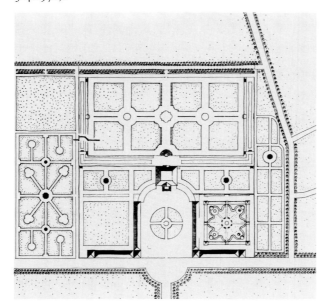

de bezoeker betrokken bij een gecompliceerd spel van toespelingen op hetzij algemeen literaire of politieke opvattingen, hetzij zeer persoonlijke denkbeelden van de opdrachtgever.[10] Sommige van deze decoratieprogramma's (zoals die in de Villa d'Este te Tivoli) werden gekenmerkt door een uiterst subtiele en complexe verheerlijking van de eigenaar. Klassieke mythologie en christelijke moraalleer bepaalden de keuze van thema's en hun betekenis. Italië heeft daarin veel invloed gehad op het buitenland, met name op de aanleg van de tuinen van Lodewijk XIV.[11]

Dat blijkt niet alleen uit het bijeenbrengen van grote hoeveelheden originele of gekopieerde Oudromeinse beeldhouwwerken in Versailles en Marly (afb. 52 en 53), maar ook uit de programma's die aan de keuze van deze beelden ten grondslag lagen.[12] Van de verschillende kunstvormen aan het einde van de 17de eeuw is het met name de tuinkunst die speciaal Lodewijk XIV's belangstelling had. De tuin was voor hem de locatie bij uitstek waar een speciaal voor hem ontworpen beeldtaal zijn militaire én vredelievende deugden propageerde. Niet zelden nam die beeldtaal de vorm aan van een politieke les die de toeschouwer moest beleren en opvoeden. In de mathematische ordening van kasteel en landschap weerspiegelde zich het hiërarchisch opgebouwde universum van de zonnegod Apollo waarin slechts aan weinigen meer dan een nederige plaats was voorbehouden. Versailles liet zien hoe vorm en inhoud van de tuinaanleg werden bepaald door ideologische motieven en hoe deze in de algemene propaganda rond de vorst een belangrijke, ook ceremoniële rol, vervulden. In de loop van veertig jaar transformeerde dit van origine eenvoudige jachtslot zich tot een architectonisch complex dat in heel Europa absolutistische koningsmacht symboliseerde.[13]

Dat tuinkunst een vorstelijke aangelegenheid was en een propagandistische waarde kon vertegenwoordigen, werd ook door de stadhouders van Oranje in de 17de eeuw onderkend. Als tuinaanleg voor een prins van Oranje was Het Loo geen geïsoleerd fenomeen. De verschillende huizen met tuinen door Willem III's voorvaders Maurits en Frederik Hendrik in Vlissingen en in en rond Den Haag aangelegd, gaven blijk van een levendige belangstelling voor de tuinkunst.[14] Een belangstelling die werd gedeeld door hun verwant Johan Maurits van Nassau met zijn tuinen in Kleef en elders (afb. 25, 33, 34 en 107).[15]

Met hun vroeg 17de-eeuwse bouwcampagnes spiegelden de prinsen van Oranje zich ongetwijfeld aan Italiaanse en Franse voorbeelden. Op deze wijze kon hun stadhouderlijke status een vorstelijke legitimering krijgen. Vooral van Frederik Hendrik, Willem III's grootvader en bouwer van de complexen van Huis Honselaarsdijk (bij Naaldwijk) en Huis ter Nieuburgh (bij Rijswijk) in de jaren dertig van de 17de eeuw (afb. 45), zijn dergelijke dynastieke aspiraties bekend. Jan van der Groen, hovenier van de Oranjes, maakt in zijn tractaat uit 1670 bewust een opmerking in deze richting door te zeggen dat de tuinen der Oranjes 'doorgaens niet soo prachtig en kostelijk' zijn als in het buitenland, maar niettemin een even grote allure uitstralen.[16] Ook Walter Harris geeft aan hoe belangrijk deze wedijver is, als hij de tuinen van Het Loo vergelijkt met die in Italië, voor hem, als voor vele tijdgenoten, de bakermat van de tuinarchitectuur. De tuinkunst kan voor hem wedijveren met de overblijfselen van de Romeinse bouwkunst of met de Egyptische piramiden. Immers 'Nothing does give Posterity so noble an Idea of former Times as the Magnificence of their Buildings'.[17] Daarmee formuleerde Harris kernachtig de belangrijkste functie van vorstelijke bouwactiviteit: het verkrijgen van een legitimering en het verspreiden van roem bij tijdgenoten en nageslacht.

Niet de aanpassing van een bestaand huis met tuinen, maar juist een nieuw paleiscomplex moest de uitzonderlijke status van Willem III benadrukken. Huis en tuinen van Het Loo vormen zo een eindpunt van een 17de-eeuwse Oranjetraditie. Daarbij komt nog dat aanleg en verfraaiing goeddeels samenvielen met de politieke gebeurtenissen die leidden tot de kroning van Willem III tot koning van Engeland, Ierland en Schotland. De aanleg van Het Loo is hierdoor

(1985), 239.

7 De Franse vertaling verscheen onder de titel *Rustican de labeur des champs*, opgedragen aan Karel V, op wiens verzoek dit werk vertaald werd. Vertalingen verschenen ook in het Spaans, Duits en Pools. Vgl. Hazlehurst 1956, 27 en met name 32, en Rupprecht 1966, 219 en verder.

8 Fagiolo 1980-A, 31–54 en 1980-B.

9 Zie ibidem en Marchi 1981, 211–19 en Hunt 1986, hoofdstuk 5. Vgl. ook M. Mastrocco 1981 en Coffin 1979. Daarnaast *Le Lieu Théâtral à La Renaissance*, ed. Jean Jacquot e.a. Parijs 1964, en hierin met name A. Chastel, 'Cortile et Théâtre'. Vgl. ook Roy Strong, *Splendour at Court*, Londen 1973.

10 MacDougall 1972, 37–60 en 1985, 119–134.

11 Hunt 1986 en Woodbridge 1986, respectievelijk voor de Engelse en Franse beïnvloeding.

12 Whitman 1969, 286–301. Aspecten van verheerlijkingsmotieven in Versailles ook bij ondermeer Liliane Lange 1961, 133–148 en Orlin Johnson 1981, 29–40. Verder Berger 1984, 127–139 en Berger 1985. De allegorische betekenis van beelden te Versailles ook bij Hedin 1983. Voor andere buitens van Lodewijk XIV als Marly, zie Rosasco 1983, 301–316 en dezelfde auteur 1984, 95–125.

13 Vgl. bijvoorbeeld voor de Duitse landen Aurenhammer 1956, 86–108 en Horti 1985.

14 Zie de inleiding.

15 Diedenhofen 1979-1 en 1979-2.

16 Vgl. Jan van der Groen 1670, Inleyding.

17 Harris 1699, 2, 4 (15, 16). Ik verwijs hier telkens naar: (1) de originele paginering en (2) naar de bladzijde van de uitgave van Van Everdin-

niet alleen een eindpunt maar ook een hoogtepunt in de stadhouder-lijke bouwtraditie geworden.

BRONNENMATERIAAL

De constatering dat de tuinen van Het Loo passen in de traditie van de vorstentuin, vereist nadere uitwerking. Een analyse van de vorm van de tuin en het karakter van het decoratieprogramma zijn hiervan de onderdelen.

Voor het oorspronkelijke uiterlijk en voor de inventaris van de tuin alsmede voor de naamgeving van beelden en fonteinen zijn we voor-namelijk aangewezen op archivalia, contemporaine beschrijvingen van bezoekers en auteurs als Walter Harris en, bij gebrek aan ontwer-pen voor de tuin, op de series prenten.

De recente reconstructie van het belangrijkste gedeelte van de tuin kan ons een indruk geven van de oorspronkelijke effecten van het ont-werp. Omdat echter het meeste originele beeldhouwwerk is verdwe-nen en in de huidige aanleg kopieën zijn opgesteld naar Franse sculp-turen, blijven we voor een juist begrip toch op de interpretatie van de 17de-eeuwse bronnen aangewezen.

Archivalia die ons inlichten over dateringen van beelden en op-drachten aan kunstenaars, zijn schaars. Van des te groter belang wor-den daardoor de gegevens die betrekking hebben op de algemene bouwgeschiedenis van huis en tuin. Ook op de prenten kan niet on-voorwaardelijk worden gesteund. Voor het uiterlijk en de identificatie van voorgestelde onderdelen vormen zij een bron die met de grootste voorzichtigheid gebruikt dient te worden. Temeer omdat de prenten een uitgesproken propagandistische en idealiserende betekenis heb-ben. Zo is, naar zal blijken, van tenminste één cascade de benaming in nagenoeg alle contemporaine bronnen, zowel in beschrijvingen als op prenten, foutief. Deze verkeerde interpretatie vinden we zelfs bij Harris. Het antwoord op de vraag of en zo ja wanneer en door wie precies een coherent programma van betekenisvolle architectuur is ontworpen, zal dan ook op basis van heterogene gegevens beant-woord moeten worden.[18] Een belangrijke fase in het ontrafelen van de betekenis van de tuin is de analyse van de thema's van het beeld-houwwerk. Een analyse die de motivering achter de keuze van die thema's duidelijk zal moeten maken. Bekeken zal moeten worden in hoeverre gekozen voorstellingen in algemene zin voortborduren op Italiaanse en Franse tradities, of juist aanknopen bij de rijke 17de-eeuwse Oranje-iconografie die in de uitgebreide beeldpropaganda rond Willem III een hoogtepunt vond.

EEN POLITIEKE CARRIÈRE

Als Willem III in 1684 zijn aankoop bij Apeldoorn doet, heeft de dan vierendertigjarige prins al een politieke carrière achter de rug.[19]

Opgegroeid in het zogenoemde stadhouderloze tijdperk waarin de Oranjes sinds 1654 uitgesloten waren van het stadhouderschap, bete-kende zijn verheffing tot kapitein-generaal én stadhouder een radica-le verandering in de binnenlandse politieke verhoudingen. Reden tot de toekenning van deze ambten van zijn voorouders was de aanval op de Republiek door Engeland en Frankrijk, de twee mogendheden waarmee Willem III de rest van zijn carrière te maken zou hebben. *Religio* en *Libertas*, vrijheid van protestantse eredienst en vrijheid van staat, schreef hij bij zijn strijd tegen deze landen hoog in het vaandel.

Al spoedig ondergroef hij de positie van Engeland dat zich uit de strijd terugtrok. Frankrijk kreeg een Oranje tegenover zich die zich krachtig verzette tegen de uitbreidingspolitiek van het land waarvan de koning in 1672 al tot in de stad Utrecht genaderd was. Vanwege zijn optreden in de voor de Republiek benarde periode van het Ramp-jaar 1672, kreeg Willem III in 1674 het erfelijk stadhouderschap aan-geboden. Datzelfde jaar kocht hij Soestdijk dat dienst moest doen als jachthuis. Maar meer nog moet deze aankoop gezien worden als een daad van politieke betekenis in het licht van de recente historische ge-beurtenissen.[20] Na de wat al te willige overgave van de stad Utrecht aan de troepen van Lodewijk XIV was de positie van Stad en Lande van Utrecht in de Generale Staten wankel geworden. Reden voor Willem III om wel partij voor Utrecht te kiezen, maar de Staten van Utrecht tegelijkertijd aan strenge reglementen te binden. Huis, tuinen en lan-derijen van Soestdijk moesten de politieke aanwezigheid van Willem III in het Utrechtse symboliseren en vormden vroeg in zijn carrière het eerste voorbeeld hoe een architectonisch complex werd ingezet als onderdeel van zijn politieke propaganda.[21]

gen-Meyer.

18 Snoep 1975, hoofdstuk VI, noot 111 stelde als eerste dat er op Het Loo sprake zou kunnen zijn van allegorische betekenissen.

19 Japikse 1930, voor biografische gegevens over Willem III.

20 Zie hiervoor Tromp 1987 en Hunt/De Jong 1988, cat. nrs 24 en 25.

21 Dit is ook de reden dat de Staten van Utrecht Willem III vijf maanden na aankoop van Soestdijk de hoge, vrije, middelbare en lage heer-lijkheden van Soest, Baarn, ter Eem en de beide Eemnessen aanboden.

22 Carswell 1969 en Haley 1953, die de vroege politieke propaganda van de stadhouder be-schrijft. Voor de visuele implicaties zie met name

Snoep 1975, hoofdstuk VI. Tevens: Schwoerer 1977, 843–875.

23 Snoep 1975, hoofdstuk VI en Schwoerer 1977.

24 Schwoerer 1977, 849 en verder. Voor de beeldvorming van Lodewijk XIV in Nederland vgl. Van Malssen 1936.

25 Snoep 1975, 101 en Schwoerer 1977, 860

Banden met Engeland werden verstevigd door zijn in 1677 gesloten huwelijk met Mary II Stuart, dochter van de latere Jacobus II, broer van koning Karel II. Het jaar daarop werd met Frankrijk de Vrede van Nijmegen gesloten, die voorlopig een einde aan de oorlog met dat land maakte. Als hoofd van een Europese coalitie tegen het ongebreidelde Franse verlangen naar expansie, samengebundeld in het Haags Verbond van vorsten in 1672–73, bewees Willem III in deze jaren zijn politieke positie en aanzien. Het belang van zijn optreden en politiek gold dan ook ver buiten de grenzen van de Republiek.

In binnen- en buitenland zou Willem III nog herhaaldelijk zijn gezag moeten laten gelden. De impasse in de binnenlandse conflicten in 1684 met Amsterdam werd in 1685 doorbroken door twee belangrijke buitenlandse gebeurtenissen. De Engelse Karel II stierf en werd opgevolgd door Willems schoonvader, de katholieke Jacobus II. Later dat jaar herriep Lodewijk XIV het Edict van Nantes, waardoor vele hugenoten zich genoodzaakt zagen uit het katholieke Frankrijk weg te vluchten. Beide historische feiten grepen diep in in de zaak van het protestantse geloof. De pogingen van Jacobus II om het Parlement en het lokaal bestuur te verzwakken door het instellen van centraal gezag en zijn ijver de natie tot het katholicisme te bekeren, vormden een ernstige bedreiging voor de Europese verhoudingen. Het katholicisme betekende immers een toenadering van Engeland tot het nu exclusief katholieke Frankrijk. Voor Willem III en Mary II Stuart – zij was erfopvolgster in Engeland – hield dit ook nog eens een persoonlijke bedreiging in. De dynastieke belangen van zijn echtgenote had Willem III al eerder trachten te behartigen door banden aan te knopen met de oppositiepartij in Engeland. De uiteindelijke overtocht van Willem III, eind 1688 op uitnodiging van zeven Engelse politieke en kerkelijke leiders, had ten doel de binnenlandse conflicten op te lossen en de vrijheid van godsdienst te waarborgen.[22] Willems activiteiten zouden leiden tot wat nu de 'Glorious Revolution' heet, en, na de ondertekening van de 'Bill of Rights', waarin de rechten van het Parlement werden verankerd, tot de kroning van Willem III en Mary II Stuart tot koning en koningin van Engeland, Schotland en Ierland in 1689.

Lodewijk XIV had inmiddels als antwoord op de overtocht Willem

III opnieuw de oorlog verklaard. Deze tweede negenjarige oorlog met Frankrijk zou duren tot 1697, toen de Vrede van Rijswijk werd gesloten. Willem III wist zich in zijn verzet gesteund door de internationale Assemblée die in 1691 in Den Haag opnieuw bijeenkwam met ondermeer de gezant van de Duitse keizer, de Spaanse landvoogd in de Zuidelijke Nederlanden, de Hertog van Brunswijk, de landgraaf van Hessen en de keurvorsten van Beieren en Brandenbrug. Dat jaar was Willem III's positie in de internationale Europese politiek toonaangevend.

PROPAGANDA

Belangrijk onderdeel van het politieke bedrijf was de intensief gevoerde propaganda.[23] Preken, gedichten, oden, pamfletten, penningen en prenten trachtten voor en na de 'Glorious Revolution' het publieke beeld van prins Willem III te vormen en te beïnvloeden. Op het juiste moment verspreid, werden niet alleen het politieke doel en de motivatie van Willem III's handelen toegelicht, maar werd ook de aandacht op zijn persoon gevestigd. Telkens werd zijn rol als bevrijder (niet die van overwinnaar) van de Engelse natie en zijn rol als hersteller van wetten en van de protestantse religie naar voren gebracht. In woord en beeld werd hij voorgesteld als een ideale, wijze en rechtvaardige vorst. De tegelijkertijd gevoerde negatieve propaganda rond zijn opponenten Jacobus II en Lodewijk XIV gaf deze beeldvorming nog eens een extra dimensie.[24]

Pamfletten in verschillende talen en penningen met allegorisch-politieke voorstellingen volgden de historische gebeurtenissen op de voet (afb. 71).[25] Auteurs en ontwerpers hiervan kwamen zeer waarschijnlijk uit de directe omgeving van Willem III. Deze voor hem gevoerde propaganda was zowel een imitatie van als een reactie op de door Lodewijk XIV gevoerde campagne.[26] Alleen beschikte de Franse vorst, in tegenstelling tot zijn Hollandse opponent, over een streng georganiseerde propagandamachinerie. Zijn auteurs recruteerde hij uit de 'Petit-Académie', die later de 'Académie des Inscriptions' werd. In de in 1691 voor de stadhouder-koning in Den Haag georganiseerde triomfale intocht bereikten de literaire en beeldende propagandistische thema's desalniettemin een encyclopedisch hoogtepunt. De

en verder. Voor de penningen (toenemend in aantal na 1688) i.h.b. H.E. van Gelder, 'Koning-Stadhouder Willem III in de penningkunst', *De Geuzenpenning* 9 (1959) 4, 41 en verder.
26 Voor de propaganda-activiteiten van Lodewijk XIV zie Klaits 1976. Voor parallellen tussen de propaganda van Lodewijk XIV en Willem III zie Snoep 1975, 100 en verder. Zo kan bijvoorbeeld

Nicolaas Chevaliers *Histoire de Guillaume III Roy d'Angleterre, D'Ecosse, De France et D'Irlande, Prince d'Orange ec. Par Medailles, Inscriptions, Arc de Triomphes e autres Monuments Publics*, Amsterdam 1692, gezien worden als een navolging van de aan Lodewijk XIV gewijde *Histoire Metallique*, dat een overzicht van het vorstelijke regime in penningen trachtte vast te leggen (zie Snoep 1973, 277–285).

Zelfs de afbeeldingen van Willem III 'en profil' met weelderige pruik lijken op die van de Franse vorst. Dat deze propaganda doel trof, blijkt wel uit Franse reacties, o.a. van de Franse ambassadeur in de Republiek Felibien d'Avaux, die zijn vorst regelmatig op de hoogte hield van de aard van in Nederland verschenen pamfletten. Zie Snoep 1975, 100–101.

rol van de kunstenaar Romeyn de Hooghe als persoonlijk iconograaf van Willem III kwam vooral bij deze belangrijke gebeurtenis naar voren.[27]

DE AANLEG VAN DE TUIN

De eerste bouwfase van het huis en de aanleg van de tuinen van Het Loo in de jaren 1684 tot 1692 vallen met deze in politiek opzicht roerige jaren samen (afb. 46). De bouwgeschiedenis is zelfs in hoge mate door de uitkomst van sommige historische gebeurtenissen bepaald.

Willem III liet in 1684 via zijn ambassadeur een opdracht verstrekken aan de Académie Royale d'Architecture te Parijs voor 'un palais ou maison de chasse'.[28] De geleverde schetsen voor het huis werden waarschijnlijk aan de Nederlandse mogelijkheden aangepast. In 1685 werd onder leiding van Jacob Roman (1640–1716) met de bouw van het huis en de aanleg van de tuinen begonnen.[29] Uitgangspunt voor de architectonische dispositie was een prominente hoofdas, waarvoor nog in 1686 grond werd aangekocht, en die zich buiten de eigenlijke tuin tot ver op de hei zou uitstrekken. Op macroniveau markeerde deze as de aanwezigheid van het nieuwe Loo in het Veluwse gebied en fungeerde zij als samenbindend element tussen landschap en complex van huis en tuin. Als zichtlijn bracht de as de woeste natuur van het jachtterrein en de gecultiveerde natuur van de tuin direct met elkaar in verband. Op microniveau was de as verantwoordelijk voor de geometrische indeling van de plattegrond van huis en tuin.

Uit de reisbeschrijving van de Zweedse architect Nicodemus Tessin weten we dat van het huis in mei/oktober 1687 het corps-de-logis, de gebogen colonnades en de stallen, maar ook de tuinen in verschillende fasen van voltooiing verkeerden.[30] Zo kon Tessin de Prinsessentuin ten oosten van het huis uitvoeriger beschrijven dan de direct achter het huis gelegen tuin, waar drie waterbassins en acht parterrevakken nog in staat van aanleg waren.[31] Tessins verslag maakt in ieder geval duidelijk dat in korte tijd al veel tot stand was gekomen. Ook wordt door zijn verslag duidelijk dat de creatie van een representatieve buitenruimte de opdrachtgever van het begin af aan voor ogen heeft gestaan.

Over beeldhouwwerk schrijft Tessin zo goed als niets. Kennelijk was men nog te zeer bezig met de uitvoering van de architectonische onderdelen als wallen en bassins dat er al aan de aankleding met sculptuur gedacht kon worden. Wel zag Tessin op het achterterras '2 grosse gemahlten statuen […] vorgestellet zu Modellen von Ströhmen'.[32] Uit zijn observatie kan men concluderen dat weliswaar geen beelden waren uitgevoerd, maar dat men al wel met verschillende tweedimensionale modellen op ware grootte het effect van twee stroomgoden uitprobeerde. Kennelijk bestonden in deze periode dus al wel gedachten in de richting van specifieke tuinbeelden.

Over werkzaamheden in 1688 zijn de gegevens schaars. Dat jaar werden dan ook de voorbereidingen getroffen tot de overtocht naar Engeland. Waarschijnlijk heeft men op Het Loo het technische werk van aanleg en bouw voortgezet, maar hebben de politieke gebeurtenissen verdere inrichtingsplannen van de tuinen een tijdelijk halt toegeroepen. Dat dit een logische gang van zaken lijkt, wordt aannemelijk gemaakt door de verhoogde frequentie aan opdrachten, betalingen en aanstellingen in mei 1689. De politieke ontspanning na de gunstige afloop van de glorieuze revolutie en na de kroning van Willem en Mary op 21 april 1689 gaf klaarblijkelijk de mogelijkheden om opnieuw tijd en geld aan de voltooiing van de tuinen en het huis te besteden. Zo ontving Romeyn de Hooghe op 23 mei 1689 een voorschot 'voor eenige beeldtwercken aan S.M. Huys 't Loo', wat bewijst dat activiteit op decoratief/bouwkunstig gebied weer op gang moest komen. Op 6 februari 1690 werd aan dezelfde kunstenaar een rekening betaald wegens een door hem betaald voorschot aan verschillende personen die in de periode mei-oktober 1689 beelden uitvoerden.[33]

De Hooghe's activiteit vanaf mei 1689, later dat jaar officieel vastgelegd in zijn aanstelling tot directeur en commissaris van de steen-

27 Voor de triomftocht te Den Haag: Snoep 1975, hoofdstuk VI. De bron blijft G. Bidloo, Komste van Zyne Majesteit Willem III, Koning van Groot Britanje, enz. in Holland; ofte Omstandelijke Beschryving […], 's Gravenhage 1691. Van dit werk verscheen ook een Franse versie, die in een uitvoerigere en soms afwijkende beschrijving een duidelijk politiekere uitstraling wilde hebben dan de Nederlandse editie. Zie Bidloo 1692/1971. Voor R. de Hooghe zie Snoep 1975, 100–112, met verdere literatuur.

28 Zie voor de bouwgeschiedenis Van Asbeck/

Erkelens 1976.

29 Voor Roman zie J. Terwen-de Loos, 'Jacobus Roman, architect 1640–1716', Bouw 1960, nr 15. In 1685 werden uitsluitend ontginnings- en graafwerkzaamheden verricht ter voorbereiding van de bouw van het huis en de aanleg van de tuin. Vgl. de jaarrekening van rentmeester Matthias Sluyters over 1685, AND 6321 en De Jong-Schreuder 1968, 4.

30 Upmark 1900, 119–210, i.h.b. 121–124.

31 Ibidem pag. 123 'Hier kommen 3 runde Bassinen mit 8 quartiern herumb'.

32 Tessin bij Upmark 1900, 122. Waarschijnlijk ging het hier om modellen gemaakt van beschilderd doek en latwerk.

33 A.N.D. inv. 741, fol. 118 R (23 mei 1689): Romeyn de Hooghe 'tot voeldoeningh ende restitutie […] bij hem ten dienste van Sijn Maj. t. gedebousseert over eenige beeltwercken aen Sijn Maj. ts. huys 't Loo (1145 gl.)' en A.N.D. inv. 741, fol. 170R (6 februari 1690, 1256 gl. en 6 stuivers, tevens betaling voor instrumenten). Deze opdracht is niet met specifiek beeldhouwwerk in verband te brengen, maar het nadrukkelijke 'aen' in de eerst-

groeven in het graafschap Lingen, is opvallend.[34] Dat is ook Bentincks benoeming tot opperintendant van paleizen en tuinen in Nederland en Engeland op 8 juni 1689.[35] Beide functies kunnen alleen maar begrepen worden uit het belang dat aan de hernieuwde bouwactiviteit werd toegekend. Willem III heeft de voltooiing van dit bouwproces op Het Loo persoonlijk gevolgd. Op 27 januari 1690 schreef hij uit Kensington naar Bentinck 'je vous prie que parmi vos affaires de plus d'importance n'oublier pas Loo n'y d'y aller et ordonner ce qui reste à faire, vous savez comme ce lieu me tient au cœur' ('Ik vraag U dringend om van Uw zaken van groot belang niet Het Loo te vergeten en er heen te gaan om opdrachten te geven voor wat er nog gedaan moet worden; u weet hoe deze plek mij ter harte gaat').[36] Ten onrechte is wel verondersteld dat Willem III hier uitsluitend doelde op zaken die de jacht betroffen.[37] Waarschijnlijker is dat de stadhouder-koning zich vanaf een afstand intensief bemoeide met de aanleg en inrichting van zijn nieuwe huis en tuin. Aan deze aanleg werd in de loop van 1689 en in 1690 hard gewerkt zodat Willem III bij zijn terugkeer naar de Republiek in het begin van 1691 een voltooid complex zou kunnen bezoeken.

Toen lag aan een monumentaal voorplein, ter weerszijden geflankeerd door langgerekte stalgebouwen, het compacte corps-de-logis dat door gebogen colonnades werd verbonden met twee hoekpaviljoens (afb. 46). Ter weerszijden van het huis lagen de prinsen- en prinsessentuin. Achter het huis bevond zich de in de breedte aangelegde representatieve tuinruimte, die door hoge wandelterrassen werd omgeven en daardoor een sterk besloten karakter droeg. Hier domineerde de centrale Venusfontein, op de dwarsas geflankeerd door een hemel- en aardbolfontein en twee cascades. Een dubbele rij eiken langs de weg die toegang gaf tot het Oude Loo, sloot de tuin aan de achterzijde af en ontrok tevens de erachter liggende moestuinen aan het oog.

Bij zijn bezoek in 1691 moet Willem III zich hebben gerealiseerd dat de uitvoering van het oorspronkelijke werk op stadhouderlijke maat was gesneden en niet meer beantwoordde aan de inmiddels verworven koninklijke status. Het huis bleek te klein voor zijn gevolg. Grootscheepse veranderingen en uitbreidingen werden dan ook verordonneerd (afb. 44). Gedurende deze tweede bouwfase heeft men de colonnades bij het huis afgebroken en vervangen door paviljoens. De bestaande benedentuin werd op de plaats van de moestuin, maar met behoud van de eikenlaan, langs de hoofdas uitgebreid en met parterres en fonteinen groots ingericht. De afgebroken colonnades werden in dit gedeelte opgebouwd en zorgden voor een boogvormige afsluiting van beneden- en boventuin samen. Deze schaalvergroting tastte overigens het intieme karakter van de eerste fase niet wezenlijk aan. Een bezoeker als de architect L.C. Sturm, die Het Loo in 1697 bezocht, beoordeelde deze intimiteit zelfs negatief; hij miste in de aanleg de grootse uitzichten die hij uit de Franse tuintraditie kende en vond de tuin te besloten en in zich zelf gekeerd. Alleen achter het huis, waar een halfronde stenen trap de tuin inleidde, kon hij genieten van een 'recht herrlichen Prospect' over de hoofdas.[38] Daarentegen bewonderde hij de rijke aankleding met beelden en fonteinen, waarvan een groot aantal in de tweede fase van de aanleg aan de bestaande inventaris was toegevoegd, zoals de vier grote vazen op het achterterras, de beelden in de parterres en een nieuwe fontein met Herculesbeeld. Ook de naamgeving werd aangepast: prinsen- en prinsessentuin heetten voortaan konings- en koninginnetuin.

De voltooiing van deze nieuwe fase kunnen we plaatsen tussen 1695, als de eerste prentseries gepubliceerd worden, en 1699, als Walter Harris' beschrijving in Londen verschijnt.

Ook ditmaal viel werk aan de tuinen samen met belangrijke politieke gebeurtenissen als de negenjarige oorlog tegen Frankrijk die met de Vrede van Rijswijk uit 1697 het einde van Willem III's verzet tegen de Franse koning zou betekenen. Deze vredessluiting luidde op haar beurt een nieuwe fase van bouwplannen in. Claude Desgots, neef van de fameuze André le Nôtre, ontwierp in 1698 een groots plan waarvoor de net voltooide aanleg in zijn geheel zou moeten hebben wijken

genoemde archiefvermelding zou kunnen slaan op beeldhouwwerk in de timpanen, dat dan ook door hem ontworpen zou zijn.

34 Ingevolge een besluit van Willem III. Zie A.R.A., A.N.D. inv. nr 566 Register Graafschappen 1683–1692, fol. 181 Vo (Hampton Court 16 september 1689).

35 Deze functie werd hem op 8 juni 1689 verstrekt. Vgl. Japikse 1927–37, deel I, 2, pag. 721, noot 1.

36 Japikse 1927–37, deel I, 1, brief nr 82 (27 januari 1690, vanuit Kensington).

37 Vgl. Van der Wijck 1976, 200.

38 L.C. Sturm 1719, VI, pag. 22–25. Vgl. ook *Bijdragen en Mededelingen Gelre*, bl. XXVII, Arnhem 1924, pag. 243–49. Sturms reis vond plaats in 1697. Zijn kritiek na het zien van de hoofdas, luidt als volgt: 'Aber das dunckt mich sey bey dieser schönen Anordnung des Gartens noch zu desideriren, dass nur die einige mittlere Haupt-Allee eine weite unbeschränckte Aussicht hat, hingegen alle die andere in ihrem eigenen Bezirck eingeschlossen under borniret sind, und dass man gar nicht gewahr wird, dass noch mehr zu dem ganzen Lust-Garten behörige Stücke da sind, da es vor ein Regul gute Gärten anzulegen, gehalten wird, dass man allen Alleen so viel möglich eine weite Aussicht gebe, und vor eine andere Regul, dass man ja nicht auf einmal alles in einem Garten solle in das Gesicht bekommen, aber doch Kennzeichen haben, dadurch man alles in etwas weniges erblicken, und daraus abnehmen könne, dass noch mehr sehens-würdige Plätze vorhanden seyen. Beydes dunckt mich hätte können in den Garten zu Loo vollkommen erhalten werden.' (pag. 24).

(afb. 47).[39] Door de vroegtijdige dood van de stadhouder-koning in 1704 bleef het bij een project.

Uitbreiding en verfraaiing, zo kunnen we concluderen, hielden gelijke tred met het gestegen prestige van de stadhouder-koning. Dat zich in de aanleg van Het Loo de status van Willem III weerspiegelde, werd ondermeer verspreid door Romeyn de Hooghe's beschrijving van Het Loo uit 1698 waarin men kon lezen dat 'Cet Ouvrage croissoit a mesure que la Puissance de son Maistre augmentoit' ('Dit werk groeide naarmate de macht van zijn eigenaar groter werd').

DE VRAAG NAAR EEN ICONOGRAFISCH PROGRAMMA

In dezelfde tekst beschreef Romeyn de Hooghe het voltooide Loo van de stadhouder-koning als 'marque de son vaste génie'.[40] Daarin viel Walter Harris hem bij door te zeggen dat 'these gardens in the whole are a work of wonderful Magnificence, most worthy of so great a Monarch; a Work of prodigious expense, infinite variety, and curiosity'.[41] De Hooghe en Harris verwoordden wat voor hun tijdgenoten waarschijnlijk de belangrijkste indrukken bij een bezoek aan de tuinen van Het Loo zijn geweest: die van een vorstelijke, kostbare en eersteklas toeristische attractie. Of de tijdgenoten ook de specifieke details van de hier te reconstrueren betekenis van aanleg en decoratieprogramma hebben kunnen begrijpen, blijft een moeilijk te beantwoorden vraag. Tegenstrijdige beschrijvingen op prenten en in reisjournalen doen vermoeden van niet, al behoorde het bewonderen van beeldhouwwerk tot het vaste repertoire van een bezoek aan een tuin. Geen van de bewaard gebleven reisbeschrijvingen gaat echter in op een mogelijk allegorische betekenis van de tuin of de beelden.[42] Ook beschikken we niet over een eigenhandige beschrijving van de tuin door Willem III die vergelijkbaar is met Lodewijk XIV's *Manière de Montrer Versailles*.[43] Of Willem III zelf vertrouwd was met het interpreteren of bedenken van allegorische beeldtaal kan zelfs betwijfeld

worden. Op 31 augustus 1680 schreef de stadhouder aan Bentinck over een kwestie die betrekking had op een voorstelling die op een penning geslagen moest worden. Willem III meent dat het wel zijn beeldenaar en die van Mary zal moeten zijn. Wat de allegorische deviezen betreft meent hij dat 'il faut quelqu'un les fasent qui s'y entend; pour moy j'y suis fort ignorant' ('iemand die er verstand van heeft dat maar moet doen; ik ben op dat gebied geheel onwetend').[44]

De vraag of het iconografisch programma van de tuin diepere betekenislagen kent is echter een probleem dat zich niet tot Het Loo beperkt. Ook over de betekenis van beeldhouwwerk in Versailles verschilden de contemporaine opvattingen soms aanzienlijk.[45] En de interpretatiemogelijkheden van voorstellingen in de 17de-eeuwse Nederlandse schilderkunst hebben aanleiding gegeven tot geleerde debatten over het wel of niet bekend mogen veronderstellen van al dan niet versluierd weergegeven allegorische beeldtaal.[46]

Toch impliceert Willem III's opmerking ook dat er in zijn omgeving specialisten bestonden die zich met het ontwerpen van de vaak geleerde en allegorische deviezen bezig hielden. De 'auctor intellectualis' van de verschillende betekenisaspecten van de tuinen van Het Loo zal dan ook in zijn eigen kring gezocht en gevonden moeten worden.

ONTWERPERS

Over de identiteit van de ontwerper bestaan verschillende meningen. Bij het zoeken daarnaar is overigens tot nu toe uitsluitend de aandacht uitgegaan naar een kunstenaar die verantwoordelijk zou kunnen worden gesteld voor het ontwerp, en niet zozeer naar iemand die de ideeën voor de tuinaanleg geleverd zou kunnen hebben. De archieven lichten ons over deze kwestie niet in. Harris is de eerste die het ontwerp van de tuin toeschrijft aan Daniel Marot 'a very ingenious Mathematician'.[47] Marot, in 1685-86 als Franse hugenoot naar Den

39 Vgl. Strandberg 1974, 64, afb. 15 en 16, en 1973, kolom 77. Van der Wijck 1974, 33-35. En idem 1976, 201 en 1982, 207-215. Het ontwerp van Desgots dateert zeker niet uit de periode rond 1689, zoals Van der Wijck in zijn laatste publikatie meende. Vgl. Japikse 1927-37, deel I, 2, brief nr 365, François de Neufville, hertog van Villeroy, aan Bentinck op 29 november 1698: 'Le petit Desgauts doit m'apporter demain au matin le plan de la maison et des jardins de Loo; [...] l'on travaille sans relasche aux plans qui vous ont été promis'. Zie ook Hunt/De Jong 1988, cat. nr 41.

40 Romeyn de Hooghe in zijn *Brieve Description du Chasteau Royal De Loo*, Amsterdam, Pierre

Persoy, s.d. (1698), die behoort bij de prentenserie van zijn hand. Deze tekst verscheen ook in het Nederlands en in het Engels en draagt een sterk propagandistisch karakter. Voor deze uitgave vgl. De Jong-Schreuder 1968, 93, noot 1. Vgl. Landwehr 1970, nr 109, 233.

41 Harris 1699, 45 (80).

42 Deze beschrijvingen zijn: Tessin 1687 (zie Upmark 1900); Abel Eppo van Bolhuis' reisbeschrijving *Reise nae 't Loo 1693* (R.A.G., huisarchief Van Bolhuis nr 5); Southwell 1696 (zie Fremantle 1970); Sturm 1697 (zie Sturm 1719); Abel Eppo van Bolhuis' *Journael van de Reyse door de Advocaet Beckeringh en Redger Bolhuis in 't jaar 1705 met de*

chaise gedaen (R.A.G., huisarchief Van Bolhuis nr 5); Reisbeschrijving Van Nievelt 1773, familiearchief Van de Brandeler (privé-bezit).

43 Vgl. Hoog 1982.

44 Vgl. Japikse 1927-37, Deel I, 1, brief nr 64 (31 augustus 1688).

45 Vgl. Berger 1984.

46 Vgl. ook de opmerkingen in het voorwoord en de inleiding.

47 Harris 1699, 47 (83).

48 Overeenkomsten van fonteinontwerpen met de op Het Loo aanwezige fonteinen betreffen bijvoorbeeld de draken in de Herculesfontein, de verschillende tritonen en zeewezens in diverse

Haag uitgeweken, ondertekende inderdaad vanaf 1686 zijn prenten met 'Architecte du Prince d'Orange' en vanaf 1689 met 'Architecte du Guillaume III, Roi de Grande Bretagne'. In zijn prentwerk vinden we ontwerpen voor een serie vazen voor Het Loo (gedateerd 1712) en verschillende voorbeelden van loden fonteinen die met Het Loo in verband gebracht kunnen worden (afb. 48).[48] Ozinga twijfelde echter of het ontwerp in zijn geheel aan Marot valt toe te schrijven, terwijl Springer en Hautecoeur respectievelijk J. Roman en Cl. Desgots als ontwerper zagen. Nu hangt deze problematiek vooral samen met de vraag of het ontwerp 'Hollands' dan wel 'Frans' genoemd kan worden, en om deze reden is er ook gesuggereerd dat Marot in 1686 de Hollandse stijl van Roman 'verfranste' om een goed verband te krijgen tussen huis en tuin.[50] Uit het beschikbare bronnenmateriaal rijst echter een ander beeld op. Niet één, maar verschillende personen waren verantwoordelijk voor de inrichting van de tuinen. Zo blijkt Roman als architect van het huis af en toe ook intermediair bij levering van beeldhouwwerk.[51] Bentinck was supervisor van de aanleg en onder hem ressorteerde Daniel Desmarets, die in 1685 intendant van de 'buytenhuysen, plantagien en thuynen' was geworden en bij wie de verantwoordelijkheid voor botanische en horticulturele zaken berustte.[52] Romeyn de Hooghe's aandeel in het verzorgen van beeldhouwwerk is al vermeld. Vanuit die betrokkenheid gaf hij echter ook als directeur van 'Sijne Maj.t.Mineralen tot Lingen' ten behoeve van Het Loo leiding aan de exploitatie van mineralen en steensoorten uit dit graafschap, dat eigendom was van Willem III.[53] Uit al deze activiteiten van verschillende personen rijst een gecompliceerder, maar tegelijkertijd begrijpelijker beeld op van de hiërarchische organisatie van de aanleg en inrichting van de tuinen van Het Loo. Bentinck en De Hooghe hebben ongetwijfeld de belangrijkste rollen gespeeld, de een als hoofdintendant van de tuin, de ander als verantwoordelijke voor materialen en beelden. Onder hen ressorteerden Roman en

Desmarets als uitvoerenden. Dat geldt ook voor betrokken kunstenaars als Daniel Marot. Zijn aandeel heeft eerder gelegen in de levering van verfijnde details voor ontwerpen van parterres, vazen en loden beeldhouwwerk, dan dat hij het 'overall design' van de tuinen in beide fasen heeft bepaald.[54] Maar kunnen Bentinck en De Hooghe naast hun organisatorische rol ook verantwoordelijk worden geacht voor de inhoudelijke betekenis van de tuinen van Het Loo?

DE HOOGHE EN BENTINCK

De rol van Romeyn de Hooghe is een opvallende. Vanaf 1667 becommentarieerde hij in vele historieprenten de belangrijkste actuele gebeurtenissen uit de geschiedenis. Vooral de evenementen die bijdroegen aan de toenemende macht van de stadhouder werden door hem in etsen vastgelegd. Als trouw Oranje-aanhanger heeft hij zijn werk veelal propagandistische bedoelingen meegegeven. Deze functie spreekt ook uit De Hooghe's allegoriserende historie- of zinneprenten, waarin met behulp van een groot arsenaal aan allegorieën, personificaties, emblemen en deviezen commentaar gegeven wordt op eigentijdse gebeurtenissen en de rol van Oranje daarin.[55] Als geen ander wist De Hooghe de mogelijkheden van de iconologie (of symboolkunde) op originele wijze als belerend systeem te hanteren en toe te passen in een grote variëteit van media, van etsen tot glasramen en sculpturen. Het hoeft dan ook niet te verwonderen dat verschillende door hem gebruikte thema's onderling sterk aan elkaar verwant zijn en in verschillende media terugkeren.

Al zijn verschillende activiteiten wilde hij in 1688 in zijn woonplaats Haarlem integreren door een tekenschool op te richten waar les gegeven diende te worden in het ontwerpen van tuinbeelden, monogrammen, wandbespanningen en patronen voor damast en waar hij onderwijs in de schilder- en beeldhouwkunst wilde verzorgen. Een werkplaats waar grote stenen beelden gebeeldhouwd konden worden

bassins en qua thematiek bijvoorbeeld de Arionfontein. Vgl. Jessen 1892, plaat 52 en hier afb. 48.

49 Voor een overzicht van deze problematiek vgl. De Jong-Schreuder 1968, hoofdstuk 12.

50 De Jong-Schreuder 1968, 91/92. Een belangrijke rol bij de toeschrijving van activiteiten op Het Loo aan Marot speelt de latere aanleg van De Voorst, die in samenwerking tussen Roman en Marot tot stand kwam en veel formele gelijkenissen met Het Loo vertoont (De Jong-Schreuder, 89).

51 Vgl. de betaling aan Pieter van der Plasse op 30 november 1690 'volgens verklaring van den architekt Romans' (A.N.D. inv. 741, fol. 218 Vo).

Zie ook Ozinga, 21.

52 Vgl. ook Harris, 1699, 47 (83). Desmarets werd in 1689 'direkteur van de bibliotheken, mathematische instrumenten en landkaarten', in 1692 controleur-generaal van de financiën van de Nederlandse hofhouding, in welke functie hij ook weer met de uitvoering van Het Loo te maken had. Vgl. Ozinga, 57, noot 4 en 63, noot 1 en Peters 1912, 50 en verder. Vgl. bijvoorbeeld Desmarets' verzoek aan Jan Quartier tot inkoop van bloembollen voor Hampton Court, 3 september 1693, voor een bedrag van 1000 carolus guldens (A.N.D. inv. 742, fol. 155 R). Quartier was opzichter van bloemen en planten te Honselaarsdijk. Voor Des-

marets en de belangstelling voor botanie en horticultuur in de kring van Willem III zie Wijnands in Hunt/De Jong 1988.

53 Zie 'Koninklijk Paleis Het Loo wordt museum', *Nammogram december* 1983, 10-19 en Sliggers 1986, 59-65.

54 Men kan zelfs stellen dat Het Loo Marots leerschool is geweest waarvan hij blijkens latere ontwerpen op het gebied van de tuinarchitectuur alle vruchten heeft geplukt.

55 Deze en volgende opmerkingen over de prentkunst van De Hooghe en zijn betekenis als iconoloog zijn ontleend aan Snoep 1975, 102 en verder.

en een tuin om naar kopieën van antieke beelden te kunnen tekenen, behoorden ook tot het plan van deze eigen 'academie'. Zijn gebeeldhouwd decoratieprogramma voor de Haarlemse Hortus Medicus uit 1697 is te beschouwen als een directe uitkomst van deze belangstelling voor de zinrijke uitdrukkingsmogelijkheden van tuinbeelden (afb. 164 t/m 175).[56]

De Hooghe's positie in Lingen kan misschien geïnterpreteerd worden als beloning voor zijn aandeel in de propaganda die de successvolle overtocht van Willem III begeleidde. Het had tevens als voordeel dat De Hooghe materiaalkeuze, ontwerp en uitvoering van beelden voor Het Loo in eigen hand kon houden.[57] Een reeks niet uitgevoerde ontwerpen voor beelden op Het Loo staaft zijn conceptuele rol in de aanleg daar (plaat 3 A en B). Andere beelden werden wel naar zijn idee gehouwen op de steenwerf die hij in september 1689 op een van de Haarlemse bolwerken had ingericht en waar steen uit Lingen werd aangevoerd.[58] Dat De Hooghe de uitvoering van beeldhouwwerk voor Het Loo als een Hollandse Lebrun organiseerde, blijkt eveneens uit het feit dat de meeste uitvoerende beeldhouwers, als Jan van Blommendael, Pieter van der Plasse en J. Ebbelaer allen lid waren van de Haagse schilderconfrèrie Pictura, waartoe ook De Hooghe behoorde.[59] De serie prenten met de bijbehorende beschrijving van Het Loo in drie talen die Romeyn de Hooghe in 1698 het licht deed

zien, illustreert ten overvloede nog eens zijn betrokkenheid en gedeeltelijke auteurschap. Een betrokkenheid die doet vermoeden dat we in hem een van de belangrijkste leveranciers van ideeën achter het beeldhouwwerk op Het Loo moeten zien.

In Bentinck, met wie hij niet alleen op Het Loo te maken had, trof De Hooghe een superieur liefhebber van de tuinkunst aan.

Als volleerd amateur ontwierp Bentinck de berceauxtuin in de koninginnetuin en, zo laat De Hooghe ons weten, 'bijna alles wat groots en zeldzaam is'.[60] Kennis op het gebied van de tuinarchitectuur had Bentinck zich eigen gemaakt ten behoeve van de architectuur en inrichting van de tuinen die hij aanlegde bij het landgoed Zorgvliet bij Den Haag dat hij op 16 januari 1675 van de erven Jacob Cats aankocht (afb. 23 en 51).[61] De rijkdom aan ideeën die Bentinck eind jaren zeventig en in de loop van de jaren tachtig met smaak en inzicht op basis van een gedegen oriëntatie op Italiaanse en Franse tuinkunst in zijn tuin concretiseerde, maakte van hem een kenner die Willem III met veel ervaring kon assisteren bij de uitvoering van zijn eigen project.

Bentincks interesse ging uit naar alle manifestaties van natuur en kunst.[62] Op Zorgvliet bracht hij zeldzame gewassen en dieren onder in zijn oranjerie en menagerie. Naast zijn aandacht voor bomen als 'bouwmateriaal' stond een belangstelling voor architectonische grot-

56 Gonnet 1893, Hunt/De Jong 1988, cat. nr 17, en hier hoofdstuk 6.

57 In tegenstelling tot Marot die waarschijnlijk ontwerpen leverde voor de kleine loden beelden. Hun iconografische betekenis was kennelijk ondergeschikt aan die van de grotere, stenen beelden.

58 Sliggers 1986 en Hunt/De Jong 1988, cat. nr 17.

59 Neurdenburg 1948, 227–232 en 262. Leden van de Haagse confrèrie (als bijvoorbeeld J. Blommendael) voerden ook allerlei andere opdrachten uit voor Willem III en werkten ondermeer ook mee aan de uitvoering van de Haagse triomftocht van 1691 waarvoor De Hooghe ontwerpen leverde, zie Snoep 1975, hoofdstuk VI, 132.

60 De Hooghe, *Description* 1698, 'Portland, a qui on peut attribuer le dessein de presque tout ce qu'il y a de grande de de rare', en meer specifiek: de kabinetten in de Koninginnetuin (daarvoor: Prinsessentuin): 'Berceaux, inventé par le Comte de Portland'. In de briefwisseling tussen Willem III en Bentinck (zie Japikse 1927–37) vinden we in Dl. I, 1, brief nr 46 (29 april 1688), het ontwerp van de

volière in de grot van de koninginnetuin. Bentincks bemoeienis als supervisor blijkt uit de Ordonnantieboeken, waar voorschotten aan hem worden gerestitueerd. Vgl. Peters 1912, 43 en verder. Verder licht de correspondentie ons in waar Bentinck in zijn functie zoal op let: groei van de bomen op Het Loo, het afbrokkelen van de dijk en het nalatig onderhoud van het labyrint te Dieren. Johan Vleugels (Dl. II, 3, brief nr 133, 5/15 maart 1689) bericht Bentinck over de aanleg van de Plantage, reparaties, het maken van een pallisade en de voortgang met betrekking tot de schelpengrot, etc.

61 Zie voor Zorgvliet Morren 1903 en 1904, Dominicus-van Soest 1988 en haar bijdrage aan Hunt/De Jong 1988 cat. nrs 44–51 (deels gebaseerd op een eerdere versie van dit hoofdstuk). Veel ideeën zal Bentinck ook ontleend hebben aan de suggesties van Johan Maurits van Nassau, zie ibidem.

62 Vgl. hiervoor Dominicus-van Soest 1988, De Jong 1990 en Bezemer-Sellers 1990.

63 Voor de contacten tussen Bentinck en Johan Maurits zie ook Hunt/De Jong cat. nrs 43 en

44. Johan Maurits schreef voor Bentinck zijn *Consideratiën op Sorghvliet* (1679), een advies voor de inrichting van de beek. Ook schonk hij Bentinck in datzelfde jaar zijn eigen rond 1670 gebouwde grot uit de tuin van zijn Haagse Mauritshuis (voor deze grot zie Blok 1940, 60–117, Terwen 1981, 104–122 en voor de schenking en de achtergrond ervan Lemmens 1979, 280–81). Uit deze geschiedenis blijkt eens te meer de gezamenlijke belangstelling van Willem III en Bentinck voor datgene wat met de aankleding van tuinen te maken heeft. In de correspondentie van Christiaan Huygens vindt men herhaaldelijk uitwisseling over tal van zaken die de tuinarchitectuur en de andere kunsten betreffen. Daarnaast ook diverse vermeldingen van Zorgvliet, die een actieve belangstelling voor deze aanleg lijken te weerspiegelen (bijvoorbeeld *Oeuvres Complètes*, Dl. VIII, nr 2230 (3 oktober 1680) waarin gesproken wordt over steen uit Lingen voor de grotfontein). Een brief van Suzanna Doublet-Huygens aan Christiaan Huygens beschrijft een wandeling over Zorgvliet op 10 augustus 1679, met verschillende zaken in aanleg (*Oeuvres Complètes*, Dl. VIII, 194, nr 2184). Voor Doublet,

49. J. van Avelen, Het exterieur van de Ganymedes-grot op Zorgvliet, met links het reliëf van de slapende 'Diana', ets tussen 1692 en 1698.

50. J. van Avelen, Het interieur van de grot op Zorgvliet, ets tussen 1692 en 1698.

Het fraye Grot van Ganimedes N.º 44 met zyn fonteynwerken van buyten,
de Nis N.º 40 met de flapende Diana en 't groote Prieel van latwerk N.º 45.
Door I. Vanden Avelen getek. en geëtst, en door N. Visscher uytgegeven met Privilegie.

Het schoone Grot van Ganimedes N.º 44 van binnen.
Door I. Vanden Avelen getek. en geëtst, en door N. Visscher uytgegeven met Privilegie.

48. Fonteinblad met Arion, uit D. Marot, *Livre des Fontaines* […].

51. J. van Avelen, De parterre voor het huis te Zorgvliet met in het midden de Herculesfontein, gravure tussen 1692 en 1698.

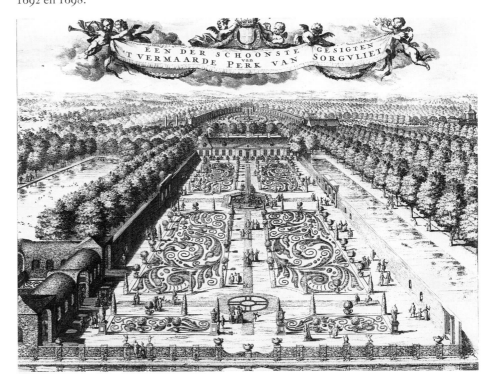

EEN DER SCHOONSTE GESIGTEN van 'T VERMAARDE PERK VAN SORGVLIET

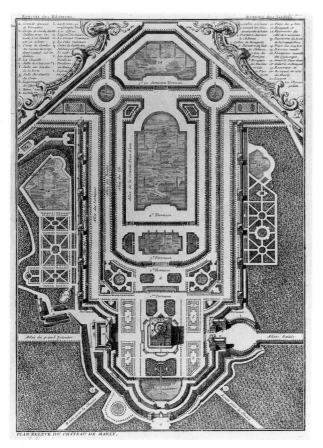

PLAN RELEVE DU CHÂTEAU DE MARLY.

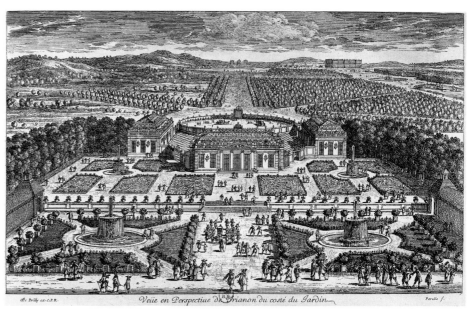

Veüe en Perspectiue de Trianon du costé du Jardin

52. Plattegrond van de
tuinen van Marly, gravure.

53. Perelle, Het Trianon
de Porcelaine, Versailles,
gravure (voor 1687).

54. C. Danckerts,
De Venusfontein op Het
Loo, ets.

55. C. Netscher, Mary
Stuart, olieverf op doek
1677.

ten versierd met schelpen, gesteenten, koraal en voorzien van water-werken (afb. 49 en 50). De architectuur en de inventaris van zijn tuin dragen alle het stempel van zijn persoonlijke smaak en inzicht, die werden gevoed door ideeën en suggesties van mensen als Johan Maurits van Nassau, Philips Doublet, Constantijn Huygens jr en diens broer Christiaan Huygens.[63] Antiquarische belangstelling voor het klassieke verleden combineerde Bentinck met lokale tradities en kennis van recente Franse tuinarchitectuur.[64] Dat Bentinck aan onderdelen van zijn tuin ook een sterk inhoudelijke betekenis toekende, blijkt vooral uit het opgestelde beeldhouwwerk. In een reliëf van een slapende nimf bespied door een sater, aangebracht naast de Ganymedes-grot, refereerde Bentinck expliciet aan het in de Italiaanse renaissance herleefde klassieke idee van de tuin als een 'locus amoenus' (afb. 49). Niet alleen gold het hier een voorstelling die een grote reputatie genoot bij de Italiaanse humanisten, Bentinck kopieerde de voorstelling zelfs uit het invloedrijke tractaat van Francesco Colonna, de *Hypnerotomachia Poliphili* (Venetië 1499).[65] Ook een persoonlijke iconografie vond in de sculptuur op Zorgvliet haar uitdrukking. In de Ganymedesgrot, van binnen en buiten door monumentale kariatiden geleed, was centraal op de grens van wand en koepel de voorstelling aangebracht waaraan de grot zijn naam dankte: Ganymedes met de adelaar (afb. 50). Op deze prominente plaats kon men in de figuur van Gany-

medes, die door de adelaar als bode van Iuppiter werd ontvoerd om tot schenker van de goden te worden verheven, niemand anders zien dan Bentinck zelf. Een schitterende carrière had van de van origine Overijsselse landjonker door de gunsten van Willem III immers een hoveling gemaakt met een aanzienlijke maatschappelijke en diplomatieke status.[66] Op Zorgvliet bracht Bentinck dan ook verschillende tuinsieraden aan die eer brachten aan degene die dat alles had mogelijk gemaakt: Willem III. Centraal opgesteld in de parterre voor het huis bevond zich een fontein die identiek was aan de slangenwurgende Hercules, die later op Het Loo werd geplaatst en alleen als een vorstenembleem van Willem III geïnterpreteerd kan worden (afb. 51). Deze verheerlijking van de 'virtus' van Willem III werd nog eens ondersteund door ander Oranjegezind huldebetoon in de vorm van zeven 'Piramidise Trophees ter eeren van de Princen van Orange'.[67] Elders in de tuin borduurden scènes met Romeinse triomfscènes op tuinvazen en afgietsels van de zuil van Trajanus in de Oranjerie voort op de (militaire) glorie van Bentincks werkgever.[68] Bentincks tuin verraadt in vele onderdelen een belangstellingswereld waartegen de tuinen van Het Loo aan betekenis winnen. Zorgvliet was in hofkringen een van de eerste uitvoerige experimenten met een grote architectonische aanleg waar decoratieve elementen in de tuin bij uitstek geschikt werden geacht om persoonlijke en allegorische verheerlij-

die voor Willem III ontwerpen leverde voor de parterres op Huis ten Bosch, en de Huygens broers zie Bezemer-Sellers 1987.

64 Zoals ondermeer blijkt uit de naar de klassieke oudheid verwijzende exedravorm van zijn oranjerie (zie ook het hoofdstuk over Heemstede), de berceaux geïnspireerd op Vredeman de Vries (platen uit diens *Hortorum Viridariorumque* van na 1587) en de ontwerpen voor de verschillende grotten en cascades die verwantschap vertonen met Franse voorbeelden. Voor deze onderdelen van Zorgvliet vgl. de gravures en etsen van J. van Avelen als afgebeeld bij Hunt/De Jong pag. 169-171, afbeeldingen 47, 49-51, 55 en 56. Voor de Franse voorbeelden vgl. bijvoorbeeld Gabriel, Nicolas en Adam Perelle, *Recueil de vues de monuments de Paris, des principales residences royales et des principaux chateaux de France et de Rome*, Paris, N. Langlois, s.a. (naar ontwerpen van I. Silvestre), plaat 46, 48 (St. Cloud), 99 (Fontainebleau), 109 (Chantilly). De berceauxtuin op Zorgvliet is de directe bron voor die op Het Loo, door De Hooghe aan Bentinck als ontwerper toegeschreven.

65 Van Avelen noemt het reliëf in een 'Grote

steene nis waar in een slapende Diana met een spottende Satyr' (zie zijn *Plan van het Schoone Perk van Sorgvliet, bij 's Gravenhag*e, nr 40.)

Voor de bron van Colonna zie: F. Colonna, *Hypnerotomachia Poliphili*, ed. criteria e commento a cura di G. Pozzi e L.A. Ciapponi, Padua, 1980, 2 Dln, Dl I, 60-65. We weten dat exemplaren van dit boek in Nederland circuleerden, vgl. bijvoorbeeld *catalogus der Bibliotheek van Constantijn Huygens* [...],1688, 22, nr 134. Voor de reputatie van het reliëf zie Kretzulesco-Quaranta 1976, Miller 1982, 25-31 en Adams 1979, 15 en verder, en Woodbridge 1986, 23 en verder. Voor de slapende nimf in haar algemeenheid: E. Kurz, 'Huius Nympha loci', *J.W.C.I.* 16/17 (1953-54), 171-177 en E. MacDougall, 'The Sleeping Nymph. Origins of a Humanist Fountain Type', *Art Bulletin* LVII (1975), 357-65.

66 De grot dateert van 1679/1680. Voor de traditionele Ganymedes-iconografie zie Russel 1977, 5-19. In een in het Frans gesteld hekeldicht wordt Bentinck met Ganymedes vergeleken 'S'il n'eut été qu'un jeune Sot / comme sont tous les Ganimedes / On auroit enduré de Luy,/ Et dans la

piece d'aujourdhuy/ *Bentin* seroit peu d'intermede:/ Mais *Prompt, Habile, Diligent,*/ A saisir un certain Argent' (Dominicus-van Soest 1988, pag. 67 en Bijlage III)

67 Zie Van Avelen, *Plan van het Schoone Perk van Sorgvliet, bij 's Gravenhage* onder D. Het betreft beschilderde (?) houten aedicula-vormige schotten op een basement met classicistische omraming, opgesteld aan het einde van de lanen om het labyrint en de Parnassusberg.

68 Voor de vazen ondermeer Hunt/De Jong cat. nr 49. Voor de afgietsels van de Trajanuszuil vgl. Tessin (Upmark 1900, 149). Bentincks bezit hiervan hangt zonder twijfel samen met de Franse belangstelling hiervoor (zie *La Colonna Traiana e gli artisti francesi da Luigi XVI a Napoleone I*, Roma, Ed. Carte Segrete, 1988, 21-40, 52-53, 60 en 61). Door toedoen van Lodewijk XIV werden tussen 1668 en 1671 gipsafgietsels van de zuil gemaakt. In 1672 verscheen de complete prentenserie (*La Colonna Trajana* van de hand van P.S. Bartoli en G.P. Bellori, opgedragen aan de Franse vorst). Over dit boek zie *Oeuvres Complètes*, Dl. VIII, nrs 2152 en 2238 resp. Ph. Doublet aan Christiaan Huygens

kingsmotieven toe te passen. Slechts weinigen zal de onverholen hulde van Bentinck aan zijn meester en uiteindelijk aan zichzelf zijn ontgaan. Het wekt dan ook geen verbazing dat Willem III in februari 1691 verschillende prominente gasten die op de Haagse Assemblée aanwezig waren, voor een 'divertissement de promenade' op Zorgvliet onthaalde. Bentincks tuin was immers niet alleen een grote bezienswaardigheid maar vooral een politiek theater.[69]

De vraag of Bentinck en De Hooghe naast hun organisatorische werk ook verantwoordelijk geacht mogen worden voor de inhoudelijke betekenis van de tuinaanleg, mag dus bevestigend beantwoord worden.

WILLEM III EN BENTINCK

De internationale bezoekers van de Haagse Assemblée werden door Willem III op 18 maart 1691 ook op het pas voltooide Loo onthaald. Hier was het zijn eigen tuin die als pronk- en propagandastuk diende.[70] Willem III's secretaris Constantijn Huygens jr merkte naar aanleiding van dit bezoek aan de voltooide tuin in zijn dagboek op dat de koning tegen hem 'praete [...] van 't Loo ende vande wercken, die daer gemaeckt waeren specialyck de beelden'. Twee dagen later was sculptuur opnieuw onderwerp van gesprek en meldt Huygens dat 'de coning met mij [sprak] van de beelden in de thuyn ende van de potten met de basrelieven daerop'.[71] Kennelijk was Willem III persoonlijk in uitvoering en betekenis van het beeldhouwwerk geïnteresseerd. Misschien wisselde hij met zijn secretaris van gedachten over het programma dat door Bentinck en De Hooghe was bedacht en de wijze waarop in de te verordonneren uitbreiding vervolg aan een en ander

gegeven kon worden. Het bedenken van thema's liet hij inderdaad aan anderen over, maar de implicaties van de hantering van allegorische beeldtaal waren hem kennelijk niet onbekend. Dat hem en zijn echtgenote beslissingen over het ontwerp van onderdelen van de tuin werden voorgelegd blijkt uit een brief uit maart 1689, waarin sprake is van een 'teyckeninge off desseyn by hare Majesteyt voor haer vertreck [van 20 februari] [...] uytgekosen'.[72]

Uit de correspondentie tussen Willem III en Bentinck blijkt dat de stadhouder zelf geen gering kenner van de tuinarchitectuur was. Vooral de briefwisseling tijdens Bentincks gezantschap in Parijs en aan het hof van Versailles van februari tot juni 1698 getuigt daarvan. Uitvoerig doet Bentinck verslag van de ligging van en de vergezichten in de tuinen van Fontainebleau, Vaux-le-Vicomte, Chantilly, St. Cloud en Meudon, dat hij verkiest boven Versailles[73] (afb. 11). Opvallend is dat Willem III Bentinck al aan het begin van zijn verblijf in februari op het hart bindt om Marly te bezoeken (afb. 52).[74] Marly, waaraan vanaf 1679 tot aan het begin van de 18de eeuw veel aandacht werd besteed, had voor Lodewijk XIV de functie van een toevluchtsoord waar een lossere etiquette, in tegenstelling tot het streng hiërarchische en openbare hofleven in Versailles, intimiteit en ontspanning bood.[75] Evenals de kleinschalige Trianons bij het paleis van Versailles (afb. 53), gaf Marly uitdrukking aan Lodewijks persoonlijke wensen en was het in gebruik voorbehouden aan een kleine groep geprivilegieerden. Daardoor was het domein van Marly, met zijn verfijnde architectuur, tuinaanleg, rijke waterwerken en beeldhouwwerken een essentieel politiek instrument: een toegestaan bezoek aan Marly was graadmeter voor de persoonlijke aandacht van de vorst. Dat is de

(15 december 1678) en Constantijn Huygens aan zijn broeder Christiaan (28 januari 1681).

69 Bidloo 1692, 81 (19 februari) en 82 (25 februari): 'Le divertissement de la promenade à Sorgvliet avec leur Serenitez Electorales de Bavière e de Brandebourg, le Landgrave de Hesse, e plusieurs autres Princes et Seigneurs, que Sa Majesté y regala'.

70 Bidloo 1692, 103 en verder, i.h.b. 114. Zo staat hij met de keurvorst van Beieren op het dak van Het Loo het uitzicht te bewonderen.

71 Voor deze opmerkingen zie Huygens den Zoon 1876, Dl. I, 407 (18 maart 1691) en 433 (20 mei 1691).

72 Japikse 1927–37, Dl. II, 3, brief nr 133.

73 Voor deze beschrijvingen zie Japikse 1927–37, Dl. I, 1, brief nr 214 en verder. 'Meudon surpasse le tout par sa situation et l'air y doit estre

comme à Windsor. La veue en est belle et riche et tout le lieu seroit du goût de la V. Maté.' In brief nr 213 (Dl. I, 1, 13 maart 1698): 'St. Clou et Meudon le surpassent [bedoeld is Versailles] bien dans l'advantage de la situation, particulierement ce dernier lieu qui est très agréable.' Vgl. ook brief nr 245 (22 mei 1698), waarin Bentinck lovend over de tuinen van Meudon schrijft.

74 Ibidem, Dl. I, 1, 225, brief nr 200, 13 febr. 1698: 'je ne sçai pas mesme, si l'on ne voudra pas vous permestre d'aller quelque fois à Marly, ce que vous ne deves point négliger.'

75 Vgl. G. Weber, 'Der Garten von Marly (1679–1715)', *Wiener Jahrbuch für Kunstgeschichte* XXVIII 1975, 55–105 en idem 'Le domaine de Marly', *Monuments Historiques* Aug./Sept. 1982, nr 122, 81–96. Voor het allegorische programma zie Rosasco 1983 en 1984.

76 Voor Bentincks verslag zie Japikse 1927–37, Dl. I, 1, brief nr 227 (10 april 1698), brief nr 241 (17 mei 1698) en brief nr 246 (28 mei 1698).

77 Ibidem, brief nr 246, 28 mei 1698. Al op 4 mei schreef Bentinck (brief nr 238): 'J'attendray mon retour à rendre compte à V.M. de Versailles qui est vrayement beau et magnifique, mais il me semble que l'inclination et l'application se tourne vers Marli, ce qui pourroit faire négliger l'autre.'

78 Marly kon Willem III o.a. kennen uit beschrijvingen in de *Mercure Galant* van 1683 en 1686. Vgl. Rosasco 1984, 95, 115 en noot 5 en 7 aldaar. Prenten van het Grand Trianon door Perelle waren in het bezit van Philips Doublet. Sellers-Bezemer 1985. Vgl. *Oeuvres Complètes*, Dl. VIII, nr 2177, 13 juni 1679, pag. 180 (Ph. Doublet aan Chr. Huygens).

79 Voor Willem III's afkeer van strenge hofeti-

74

reden dat het Bentinck pas op 28 mei lukt Marly te zien omdat Lodewijk XIV zijn bezit zelf aan de afgezant van zijn oude opponent en in volle glorie, met de fonteinen in werking, wilde tonen.[76] Marly overtrof Bentincks stoutste verwachtingen. 'Marly', zo schreef hij aan Willem III, '[…] est le plus agréable jardin que j'aye vue et qui plaisoit fort à V. Mjté; les desseyns sont tout à fait particulier et tout, les machines d'eau sont d'une dépence et d'un travail excessif'[77] ('Marly is de meest aangename tuin die ik heb gezien en die Zijne Majesteit bijzonder zou bevallen; het ontwerp ervan is in alle opzichten opmerkelijk; de waterwerken zijn qua kosten en arbeid buitensporig.'). Voor Willem III zal deze beschrijving bevestigd hebben wat hij al veel langer vermoedde. Meer nog dan Versailles vertegenwoordigde Marly voor hem de persoonlijke macht van de Franse Apollo.[78] Bentincks correspondentie verraadt op dit punt een voorkeur van Willem III voor bouwwerken en tuinarchitectuur, die kleinschalig en informeel dienden te zijn, en waar hij een mate van persoonlijke ontspanning kon vinden.[79] Naast de officiële residenties rond Den Haag konden kleine, compacte buitens hem de mogelijkheid verschaffen op de inrichting ervan een sterk persoonlijk stempel te drukken. De voorbeeldfunctie van Marly en de Trianons blijkt wel heel duidelijk uit het feit dat de Franse architect J. H. Mansart na Bentincks bezoek in 1698 – en ongetwijfeld op diens verzoek – Willem III ontwerpen van deze buitens zal leveren.[80] Prenten van Marly en Meudon sierden zelfs Willem III's schrijfkabinet op Hampton Court.

Deze belangstelling van Willem III werpt een interessant licht op het karakter dat hij aan Het Loo heeft willen meegeven. Uit correspondentie uit de jaren voor de aankoop in Apeldoorn weten we dat de stadhouder eerst een bouwproject had willen uitvoeren op Hoog Soeren. De hoge ligging kon hier immers een met Marly vergelijkbaar effect verschaffen. De geografische situatie leverde echter tegelijkertijd tal van moeilijkheden op om een zo gecompliceerd project tot een goed einde te brengen, vooral ten aanzien van het aanbrengen van waterwerken.[81] Want de waterrijkdom van juist dit gedeelte van de Veluwe met al zijn sprengen hield voor Willem III een grote aantrekkingskracht in om hier een tuin met watereffecten te kunnen aanleggen. Deze interesse in het aanleggen van spectaculaire waterwerken blijkt goed uit de verwerving van verschillende daarvoor noodzakelijke water- en papiermolens gelijktijdig met de aankoop van Het Loo.[82] Het idee van kleinschaligheid en intimiteit werd bij de vormgeving van Het Loo niet uit het oog verloren. Net als het vroege Trianon de Porcelaine in Versailles uit 1670 ademde het originele concept van Het Loo een sfeer van beslotenheid (afb. 53). Het is dan ook geen toeval dat beide een grote architectonische verwantschap vertonen, zowel in de brede, besloten tuinaanleg als in het centrale paviljoen, dat door gebogen muren of colonnades aan de zijvleugels is gekoppeld.[83] Southwell merkte dus alleszins terecht deze kleinschaligheid op toen hij naar aanleiding van zijn bezoek aan Het Loo schreef dat 'There are no great apartms. […] nor are the Roofs high, which must be attributed to their being calculated for a small designe'.[84]

Zoals de Trianons en Marly zich in architectuur en functie verhielden tot Versailles, zo lijkt Het Loo zich als persoonlijk lustoord te hebben verhouden tot het meer officiële Honselaarsdijk bij Den Haag, en later tot het monumentale Hampton Court. Deze bewuste

quette, deels ingegeven door gezondheidsredenen, vgl. J.R. Jones' inleiding 'The building works and court style of William and Mary' in Hunt/De Jong 1988.

80 Japikse 1927-37, Dl. I, 1, brief nr 374 (gedateerd Versailles 5 april 1699), waarin Mansart zich excuseert voor de late toezending van zijn tekening van Marly. Mansart is op dat moment surintendant van gebouwen en tuinen. Deze belangstelling voor intieme, kleinschalige bouwwerken is ook het voorbeeld geweest voor de verschillende trianons die William en John Talman in 1699 in de nabijheid van Hampton Court ontwierpen. Vgl. Harris 1960, 139–150 en Colvin, 167, noot 2. Meestal worden deze ontwerpen in verband gebracht met de brand in Whitehall Palace (1698) en met de rust na de Vrede van Rijswijk (1697). Ook het ontwerp voor de Bowling Green

te Hampton Court met paviljoens toegeschreven aan N. Hawksmoor (in de collectie van het Yale Centre for British Art, Paul Mellon Collection) wordt ca. 1689–91 gedateerd. Aannemelijker lijkt 1700 (vgl. K. Downes, *Hawksmoor*, Londen 1969, 209). De belangstelling voor paviljoenbouw blijkt ook uit schetsen van J. Roman voor een 'Maison de chasse ou le roi Guillaume 3 venoit peu et avec une petite suite'. Deze bevinden zich – drie in getal – in de collectie van de Rijksdienst voor de Monumentenzorg, Zeist.

81 Zie Kranenburg-Vos 1986, 16. Ongepubliceerde brieven van Willem III uit ca. 1683 in het Huisarchief Amerongen (R.A.U.) spreken zich over deze kwestie uit.

82 Vgl. de koopakte van 27 november 1684 A.R.A., A.N.D. 6320 en F.A. Hoefer, *Mededelingen omtrent het oude Loo en de Cannenburgh*, Arnhem

1908, pag. 67 en verder. Voor de waterwerken J.L.A. Kremer, *Een vergeten waterwerk uit de 17e eeuw. De vernielde leidingen van Orden en Assel naar het paleis Het Loo*, Apeldoorn 1932 en Van der Wyck 1976, pag. 238, Bijlage III, en J.D. Moerman, 'Beken, sprengen en watermolens op de Veluwe', *Tijdschrift van het Koninklijk Nederlands Aardrijkskundig Genootschap*, maart 1934, 1–40.

83 Ozinga, 52 is de eerste die wees op de formele overeenkomst tussen Het Loo en het Trianon de Porcelaine. Vgl. voor het Trianon de Porcelaine (in 1687 vervangen door het Grand Trianon) verder De Ganay 1962, hoofdstuk VI en Hamilton Hazlehurst 1980, 153 en verder, plaat 115–117. Over het Trianon, dan inmiddels Grand Trianon, meldt Bentinck (Japikse 1927-37, Dl. I,1, brief nr 206, 1 maart 1698): 'Trianon est très agréable et charmant.'

opzet kan de kleinschalige architectuur van huis en tuinen van Het Loo verklaren, maar ook waarom op Het Loo aan de persoonlijke verheerlijkingscultus van Willem III en Mary Stuart meer aandacht is besteed dan elders.

II DE TUIN

De reiziger die aan het einde van de 17de eeuw de voltooide tuinen van Het Loo wilde bezoeken, werd via de tuinmanswoning in het oostelijk gelegen paviljoen langs de Loo-laan in de koninginnetuin gelaten. Daar werd hij verrast met schaduwrijke berceaux, kleine fonteinen, parterres en exotische gewassen (afb. 44). De kleinschaligheid van deze oranjerietuin moet in groot contrast geweest zijn met het panoramische uitzicht dat hij voor ogen kreeg als hij via een trap het achterterras beklom. Staande op een van de diagonale assen kreeg de bezoeker hier een weids overzicht over de tuin die zich achter het huis uitstrekte. Het verhoogde standpunt dat het terras verschafte gaf hem de gelegenheid in één oogopslag de verschillende onderdelen van de tuinaanleg in een compositorisch geheel te plaatsen, zoals de patronen van de parterres met de in de plate-bandes symmetrisch opgestelde planten, de verschillende fonteinen en het witte en vergulde beeldhouwwerk. Vooral het gevarieerde gebruik van water moet de bezoeker vanaf deze plek zijn opgevallen en niet alleen visueel. Spuitend, stromend, vallend of kabbelend werd het water van verschillende Veluwse sprengen door een ingenieuze fonteintechniek gekanaliseerd tot kunstige watereffecten. Voor een bezoeker moet de tuin na een reis over de zanderige, met hei begroeide Veluwe de indruk gemaakt hebben van een paradijs.[85] Dat de barre condities van de wilde natuur hier overwonnen waren en met behulp van kunst waren gemanipuleerd tot een samenvatting van alle rijkdom en vruchtbaarheid van de Veluwse natuur was dan ook alleen te begrijpen als een daad van vorstelijke macht. Was men eenmaal de terrassen afgedaald, dan maakte overzicht plaats voor een confrontatie met individuele bezienswaardigheden waarbij de zintuiglijke waarneming van oog, oor of neus direct werd gestimuleerd. Daarnaast werd een beroep gedaan op intellectuele inspanning want beplanting, watereffecten en mythologische sculpturen becommentarieerden ieder voor zich en samen de plaats van de stadhouder-koning in dit theater van natuur en kunst.

VENUS

Op de kruising van hoofd- en dwarsas stond de Venusfontein die Romeyn de Hooghe beschreef als 'chief or head Fountain […] at which one must admire' (afb. 54).[86] Compositorisch en inhoudelijk was deze fontein de spil van de tuinaanleg. Een piëdestal van grotwerk droeg een naakte marmeren Venus met de kleine Cupido aan haar linker-

84 Fremantle, 51 en 52.

85 Op zijn tiende reis, waarop hij opnieuw Het Loo aandoet, meldt Abel Eppo van Bolhuis in 1705 dan ook 'tengaende de gelegenheyt van 't Loo is in generaal te verwonderen de Pleisante gelegenheyt desselfs aen de voet der Veluwer heuvelen'. Zie *Journael van de Reyse door de Advocaet Beckeringh en Redger Bolhuis in 't jaar 1705 met de chaise gedaen*, R.A.G., huisarchief Van Bolhuis nr 5. Tessin bij Upmark 1900, 122 en Sturm 1719, 22 beschrijven de Veluwe in 1687 en 1697 respectievelijk als 'Die Situation ist auf einer grossen heijde, wo fast kein Wald zu sehen ist anders alss eine Plantage dichte darbeij mitt einige kleine Wälder' en '(Das Schloss) lieget in einer recht sandigten und hesslichen Gegend, wodurch er an sich *desto anmuttiger* wird' (cursivering auteur). R. de Hooghe's weidse beschrijving van de Veluwe in zijn *Brieve Description* draagt bewust propagandistische trekken.

86 De Hooghe 1698.

87 Op de vroeg gedateerde prenten van G. Valk en C. Danckerts komen ze nog niet voor.

Mogelijk zijn deze naar ontwerp van Daniel Marot en dateren ze uit de tweede fase van de aanleg. Vgl. Jessen 1892, 52. Vgl. ook De Jong-Schreuder 1965, 44.

88 Voor Tessin zie Upmark 1900, 123. Abel Eppo van Bolhuis geeft in zijn reisbeschrijving *Reise nae 't Loo 1693* (R.A.G., inv. Archief van Bolhuis, nr 5, fol. 9) een beschrijving van de voltooide fontein. Harris beschrijft in 1699, 15 (35): 'a Marble Statue of Venus at full length, and another of Cupid under her left hand, he holding a gilded Bow. This Statue is supported on a small Whale for its Pedestal […]'. De Walvis was, uiteraard, een dolfijn. Voor de rekeningen aan Grupello zie A.N.D. inv. 741, fol. 179 R en Vo (21 maart 1690) en fol. 212 Vo (27 oktober 1690) en Peters 1914, 44-46, voor de door hem geëxerpeerde rekeningen uit de Ordonnantieboeken. Grupello ontving op 28 nov. 1689 een betaling van 250 gulden voor wat voor deze prijs zeker de bozzetto's van de vier tritonen waren, die het jaar daarop door fonteinmaker R. van Kleef werden uitgevoerd (A.N.D. inv. 741, fol. 150 Vo en Peters 1914, 44 en 45). Al in

juli 1689 koopt R. van Kleef materialen voor het maken van loden beelden in, idem in november. Mogelijk samenhangend met het werk voor de tritonen, kan dit betekenen dat Grupello de opdracht voor juli 1689 kreeg (A.N.D. inv. 741, fol. 129 Vo). Grupello ontving voor de tritonen 250 en voor de Venus 1700 gulden. Het is niet zeker of Grupello nog meer voor Het Loo heeft uitgevoerd. Een rekening A.N.D. inv. 741, fol. 232 R en Vo spreekt over een restitutie van *f* 2030 aan architect Roman, 'tot Brussel gefurneert, tot betaelinge van eenige Statuen voor S. Majt.' (23 januari 1691) (niet bij Peters). Gezien de prijs moet het om redelijk grote beelden van kwaliteit gaan. Misschien betreft het hier de twee beelden voor de cascades: R. de Hooghe wordt op 27 februari 1691 (A.N.D. inv. 741, fol 239 Vo) betaald voor het 'doen maken van een Narcissus beelt', wat zou kunnen betekenen dat ontwerper en kunstenaar tezelfdertijd na oplevering werden betaald. Het kan tevens verklaren waarom over de Narcissus en Arion verder in de Ordonnantieboeken niets vermeld staat, terwijl het toch om beelden van gewicht gaat. C.

hand. Het grotwerk werd omgeven door vier grote, vergulde en op kinkhorens blazende tritonen, ieder van hen afgewisseld door een grote vergulde schelp. Twee spuitende zwanen completeerden het bassin.[87] Tessin beschreef de aanleg van het bassin al in 1687, maar pas in 1689 en 1690 spreken de ordonnantieboeken over betalingen voor het Venusbeeld en de tritonen aan de Brusselse beeldhouwer Gabriel Grupello (1644–1730).[88] De keuze voor deze laatbarokke beeldhouwer, die zich van een internationale beeldhouwstijl bediende, benadrukt het belang dat men aan deze centrale fontein toekende.[89]

In de traditie van klassieke oudheid en renaissance werd de uit het schuim van de zee geboren *Venus Marina* geassocieerd met begrippen als liefde en schoonheid.[90] Maar in dezelfde traditie was Venus ook moeder der natuur en 'procuratio hortorum'; net als Flora was zij 'beschermster van tuinen'.[91] Door klassieke en laatklassieke schrijvers werd het gebied waarover Venus heerste beschreven als een liefdestuin vol lente.[92] Literaire toespelingen op *Amor*, liefde, en *amoenus*, lieflijk, maakten van de *locus amoenus* – een lieflijke plaats in de natuur met bomen, bloemen, water, vogelgezang en een grot – een van de belangrijkste thema's in de literatuur en beeldende kunst van middeleeuwen en renaissance.[93] Overigens speelde in de beschrijving en uitbeelding van de liefdestuin een Venusbron of -fontein een centrale rol. Introductie van de Venusfontein in de tuinarchitectuur behoeft dan ook niet te verbazen. In de Medici-villa van Castello, bij Floren-

ce, uit de 16de eeuw werd het programmatisch karakter van de tuin bepaald door de idee van de terugkerende lente in de persoon van Venus, in diepere zin een allegorie op de intrede van het goede bestuur onder Cosimo I.[94] Een Venusfontein in de tuin van Bolsover Castle in Engeland deed in 1635 dienst als 'setting' voor Ben Jonsons *Love's Welcome to Bolsover*, waarin het vorstenpaar Charles I en Henriëtta Maria en hun liefde werden verheerlijkt.[95]

Voor ons verhaal is van belang dat een Venus prominent figureerde in de tuinen van het Huis ter Nieuburgh, aangelegd voor Willem III's grootvader Frederik Hendrik (afb. 45). Een nadere beschouwing van Milheussers vogelvlucht uit 1644 leert dat op de hoofdas en in het centrum van vier parterres een met Venus bekroonde fontein heeft gestaan. Op dezelfde as, tussen andere parterres, bevonden zich nog twee grote beelden, een Minerva en Hercules.[96]

De Venusfontein op Huis ter Nieuburgh kan, in samenhang met de Minerva en Hercules, een toespeling hebben ingehouden op gewenste vrede in oorlogstijd. Als liefdesgodin is Venus immers ook vredesgodin, terwijl aan Minerva en Hercules in de verdediging van de vrede een eigen rol werd toegekend als Wijsheid en Kracht, als zodanig vorstendeugden bij uitstek.[97] De tuin als een *locus amoenus* was in de tijd van de Tachtigjarige Oorlog een geliefd beeld in de hofdichten.[98] Tijdens en na de Tachtigjarige Oorlog was de tuin bijzonder geschikt om te dienen als metafoor van een herwonnen paradijs, of, in

77

Huygens Jr, secretaris van Willem III, bezocht Grupello nog op 22 september 1693 (zie Huygens den Zoon 1877, Dl. II), maar dit betreft kennelijk niet meer dan een atelierbezoek.

89 Grupello was opgeleid in het atelier van Artus Quellinus in Antwerpen en verbleef enkele jaren in Parijs, waar hij het begin van de grote bedrijvigheid om de tuinen van Lodewijk XIV van beelden te voorzien kan hebben meegemaakt. Zie Kulterman 1968 en *De Beeldhouwkunst in de eeuw van Rubens in de Zuidelijke Nederlanden en het Prins-Bisdom Luik*, tentoonstellingscatalogus Brussel 1977, 118–126.

90 Voor het type van de Venus Marina vgl. Reinach 1908 en later, Deel I, 330, bijvoorbeeld nrs 1364, 1365, 1366. Voor deze traditie ondermeer E. Panofsky, *Problems in Titian, mostly iconographic*, New York 1969, hoofdstuk V en E.H. Gombrich, *Symbolic Images. Studies on the Art of the Renaissance*, Oxford, New York 1978, 'Botticelli's Mythologies: A Studie on the Neo-Platonic Symbolism of his Circle', 31 en verder. Een voor de hand liggende toespeling van Venus Marina op

Venus Maryna (Mary komt immers van zee naar Nederland) heb ik niet kunnen vinden.

91 Vgl. bijvoorbeeld Plinius *Historia Naturalis*, BK XIX, 49–52 (naar Plautus) en Columella *De re rustica*, BK X, 200–215 en W.F. Jashemski 1979, 124 en verder ('The Worship of Venus in the Garden'); Brummer 1970, de 'conclusion'. Ook Langlotz 1954. Voor de Venusfontein (en de fontein als sleutel tot interpretatie van de tuin) vgl. Miller 1977, 1-40.

92 Watson 1979, 25 en verder.

93 Curtius 1973, 192, 195–200. Watson 1979, 27 en Comito 1979, hoofdstuk IV, 89 en Lewis 1973. Voor de beeldende kunst ondermeer Watson 1979 en R. van Marle, *Iconographie de l'Art Profane au Moyen Age et à la Renaissance*, Den Haag 1931, Deel II 'Allégories et symboles', hoofdstuk VI, 415 en verder, en T.Vignau Wilberg-Schuurman, *Hoofse minne en burgerlijke liefde in de prentkunst rond 1500*, Leiden 1983, 7 en verder.

94 Wright 1976.

95 Strong 1979, 199, afb. 130.

96 Deze observatie wordt ondersteund door

de plattegrond van Ter Nieuburgh in Jan van der Groens tractaat.

97 Vgl. De Jong 1980, 18–23. Voor Minerva en Hercules ondermeer Von Heintze en Hager 1961, 36–127. Vgl. ook L. Barbonius, *LVII Morale Sinne-Beelden aen sijne Hoogheydt Den Doorluchtigen ende Hoogh-gheboren Vorst Frederick Hendrick Prince van Orangien, Grave van Nassauw ec*, Amsterdam 1641. Dit aan Frederik Hendrik opgedragen embleemboek bevat ondermeer onder nr VIII de zinspreuk *Vos quoque iungit Amor / U oock vereenicht de Liefde*, waarin benadrukt wordt dat regerende vorsten en prinsen, indien 'begaeft met de herten der Liefde' alle twist en strijd konden doen neerleggen. Daarom stond ook boven de tweede poort van het Huis te Buuren, eveneens Oranjebezit, geschreven *Magnum Satellitium Amor*.

98 Vgl. Muller 1937, waarin opgenomen de tekst van de *Binckhorst* uit 1613 (het eerste Nederlandse hofdicht), vers 302–310 en 919–975. P. Hondius, *Dapes Inemptae, of de Moufe-schans*, Leiden 1621, 402 en verder, en C. Huygens, *Hofwyck* (1653) ed. Zwaan 1977, vers 1217–1219 en 1225–

klassieke termen, een nieuwe Gouden Eeuw.[99] Het is Johannes Brosterhuizen die in zijn rede, uitgesproken bij de opening van de Illustere School te Breda in 1647, Frederik Hendrik verheerlijkt als degene die de lof van de krijgskunst paarde aan de beoefening van de tuinarchitectuur als rustgevende vredeskunst.[100] Beide verenigden het in de 16de en 17de eeuw zo populaire vorstenideaal van de 'arma et litterae', de combinatie van daden op het gebied van de wapens en de letteren, die de vorst roem en onsterfelijkheid brengen.[101] Op Huis ter Nieuburgh maakt de Venusfontein, als onderdeel van een verheerlijkingsprogramma ten behoeve van Frederik Hendrik, van de tuin een symbool van gewenste vrede, een 'Aetas aurea', een Gouden Eeuw onder Oranjeheerschappij.[102]

Deze gedachtenwereld vinden we ook in de omgeving van Willem III. Zowel in Richard Richardsons aan de stadhouder-koning opgedragen gedicht *De Cultu Hortorum* uit 1699 als bij Walter Harris in zijn beschrijving van Het Loo treffen we de idee aan dat de tuinkunst voor een staatsman als Willem III van groot belang is. Tegenover, nee naast de last van het politieke, militaire leven staat de tuinkunst als herschepping van een ideale wereld.[103]

De propaganda rond Willem en Mary toont ons sporen van een liefdes- en vredesiconografie, die de veronderstelling rechtvaardigt dat we de tuin rond de Venus op Het Loo mogen opvatten als een 'locus

amoenus' en meer specifiek als allegorie van een hernieuwd tijdperk van vrede en voorspoed onder de stadhouder-koning en zijn echtgenote.[104] Deze iconografie was niet zonder dynastieke betekenis, omdat er een specifieke 17de-eeuwse beeldvorming van vredebrengende Oranjes mee werd voortgezet, die ook elders in de tuinsculptuur op Het Loo tot uitdrukking werd gebracht.

LIEFDESTUIN

Een liefdesthematiek naar aanleiding van het huwelijk van Willem en Mary ligt voor de hand. Zo lezen we op de officiële prent die Romeyn de Hooghe maakte ter gelegenheid van deze gebeurtenis in 1677, hoe hier niet de priesters van Mars, maar van Venus te werk gingen: *Vincit Amor*.[105] Dergelijke verheerlijkingsmotieven zijn traditioneel, maar in de politieke propaganda rond Willem en Mary lijkt er sprake te zijn geweest van een specifieke liefdescultus, die keer op keer de verbondenheid van het vorstenpaar, van de Republiek met het Britse koninkrijk en van Willem en Mary met het welzijn van het volk moet symboliseren. In zijn gedicht *Wilhem de Derde* uit 1698 beschrijft Lucas Rotgans het aanzoek dat Willem III in 1677 aan Mary deed, een gebeurtenis die de schrijver dan ook plaats laat vinden in een tuin:

'Zo [...] trad mijn held / Des Konings lusthof in, van Edelliën vergezeld. / Hier zag hy by geval Maria, neêrgezeten / Bij 't springen van een bron; om, met een rein geweten, / Haar God, den Schepper van 't

1230.

99 Vgl. ook de tuinen van Johan Maurits te Kleef, zie De Jong 1979, 195–204 en de inleiding.

100 Brosterhuizen 1647, 'Oratio Inauguralis'.

101 Vgl. voor dit ideaal in verband met de tuinarchitectuur en de Oranjeprinsen, De Jong 1979 en 1980 met verdere literatuur. Dit ideaal werd met name beschreven in B. Castiglione's boek *De Hoveling* (Venetië 1528) met een Nederlandse vertaling door L. van den Bosch uit 1662 en 1675. Zie ook Veenstra 1968, 139 en 219–220, voor de bekendheid met Castiglione's werk in Nederland. Het werk bevond zich in de bibliotheek van Frederik Hendrik, zie: *Catalogue des Livres de la Bibliothèque de S.A.S. Frédéric-Henri Prince d'Orange*, Den Haag 1749, nr 232. Als voorbeelden van heersers die het 'Arma et Litterae'-ideaal beoefenen noemt hij Alexander de Grote, Alcibiades, Caesar en Scipio Africanus. Een dergelijke gedachtengoed ligt ook ten grondslag aan de Haagse Oranjezaal. Vgl. Peter-Raupp 1980 en Brenninkmeijer-de Rooy 1982, 133–191, die met name wijst op de glorificatie van Frederik Hendrik

als Vredebrenger van een nieuwe Gouden Tijd. Van de verschillende decoratieprogramma's die zij uit de tijd van Frederik Hendrik ter vergelijking noemt, vergeet zij die van de tuinen uit deze periode. Voor Frederik Hendrik als vredebrenger zie ook Barbonius 1641 embleem XXII *Tu vince Loquendo* en XXIX *Apparet Marti, Quam sit Amica Venus*, waarin het Ciceroonse motto *Cedant arma togae* centraal staat (vgl. noot 97).

102 Deze Venusiconografie speelde ook op Honselaarsdijk, waar twee beelden van Mars en Venus stonden opgesteld. Zie Morren 1908, 15 en Slothouwer 1945, 58 (de auteur plaatst de beelden naast de trap voor de voorgevel) en 265 (verwijzing naar A.N.D. 782, fol. 223 Vo). Snoep 1965, 270–294, i.h.b. 283 en verder, spreekt over een Triomf van Flora met als pendant een Triomf van Venus op west- en oostwand van het trappenhuis van Honselaarsdijk.

103 Richardsons gedicht luidt voluit *De Cultu Hortorum Ad Populares suos Carmen: Guilelmo Britanniarum Regi, Magno, Felici, Invicto, semper Augusto, Dictatum*, Londen, apud Joannem Nutt,

1699 (ik dank deze verwijzing aan Douglas Chambers, Toronto). Bij hem is Willem III de veldheer die de 'ars bellandi' beheerst (vers 18) en degene die de tuinkunst begunstigt en zo vrede schenkt aan het Britse rijk (vers 318 en verder, en vers 576 en verder). Harris 1699, 4 (16): '[De tuinkunst] is a delight and satisfaction to which some of the Greatest Princes and Noblemen in all Ages have had recourse, after they had been satiated and cloyed with the Pleasures and Vanities of the World [...]. [...] A compleat and spacious Garden [...] must do very much towards the obtaining even a Paradise upon Earth.' Een echo van deze opvatting ook in R. de Hooghe's *Brieve Description*: 'Le Chasteau [van het Loo] qui a servi autrefois de Residence aux Ducs de Gelre lors que fatiguez de la Guerre ou du soin de leur Estat, ils ont voulu prendre quelque repos.' Voor de problematiek van oorlogs- en vredesbouwkunst, inclusief de tuinarchitectuur, zie de catalogus *Architekt und Ingenieur. Baumeister in Krieg und Frieden*, Herzog August Bibliothek Wolfenbüttel 1984, cat. nr 42, ondermeer pag. 10–13, en pag. 268 en verder. Deze

herboren morgenlicht, / Te groeten, naar geweten, eerbiedig'. En na zijn aanzoek:

'Mariaas aanschyn bloost; zy zwijgt, maar d'oogen spreeken, / en melden 't minnevuur, in haare borst ontsteeken. / De lusthof blaakt van min, 't albaste tuinsiraad, / De beelden schynen zelfs te leeven in dien staat.'[106]

Caspar Netschers portret van Mary, waarop hij haar in een tuin bij een fontein heeft afgebeeld, lijkt niet alleen een treffende illustratie van Rotgans' passage, maar voegt er een duidelijke strekking aan toe (afb. 55).[107] Het Venusbeeld naast haar, dat in dit geval wel heel nadrukkelijk de fontein bekroont, verwijst in eerste instantie naar haar huwelijk en kuise liefde, maar symboliseert daarnaast de haar toegedichte liefde voor haar volk.[108] Het tuinbeeld van Hercules en Cacus, dat op de achtergrond van het portret van Mary is weergegeven, is ongetwijfeld ter ondersteuning van deze betekenis bedoeld. Vanouds werd deze voorstelling geïnterpreteerd als de Deugd die de Ondeugd verslaat, maar in de context van Willem en Mary werd deze voorstelling herhaaldelijk gebruikt als verwijzing naar hun strijd voor het protestantisme en daarmee voor het welzijn van hun volk.

Zo althans verklaart Nicolaas Chevalier in 1694 deze voorstelling. Samen met borstbeelden van Willem III (als *Prudentia Augusta*, Eerwaardig Inzicht) en Mary (als *Regnum Decus*, Roemvolle Heerschap-

pij) en glazen piramiden met de opschriften *Rex et Regina Beati* (Gezegend Vorstenpaar) en *Iungit Amor Patriaeque Salus* (Liefde en Voorspoed des Vaderlands verenigen zich), stonden Hercules en Cacus (Willem III en Jacobus II) opgesteld op de kast in zijn *Chambre de Raretez*, waarin hij de hele heldhaftige geschiedenis van Willem III in penningen bewaarde (afb. 56).[109]

De Venusfiguur is als verheerlijkingsmotief voor Mary Stuart vaker ingezet. Op een van de triomfbogen, vervaardigd voor de intocht van Willem III in Den Haag in 1691 (Mary was in Engeland achtergebleven), vinden we de vorstin vóór de tempel van Concordia (afb. 57). Omgeven door Venus en Minerva, die hun gaven van Schoonheid en Wijsheid aanbieden, bestiert zij het land terwijl Willem op veldtocht is en stort zij uit een hoorn des overvloeds wat voor welzijn en behoud van het volk nodig is.[110] Boven haar werd een grote hoorn des overvloeds afgebeeld met het opschrift *Refert Saturnia Regna* (Zij doet de Gouden Eeuw terugkeren).[111]

Behorend tot het arsenaal van internationale, voor vorsten gebruikelijke verheerlijkingsmotieven, werd deze specifieke thematiek door De Hooghe en Bentinck voor Willem III en Mary gekozen vanwege hun actuele politieke ondertoon. Als erfgename van de Engelse troon en echtgenote van Willem III speelde Mary Stuart immers een belangrijke rol bij de verdediging van Religio en Libertas en bij het tot stand brengen van een evenwichtige politieke situatie in Europa. Het

topos werd overigens ook uitgewerkt in de Thetisgrot te Versailles (Lange 1961).

104 Vandaar dat we ook een Venusbeeld aantreffen te Dieren, zie Fremantle 1970, 39–68. Southwell ziet in 1696 te Dieren een 'Arbour of Venus round a great pond', wellicht identiek met Petrus Schenks 'Gezicht van dieren bij de Grotte met de beplante beuken in de laegte van den Taaras' uit diens serie *Praetorium Dieranum*. Ook voor De Voorst ontwierp Marot beelden met een Venusiconografie vgl. Jessen 1892, 256.

105 F. Muller, *De Nederlandsche geschiedenis in platen. Beredeneerde beschrijving van Nederlandsche historie-platen, zinneprenten en historische kaarten*, Amsterdam 1863–1882, Dl.I, nr 2621.

106 Rotgans 1698, 36 en 38. Nr 92 in J. Landwehr 1970.

107 Van Thiel e.a. 1976, C 194, 195. Door A. Staring, 'Portretten van den Koning-Stadhouder', N.K.J. 3 (1950/51), 175, fig. 16, 1677 gedateerd.

108 Voor dit type portret zie E. de Jongh 1985, cat. nr 3. Het bijwerk is hier ongewoon nadrukkelijk. Het pendant vertoont Willem III als veldheer.

109 Chevalier 1692, 'Preface aux curieux des Medailles: Hercule qui represente le Roi Guillaume vainquant le Giant Cacus, qui est le Roi Jacques.' Zie Snoep 1973. Voor de interpretatie van Hercules en Cacus vgl. ook C. van Mander, *Uitleggingh op den Metamorphosis Pub. Ovidii Nasonis [...]*, in diens *Schilder-boeck*, Haarlem 1604, fol. 79 R en Vo. Ook in de slaapkamer van Mary op Het Loo keert de Hercules- en Cacusvoorstelling terug. Met medaillons die Venus in de smidse van Vulcanus en de roof van Proserpina en Galathea afbeelden, stellen zij de deugden Fortitudo en Prudentia, Temperantia en Justitia voor. Voor een tuinbeeld van Hercules en Cacus in de tuinen van Honselaarsdijk, vgl. de tekening van Jan de Bisschop, afgebeeld in Morren 1908, 55 (nu Rijksprentenkabinet). Deze tekening moet stammen van voor 1686, het jaar van De Bisschops dood.

110 Vgl. Bidloo 1692, 59 en verder, i.h.b. pag. 82 en 83, en Snoep 1975, 146–148. Het betreft hier de poort op het Buitenhof. De voorstelling met Mary bevond zich op het rechter wandvlak van de middendoorgang. Zie ook Muller 1863–82,

nr 2827 en Van Rijn 1895–1931, 2864 XIb.

111 De Franse editie luidt: 'On voit cette illustre Princesse se tenant debout devant le Portail du Temple de la Concorde, répandant une Corne d'abondance, e donnant accès à toutes sortes de personnes qui viennent pour implorer son secours, e avoir part à ses bienfaits. Les Figures qui sont à ses côtés, marquent la Sagesse, la Prudence e les autres Vertus qui l'accompagnent, e en general toutes les qualitez qui lui attirent l'Amour et la Veneration des Peuples.' Op de poort op het Buitenhof (zie vorige noot), heet de toelichting van Bidloo op de *Nuptiae Augustae*, 'Het Vorstelijk Huwlijk, op de bynaar geheele herstelling der Nederlanden en Zijn Majesteits Trouwverbond Gepast'. Venus Domiduca, het altaar en de duiven 'wyzen de plechtige bekrachtiging van het Trouwverbond en de Schelp, welke aan de andere zijde ligt, de geboorte van de Moeder der Liefde aan'. Chevalier 1692, in zijn 'Au Roy', spreekt over het effect van de 'Grandes Actions qui luy ont attiré l'admiration e l'amour de toute l'Europe, e l'estime même de ses plus grands Ennemis'.

is ongetwijfeld om die reden dat verschillende pamfletten naar aanleiding van haar dood in 1695 naast haar godsvrucht, voorzichtigheid en goedheid vooral zo de nadruk leggen op haar liefde voor Willem III.[112] Door de balsem van vrede en liefde, zo heet het daar, werd de scheuring van de protestantse kerk geheeld en konden wetten, gerechtigheid en privileges van adel en steden worden hersteld.[113]

De Venusfontein behoorde tot wat men een liefdescultus rond Mary Stuart en Willem III zou kunnen noemen en verzinnebeelde wat als de grondtoon van het programma begrepen moest worden: de tuin was een *locus amoenus* en voorspelde een nieuwe Gouden Eeuw.

MICROKOSMOS

Verschillende andere beelden in de tuin werkten dit thema verder uit en becommentarieerden enerzijds de geografische grenzen van deze *locus amoenus*, anderzijds de vruchtbare en overvloedige kwaliteiten ervan.

De twee riviergoden Rijn en IJsel, op het wandelterras direct achter het huis gelegen en naast de trap die de tuin inleidt, behoren tot het vroegste concept van de tuinaanleg (afb. 58A–B). Het zijn deze beelden waarvoor Tessin in 1687 de modellen ziet opgesteld en waarvan Romeyn de Hooghe vermeldt dat zij gebeeldhouwd zijn 'chacun d'une seulle Pierre e conduis de Lingen en ce lieu a grand frais e peines' ('ieder uit een enkele steen gehouwen en hier uit Lingen naar toe gebracht met hoge kosten en veel moeite').[114] De Hooghe's opmerking verraadt zijn bemoeienis met deze beelden uit hoofde van zijn directeurschap van de stadhouderlijke groeven te Lingen. Maar de speciale vermelding van de beelden heeft ongetwijfeld ook te maken met het feit dat hij zich met het ontwerp ervan intensief had bemoeid. Hun huidige gedaante is feitelijk het overblijfsel van acht ontwerpen voor stroomgoden die De Hooghe in de jaren 1687–89 voor de tuinen van Het Loo bedacht (plaat 3A–B). Zijn schetsen in rood krijt, met hun bijbehorende verklarende bijschriften, vormen een belangrijke indicatie dat het beeldhouwwerk voor Het Loo een sterk politiek/allegorische betekenis diende uit te dragen.[115]

Mythologie en personificatie brengen in deze ontwerpen de eigenschappen van het lokale Veluwse landschap en de kwaliteiten van Willem III als opdrachtgever op een bovennatuurlijk niveau. De personificaties van de IJsel, de Grift (een zijrivier van de IJsel), de Rijn en

112 Knuttel, Deel III 1689–1713, 1890–1920 bijvoorbeeld nr 13623, *Zeege-zang. Ter eeren van den Grootmagtigsten en onverwinnelyken Koning, Willem de III […]*, Utrecht 1691, 36: 'De Koningin, die zo veel grote blijken / Van kloek beleid en Helden-Deugd deed zien / Wiens teed're Liefde, als Moeder haarder Rijken / Zo uitblonk', pag. 44, 'Geheiligd Paar, twee koninglijke zielen, / Door liefde en deugd zo nauw aaneen verknocht', en nr 14160: *Opkomst, Geboorte, Leven en Dood van Maria Stuart Koninginne van Groot Brittaniën, Vrankryck en Yerland*, Amsterdam 1695, met daarbij een *lykrede* door Joannes Brant. Een catalogus van aan Mary toegeschreven deugden is te vinden in Daniel de la Feuille's *Devises, Emblemes, et Hyerogliphes faist sur la Naissance, la Vie et la Mort de Marie II* (met gravures van F. de Kaarsegieter) in zijn *Essay d'un Dictionnaire contenant la connaissance du Monde*, Wesel 1700.

113 Zie Knuttel ibidem nr 14160, 109. Deze beschrijving geeft een inventaris van alle haar toegeschreven deugden. Harris 1699, 34 (66) beschrijft nog een Venusbeeld in de besloten tuin ten oosten van de Koninginnetuin die aan Mary toebehoorde: 'a statue of Venus at length, a little stooping, and holding Cupid by both hands.' Rond een ovaalvormige fontein bevonden zich daar ook nog zes stenen Cupido's met attributen,

zoals een beker en een tros druiven, een tulp, een boek en een bril, een speeltuigje, een slang en een spade. Cupido's vond men ook in de vier hoeken van de berceaux van de koninginnetuin boven rustbanken (Harris, 30 [58]). Deze waren vanuit het midden bij de fontein door de groene berceaux heen te zien. Vgl. Harris en Bolhuis, 10.

Van een liefdesiconografie was ook sprake in Mary's slaapkamer te Soestdijk, zie *God en de Goden*, 1981 cat. nr 68, G. de Lairesse, Selene en Endymion (bijdrage D.P. Snoep). Waarschijnlijk kort na haar huwelijk besteld in 1677/80, werd deze voorstelling van Goddelijke Liefde, geflankeerd door voorstellingen van Odysseus by Calypso en Venus en Mars, respectievelijk allegorieën op de liefde *in bono* en *in malo*. In het kabinet van Mary op Het Loo celebreerde de voorstelling van *de Belofte aan Sara* (van Duval) haar hoop op gezegend nageslacht. *Een offer van Abraham* (ook van Duval) en een *Hoop, Liefde en Geloof* van Van Honthorst in haar slaapkamer, haar godsvrucht. Zie Drossaers en Lunsingh Scheurleer Dl. I, 1567–1712 (1974), 647: inventaris van Het Loo 1713.

114 R. de Hooghe 1698. Van een dergelijke praktijk om maquettes 1:1 van beelden op te stellen om hun effect te testen, werd ook bij de recente reconstructie/restauratie van de tuin gebruik gemaakt. De opstelling van de parterre-beelden

werd volgens deze methode uitgeprobeerd. De beelden zijn pas later uitgevoerd en wellicht te identificeren met een betaling aan Pieter van de Plasse op 30 november 1690 (f 1320), vgl. A.N.D. 741, fol. 218 Vo.

115 Voor de tekeningen zie Atlas van Stolk bij Van Rijn, nrs 2719-1 tot 8, pag. 200 en verder. Snoep 1975, 107, dateert 'omstreeks 1689'. De Jong-Schreuder 1968, 41–42, dateert 1688–89 (dus voor de kroning) omdat op Van Rijn, nr 2719-8, vermeld staat 'Syne K. Hoogheyt' en niet: S.M. de Koning. Het feit dat de stroomgoden waarschijnlijk pas na de kroning zijn uitgevoerd, kan de discrepantie tussen de tekeningen en de uitgevoerde beelden verklaren: de ideeën van De Hooghe omtrent het beeldhouwwerk werden kennelijk in 1689 bijgesteld.

116 Vgl. voor de traditie Cartari Venetië 1647 (Herdruk Graz 1963, inleiding W. Kochatzky), pag. 142 (naar aanleiding van de liggende Tiber): 'Imagini del Tevere mostrante l'abondanza'. Vgl. het beroemde antieke beeld van de liggende Tiber met hoorn des overvloeds, nu in het Louvre; zie Haskell/Penny 1981, 310–311, nr 79, die ingaan op de reputatie van dit beeld.

117 Van Rijn nr 2719 I [de transcriptie is door mij opnieuw naar de originelen gedaan en kan afwijken van die van Van Rijn]: 'De Vorst als Hercu-

de Zuiderzee vinden we hier naast najaden, nimfen, bos- en veld-godinnen, Hercules en Apollo. Conform de traditie vertegenwoordigen watergoden en nimfen de vruchtbaarheid van water en aarde, hier specifiek die van de Veluwe en Het Loo.[116] Uit De Hooghe's bijbehorende bijschriften blijkt dat deze natuurlijke overvloed aan Willem III te danken is. Hij is het die de onontgonnen woeste natuur van de Veluwe cultiveerde en tot wasdom bracht net zoals hij in zijn strijd met andere lage machten zijn politieke vijanden versloeg. In zijn ontwerp voor de beeldengroep *Hercules en Acheloüs* en *De Vorst en den IJsel* is De Hooghe het duidelijkst in de betekenis die deze beelden voor het totale tuinprogramma dienden te hebben. Naar Ovidius wordt hier het verhaal weergeven van Hercules die met Acheloüs vecht om het bezit van Deianira.[117] Acheloüs delft het onderspit als Hercules hem een hoorn afneemt (bij Ovidius verandert hij zich van een slang in een stier) en die hij als 'hoorn des overvloeds' door Najaden laat vullen met bloemen en vruchten. In allegorische zin, zo blijkt uit De Hooghe's bijschrift, werd met Hercules Willem III bedoeld, uitgedost met leeuwehuid (de macht van de Staat) en knots (veldheerlijke moed en beleid), die Acheloüs verslaat, eerst als slang (de Franse en bisschop-

pelijke gedrochten, met andere woorden, het katholicisme), vervolgens als stier. Diens afgehouwen hoorn (de Grift als kronkelende arm van de IJsel) schenkt de Vorst vervolgens aan de bos-, veld- en berggodinnen van Het Loo, die de hoorn ('de beek van Het Loo') als hoorn des overvloeds opsieren met bloemen en vruchten. Een identieke gedachtengang vinden we in één van de andere ontwerpen waar Willem III samen met het geharnast Vaderland wordt voorgesteld als Apollo 'die als de Son, aen alles het welvaeren ende wasdom geeft' (plaat 3A–B).[118] De kwintessens van De Hooghe's gedachtengang is deze: Willem III is heer van Het Loo, en de Veluwe (Het Loo) staat pars pro toto voor De Republiek die door stadhouderlijke krijgskunst metamorfoseert tot een paradijs. De ordening opgelegd aan de natuur is een allegorie voor politieke ordening.

De uitgevoerde stroomgoden zijn slechts een vage echo van deze gecompliceerde allegorie. De IJsel (in tegenstelling tot de tekening nu vrouwelijk) is, evenals op het ontwerp in halfzittende, halfliggende houding weergegeven vanwege 'de hoogte der Veluw (waer van syn aenwas komt) op welke hy schynt te leunen, syn voeten spoelt hy in 't Suyderzee water'.[119]

les met de Leeuwenhuyt, de machten van de Staat, en syn knodse, of Veltheerlyke moet en beleyt Slaet Acheloüs van d'eene form, uyt de andre, en na dat hij hem syn slangenhuyt heeft doen verlaeten: gesuyvert van de franse en bisschoppelijke gedrochten slaet hij hem af syn eene hoorn, dat is neemt van den Ysel die kronkelende arm van de Grift' (tekening, rood krijt, 309 × 520 mm). Voor dit verhaal vgl. Ovidius, *Metamorphosen*, Boek I, 1–90. De scène van Hercules met Acheloüs vinden we ook in de triomftocht van 1691, zie Bidloo 1692, 47 (De Poort op de Plaats). Als tegenhanger fungeerde Van Rijn 2719 II, waarvan de tekst zich met de vorige laat doorlezen: 'Welken hoorn hij schenckt aen de bos berg en velt godinnen van Loo, welke nimphen, dien Acheloüs hoorn of kronkelende Grift, de beek van Het Loo, als den hoorn van overvloet opsieren, die opvullende met allerley bloemen en vruchten, so dat se daerna, in plaets van een verlooren hoorn van Acheloüs, een beruchte hoorn van allerley weelden en vruchtbaarheyt wiert in overvloet. Deze beyde Nymphen sijn echter deelgenooten aen de Grift, de eene sittende in de lagen beemden stuyrt en stort haer wateren tussen, de broeken van de veluwlanden in, de andere, als een water Centaura, jaegende langs de heuvelen 't beeken van onder uyt vloeyen, die de Grift eyndlyke samenstellen' (te-

kening, rood krijt, 305 × 524 mm).

118 Van Rijn 2719 VII: 'De Vorst vertoont in de gedaente van Apollo die als de Son, aen alles het welvaeren ende wasdom geeft en so het sieraed aen de bosch en watergodin van Loo. Als de god van de jacht komt hij bij haer syn self ververschen, gedempt hebbende het Pytisch ongedierte synde de onvruchtbaerheyt, en woestheyt van de heyde Nymph: Schenckt hem de overvloet die se van Syn K. Hoochheyt ontfangen heeft wederom, se is gedeckt met een kostelyke Rok op een heuvel of bergje geseten, haer locken, swieren, ryklyk over haer boesem, en achter haere rug vallende als haere watervlietjens tussen de heuvelen in waer se de watermolens doet gaen de rest van haere water stuyrt se omlaegh na den Ysel' (tekening rood krijt, 312 × 540 mm). De tegenhanger is hier (Van Rijn 2719 VIII): 'Het Vaderland met een helm, leeuwenhuyd en schelpharnas gekleet, offert haer afgeneden hayr, aen den Ysel voor voldoening van haer belofte; op de gesintheyd en glorieuse wederkomsten van Syne K. Hoogheyt gedaen, so als men by Homerus leest van Peleus aan de Rivier Sperchius, over de geluckige tocht van Achilles. Sy houd in haere slinkerhand de vyandlyke buyten, door haer veltheer verovert: Den Ysel of Rhijn kan men hier tegen nemen naer 't sal beter syn dat de riviergod het Vaderland aensiet [hiervan een

schets in de rechterbovenhoek], als boven gekrabbelt is die Riviergod, omdat hy gefortificeert synde sowel sterke steeden draecht heeft de toorenkroon op syn hooft met biesen, liesen, etc.: syn sluyke baerden heuvels druypen van 't seewater waar tegen hy aen proest, in syn rechterarm hout hy, een gajoen van een schip, om de florisance van syn vloetsteeden te toonen, hy sit tussen de duylen, biesen en 't rietgewas in, syn watervat is echter op de rand, met Zuyderzee schelpjens geguarneert, over syn lyf leggen een party netten' (tekening, rood krijt, 315 × 512 mm).

119 Vgl. Van Rijn, 2719 III, 'Den Ysel, met lis, riet en pompeblaren het hooft gesiert met twee hoornen om syn bochten, so wel als syne ryke wyden waer door hy syn loop neemt. Aen de oude kant, met een stier van een schip, of met een riem in de eende hand, syn navigable welvaert representeerende, in syn andre hand hout hy syn sware waterkruyk, houdende aen syn arm een schilt, om dat se tot bescherming des vaderlants met veele vaststicheeden, is gesterkt geweest als een geduyrige fortificatie. Hy hout figuyr tussen sitten en leggen om de hoogte der Veluw (waer van syn aenwas komt) op welke hy schynt te leunen, syn voeten spoelt hy in 't Suyderzee water, waer in een zalm en steur koomen aasen, gelyck de postbaers etc. in syn Yselwater daertelen' (tekening, rood krijt, 312

Met haar linkerarm rust zij op de waterton, waaruit het water zich stort 'in zee; seijnde de schulpen die langs de trappen staan'.[120] In de krans van loof en bloemen in het afhangende haar, eenzelfde slinger gedrapeerd over de waterton en de vloeiende draperie rond haar lendenen, herkennen we De Hooghe's beeldende beschrijving van de *genii loci*, de nimfen van Het Loo: 'met swadderende weelige gekronkelde locken hare dartele swieren, in de beemden representeerende. Op haar hayrtop is een guirlande, van bloemen, tussen grof boomlof geschakeert'.[121] Een hert geeft nogmaals een nadere aanduiding van de Veluwe als vruchtbaar jachtterrein. De naar de IJsel toegewende Rijn, wiens over de rechterschouder geslagen 'sluyke baerden heuvels druypen van 't seewater waartegen hij aen proest', wordt als rivierloop gekarakteriseerd door de krans van druiventrossen- en ranken om zijn heupen en het voetstuk.[122] Ondanks het ontbreken van expliciete vorstelijke allegorieën, referen beide beelden, net als de ontwerpen, aan de overvloed aan bloemen, planten en water op Het Loo, en aan de vorst die dit alles bewerkstelligde.

Een hogere orde dan de topografische vinden we verzinnebeeld in de hemel- en aardglobefontein op de dwarsas van de tuin, waarvan de bassins in 1687 al aanwezig waren (afb. 44 en 62).[123] Water spoot hier uit de verschillende sterren van de op de koperen bol geschilderde dierenriem en uit de vier werelddelen op de aardbol en verwees naar de hemelse overvloed van morgendauw en regen. Daarmee plaatsten ze tegelijkertijd Willem III in een groter, macrokosmisch geheel: voor de wereldorde had zijn politieke optreden verregaande consequenties. In de triomftocht van 1691 functioneerde het embleem van de wereldbol op identieke wijze.[124]

Dat de tuin als een microkosmos voor het rijk van Willem III en Mary II Stuart beschouwd werd, blijkt wel uit het feit dat bij de transformatie van de tuinaanleg na 1691 aanvullingen op het decoratieprogramma op deze gedachtenwereld voortborduurden. Zo symboliseerden de vier grote 'imperiumvazen', die Sturm in 1697 op het achterterras bij de stroomgoden opgesteld ziet, het rijk van Willem III (plaat 4).[125] Twee van deze vazen, één door J. Ebbelaer, de ander door

× 522 mm). Waarschijnlijk tegenhanger van Van Rijn 2719 V (zie noot 121).

120 Vgl. Van Rijn, 2719 IV, 'Den Ysel oud begruyst, en bemost met een riem in de eene hand, stort syn ryke waterkruyk in zee, synde de schulpen die langs de trappen staan een watermolen rad voert, syn setelsche[lp] de netten van de watervis, en andere kleyne visschery leggen over syn schoot en syn kar wordt voortgetrocken van een zalm en steur byde in 't gareel gement van de Najade, die de Grift representeert welcke syn rytuig aendrijft, boven gehuld met hey, en eykenlof, vliegende locken van de winden die op haer heuvelen domineeren van onderen is se half vis met de zalm en steur voort swemmende haer uytgesp[rey]de vinnen, scheynen wat van de molenwieken te verbeelden' (tekening, rood krijt, 315 × 540 mm). Waarschijnlijk tegenhanger van Van Rijn 2719 VI (zie noot 122).

121 Vgl. Van Rijn 2719 V: 'De Najade of Nymphe van Loo met swadderende weelige gekronkelde locken hare dartele swieren, in de beemden representeerende. Op haar hayrtop is een guirlande, van bloemen, tussen grof boomloof geschakeert, uytt midden van deze stygert een pronktoorn, het gebouw betekenende. se hout om de hoogte, en sprong van haer water te doen sien, hare kruyk op de schouder waer van de waterval achterlans haer sierlyke keurs loopt om sich met den Ysel te vereenigen, die haer liefkoost om de rykdom die se van hare nabuyrschap ontfangt, hij self hout een riem, in syn eene hand die scheeprykheyt van syn vloet vertoonende, syn watervat, grimmelt van speelende vissen. Syn hooft, is van fruit, riet, eykenblaren etc. bedekt. een scheprad staet achter hem van de watermolens die hy doet gaen, de grond is, afgaende bergachtig waer op hey en struvellen te sien syn' (tekening, rood krijt, 313 × 518 mm). Tegenhanger van Van Rijn 2719 III (noot 119).

122 Vgl. noot 118, Van Rijn 2719 VIII. Bij Van Rijn 2719 VI luidt het bijschrift: 'De Zuyderzee met een scheepskroon om haar oneyndige scheepvaert op het hooft waer tussen, omdatse met de Noordzee in een loopt schelpen als een feston hangen, wier en zeegras slingert tusschen de locken in. hy hout in syn eene hand een tweetandige vork, synde wat minder als de oceaan. in de ander den ryken overvloets hoorn van 't welvaren welck hy in brengt, syn groote en ruymen schelp kruyk stort syn wateren gulpende uyt. een Triton ryden-de op een zeeton waer aen de zeetel van de Zuyderzee vast is, plant in syn wateren de bakens' (tekening, rood krijt, 303 × 538 mm). Tegenhanger van Van Rijn 2719 IV (zie noot 120).

123 Vgl. Tessin bij Upmark 1900, 123 en Van Bolhuis 1693, 9. Deze fonteinen waren waarschijnlijk ook in 1691 in werking.

124 Voor dit motief in de triomftocht van 1691: Bidloo 1692, 54 en plaat tegenover 51, 52 en 53. Daar wordt de Wereld, in lichterlaaie gezet

door geweld en listigheid van Frankrijk 'Een Waereld door Hemels zegen bestraald tegenover gezet', waarop Liefde en Gerechtigheid heersen door toedoen van Willem III. Deze wereld wordt omgeven door mythologische figuren die welvaart symboliseren en overvloed. Overigens komen waterspuitende 'bollen' ook voor in de Oranjezaal (de z.g. 'dauwkogel'), vgl. Peter Raupp 1980, 59, catalogus 8a. De herkomst van deze fonteinvorm is moeilijk te geven, doch vergelijk de waterspuitende hemelbol, gedragen door Atlas, in het 'teatro dell'acqua' van de Villa Aldobrandini, Frascati, zie Steinberg 1965, afb. 7. Voor beschrijvingen van de hemel- en aardbolfonteinen op Het Loo zie Van Bolhuis, 9 en Harris 1699, 17, 18 (39).

125 Sturm 1719, 23, 'Oben darüber auf der Terasse stehen vier grosse, marmorsteinerne weisse Gefässe, welche vortrefflich gearbeitet und auch in Kupffer heraus kommen sind'. Voor deze vazen zie ook Van der Wijck 1977, 168 en verder. Verschillende prentenseries en een tekening van P.W. Schonk uit 1789 (coll. Rijksmuseum Paleis Het Loo) bevestigen hun positie op het achterterras. Sturm meldt ook dat er een prentserie van de vazen bestaat. Deze kwamen echter pas na zijn bezoek, in 1712, uit: *Vasses de la Maison Royalle de Loo. Nouvellement inventé et gravée par Marot Architecte de Sa Majesté Brittanique.*

126 De Scotia-Virtus vaas is gesigneerd J. Ebbelaer (werkzaam 1679–1686), dit in tegenstelling

82

56. R. de Hooghe, Nicolaas Chevaliers penningenkabinet van Willem III, van de zijkanten gezien. Ets uit MS *Description de la chambre des Raretez*, ca. 1693.

57. R. de Hooghe, Mary Stuart voor de tempel van Concordia, ets in G. Bidloo's *Komste van Zyne Majesteit Willem III [...] in Holland [...]*, 's-Gravenhage 1691 (Detail van de 'Schilderyen binnen de Zeege-en eere-poorten voor het Hof').

58A–B. De Stroomgoden Rijn en IJsel in hun huidige positie op het wandelterras.

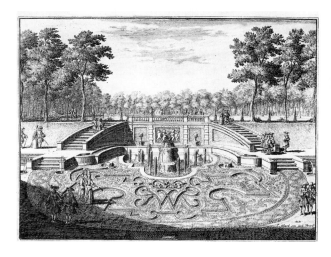

59. L. Scherm, De naam-
cijferfontein, gravure uit
Neerlands Veldpracht [...],
ca. 1699.

60. R. de Hooghe, Vuurwerk
in de Haagse Hofvijver, 1691,
ets in G. Bidloo's *Komste van
Zyne Majesteit Willem III [...]
in Holland [...]*, 's-Gravenhage 1691.

61. L. Scherm en C. Allard,
De cascade van Narcissus
op Het Loo, ets uit *Neerlands
Veldpracht [...]*, ca. 1699.

62. R. de Hooghe, De cas-
cade van Arion in de tuin
van Het Loo, ets ca. 1698.

63. L. Spieghel, *Hert-
Spieghel*, Amsterdam 1694,
frontispice door Ph. Tiede-
man/ J. Mulder.

J. van Blommendael, zijn bewaard gebleven.[126] Met een konings-kroon op de deksel, staan ze telkens voor een deugd en een deel van het imperium van Willem III: *Scotia-Virtus* en *Je Maintiendrai-Fortitudo* verwijzen respectievelijk naar Schotland en de Hollandse Republiek en naar Deugd en Sterkte. De twee andere vazen hebben Ierland en Engeland uitgebeeld met waarschijnlijk nog twee kardinale deugden (*Prudentia*/Voorzichtigheid en *Iustitia*/Gerechtigheid?). Kennelijk werd het na 1691 belangrijk gevonden de tuin niet alleen te beschouwen als een symbool voor de lokale en nationale grenzen van de Republiek, maar ook als een allegorie op Willem III als vredebrenger binnen de grotere rijksgrenzen. De rond 1697 in de grasparterres neergezette beelden dienden dat idee kennelijk ook te ondersteunen. De Apollo en Pomona, de Bacchus en Flora, in tegenstelling tot de vier seizoenen die men hier zou verwachten, verwezen dit keer in algemene zin naar de vruchtbaarheid van de natuur en het veld- en buitenleven.[127]

Niets maakte in de tuin die overvloed beter aanschouwelijk dan de planten, bloemen en vruchten en het overal aanwezige water. Aan het einde van zijn *Description* vermeldt Harris met nadruk hoe een natuurlijke toevoer de verschillende fonteinen op Het Loo van steeds stromend water voorzag.[128] Niet zoals in Versailles, waar het water machinaal in grote reservoirs werd gepompt alwaar het spoedig verontreinigde. De waterwerken van Versailles waren dan wel beroemd, maar eenmaal in werking gezet veroorzaakte het water een vieze stank in de tuinen.[129] Het water op Het Loo daarentegen was fris en zuiver, een 'locus amoenus' waardig. Harris' opmerking is natuurlijk een heel bewuste, en bedoeld om de unieke kwaliteit van de Loo-tuinen ten opzichte van die van Lodewijk XIV te benadrukken. De manipulatie van water was immers een privilege van de vorst. Hij kon zich de technische installaties veroorloven en de luxe om dit kostbare element voor niets anders dan sier en vermaak met de meest wonderbaarlijke effecten te laten spuiten.[130] Willem III heeft zijn beheersing van de natuurlijke bronnen met nadruk willen demonstreren door de enor-

tot wat Van der Wijck 1977 stelt. Een van de prenten (zie noot hierboven) schrijft de Maintiendrai-Fortitudo vaas toe aan Jan van Blommendael (1645-1703). Beiden maakten hun werk naar ontwerp van Daniel Marot. Door Van der Wijck 1977 worden deze vazen ook wel de 'imperiumvazen' genoemd. Virtus houdt met de linkerhand een lauwerkrans op, terwijl twee gevleugelde genii samen een wereldbol vasthouden; op haar borst een zonne-embleem. In de rechterhand een lans. Scotia is een gekroonde vrouw met een scepter in de hand, leunend op een schild met de Schotse distel en met naast zich een liggende leeuw. Een putto houdt de rijksappel op. Op het deksel van de vaas zijn afgebeeld de Tudor-roos, de Franse lelie (de claims van het Engelse vorstenhuis op Frankrijk verbeeldend), de Schotse distel en de Ierse harp. De twee-de vaas toont ons op het medaillon Fortitudo met een zuil achter haar. Het schild waarop zij leunt is versierd met een leeuw die een wolf of zwijn bevecht. De Nederlandse Maagd onder het opschrift 'Je Maintiendrai' zit op de keerzijde vergezeld van twee genii, één met de rijksappel, de ander met zijn armen om de gekroonde Nederlandse Leeuw. Het deksel is iets anders dan de Scotia-Virtus vaas, maar heeft dezelfde emblemen. Er is een betaling aan Van Blommendael (A.N.D., inv. nr 473, fol. 299 R en Vo (15 sept. 1698) 'wegens het maken van twee marmere vazen, in augustij lestleden ten dienste van S.M. Huys 't Loo gedaan (905

gld. 14 st.)'. De vazen zouden hierdoor 1698 gedateerd zijn. Hoewel Sturm de vazen beschrijft alsof ze er tijdens zijn bezoek in 1697 al waren, kon hij pas ná zijn bezoek door de gravures van de vazen van hun bestaan op de hoogte zijn. De vazen in de rekening genoemd, kunnen natuurlijk ook slaan op ons nu onbekend werk voor Het Loo. Van Blommendael verrichtte meer werk voor de Oranjes, zie Neurdenburg 1948, hoofdstuk XII. Hij verrichtte ook werk voor de Haagse triomftocht van 1691. Vgl. Snoep 1975, 132.

127 Hun identificatie gaat terug op Harris 1699, 19 (43). Zij zijn het werk van Pieter van der Plas. Zie A.D.N., inv. nr 743, fol. 210 Vo (6 september 1697), betaling aan Pieter van der Plas 'wegens 't geene hij verdient ende gelevert heeft aan 't maken van vier marmeren beelden op ordre van de heer Directeur des Marets ten dienste van zijne Majt. op 't Loo (3858 gl.)'. De Bacchus en de Flora bevinden zich nog op Het Loo. Deze beelden worden voor het eerst door Sturm in 1697 gezien, wat lijkt te kloppen met bovenstaande Ordonnantie. De beelden figureren vreemd genoeg op geen enkele prent. In hun plaats wordt meestal een vaas weergegeven. Als vredesgoden komen zij al voor in het *Ballet de la Paix* dat in 1668 in Den Haag werd opgevoerd en waar Willem III optrad als de vredebrengende Mercurius en als herder met Apollo, de Muzen, Neptunus, Tritonen, Pan, saters en dryaden die het genot van de teruggekeer-

de vrede symboliseren (zie Uitman 1965, 156–163). Eenzelfde iconografie zien we in de triomftocht van 1691, (Bidloo 1692, 52, 53, de Poort op de Plaets, en plaat tegenover pag. 51). Rond de wereldbol waar Liefde en Recht heersen zien we Ceres, Vertumnus, Flora, Pales 'den welvaert van Landen, Beemden en Hoven vertoonende'. Apollo, Bacchus, Silenus, Najaden, Dryaden, Nymphen, Neptunus en Mercurius scharen zich hierbij om de vrede en de overvloed te celebreren. Verschillende van deze goden stonden op Het Loo als beelden opgesteld in het informele gedeelte van het westelijk park. Vgl. Harris 1699, 39 en 44 (71/80) en De Hooghe's afbeelding nr 17 van zijn serie etsen.

128 Harris 1699, 44 (80).

129 Vgl. Harris 1699, 80 (44/45). Voor andere tijdgenoten over het water te Versailles vgl. Rosasco 1984, 97 en 116, noot 13.

130 Dit verklaart waarom de vroegst gedocumenteerde belangstelling van Willem III voor tuinarchitectuur uitgaat naar de mogelijkheden van de fonteintechniek. Deze wordt gedocumenteerd in Christiaan Huygens' opmerking uit 1671, als hij zijn broer Lodewijk over een nieuw systeem van spuitende fonteinen schrijft, ook toe te passen op Honselaarsdijk. Indien Willem III dat wil, kan hij er een tekening van maken. Zie *Oeuvres Complètes*, Dl. VII, 112, 29 oktober 1671 (nr 1850). Zie ook Ozinga 1938, 34. Een vervolg hierop vinden

64. L. Scherm, De Herculesfontein op Het Loo, gravure
uit *Neerlands Veldpracht [...]*
ca. 1699.

66. I. G. Zincgreffius, *In
Cunis Iam Jove Dignus*, embleem Nr LXIII uit zijn *Emblemata Ethico Politicorum*,
Heidelberg 1666.

67. G. Valk, De Hercules-
fontein te Honselaarsdijk,
ets uit *Veues et Perspectives de
Honselardyck*, Amsterdam
1695, Nr 8.

68. *Gloria de'Prencipi*, houtsnede in C. Ripa, *Iconologia
[...]*, Siena 1613.

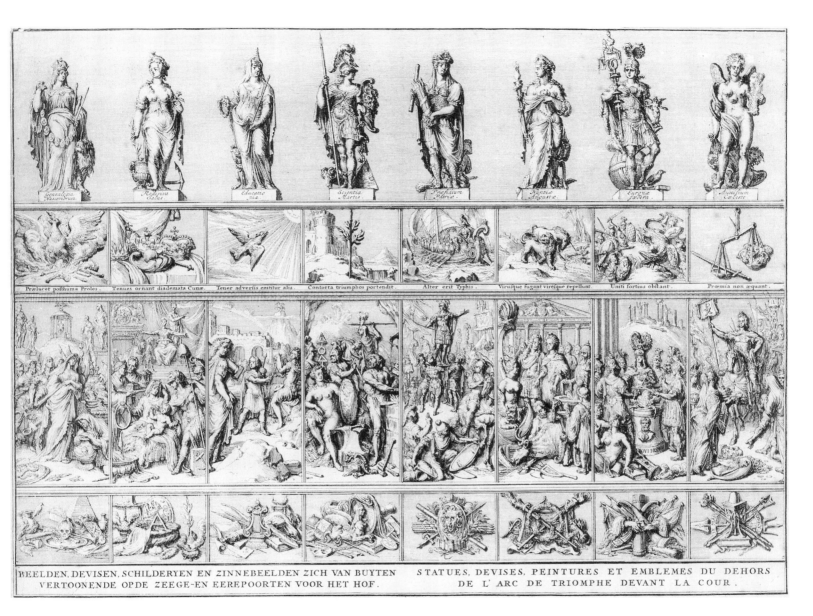

BEELDEN, DEVISEN, SCHILDERYEN EN ZINNEBEELDEN ZICH VAN BUYTEN
VERTOONENDE OPDE ZEEGE-EN EEREPOORTEN VOOR HET HOF.

STATUES, DEVISES, PEINTURES ET EMBLEMES DU DEHORS
DE L' ARC DE TRIOMPHE DEVANT LA COUR.

65. R. de Hooghe, ets in
G. Bidloo's *Komste van Zyne
Majesteit Willem III [...] in
Holland [...]*, 's-Gravenhage
1691, met voorstellingen op
de triomfboog op het Bui-
tenhof.

me diversiteit van watervormen. Naast de fonteinen voorzien van beelden in marmer of lood, waren er echter ook die hun betekenis ontleenden aan hun architectonische setting of aan spectaculaire watereffecten. Een voorbeeld uit de beginfase van Het Loo was de 'fontein van de Koninglyke door-eengevlochte Naam' (afb. 59). Deze was buiten de hoofdtuin gelegen aan de oostelijke dijk van het grote reservoir dat de fonteinen van de benedentuin bevoorraadde. Door het verval in hoogte tussen dijk en begane grond kon hier een kunstig watertheater gemaakt worden met verschillende waterbekkens, fonteinstralen van verschillende hoogte en tachtig kleine waterpijpjes die onverwacht in werking gesteld konden worden. Dit ensemble, dat nog het meeste weg had van de monumentale architectonische setting van Romeinse stads- en tuinfonteinen (de zogenaamde 'mostra'), bestond uit een monumentale trappartij rond een waterbassin waarvoor een groot mozaïek van zwart-witte steentjes was gelegd.[131] Waterkanaaltjes sneden daar een ornamentaal patroon in uit in de vorm van het gekroonde monogram RWMR (Rex William Maria Regina). Monogrammen kwamen traditioneel in de tuinarchitectuur voor als onderdeel van een in buxus of palm aangeplante parterre en droegen als heraldisch ornament een sterk propagandistisch karakter.[132] Als 'cijffer' komen we de WR (William Rex) en de WRMR (de zogenaamde 'strikletter') ook tegen in interieurdecoraties, op porselein of als stempel op pamfletten. De meest spectaculaire toepassing was wel het gebruik van de W en de R tijdens het vuurwerk in de Haagse Hofvijver uit 1691 (afb. 60). Geschraagd door Pallas en Atlas, geflankeerd door Religio en Libertas en Hercules en de Zon werd dit monogram

met bijbehorende koningskroon als eerste ontstoken.[133] Haags vuur en Veluws water verkondigden beide in monogramvorm het aanzien van Willem III.

Ook met de aanleg van de grote sprong – toepasselijk 'le jet Royal' genoemd – op de hoofdas in de boventuin werd het element water op imposante wijze gemanipuleerd. Geen allegorische compositie stond hier in de ruimte voor de exedravormige colonnade, maar een ingenieus gecomponeerd ensemble van waterstralen waarvan de middelste tot 13,5 meter hoogte en de twee omringende kransen van waterstralen tot vier en twee meter hoogte spoten (afb. 64).[134] Harris is degene die deze fontein vanwege haar imposante waterkracht, hoogte, hoeveelheid water en watergeluid dan ook siert met het epitheton 'nobel', een kwaliteit die direct lijkt te verwijzen naar Willem III.[135]

VORSTENDEUGDEN

Tijdens het eerste concept voor de tuin waren er naast de Venusfontein twee hoogst originele waterwerken ontworpen, die door bijna alle bezoekers bewonderd werden: de twee monumentale cascades op de breedteas van de tuin. Hun beeldhouwwerk had niet zozeer te maken met de algemene betekenis van de tuin, als wel met een aantal persoonlijke kwaliteiten van Willem III, die hier, als onderdeel van de politieke beeldvorming van de prins, voor de bezoeker aanschouwelijk gemaakt werden.

Aan de oostzijde, links van de Venusfontein, was de cascade van Narcissus geplaatst, de jonge jager die de liefde van de nimf Echo versmaadt om vervolgens verliefd te worden op zijn eigen spiegelbeeld

we in 1678 als zijn fontainier Willem Meesters met Willem Adriaan van Nassau-Odijk naar Parijs wordt meegezonden om zich op de hoogte te stellen van nieuwe uitvindingen op waterbouwkundig gebied 'pour s'informer des inventions qui sont en usages pour les fontaines' (Oeuvres Complètes, Dl. VIII, 115 (nr 2144, 27 oktober 1678) en 154 (nr 2163, 9 maart 1679). Vgl. ook cat. nrs 24, 56, 22 en 23 in Hunt/De Jong 1988.

131 Harris 1699, 39–42 (74/76).

132 Vgl. voor deze algemene renaissance-traditie Battisti 1972 en Howard Adams 1979, hoofdstuk III.1, afb. 43–48 (St. Germain en Laye). Deze parterres waren ontworpen door Claude Mollet. In het door Olivier de Serre aan Hendrik IV opgedragen La Theatre d'agriculture et mesnage des champs (1600) vinden we afbeeldingen van deze parterres. In Nederland kwam een dergelijke parterre voor op het Binnenhof, zie Hendrik Hondius, Institutio Artis Perspectivae ('s Gravenhage,

1622), afb. 31 en tekst. Ook in de tuin van Huis ter Nieuburgh kwamen heraldische monogrammen voor. Voor de gemonogrammeerde parterres van Huis ten Bosch in Den Haag vgl. P. Post, De Sael van Orange, Amsterdam (1654).

133 Bidloo 1692, 88–99. Na cijfers en kroon volgden de piramiden Religio en Libertas, de Leeuw en Hercules. Als laatste – en wel zeer opvallend in de zonne-iconografie cultus rond Willem III – was er vuurwerk dat brandde als de zon zelf (zie noot 185).

134 Voor de aanleg hiervan werden in 1692 speciaal sprengen te Orden en Assel aangekocht. Voor het uiterlijk ervan vgl. de diverse opmerkingen bij Sturm die respectievelijk 1 middenstraal en vervolgens 8 en 16 spuiters voor de binnenste en buitenste krans noemt. Harris geeft 1 + 16 + 16 en Van Bolhuis ziet in 1693 in totaal 49 pijpen spuiten.

135 Het is Harris 1699, 22 (44), die spreekt

van een 'Noble fountain' die 'must abundantly please and divert the most curious Spectator'.

136 Vgl. Ovidius Metamorphosen, boek III, vers 339 en verder. In de reisbeschrijving van Van Nievelt 1773 (familiearchief Van de Brandeler) wordt Narcissus simpel beschreven als 'den godt der jacht'. Deze wel heel voor de hand liggende beschrijving geeft goed aan hoe aan het einde van de 18de eeuw de belangstelling voor mythologische karakters op zijn retour was.

137 Reden dat we hem vaker als fonteinbeeld tegenkomen, bijvoorbeeld in het Italiaanse Pratolino (Zanghieri 1979 I, 152), de Boboli-tuinen in Florence (Caneva 1982, 61 nr 1) en in Heidelberg (Patterson 1981, 73). We vinden hem ook in de tuin van Honselaarsdijk: De Hennin 1681, 8/9.

138 Sturm 1719, 24.

139 Op 27 februari 1691 vinden we een betaling aan hem voor 'het doen maken van een Narcissus beelt' (A.N.D. inv. 741, fol. 239 Vo). Vgl. de

(afb. 61).[136] Dit Narcissusverhaal was op zich natuurlijk uitermate geschikt voor een fontein of een cascade met spiegelend watervlak.[137] Op Het Loo beziet Narcissus zichzelf in het waterbassin, terwijl rond hem het water als gordijnen naar beneden ruist 'welche so accurat gemachet sind, als ich irgendswo dergleichen etwas gefunden, indem sich das abfallende Wasser recht als Glass ueber seine Becken hinunter ausbreitet', zo schrijft Sturm bewonderend.[138]

Wat heeft Romeyn de Hooghe, de ontwerper van het beeld, met deze voorstelling in het totaal van het programma voor ogen gestaan?[139] In de Ovidiaanse traditie van de 16de en 17de eeuw vertegenwoordigde Narcissus in de meeste gevallen de verwarring tussen illusie en werkelijkheid: hij is degene die zichzelf niet kent en boven alles zijn eigen spiegelbeeld prefereert.[140] De allegorische interpretaties van het verhaal in de mythologische handboeken en emblemata-literatuur variëren dan ook van aanmaning tot zelfkennis tot Narcissus als toonbeeld van eigenliefde. Met name de laatste interpretatie is wijd verspreid geweest, zowel bij Alciatus (Narcissus als 'Philautia' of 'Amor di se stesso') als bij Ripa ('Amor di se stesso', in de Nederlandse vertaling van Pers uit 1644 'Eygenliefde').[141] Voor Ripa is de eigenliefde uitdrukkelijk een belachelijke karaktertrek die negatief beoordeeld moet worden 'want de Eygen Liefde is niet anders, als sich schoon te laeten duncken in zijn eygen wercken, en dat met groot genoegen en verwonderinge'.[142] Al in Natalis Comes' belangrijk mythologisch handboek uit 1551 staat de eigenwaan van Narcissus voor de man die boven de menigte uitrijst en des te gemakkelijker gestraft wordt als hij zich vol trots op die hoge positie of zijn afkomst beroept.

Zijn eigendunk belemmert het inzicht dat persoonlijke gaven een goddelijke gift zijn ten dienste van een groter geheel.[143] Dit negatieve voorbeeld van liefde – reden wellicht waarom Narcissus ter linker (= de ongunstige) zijde van Venus staat opgesteld – sloeg natuurlijk niet op Willem III zelf. Men zou in de Narcissuscascade eerder een waarschuwing kunnen lezen voor het gedrag van een vorst als Willem III's schoonvader Jacobus II, wiens egoïstische politiek niet aan zijn volk ten goede kwam. Op de vraag hoe een vorst zich dan wel hoorde te gedragen gaf het beeld op de tegenoverliggende cascade het antwoord (afb. 62).

De interpretatie van deze sculptuur is niet eenvoudig. Zo geven de geschreven bronnen geen enkele informatie over de ontwerper of de beeldhouwer en spreken ze elkaar tegen wat betreft de voorstelling van het in het hoofdbassin geplaatste beeld.[144] Harris spreekt van een Galathea met een luit, een benaming die ook de meeste prenten vermelden en die daarom ook tijdens de recente reconstructie van de tuin werd gebruikt. Sturm spreekt over Amphion, Van Nievelt in 1773 van een 'Speelende Apollo', terwijl De Hooghe op zijn ets van deze cascade de figuur aanduidt als Arion.[145] De verschillende afbeeldingen tonen een figuur op een voetstuk met een citer in de hand, een instrument dat de verwarring omtrent de voorgestelde als Amphion, Apollo en Arion kan verklaren. Vreemd is dat de hardnekkige aanduiding als Galathea zich van dit attribuut niets heeft aangetrokken. Kennelijk is op de prenten telkens één bron nageschreven. Een onjuiste bron, want iconografisch vertoont de zeenimf Galathea geen enkele overeenkomst met een citerspelende figuur.[146] Amphion en

opmerking in noot 88, waar gesuggereerd wordt dat Grupello ook de beide cascade-beelden gemaakt heeft. Grupello voerde al eerder (in 1670/71) een Narcissusbeeld uit voor de tuin van het Brusselse paleis van Thurn en Taxis (zie Kulterman 1968, 36 en verder, afb. 15 en 17, waarvan een replica bij de reconstructie van de Loo-tuinen nu als cascade-beeld is opgesteld). Een andere mogelijke beeldhouwer is Pieter van der Plasse, zie: A.N.D. inv. 741, fol. 218 Vo (30 november 1690), rekening aan Van der Plasse voor het maken van twee grote figuren voor Het Loo à 1320 gld. Dit bedrag lijkt echter wel laag voor deze twee grote beelden. Voor de vier parterre-beelden ontvangt hij in 1697 3600 gulden. Voor de cascades verwacht men ook een prominenter beeldhouwer. Marot is zeer waarschijnlijk de ontwerper van de architectonische vorm van de cascades.

140 Vinge 1967, 220, 'Allegorical Explication of the Narcissus Theme in 17th Century Literature'.

141 Ibidem, 140 'Echo and Narcissus in Emblems and Handbook Literature'. Andreae Alciati, *Emblematum Liber*, Augsburg 1531, nr 69; C. Ripa, *Iconologia*, Amsterdam 1644, 294/95 (editie Pers). Vóór de vertaling van Ripa's handboek vinden we deze uitleg ook in ondermeer in Cr. de Passe's *Thronus Cupidinis* (1618) en de emblematabundel van Schoonhovius uit 1618. Voor de Thronus Cupidinis: *Thronus Cupidinis. Verzameling van emblemata en gedichten (etc.)*, [16183], Amsterdam 1968, ingeleid door H. de la Fontaine Verwey, nr 31 van de emblemata amatoria ('Kent U zelven'). Verder: I.C. Schoonhovii, *Emblemata*, Gouda 1618, nr 43 ('Caecus amor sui').

142 Vgl. Ripa 1644, 295: 'Ghy die in al U sot bedrijf/Hebt welgevallen aen U lyf/aen Schoonheyd, Ryckdoom, en aen Staet/Aen eygen Wysheyd, eygen baet/Die buyten 't spoor van 't algemeen/U Wysheyd acht en anders geen/Kom

hier en siet Narcissus aen, / Vol eygen-liefd en sotte waen, / Die in syn eygen Wysheyd smoort, / Waer uyt dan komt een bloemken voort. / De Eygen-liefd is oock een bloem, / Van Wind, van waen, en valsche roem'.

143 Vgl. Vinge 1967, 140 en verder, onder verwijzing naar N. Comes, *Mythologi [...] sive Explicationes fabularum Libri decem* (1551). Een voortzetting van die gedachtengang vinden we in Francis Bacons *De Sapientia Veterum* (1609), waarin hij Narcissus vergelijkt met diegenen die te veel hun eigen gaven bewonderen, wat hen lui maakt en afzijdig van het openbare leven. Idem, 182, 183.

144 Maar ook hier is De Hooghe wellicht de ontwerper en Grupello de maker.

145 Harris 1699, 18 (39), Sturm 1718, 24, Van Nievelt (niet gepagineerd). Voor R. de Hooghe zie figuur 7 van zijn serie (zie noot 5).

146 Ten aanzien van Galathea vgl. C. van Mander, *Uytleggingh op den Metamorphosis Pub. Ovidii*

Apollo zijn hier evenmin in het spel.[147] De Hooghe's identificatie met de figuur van Arion is de enig juiste, en dat hoeft gezien zijn grote kennis van allegorieën en zijn algemene bemoeienis met de beelden geen verwondering te wekken. Toch pleit weer tegen De Hooghe dat Arion hier niet zittend op een dolfijn is weergeven, naast de citer zijn vaste attribuut. Op die traditionele manier uitgevoerd kon de bezoeker van Het Loo hem wel als klein fonteinbeeld aantreffen in de koninginnetuin (afb. 48).[148] Misschien dat de omissie van de dolfijn – en de aanwezigheid van de citer als enig attribuut dat duiding toestond – de verwarring rond deze voorstelling in de hand heeft gewerkt. Dat voorstelling en betekenis van tuinsculptuur voor bezoekers niet zonder meer duidelijk waren, wordt door dit geval voldoende bewezen. Aan De Hooghe's originele intenties met het beeld doet het echter niets af.[149]

Arion, de citer spelende dichter uit Corinthe, op reis van Italië naar zijn vaderstad, werd door geldgierige matrozen ter dood veroordeeld. Nadat hij een laatste lied had gezongen stortte hij zich in zee.[150] Dolfijnen, door de zoete klanken van zijn muziek aangelokt, brachten hem echter veilig op hun rug naar Taenarum, vanwaar hij zijn reis voortzette. De emblematiek stelt Arion voor als de onverschrokken deugd die standhoudt onder de moeilijkste omstandigheden, of, zoals Spieghel het in zijn *Hert-Spieghel* zegt, hij die is als Arion 'die moet, vast van ghemoed, in God, in deughd verheugen' (afb. 63).[151] Bij zijn keuze voor Arion kon De Hooghe zich beroepen op een oudere Oranje-iconografie. Bij de intocht van Willem III's grootmoeder

Henriëtta Maria in 1642 stond Arion die 'op het alder ongezienste, door Godes schikkinge, tot het onverwachte geluk behoude is geworden', voor Nederland dat door de acties van Willem van Oranje was gered.[152] Deze politieke duiding van de Arionfiguur had in 1691, toen de stadhouder-koning voor het eerst het voltooide Loo bezocht, nog niets van zijn actualiteit verloren. De Arioncascade bevatte een regelrechte toespeling op de recente daden van Willem III, die als een tweede Willem de Zwijger zijn volk, en dat van Engeland, Schotland en Ierland, had gered uit de handen van de Franse belager.[153] De op zichzelf verliefde, ijdele Narcissus vond een antwoord in Arion, zinnebeeld van Godsvertrouwen en uitredding van het volk. Als emblemen van negatieve en positieve liefde, van eigenbaat en altruïsme, van vorstelijke ondeugd en deugd leverden beide beelden commentaar op het centrale thema van de liefdestuin zoals dat door het Venusbeeld werd uitgedragen.

HERCULES

Achter de Venusfontein werd tijdens de uitbreiding en verfraaiing van de tuin na 1691 en vóór 1697 een ovaal bassin aangelegd waarin een beeld werd geplaatst van de kleine Hercules, die met zijn blote handen twee slangen wurgt (afb. 64).[154] Twee wolvinnen met Romulus en Remus werden aan de buitenzijde van de gebogen balustrade achter de Hercules opgesteld. Twee sfinxen naast de trap die toegang geeft tot de boventuin dateren eveneens uit deze tijd van de aanleg.[155] Aan het al bestaande beeldhouwwerk werd met deze sculpturen op de

Nasonis, in *Het Schilder-boeck*, Haarlem 1604, boek VIII, 9e hoofdstuk, fol. 79–87, en Saxl 1957, 210 en verder. Galathea kwam wel voor in een van de reposoirs aan het einde van de as, achter het amfitheater. Zie prent 11 uit de serie van R. de Hooghe (zie noot 5). Ook op een van de door Marot ontworpen vazen is zij te zien, vgl. bijvoorbeeld ook de vazen in S. Thomassin, *Recueil des Figures, Groupes, Thermes, Fontaines, Vases, Statues [etc.] de Versailles*, Amsterdam, Pierre Mortier 1695, nrs 116 en 207. De verwarring omtrent de naamgeving bleek ook bij de restauratie van Het Loo, toen een Galathea met lier nergens te vinden bleek te zijn, doch wel een Arion (van Girardon te Versailles), die op basis van puur formele overeenkomst met de prenten voor de tuin werd gekopieerd! Pas mijn lezing voor de restauratiecommissie op 16 oktober 1981 bracht de juiste interpretatie naar voren. Spies 1984 en Kranenburg-Vos 1986, 28/29 houden het bij de voormalige naamgeving.

147 Vgl. voor Amphion, die door harmonie de muren van Thebe bouwde, Van Mander 1604, fol. 52 R. Voor Amphion vgl. Snoep 1975, 77, 78 plaat 42, naar aanleiding van een toneel opgetrokken bij de viering van de Vrede van Munster te Amsterdam.

148 Als ontworpen door D. Marot, zie zijn *Livre de fontaines. Inventée et Gravée par D. Marot*; Jessen 1892, plaat 52. Voor de Arion in de koninginnetuin: Harris 1699, 29 [58] en Van Bolhuis. Het fonteinbeeld is goed te zien op de serie van C. Allard/L. Scherm, 'De Koninginne Tuin met 't Groene kabinet, en de Oranjerie, van Achteren te zien'. R. de Hooghe noemt op deze plaats een beeld van Syringa (Syrinx), wellicht een verlaten project (plaat 4 in zijn serie).

149 Voor verkeerde interpretaties van tuinsculptuur vgl. bijvoorbeeld ook R.W.Berger 1984, 131 en verder (naar aanleiding van beelden te Versailles).

150 Ovidius, *Fasti* II, vers 83–118 en Herodo-

tus, *Historiën*, I, 23/24

151 H.L. Spieghels, *Hert-Spieghel en andere Zede-Schriften*, 't Amsterdam 1694, titelpagina (eerste druk 1615). Vgl. ook: *Nucleus Emblematum Selectissimorum, A. Gabriele Rollenhagio Magdeburgense*, Keulen (1611), Emblema 10 (Arion): 'Spernit Pericula Vertus / Non adversa timet Spernitque Pericula Virtus / Illa vel in media, ne scit obire, mari / Celuy qui constant embrasse la vertu / n'a Iamais de crainte le courage abbatu: / l'eau, la flamme, le fer le ciel, et la mort même, / Ne s'auroient de frayeur luy faire le frontbelsme'. Ook de Arion-gravure van Jan Muller naar Cornelis van Haarlem heeft als motto 'Deughd Verheught' (Hollstein 1956, Dl. XIV, 107, nr 48).

152 Arion is 'Neêrland, dat getreên door Koning Flips van Spanje, / Gevrijd wierd door de brave en dappre Held Oranje, / Ghij die dien zuren nood ontworstelt zijt, sta by, / Verheugd u, eerd uw' Prins met deze schilderij'. Voor dit toneel (met het motto 'Dien God bewaard is wel be-

hoofdas een aantal nieuwe voorstellingen toegevoegd die kennelijk in het licht van de politieke gebeurtenissen met een belangrijke actuele zeggingskracht beladen waren.

De figuur van Hercules was reeds vóór de 17de eeuw uitermate rijk aan betekenissen. Al sinds de Oudheid symbool van sterkte en deugd, was Hercules aan het einde van de 16de eeuw populair geworden ter verheerlijking van de vorst.[156] Zijn twaalf heldendaden werden niet alleen ter glorificatie van Cosimo de Medici gebruikt maar ook van Karel v.[157] Het ontwerp van diens emblematisch devies met de twee zuilen van Hercules en het motto *Plus Ultra* (Nog Verder) had, naast een algemeen heroïsche, een sterk geopolitieke en religieuze betekenis: de verspreiding van het katholicisme als ware godsdienst over Oost en West.[158] In de vergelijking tussen vorst en Hercules werd door de vorstenhuizen in Spanje en Frankrijk ook gezocht naar mogelijke aanspraken op de antieke heros als voorvader. Het afbeelden van Hercules werd al spoedig standaardonderdeel in de grote vorstelijke decoratieprogramma's van huizen en tuinen, een traditie die tot de 18de eeuw zou voortduren. Van de verschillende, maar naar betekenis nauw samenhangende motieven uit de Hercules-mythologie, was de idee van Hercules als overwinnaar van tweedracht een zeer geliefde. Telkens weer verzinnebeeldde de weergave van Hercules die de zevenkoppige Hydra verslaat de vorst die zijn vijand met bovenmenselijke inspanning vernietigt, een betekenis die overigens ook kon spreken uit Hercules vechtend met Cacus.[159] Van de vele vorsten

die zich van deze motieven bedienen, moeten zeker de Franse vermeld worden. Vanaf Frans i – en met name Hendrik iv – lieten zij zich als *Hercules Gallicus* verheerlijken.[160] Willem iii's grote opponent Lodewijk xiv kon zich dan ook op een eerbiedwaardige dynastieke traditie beroepen. De titelpagina van Menéstriers *Histoire du Roi Louis le Grand* (1689) toont ons Hercules met de verslagen Hydra (het protestantisme) aan zijn voeten. Het randschrift 'Je fais mes travaux pour le ciel des trophées' benadrukt, samen met de onder Hercules geplaatste portretmedaille van *Lodovicus Magnus, Rex Christianissimum*, geflankeerd door *Religio* en *Pietas*, de sterk christelijk/katholieke connotatie van de Hercules-iconografie.[161] In de propagandamachine rond Willem iii heeft Romeyn de Hooghe voor Willem iii de vele mogelijkheden van de Hercules-iconografie uitgebuit en via een identieke beeldtaal een antwoord op de pretenties van de Franse vorst gegeven.

In de Haagse triomftocht van 1691 was vooral de *Arcus Triumphalis* op het Buitenhof – in veel opzichten het hoogtepunt van de intocht – rijk aan Hercules-iconografie (afb. 65).[162] De boog, die in beelden de levensloop van Willem iii verhaalde, begon met de dood van Willem ii om te eindigen met Willem iii's overwinningen in Ierland. In het beeldprogramma benadrukte De Hooghe zowel de continuïteit van het Oranjegeslacht als de individuele aangeboren deugden van Willem iii. Verschillende scènes toonden hier een uitwerking van. In de verschillende zinnebeelden is Willem iii telkens een jonge Hercules (waaronder de slangenwurgende baby), wiens deugd belofte en hoop voor het Vaderland inhouden. Deze Hercules-iconografie vormde de

waard') zie Snoep 1975, 64 en 67. De beschrijving is ontleend aan de *Beschrivinge van de Blyde Inkoomste, Rechten van Zeege-bogen en ander toestel op de Wel-koomste van Haare Majesteyt van Groot Britanien, Vrankrijk, en Ierland, tot Amsterdam Den 20 may 1642*, Amsterdam 1643, 20–21.

153 Voor andere allegorieën op Willem iii die zich in dienst voor het volk opoffert zie het schilderij van G. Schalken bij Peter Hecht, 'Candlelight and dirty fingers, or royal virtue in disguise: some thoughts on Weyerman and Schalken', *Simiolus* 11 (1980) 1, i.h.b. 25–29. Vgl. ook de inventaris van 1713 (zie Drossaers/Scheurleer 1974) voor verwante thema's in het kabinet van Willem iii op Het Loo: de *Lucius Papirius* boven de schoorsteen en een *Scipio Africanus* boven de deur (beide van Duval) verbeeldden Romeinse krijgsdeugd en grootmoedigheid.

154 Vgl. de beschrijvingen bij Sturm 1719, 24: 'Eine Fontaine, da Hercules als ein Kind vorgestellet ist, wie er die Schlange tödtet'. Zijn be-

schrijving is de vroegste en dateert samen met de latere series prenten de fontein vóór 1697. Vgl. ook Harris 1699, 16 (35). Harris beschrijft als eerste twee draken in het Hercules-bassin. Op de vroege series van G. Valk en C. Danckerts komen ze nog niet voor. Hun ontwerp is mogelijk van Daniel Marot, zie diens *Livre de fontaines*, Jessen 1892, plaat 52. Vgl. De Jong-Schreuder 1968, 50.

155 Vgl. Harris 1699, 20 (43). Naast de sfinxen een putto met een tablet; de een met het raadsel (in Griekse kapitalen: vier voeter, twee voeter, drie voeter) de ander met het antwoord (uitgebeeld in reliëf: een kruipend kind, een jonge man en een oude man met stok). In de Ordonnantiën is geen expliciete vermelding van deze beelden te vinden. Ook bij Sturm is geen vermelding, al noemt hij de balustrade wel. Op de prentseries van G. Valk en J. Danckerts is nog sprake van een open balustrade en een lage stenen muur bekroond door vazen. Alleen C. Danckerts geeft de sfinxen weer als wolvinnen, de rest van de graveurs bekroont de balustra-

de met vazen. Vgl. De Jong-Schreuder 1968, 51/52.

156 Vgl. Galinsky 1972.

157 Voor identificatie van de Medici met Hercules: Wright 1976, 306–14 en Utz 1971, 356–61 en Forster 1971, 91–9. Voor Karel v: Rosenthal 1971 en 1973.

158 Zie Rosenthal 1973, 224 en verder.

159 Jung 1966, 129.

160 Vgl. Jung 1966 en Corrado Vivanti 1967, 176–197.

161 Vgl. R. Wittkower, 'The Vicissitudes of a Dynastic Monument. Bernini's Equestrian Statue of Louis XIV', in: *Studies in the Italian Baroque*, London 1975, 83–103.

162 Bidoo 1692, 58 en verder, en Snoep 1975, 136.

163 *Emblematum Ethico-Politicorum Centuria. Iulii Guilielmi Zincgreffii I.C. [...];* Heidelberg 1666, No. LXII 'In Cunis Iam Iove Dignus'. 'La vertu au berceau.' (editio princeps 1619). D.

basis voor wat de triomfboog verder als 'successtory' uitbeeldde: de krijgskunst van Willem III, zijn stadhouderschap, het huwelijk, het verbond van vorsten, de overtocht naar Engeland, voorstellingen van de slag aan de Boine (met opnieuw Hercules in actie) enzovoort.

In het beeldenprogramma van Het Loo nam de Herculesfiguur letterlijk een prominente plaats in: op de hoofdas en achter het Venusbeeld dat in de eerste fase van aanleg zo'n belangrijk stempel drukte op de betekenis van de tuinaanleg. De Hooghe was ongetwijfeld bekend met de diverse embleemboeken en vorstenspiegels waarin de slangenwurgende Hercules geduid werd als symbool van ingeboren *Virtus* of Deugd (afb. 66).[163] Evenals bij de cascade van Arion kon De Hooghe zich ook hier beroepen op een al bestaande Oranje-iconografie die ten behoeve van Frederik Hendrik was gebruikt. Zowel de centrale fontein op Honselaarsdijk als een van de schilderingen in de Oranjezaal toonden de kleine slangenwurger (afb. 67).[164]

Als symbool van ingeboren Deugd was Hercules voor Willem III een toepasselijk embleem, want het kon verwijzen naar zijn eigen geboorte, kort na de dood van zijn vader Willem II. Afwisselend opgeëist door zijn moeder (en na haar dood in 1661 door bloedverwanten) en de Staten van Holland, viel zijn opvoeding in een periode waarin de positie van Oranje hachelijk was geworden.[165] Gezien de latere ontwikkeling van Willem III als staats- en krijgsman van internationaal formaat, staafde de kleine Hercules op Het Loo de idee dat 'kloek gemoed wordt zo geboren en niet door konst of vernuft beko-

men'.[166] Zijn *Virtus* werd bepaald door zijn afkomst uit het illustere Oranjegeslacht en een traditionele Oranje-iconografie kon het beste deze historische continuïteit weergeven. In samenhang met de eveneens in deze tijd geplaatste 'imperiumvazen' werd de betekenis van de Nederlandse Hercules voor de herleefde welvaart van zijn eigen rijk wel heel duidelijk gedemonstreerd. De Romulus en Remus en de twee sfinxen achter de Herculesfontein lijken Willem III's unieke kwaliteiten nog eens toe te lichten: hij overtreft als moderne *heros* in inzicht en kracht zelfs de antieke veldheren.[167] Op dezelfde hoofdas culmineerden de aan Willem III toegedichte deugden letterlijk en figuurlijk in een houten piramide, vanouds symbool voor de *Gloria dei Prencipi*, de roem en glorie die de vorst als kroon op zijn daden ontvangt (afb. 68).[168]

Uit het niet uitgevoerde ontwerp voor de *Vorst als Hercules* bleek dat Romeyn de Hooghe al in een vroeg stadium aan de introductie van het Herculesthema in de tuin heeft gedacht.[169] In dit ontwerp heeft Hercules bij uitstek de betekenis van *Fortitudo*, die zijn vijanden weet neer te slaan. Hercules, die het Kwaad verdelgt, heeft bij de uitvoering van de cascades een plaats gekregen op het reliëf van een van de vazen die ter flankering van de watertrap stonden opgesteld (afb. 69).[170] Op het fries beschermt Hercules *Libertas, Fortitudo, Caritas, Religio, Iustitia* en *Veritas* tegen de Harpijen van het Kwaad. Deze compositie is verwant aan een door De Lairesse geschilderde gri-

---

Saavedra Faxardus, *Christelyke Staets-Vorst [...]*, Amsterdam 1663 (oorspronkelijk *Idea de un principe politico christiano. Representada en cien empresas*. München 1640, met vele herdrukken), fol. 1, de eerste 'sin-spreuck': 'Hier uyt ryst moeyt en deught / Hinc Labor et Virtus'. Aangezien dit embleemboek gewijd is aan de opvoeding van de vorst, staat dit embleem aan het begin van de bundel, omdat (pag. 9) 'Dese Sin-spreucken van de wieg to het graft de vorst [bedoelen] wel op te trekken'. Zijn 'speeltuig' zullen daarbij 'boeken en wapenen' zijn (ibidem). Een editie van 1649 bevond zich in de bibliotheek van Frederik Hendrik (vgl. noot 101, nr 234), later in het bezit van Willem III.

164 Voor de Oranjezaal zie Raupp 1980, 46-49 en Brenninkmeyer 1982, 134-135. Voor de grote centrale fontein te Honselaarsdijk vgl. *Veues et Perspectives de Honselardyck Chasteau et Maison de Plaisance du Roy de la Grande Bretagne [...]*, Amsterdam, Gerard Valk MDCXCV, nr 8 'De Groote Fonteyn'. Tessin beschrijft deze fontein als volgt:

'eine Fontaine [...] dar ein Cupidon aufsatz, undt eine Schlange forcirte, welche wasser in der höhe trieb'. Willem III vertoefde regelmatig op Honselaarsdijk en liet in 1689 (juni) – dus gelijktijdig met alle hernieuwde werkzaamheden op Het Loo – opnieuw de fonteinen repareren en de beelden vergulden. Vgl. Slothouwer 1945, 276, verwijzend naar A.N.D. 741, fol. 248 Vo. Ook op een houtsnede naar ontwerp van Jan Vos uit 1659, verbeeldende Oranjeprinsen op praalwagens, wordt Frederik Hendrik met Hercules geassocieerd. Zie Van Rijn nr 2266.

165 Vgl. Japikse 1927-37, Dl. I, 83-99, en Geyl 1939, 87-222. Dat de jonge Hercules vaker aan dergelijke biografische gebeurtenissen werd geacht te refereren, kan men lezen bij Jung 1966, 164. Ook op de jeugd van de Franse vorst Charles IX, waarin hij al vroeg werd geconfronteerd met godsdienstoorlogen, werd dit Hercules-gegeven van toepassing geacht.

166 Naar Saavedra 1640.

167 Voor Romulus en Remus, zie Chevalier

1692, 'Preface l'Explication de la II Planche du Cabinet. Première Ouverture' (bij de afbeelding van de Tiber en Romulus en Remus op Chevaliers penningen-kabinet): De 'Tibre étonné et confus, de voir que Guillaume III a surpassé tous ces Héros qui se sont fair admirer sur ses bords depuis Romulus e Remus leur Fondateur'. Voor de sfinx-en, Van Mander 1604, 9e boek, fol. 82 R: de sfinx als kennis van het zelf, het 'rechtbeginsel der volcomen wysheydt'. Bij N. Reusner, *Emblemata [...] Partim Ethica et Physica*, Frankfurt 1581, nr 4: Consilio Dux, Miles Exemplo (door inzicht veldheer, soldaat door voorbeeldige daden), als zinnebeeld van harmonie van kracht en rede. Bij Bidloo 1692, 67, is de sfinx het zinnebeeld van rechtsgeleerdheid.

168 Deze piramide bij: Sturm 1718, 24, 'Zu Ende ist eine grosse hölzerne Pyramide'; Harris 1699, 25 (53), 'a high Piramid, erected in the Heath'; Southwell (Fremantle 1970), 52, 'a large Pyramid Erected where the Garden seems to Terminate'; Van Bolhuis 1705, 'een piramide staende

69. Tuinvaas met Hercules-
voorstelling afkomstig uit de
tuin van Het Loo, marmer,
ca. 1691, nu opgesteld naast
de Narcissuscascade.

70. G. de Lairesse, Allegorie
op Willem III, grisaille.

71. Willem III en Hercules
met Hydra op een pen-
ning uit 1691, afbeelding uit
N. Chevalier, *Histoire de
Guillaume III [...] Par Medailles [etc.]*, Amsterdam
1692.

72. Anon., Allegorie
op Mary Stuart (ca. 1690),
paneel.

't Konings Huis op 't Loo, door de Laan, komende van Appeldoorn te zien.

Carolus Allard excudit cum Privilegio Ordinum Hollandiae et West Frisiae

73. L. Scherm, *De grens-zuilen van het begin van de hoofdas op Het Loo*, gravure uit *Neerlands Veldpracht […]*, ca. 1699.

74. G. du Buse, *Liberat Ab. Utroque*, embleem in zijn *Devises sur le Soleil ou l'Histoire de Guillaume III*, 1694.

saille, waar het borstbeeld van Willem III (gezet op een wereldbol) omringd wordt door *Historia, Veritas, Aeternitas, Minerva, Religio* en *Fama*, terwijl Hercules worstelt met de Hydra (afb. 70).[171] Het verslaan van het Kwaad (onverschillig of dat nu als Harpij, Cacus of Acheloüs wordt voorgesteld) werd nadrukkelijk bedoeld als een allegorie op de strijd tegen Jacobus II en Lodewijk XIV als vertegenwoordigers van het katholicisme en bedreigers van de vrijheid. Willem III is hier de protestantse Hercules. Op een van de in 1691 op Willem III geslagen penningen bedwingt Hercules de Hydra 'qui représente la Rebellion e ceux qui en sont les Chefs: des sept têtes qui rendoient ce Monstre Horrible, il n'en reste plus que deux, c'est apparement Louis XIV e le Roy Jacques' ('die de Rebellie voorstelt en zij die daar de aanvoerders van zijn; van de zeven koppen van dit verschrikkelijke monster zijn er nog maar twee over: Lodewijk XIV en Jacobus') (afb. 71).[172] Niet voor niets vermorzelt Hercules Cacus op de achtergrond van Netschers portret van Mary, want ook zij deelt in deze strijd. Een ander allegoriserend portret laat Mary als Iustitia zien, die omringd door *Veritas, Prudentia* en Hercules (*Fortitudo*) en Minerva (*Sapientia*) rechtspreekt over Bedrog en Geweld. Een Cupido met vrijheidshoed en Mercuriusstaf symboliseert de door haar voorgestane *Libertas* (afb. 72).[173]

Het is niet onmogelijk dat de Herculesfontein op Het Loo al deze verschillende betekenissen in zich droeg, van toonbeeld van Deugd tot verdediger van Protestantisme en Vrijheid. In alle opzichten was

de kleine Hercules een embleem voor Willem III. Anders is het voorkomen van dit fonteinbeeld als teken van Oranjegezindheid op de meest prominente plaatsen in andere tuinen zoals Bentincks Zorgvliet en Van Velthuysens Heemstede niet verklaarbaar (afb. 51 en 100).[174]

De twee maal twee zuilen aan het begin van de hoofdas voor Het Loo opgesteld als antieke *meta* of grenspalen, kunnen in deze context bijna niet anders verwijzen dan naar de legendarische zuilen van Hercules bij Gibraltar (afb. 73).[175] Ze lijken tegelijkertijd te verwijzen naar *Religio, Libertas, Fortitudo* en *Iustitia* (Godsdienst, Vrijheid, Moed en Rechtvaardigheid) die in de 17de-eeuwse politieke theorie gezien werden als de zuilen van de Staat.[176] Op deze plek zouden de zuilen kunnen worden opgevat als begrenzing van een herculisch rijk waarbinnen protestantse godsdienst en vrijheid heersen, die echter ook buiten die grenzen gewaarborgd dienen te worden.[177]

Een verwijzing naar de tuin als het rijk van Hercules zijn stellig ook de vele oranjebomen geweest. Honderdzestien van deze exotische gewassen stonden in de oranjerie. De prenten laten er vele over de tuin verspreid zien, met name tot pronk opgesteld in de exedra van het amfitheater.[178] Hun associatie met de legendarische tuin der Hesperiden, waar Hercules de gouden appels ontving als beloning voor zijn deugdzaamheid en de coïncidentie dat zij het natuurlijk embleem van de Oranjevorst vormden, kan eigenlijk niemand ontgaan zijn.[179]

op de Heijde'. Tussen piramide en obelisk werd over het algemeen geen onderscheid gemaakt. Vgl. Filippo Picinelli, *Mondo Simbolico*, ed. Venetie 1670, 506 ('Piramide, obelisco') (vgl. W.S. Heckscher, 'Bernini's elephant and obelisk', *Art and Literature. Studies in Relationship* (ed. by Egon Verheyen), Baden-Baden 1985, 65–92). Voor de betekenis vgl. C. Ripa (ed. Pers), 440–41: 'Gloria dei Prencipi' / 'Roem, Eere of Heerlyckheyt der Princen': 'een Piramide, 't welck bediet een hooge en treflycke Eere van een Prins, die met groote heerlijckheyt en kosten, dieselve heeft doen opbouwen, om daer door Eere te verkrijgen'. De Perseditie is zonder afbeelding, doch vgl. C. Ripa, *Iconologia [...]*, Siëna 1613, 297. Een dergelijke allegorische afsluiting was niet ongebruikelijk: de as van de tuin van Huis ter Nieuburgh, een van de paleizen van Frederik Hendrik, was gericht op de toren van de Nieuwe Kerk te Delft. Deze 'natuurlijke' piramide, zo lijkt het, fungeerde als herinnering aan en symbool van de stichter van het Oranjegeslacht, die er begraven ligt.

169 Dit blijkt bijvoorbeeld ook het ontwerp voor een Hercules en Antaeus fontein door Daniel Marot, vgl. Jessen 1892, plaat 51.

170 De vaas is daardoor te dateren vóór 1691. Het is niet bekend bij welke cascades deze vaas hoorde, maar hij staat nu opgesteld naast de cascade van Narcissus.

171 Zie Mauritshuis: *The Royal Cabinet of Paintings. Illustrated General Catalogue*, Den Haag 1977, 136 nr 446 (G. de Lairesse). Afkomstig van Het Loo, nu in bruikleen aan het museum aldaar.

172 Chevalier 1692, 154. Het randschrift van de medaille luidt: 'Foecundam Vetuit Reparari Mortibus Hydram.' Vgl. ook Chevalier 1692, preface: 'Hercule [...] qui répresente le Roi Guillaume vainquant le Géant Cacus, qui est le Roi Jacques'. Vgl. bijvoorbeeld ook Knuttel 1890–1920, 13623, 24.

173 Oud bezit van het Koninklijk Huisarchief, niet gedateerd, niet gesigneerd. Nu Rijksmuseum Paleis Het Loo, slaapkamer Mary II Stuart.

174 Zie hiervoor hoofdstuk 4.

175 Harris 1699, 7 (21), 'There is a Gate of Iron Rails between double Stone Pillars of an Ancient Model, the Pillars beeing about a yard distant from each other, and joined at the top by a Crown Work on each side, where-in is cut His Majesty's Cypher, [...]'. Vgl. Rosenthal 1971 en 1973 en Orlin Johnson 1981. Twee zuilen van Hercules stonden ook in de tuin van de Villa Aldobrandini te Frascati, zie Steinberg 1965.

176 Voor deze begrippenparen zie E. Jimkes-Verkade, 'De ikonologie van het grafmonument van Willem I, Prins van Oranje' in: *De Stad Delft. Cultuur en Maatschappij van 1572 tot 1667*, Delft 1981, 214–227, i.h.b. 219 en verder, die de betekenis hiervan in de vroege Oranjeverheerlijking beschrijft, met name in de strijd tegen Spanje.

177 In een pamflet bij Knuttel, nr 13623, wordt gesproken van twee paar sterke zuilen onder de troon van Willem III: Godsdienst, Dapperheid, Voorzichtigheid, Rechtvaardigheid. Deze slaan natuurlijk dit keer op de strijd tegen Frankrijk.

De keuze voor de Herculesfiguur in zijn diverse gedaanten in de jaren vlak voor, tijdens en met name na de Glorious Revolution moet gezien worden als een bewust antwoord op de *Hercules Gaulois*, Lodewijk XIV. Dit veelbetekenende symbool werd gekozen om de claims van deze Hercules 'très Chrétien' te ontkrachten. Men stelde er een beeldvorming tegenover die, deels in imitatie, deels in Oranjetraditie, evenveel aanspraken trachtte te doen gelden op het ideaal van rechtvaardig koningschap. En kwam Willem III, gezien zijn overwinningen, niet de hoogste Deugd toe, en kon hij als koning van Engeland niet aloude claims op het bezit van Frankrijk laten gelden? Deze houding verklaart ook waarom de keuze voor sommige andere beelden verwantschap vertoont met wat er voor de tuinen te Versailles werd ontworpen en uitgevoerd. Ook daar was in 1685–88 voor het centrum van een van de parterres d'eau direct achter de tuinfaçade een Venusgroep geprojecteerd, een iconografie die tevens voor de Trianontuin van St. Cloud gekozen was.[180] De opstelling van de stroomgoden en de 'imperiumvazen' op het bordes roepen de identieke plaatsing van verschillende stroomgoden en de monumentale 'Vases de la Guerre et de la Paix' (uit 1684–85) op het Versailles-terras in gedachten.[181] Ook de hemel- en aardbolfontein kunnen een direct antwoord zijn en wel op de zes vergulde plaquettes met afbeeldingen van de wereld, die als Lodewijk XIV's devies *Nec Pluribus Impar* ('Geen is zijn Gelijke') het smeedijzeren hek van de in 1664 gebouwde Thetisgrot sierden.[182] Als symbolen van vorstelijke largesse ontmaskeren de aardbolfontein, voorzien van de vier werelddelen, en de hemelfontein op Het Loo als het ware de pretenties van Lodewijk XIV's devies. *Plures Impares Uni* lijken deze fonteinen daarentegen als Willem III's devies te propageren: 'Twee [Lodewijk XIV en Jacobus II] zijn niet opgewassen tegen Een [Willem III].'[183] Uit De Hooghe's niet uitgevoerde ontwerp

voor Willem III als Apollo blijkt dat de propaganda rond Willem III er niet voor terugdeinsde Lodewijk XIV's geliefde allegorie van de zonnegod eigen te maken. Talloze pamfletten stellen Willem III voor als 'Die heldre Middagh Son die ons veel heyls belooft'.[184] De ontwikkeling van een zonnecultus rond Willem III blijkt heel duidelijk uit het door Guillaume Du Busc in 1694 aan Mary opgedragen *Devises sur le Soleil ou / l'Histoire de Guillaume III.*[185] In achttien emblemen, waarin telkens de zon een belangrijke rol speelt, wordt de geschiedenis van de stadhouder-koning verhaalt. Papisme en Willekeur zijn als een Scylla en Charybdis die Religie en Staat bedreigen (afb. 74). Willem III is de zon die als een baken veilig degenen die godsdienst en staat ter harte gaan tussen deze rotsen doorloodst.[186] Het Apollobeeld dat in 1702 een centrale plaats kreeg in de Privy Garden van Hampton Court was de monumentale uitkomst van deze iconografie.

'THEATRUM POLITICUM'

Voor Willem III betekende Het Loo meer dan een jachthuis alleen. De tuinen van Het Loo, door de stadhouder-koning in aanleg en uitvoering persoonlijk begunstigd, maakten een integraal onderdeel uit van de rond hem gevoerde propaganda. Geïnspireerd op kleinschalige en intieme projecten als het Trianon de Porcelaine in Versailles en een buiten als Marly, was Het Loo bewust bedoeld als persoonlijk toevluchtsoord. De initiële keuze voor de opzet van huis en tuin werd tegelijkertijd ingegeven door de behoefte aan een bouwproject waarop hij, evenals zijn grootvader dat had gedaan, een eigen stempel kon drukken en dat voor vriend en vijand zou kunnen functioneren als teken van stadhouderlijke macht. Vanaf het begin lag het in de bedoeling door middel van een decoratief programma in de tuin de propagandistische betekenis van Het Loo kracht bij te zetten. Romeyn de Hooghe's ontwerpen vormen daarvoor de meest belangrijke aanwij-

178 Drossaers/Scheurleer 1974, 681/682, als behorend tot de Oranjerie: 24 kleine, 92 grote Oranjebomen; Van Bolhuis 1693, 10, meldt 500 Oranjebomen in de Oranjerie, naast mirte (gewijd aan Venus) en jasmijn. Onder oranjerie verstond men zowel de winterplaats en haar directe omgeving, als de plaats in de tuin waar oranjebomen stonden opgesteld, zoals het amfitheater. Zie ook hoofdstuk 4, noot 198.

179 Voor de Hesperidenlegende zie Commelin 1676, Voorreden. Het Hercules-thema is niet tot Het Loo beperkt gebleven, maar ook bij Engelse bouwactiviteiten toegepast, zoals die te Hampton Court. Het aanbrengen van de leeuwehuid van Hercules om de ronde vensters in de

Fountain Court (in 1691), het aanbrengen van de twaalf werken van Hercules door Laguerre in de blinde vensters van de Fountain Court onder de Kings Appartments (1691–94), de beeldhouwerken van Hercules op de gevel aan de zijde van de Privy Garden en als centrale figuur in het timpaan aan de oostzijde (1694–1696), vallen allen samen met de nieuwe werkzaamheden op Het Loo na 1691. Vgl. Colvin 1976, vol. V. 1660–1782, 159–162.

180 Zie voor Versailles Souchal Dl. I A-F, Oxford 1977, 267, samen met een triomf van Thetis. Voor St. Cloud: Hamilton Hazlehurst 1980, 273 en verder, afb. 230, 231, een Venus zittend op een zeeschelp met Cupido en paraplu boven zich waar

het water zich op stort.

181 Vgl. Souchal I, 191. Deze vazen van A. Coysevox en G. Tuby celebreerden ondermeer de Vrede van Nijmegen uit 1678. Vgl. ook aldaar pag. 192–193 de door Coysevox ontworpen Garonne en Dordogne (1685–86) als onderdeel van 8 beeldengroepen rond de twee bassins van de parterre d'eau (de stromen van Frankrijk symboliserend).

182 Voor de Thetisgrot L.Lange 1961. Gravures uit 1679 van deze grot door Le Pautre, Chauveau, Picard, Baudet en Edelinck waren gepubliceerd bij A. Felibiens in de in 1672 geschreven tekst *Description de la grotte de Versailles*. Ook hiervan waren afbeeldingen in het bezit van Philips Doublet. Vgl. *Oeuvres Complètes*, Dl. VIII, 206 (nr

zing. Door de loop van de diverse politieke gebeurtenissen werd de uitvoering daarvan uitgesteld tot na de kroning van Willem III en Mary II Stuart in het voorjaar van 1689. Waarschijnlijk heeft deze belangrijke gebeurtenis de uitvoering van bestaande denkbeelden omtrent een politiek getint iconografisch programma in sommige opzichten gewijzigd, zoals het niet ten uitvoer brengen van De Hooghe's ontwerpen.

Onder leiding van De Hooghe en Bentinck werd het wel uitgevoerde beeldprogramma – de keuze voor ondermeer de stroomgoden, de Venus en de Arion en Narcissus – enerzijds samengesteld uit traditionele motieven die sinds de renaissance als tuiniconografie geaccepteerd waren en anderzijds uit thema's die voortkwamen uit de stadhouderlijke Oranjetraditie. Met name hield de betekenis van de tuin verband met thema's die een belangrijke rol speelden in de algemene politieke propaganda rond Willem III en zijn vrouw, zoals die bijvoorbeeld in de triomftocht van 1691 op grootse wijze tot uitdrukking waren gebracht. Willem III was de rechtvaardige strijder voor protestantse Religio en Libertas en door zijn strijd met Lodewijk XIV de wegbereider van een nieuwe Gouden Eeuw, een nieuwe politieke orde. Daarvan vormde Het Loo, waar woeste natuur door vorstelijke macht was veranderd tot *locus amoenus*, de afspiegeling.

Pas met de uitbreiding van Het Loo na 1691 kreeg deze ideeënwereld een vorstelijker karakter. De tuin werd vergroot en een aantal kostbare waterwerken, waaronder de Koningsfontein, aangelegd: de transformatie van stadhouderlijk jachthuis naar vorstelijk lustslot kreeg zo zijn beslag. De introductie van nieuwe beelden, waaronder de Herculesfontein, de Herculeszuilen, en de 'imperiumvazen', borduurden voort op weliswaar algemeen bestaande thema's, maar intensiveerden hun betekenis en uitstraling.

De internationale machtspositie van Willem III die hiermee diende te worden uitgedrukt maakte van Het Loo een *theatrum politicum* dat niet een imitatie was van, maar een antwoord op de politieke pretenties van Lodewijk XIV in Versailles.

2189, 30 augustus 1679) (Doublet vraagt Christiaan Huygens ondermeer prenten van 'la grotte de Versailles'). Opvallend is de gelijkenis met Le Bruns ontwerp van een Atlas en Hercules voor een (waterspuitende) bol vgl. zijn *Recueil Desseins de Fontaines […]*, fol. 7, waarvan de publikatie begonnen werd ca. 1683/4. Zie G. Weber, 'Charles le Bruns "Recueil de divers Dessins de fonteines"', *Münchener Jahrbuch der Bildende Kunst* XXXII (1981), 158 en verder.

183 Vgl. Chevalier 1692, 232, een penning uit 1691 met het borstbeeld van Willem III en op de ommezijde Willem III die als Hercules Ierland met zijn knots verslaat en de Fransen op de vlucht jaagt, met het randschrift: 'Plures Impares Uni. Deux contre un sont vaincus / Hibernis Subjectis, Gallis Fugatis'. Chevaliers commentaar luidt: 'On voit assez que cette Devise Plures Impares Uni, est icy mise en opposition à celle de Louis XIV, Nec Pluribus Impar, e le but de cette Medaille est de faire comprendre que les Armes du Roy de France ne sont pas si Victorieuses, ni si invincibles que cette Devise veut le insinuer'.

184 Knuttel nr 13630A (1691) en vgl. ook nrs 13618 (1690), 13621 (1691), 13623, 13627 (1691). Zie ook Knuttel nr 13630A (1691). Overigens wordt in sommige pamfletten Lodewijk XIV als Phaeton voorgesteld die zijn straf door de stralen van de Zon (Willem III) niet ontlopen kan. Knuttel, nr 13622 (1691), 13623, 13626. Voor uitbeeldingen van dit Phaeton-thema zie de triomftocht van 1691, bij Bidloo 1692, 53, waar de val van Phaeton staat voor de Franse hovaardij. Voor een opsomming van onvriendelijke propaganda aan het adres van Lodewijk XIV vgl. Malssen 1936, 140–143.

185 *Devises / Sur le Soleil / ou / L'Histoire de Guillaume III / Roy d' Angleterre, de France d'Ecosse, e / d'Irlande etc. / De ce qui s'est passé de plus memorable pendent sa / Vie, mais particulièrement depuis son avenement a / La Couronne, par raport aux effets du soleil. Dedié a la Reine.* Par Guillaume du Busc, peintre en mignare et Maitre de dessein / a Londres 1694. Koninklijk Huisarchief, EL 10 B 973, nr 9: 'Liberat AB Utroque'. Snoep 1975, 175, noot 57 was de eerste die op dit manuscript wees.

186 Colvin 1976, 173.

1. G. Berkheyde, Elswout
vanuit het noordwesten
gezien, olieverf op paneel,
na 1663.

2. Onbekende kunstenaar,
De tuinen van Vlietzorg en
Zorgvliet aan het Spaarne
bij Haarlem, olieverf op
doek ca. 1700.

3. R. de Hooghe, twee van
de acht ontwerpschetsen in
rood krijt voor beeldhouwwerk op Het Loo (niet uitgevoerd).
A. De Vorst als Apollo
B. Het Vaderland

4. J. Ebbelaer, De Scotia-
Virtus vaas voor het
achterterras van Het Loo,
marmer ca. 1698.

5. I. de Moucheron, Het
rondeel in het sterrebos van
Heemstede met zicht op het
huis, pen in bruin, penseel in
waterverf, 1700/1701.

6. I. de Moucheron, Een van de alleeën in het sterrebos met zicht naar de ingang, pen in bruin, penseel in waterverf, 1700/1702.

7. I. de Moucheron, Het
interieur van de grot in de
boomgaard in de tuin van
Heemstede, pen in bruin,
penseel in waterverf,
1700/1702.

8. I. de Moucheron,
Uitzicht uit het kabinet op
de hoofdas in de buiten-
oranjerie in de tuin van
Heemstede, pen in bruin,
penseel in waterverf,
1700/1701.

VUE DE LA MAISON DE ZEYST AVEC SES JARDINS ET PLANTAGES APPARTENANS
A MONSIEUR LE COMTE DE NASSAU.

9. D. Stoopendaal, Vogel-
vlucht van het Huis te Zeist,
ingekleurde ets in twee
bladen, vóór 1702.

10. Nicolaes Verkolje,
David van Mollem en zijn
familie tegen de achter-
grond van de tuin bij het
buiten Zijdebalen, paneel
1740.

11. J. Weenix, Agneta Block
en Sybrand de Flines met
twee kinderen in de tuin van
het buiten Vijverhof,
olieverf op doek ca. 1690.

12. Anonieme kunstenaar,
Gezicht op de zijkant van de
triomfboog in de tuin van
Zijdebalen bij Utrecht in de
richting van de stad, pen en
penseel 1745 (?).

13. Titelprent van het
Hofdicht *Zijdebalen* door
J. Punt, 1740.

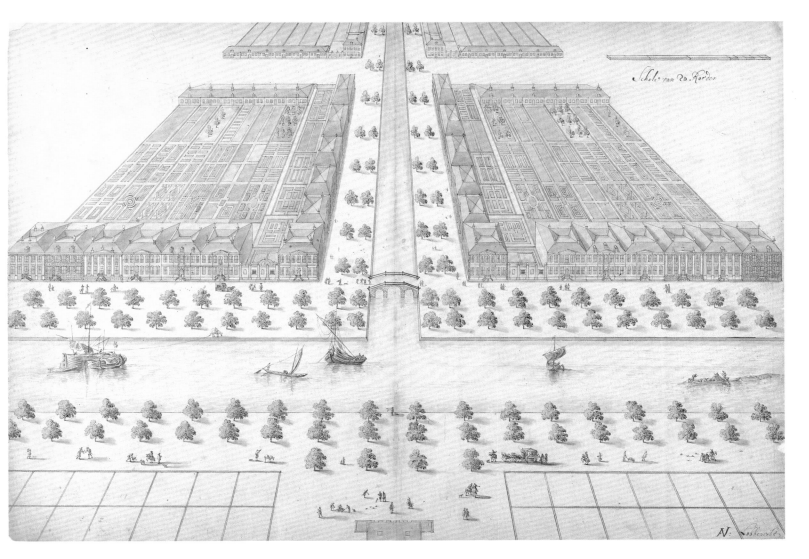

14. A. van Lobbrecht,
Vogelvlucht op de door
Moreelse voorgestelde be-
bouwing en beplanting van
de Rijn- of Cingelgracht
te Utrecht, 1664, gekleurde
pentekening.

15. Hendrik Keun, De tuin en het koetshuis van Keizersgracht 524, paneel 1772.

Hoofdstuk 4. *Hollands Arcadië*

Diderick van Velthuysen en de tuin van Heemstede als klassiek landschap

I DE OPDRACHTGEVER

Dat de beoefening van de tuinkunst bij uitstek een vorstelijke aangelegenheid was, werd in het voorgaande al in extenso aangegeven. De Crescenzi's populaire tuin- en landbouwtractaat introduceerde al ca. 1304 de opvatting dat de vorst bovenaan in de hiërarchie van opdrachtgevers stond.[1] De vorstentuin fungeerde als model voor hovelingen of burgers die zelf tot de aanleg van een tuin wilden overgaan.

In de inleiding van het door de Weduwe Nicolaas Visscher in 1719 uitgegeven boekwerk de *Zegepraalende Vecht*, dat geheel gewijd is aan de zomerverblijven met tuinen van rijke Amsterdamse kooplieden, vinden we een direct aanknopingspunt met deze traditie. Na het voorbeeld van de Romeinse lusthoven worden hier allereerst de stadhouderlijke tuinen van Het Loo, Huis Honselaarsdijk en Dieren genoemd, die door prentwerk verspreid en bekend gemaakt zijn.[2] Vervolgens komen voorbeelden van buitens met tuinen aan bod die toebehoren aan 'mindere, doch vermoogende Standspersoonen'.

De opgesomde buitenplaatsen vormen een eigen categorie tussen de bezittingen van de stadhouder en de buitens die het onderwerp vormen van de *Zegepraalende Vecht*. Achtereenvolgens worden genoemd: De Voorst, Roosendaal, Zeist, Duinrel, St. Annaland (Clingendaal), Zorgvliet, Gunterstein en Heemstede.

Deze opsomming kan worden verklaard uit het feit dat verschillende series prenten van deze buitens bij dezelfde uitgever als de *Zegepraalende Vecht* waren uitgegeven. Maar het is tevens opvallend dat bijna alle genoemde landgoederen, die overigens tot de belangrijkste uit de late 17de eeuw behoren, in het bezit waren van eigenaren die een rol speelden aan het hof van stadhouder-koning Willem III.[3]

De beide laatstgenoemde buitens, Gunterstein en Heemstede, vormen hierop een uitzondering. Gunterstein, bij Breukelen aan de Vecht gelegen, werd na 1680 aangelegd door de rijke Amsterdamse koopmansweduwe Magdalena Poulle (afb. 75).[4] Het gemoderniseerde huis en de uitgestrekte tuinaanleg waren weliswaar onderwerp van één van de vroegste, uitgebreide series gravures van een buiten langs de Vecht, maar hier houdt de overeenkomst met de tuinen van het stadhouderlijke hof op.[5] Gunterstein behoorde eerder tot het type buitens van Amsterdamse kooplieden dat in de *Zegepraalende Vecht* uitvoerig aan bod kwam.

Dit geldt niet in dezelfde mate voor Heemstede. Het huis Heemstede, bij Houten in Utrecht, was in 1680 als zomerverblijf gekocht door Diderick van Velthuysen, sinds 1677 schepen van Utrecht en vanaf 1685 geëligeerde in de Staten van Utrecht. Hij was dus een hoge, maar niet adellijke, Stichtse ambtenaar. Als 'vermoogend Standspersoon' behoorde hij niet tot de directe kring rond de stadhouderkoning. Via zijn familie waren er wel relaties met het Oranjehof en ook heeft Van Velthuysen zelf, vanwege de toenmalige politieke situ-

---

1 Vgl. Hamilton Hazlehurst 1956/1980, 27 en verder. Zie ook het vorige hoofdstuk.

2 *De Zegepraalende Vecht [...]*, 1719, 'Aan de Heren Liefhebberen van het Vecht-leven'.

3 De Voorst werd vanaf ca. 1695 aangelegd door Arnoud Joost van Keppel, in 1697 Graaf van Albemarle (serie van 16 etsen door P. Schenk en J. Roman, *Delineatio domus recreatricis adjacentiumque prospectuum amoenissimorum extra urbem Zutphaniensem*, Amsterdam, Petrus Schenk, voor 1702 (deel drie van de serie *Paradisus Oculorum*) (Hollstein XXV, nrs 1667–1682). Roosendaal werd gemoderniseerd vanaf 1667 door Jan van Arnhem (serie van 16 etsen door P. Schenk, *Afbeelding van Rosendael*, Amsterdam, Petrus Schenk, voor 1702

(deel vijf van de serie *Paradisus Oculorum*) (Hollstein XXV, nrs 1613–1629). Zeist vanaf 1677 door Rijksgraaf Willem Adriaan van Nassau-Odijk (D. Stoopendaal, 21 etsen van het *Huys te Zeyst*, Amsterdam, Nicolaas Visscher, voor 1702) (Hollstein XXVIII, nr 50). Duinrel werd aangelegd door Mr Cornelis de Jonge van Ellemeet, ontvanger generaal van de Unie vanaf 1680 (P. Schenk, *Afbeeldinge der voornaemste gezichten van Duinrel*, Amsterdam, Petrus Schenk, voor 1702, 16 etsen) (Hollstein XXV, nrs 1234–1258). Clingendaal behoorde toe aan Philips Doublet, die er vanaf 1671 de tuin aanlegde (D. Stoopendaal en L. Scherm, *Verscheyde schoone en vermaakelyke gezigten, in de Hofstede van Clingendael, gelegen by 's Gravenhage*, Amsterdam,

N. Visscher, ca. 1690 (33 gravures) (Hollstein XXIV, nrs 18–41). Hans Willem Bentinck bezat Zorgvliet, waar hij eind 1674, begin 1675 met de aanleg van zijn park begon (J. van Avelen, *General Gesigt en Plan van het Schoone Perk van Sorgvliet* samen met een serie van 24 kleinere etsen, Amsterdam, N. Visscher, tussen 1691 en 1698). Visscher publiceerde naast de series met aanzichten ook grote aanzichten en vogelvluchten van Zorgvliet, Clingendaal en Zeist. Voor deze topografie en de verbanden tussen deze eigenaren en Willem III zie Hunt/De Jong 1988, cat. nrs 45–47 (Zorgvliet); 52 en 71 (Clingendaal); 56 en 72 (Zeist); 57 en 73 (Roosendaal); 59 en 74 (De Voorst) en 65 en 76 (Duinrel).

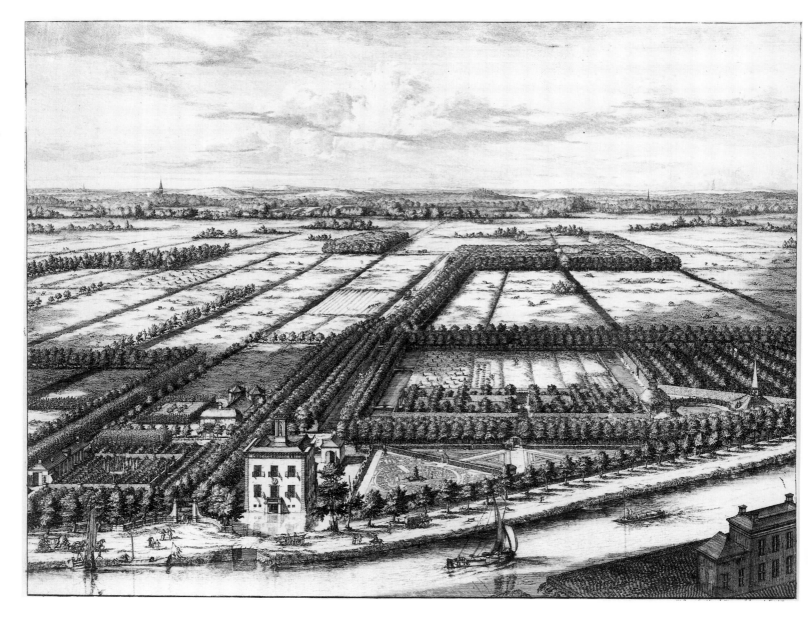

75. De Lespine en W. Swidde, Vogelvlucht van Gunterstein aan de Vecht, ets ca.
1690.

atie in Utrecht, met de stadhouder te maken gehad. Zijn politieke positie nabij het stadhouderlijk milieu is ongetwijfeld de reden dat hij zich bij de inrichting van huis en landschap van Heemstede bewust op de denkbeelden van dat milieu georiënteerd heeft. De publikatie door Nicolaas Visscher van een grote gegraveerde vogelvlucht (afb. 76) en een serie aanzichten van de tuin (afb. 77, 84, 86, 87, 88, 96, 100, 102) is in menig opzicht de fraaiste topografische weergave van een Nederlandse tuinaanleg uit het einde van de 17de eeuw. De serie verschafte Heemstede precies die positie onder de stadhouderlijke buitens, waar Van Velthuysen bewust naar had gestreefd.[6] De aanleg van Heemstede is daardoor een uitnemend voorbeeld van het mecenaat van een laat 17de-eeuwse regent, die zich in het milieu tussen hof en hogere burgerij bewoog.

'EEN BEROEMDE BUITENPLAATS'

Als de Engelse schilder James Thornhill in de zomer van 1711 door de Noordelijke Nederlanden reist, noteert hij in zijn reisverslag een aantal hem aanbevolen bezienswaardigheden. Daaronder bevonden zich drie landhuizen in de provincie Utrecht: het huis te Zeist, dat te Vianen en het huis Heemstede, dat als eerste staat vermeld: 'Vide The Heer van Heemsteed's a league & ¹/₂ from Utrecht fine Park &c'.[7] Voorzover wij weten heeft Thornhill Heemstede niet bezocht, maar zijn notitie bewijst de faam van deze buitenplaats waarvan latere 18de-eeuwse auteurs zeggen dat 'het [...] van meest alle vreemdelingen, die te Utrecht kwamen, bezocht en bewonderd [werd]'.[8] Tot nog toe zijn ons weinig reisbeschrijvingen overgeleverd waarin een bezoek vermeld wordt. Ook in een contemporaine gids als *Les Delices de la Hollande* uit 1710 wordt Heemstede niet beschreven, zodat we misschien moeten concluderen dat het voor veel bezoekers te excentrisch was gelegen en dat de bekendheid van dit complex vooral berustte op

de prenten die er van in omloop waren.[9] Deze zijn er ook de reden van dat Heemstede's faam in de moderne literatuur zo groot is. Bijhouwer noemde de buitenplaats na Het Loo, Zeist en De Voorst 'de vierde wereldberoemde buitenplaats'.[10] Van der Wijck noemt het in één adem met Zeist en een hoogtepunt in de Nederlandse tuinkunst.[11] Als zodanig geldt Heemstede vooral in de buitenlandse literatuur waar Nederlandse tuinarchitectuur ter sprake komt.[12]

Die roem dankt Heemstede met name aan Daniël Stoopendaals schitterende vogelvlucht die huis en tuinen naar een voorstudie van Isaac de Moucheron op gedetailleerde wijze heeft vastgelegd (afb. 76).[13] Heemstede ligt in een open landschap tussen Houten en Jutphaas, ongeveer zes kilometer van het centrum van Utrecht met de hoofdtoegang aan de Heemsteedse Vaart. Gezien vanaf een standpunt op de hoofdas westelijk van het complex strekt het landgoed, met de tuin van 250 meter breed en 1200 meter diep, zich met een as van twee kilometer in het vlakke landschap uit. Het effect van grootsheid wordt versterkt door de betrekkelijk kleinschalig getekende details van het huis, de architectonische onderdelen van de tuin en de diverse wandelaars, een niet onbekende truc in de topografische prentkunst. Perfecte symmetrie heerst op de diepe west-oost en de korte noord-zuid assen.

De nadruk op symmetrie is in deze gravures sterker dan in werkelijkheid het geval is geweest. Hier ligt het accent van de vogelvlucht op een ideaalweergave. Maar dat wij ons, volgens Van der Wijck, moeten voorstellen dat de tuinaanleg in plaats van 'gekunstelde hoven' uit niets anders dan 'boomgaarden en een moestuin' bestond, maakt het werk van de topograaf wel heel ongeloofwaardig.[14] Een dergelijke constatering gaat trouwens ook voorbij aan het feit dat deze vogelvlucht naast een topografische wel eens een ideële betekenis zou kunnen hebben gehad. De werkelijke betekenis van dit soort gravures

4 Quarles van Ufford z.j. en 1980.

5 Van Gunterstein werd door De Lespine en W. Swidde een serie van 15 gravures gemaakt (*Vues de Gunterstein*) en een grote, geëtste vogelvlucht: *Veue Generalle du Chasteau de Gunterstein et Dependances* (ca. 1690) (Hollstein XXIX, nr 7).

6 D. Stoopendaal naar I. de Moucheron, *Plan ou Veüe de Heemstede dans la Province d'Utrecht / Afbeeldinge van Heemstede inde Provincie van Utrecht*, Amsterdam, N. Visscher (Hollstein XXVIII, nrs 43-44), ets 172,3 × 100 cm (de grote voorstudie voor deze vogelvlucht is niet bekend). Voor de kleine serie zie I. de Moucheron, *Plusieurs Belles et Plaisante Veües et la Cour de Heemstede, dans la Province d'Utrecht / Verscheyde schoone en vermaakelyke

gezigten van Heemstede, gelegen in de Provintie van Utrecht*, [Amsterdam] Weduwe N. Visscher, 26 kopergravures (Hollstein XIV, nrs 10-35), ca. 17,2 × 21,7 cm. Voor deze serie en de datering zie hierna.

7 Fremantle 1975, 111. Halma 1725, 400 noteert de afstand van Utrecht naar Heemstede als anderhalf uur (per paard).

8 *Tegenwoordige Staat* 1758-72, Dl. II, 387. Halma 1725, 400.

9 Vgl. *Les delices de la Hollande. Ouvrage Nouveau sur le Plan de l'Ancien*, Den Haag 1710. Thornhill, of een van zijn reisgenoten, kocht dit werk. Hij noteerde (Fremantle 1975, 110): 'Les delices de Holl: cost in 2 vol: stichd 3 gulden.'

10 Bijhouwer 1943, 40.

11 Van der Wijck 1982, hoofdstuk IV, 157-176.

12 Gothein, Dl. II, 227; Clifford 1966, afb. 51-52; Gollwitzer 1974, 78; Hansmann 1983, 195; Jones Hellerstedt 1986, 78 en 79.

13 Zie noot 6.

14 Van der Wijck 1982, 170.

15 Er bestaat geen huisarchief. Stukken uit de jaren 1642-1793 ontbreken in de *Inventaris van het Archief van het huis Heemstede te Houten 1642-1959*, zie C. Dekker, G.M.W. Ruitenberg, *Inventarissen van kleine archieven van heerlijkheden en huizen in de provincie Utrecht*, Rijksarchief Utrecht 1980, inv 29, pag. 67. Ook in gerechtelijke en an-

voor ons begrip van de toenmalige tuinarchitectuur zal moeten blijken uit de confrontatie met schriftelijk bronnenmateriaal.

DIDERICK VAN VELTHUYSEN

Archivalische gegevens die ons over de aanleg van Heemstede en de eigenaar kunnen inlichten zijn schaars.[15] Maar het staat vast dat Diderick van Velthuysen (1651–1716) op vier mei 1680 in bezit kwam van de ridderhofstad Heemstede.[16]

Van Velthuysen behoorde tot een vooraanstaande Utrechtse familie.[17] Functies in het Utrechtse stedelijke bestuur en de Staten van Utrecht werden sinds de stamvader van het geslacht, Warner van Velthuysen (hopman in 1585, raad in 1587 en 1588) door diverse leden van de verschillende takken van de familie uitgeoefend. Diderick van Velthuysens vader, Frederic van Velthuysen, was in Utrecht ontvanger van het Oudschildgeld (een soort landbelasting), terwijl zijn in 1642 overleden grootvader, Dirc van Velthuysen, burgemeester van deze stad was geweest.[18] Ook zijn moeder, Johanna van der Straaten, behoorde tot een belangrijke Utrechtse familie.[19] Haar vader was Willem van der Straaten, medicus en hoogleraar, in 1674 be-

noemd tot raad en burgemeester van Utrecht en in 1676 tot schepen.[20]

Twee jaar voor de aankoop van Heemstede – Diderick van Velthuysen was toen zevenentwintig jaar – huwde hij in Maarssen Alida de Graeff (1651–1738), dochter van de oud-burgemeester van Amsterdam Ridder Andries de Graeff (1611–1678) en Elizabeth Bicker van Swieten (1623–1656).[21] Dit huwelijk verbond Van Velthuysen met een van de meest vermogende Amsterdamse families die tot 1672/73 het hart van het Amsterdamse regentenpatriciaat vormden.[22] Voor zijn culturele oriëntatie heeft deze verbintenis, naast eigen standing en kapitaal, veel betekend.[23]

De verwerving van de ridderhofstad Heemstede was voor deze ambitieuze jonge patriciër een belangrijk moment in zijn carrière. Het bezit ervan gaf immers onder andere recht op zitting in de Staten van Utrecht, een plaats waarop hij ook als kanunnik van de Dom recht had.[24]

Van oorsprong was de ridderhofstad Heemstede een middeleeuws versterkt (stenen) huis met omgrachting en erf, dat door de bisschop van Utrecht in ruil voor diensten met privileges als bijvoorbeeld

dere archieven ontbreekt ieder spoor van Heemstede.

De belangrijkste literatuur over Heemstede is A. L[oosjes], 'Het kasteel Heemstede bij Houten (Utr)', *Buiten XIII*, 1919, 268–72; Idem, vooral belangrijk voor oude foto's, *Utrecht in Beeld*, Amsterdam, z.d., Vol. II, 170–174; Bienfait 1943, 109, 224–6 en platen 298–302; Bijhouwer 1943, 40; Van Luttervelt 1949, 195; M. van Noordwijk (red.), *Inventarisatie Landgoed Heemstede*, Nederlandse Jeugdbond voor Natuurstudie 1972; Van Asbeck/Van de Rijt 1973; Lisman 1973; Van der Wijck 1973, later ook als hoofdstuk in Van der Wijck 1982, 157–176 (hoofdstuk IV); Bardet 1975, 108–111; De Jong 1987; De Jong in Hunt/ De Jong 1988, 22, 31 en 35 en cat. nrs 62–64 op pag. 193–198; U.M. Mehrtens, *Kasteel Heemstede*, Houten, monumentenwaardebepaling, Rijksdienst voor de Monumentenzorg, Afdeling Buitenplaatsen, 1989/90 (typoscript, 11 pp.); De Jong 1990; tijdens de voorbereiding van deze tekst verschenen de studies van Wevers 1990 A–B en 1991, die vooral voor het huis en de reconstructie daarvan goede analyses bieden. Voor buitenlandse literatuur zie noot 12 hierboven.

16 Voor deze gegevens en biografische details van Van Velthuysen zie Wittert van Hoogland 1909, Vol. I, 230–1; Loosjes 1919, 269 en Lisman

1973.

17 Vgl. U.B. Utrecht, Handschriften 1828, *Genealogische aanteekeningen omtrent Utrechtsche en andere familiën*, nr 219. Een uittreksel werd gepubliceerd in M. van der Bijl, 'Utrechts weerstand tegen de oorlogspolitiek tijdens de Spaanse successieoorlog. De rol van de heer van Welland van 1672 tot 1708', in zijn bijdrage aan *Van Standen en Staten* 1975, 190. Onderzoek van deze laatste auteur naar het Utrechtse regentenpatriciaat zal nog meer details over de familie- en politieke kring van de Van Velthuysens opleveren.

18 In 1694 schonk Diderick van Velthuysen aan de Utrechtse Universiteit ter decoratie van de senaatskamer een monumentale schoorsteen ter nagedachtenis aan zijn grootvader, onder wiens bewind in 1636 deze instelling was gesticht. Dirc van Velthuysen staat hier in grisaille op de schoorsteenboezem weergegeven. Vgl. G.W. Kernkamp, *Acta et decreta Senatus*, Werken van het Historisch Genootschap 3de serie, Vol. II. nr 68, 132 en S. Muller Fzn, *De universiteitsgebouwen te Utrecht*, Utrecht 1899, 33–34. Ook Van der Wijck 1982, 175 Bijlage II.

19 Johanna van Stra(a)ten was Frederic van Velthuysens tweede vrouw. Een huwelijksportret door Thomas de Keyser uit 1636 (National Gallery of Victoria, Melbourne) beeldt hem af met zijn

eerste vrouw Josina van Schonevelt. Een postuum geschilderd portret door dezelfde schilder uit 1660 geeft hem weer samen met zijn zoon Diderick (Pakzad-collectie, Hannover). Zie Emma Devapriam, 'A double portrait by Thomas de Keyser in the National Gallery of Victoria', *Burlington Magazine* CXXXII (1990) nr 1051, 710–713.

20 Voor Van der Straaten (ook wel Van Stra[a]ten), zie S. Muller, *Catalogus van het archief der Staten van Utrecht 1375–1813*, Utrecht 393 K, *Wapens van de burgemeesteren van Utrecht gekozen door Prins Willem III (1674–1722)*, fol. 128. Voor een korte biografie: G.T. Haneveld, *Interne geneeskunde in Utrecht. Historisch overzicht van het Academisch onderwijs*, Utrecht, Janssen Pharmaceutica, 1979, [p.3].

21 Elias 1903, Vol. I, 520, nr 193. Zij is niet zoals Wittert van Hoogland 1909 en Van der Wijck 1982 vermelden de dochter van Cornelis de Graeff en Agneta Deutz. Andries de Graeff was burgemeester in 1657, 1660, 1664, 1666, 1667, 1670 en 1671.

22 Zie Elias 1903, Dl. I, 520–521. Andries de Graeff werd in 1674 aangeslagen voor een vermogen van *f* 292.000 (Elias, 520).

23 Ondanks het algemeen bekende feit dat het huwelijk verre van gelukkig was. In zijn testament (G.A.U., nalatenschap Mr C. Berger, inv. nr 141,

tolvrijdom en eigen bestuur werd beleend aan een riddermatige (edelman). Na de middeleeuwen had de ridderhofstad – overigens een typisch Utrechts verschijnsel – zijn verdedigingsfunctie verloren, maar de privileges behouden.[25]

De ridderhofstad Heemstede onder Jutphaas, in tegenstelling tot de ambachtsheerlijkheid Heemstede bij Houten ook wel 'Oude Heemstede' genoemd, wordt in 1323 voor het eerst genoemd.[26] Een lijst, die in 1536 door de Staten van Utrecht werd opgesteld om tot vaststelling van het aantal ridderhofsteden en hun privileges te komen, noemt Heemstede als een van de vijfenvijftig erkende ridderhofsteden. Na deze datum werd dit aantal nog uitgebreid tot drieenzestig, maar daarmee was de lijst definitief. Het bezit van een ridderhofstad was in het vervolg dus maar voor een kleine kring weggelegd.[27] Vanaf vier mei 1680 mocht Diderick van Velthuysen zich Heer van Heemstede noemen. Dit prerogatief, dat in de middeleeuwen slechts aan ridders en geestelijken was voorbehouden, was een van de belangrijke redenen dat men in de 17de eeuw het bezit van buitenplaats of ridderhofstad nastreefde. Voor niet adellijke patriciërs in de Republiek was het de enige mogelijkheid zich te kunnen tooien met

een adellijk klinkende titel en, in Van Velthuysens geval, te genieten van een van de meest felbegeerde privileges: het jachtrecht.[28]

Datzelfde jaar, op vier juni 1680, beleenden de Staten van Utrecht Van Velthuysen met de ambachtsheerlijkheid Heemstede, zodat hij als ambachtsheer rechtspraak kon voeren over burgerlijke zaken en kleine vergrijpen in het gebied gelegen onder de kerspel Houten.[29] Met de titel Heer van de ridderhofstad en van de ambachtsheerlijkheid Heemstede achter zijn naam kon Van Velthuysen zich met recht heer en meester voelen van het directe gebied om zijn landgoed.[30] Als Heer van Heemstede en kanunnik van de Dom werd Van Velthuysen op 31 maart 1685 benoemd in het eerste lid van de Staten van Utrecht, waar hij de plaats innam van Johan Marcelis.[31] Ook in de jaren daarna wist hij nog tal van ambten en titels te verwerven.[32] 1713 betekende ongetwijfeld het hoogtepunt in zijn carrière: als oudste lid van de geëligeerden werd hij benoemd tot president van de Staten van Utrecht.[33]

Een dergelijke loopbaan moet ook worden bezien in het licht van de Utrechtse politieke verhoudingen na 1672. De bestuurders van de

fol. 7) vermeldt Van Velthuysen dat hij zijn vrouw 'noijt vleeslyk (heeft) bekent, maar sulcks altyt van haar is belet en geweijgert', reden om de haar bij hun huwelijk toegezegde veertigduizend gulden, die zij na zijn overlijden zou ontvangen, te ontzeggen.

In een dagboekaantekening van Graaf Bentheim, die in 1718 in Utrecht was, wordt na een bezoek aan Heemstede hiervan eveneens melding gemaakt (Van der Wijck 1982, 173/74).

24 Bardet 1975, XVII. Van Velthuysen trad in 1685 als geëligeerde (dus als kanunnik van de Dom) toe tot de Staten van Utrecht (deze geëligeerden vormden als verkozenen uit de vijf Utrechtse kapittels het eerste lid van de Staten) en dus niet op grond van zijn bezit van de ridderhofstad Heemstede. De riddermatigen vormden het tweede lid van de Staten van Utrecht, het derde lid was een vertegenwoordiging van de steden. Van Velthuysen was in Utrecht woonachtig aan de chique Breestraat (G.A.U., Doop-, Trouw-, en Begraafregisters van de Gemeente Utrecht, inv. nr 129).

25 Bardet 1975, XVIII en verder.

26 Bardet 1975, 109 en verder en Lisman 1973, 10 en verder.

27 Bardet 1975, XIX en XX.

28 Voor dit gebruik zie Elias 1903, Dl. I en

Schmidt 1978 en 1979.

29 Bardet 1975, XXII voor de betekenis van de ambachtsheerlijkheid. De ambachtsheerlijkheid Heemstede bestond sinds 1394.

30 Niet alle heren van de ridderhofstad waren automatisch ook ambachtsheer, vgl. Bardet 1975, XXII. Dit blijkt uit de lijsten van de eigenaren van de ridderhofstad en de ambachtsheerlijkheid als opgesteld door Lisman 1973, 6–9. Pas vanaf 1616 waren beide privileges steeds in handen van dezelfde persoon. Aan deze statusverhogende titels kon hij na zeven december 1681 nog die van Heer van Willeskop en Kort-Heeswijk toevoegen, die hij bij de dood van zijn grootvader Willem van der Straaten erfde. Zie Wittert van Hoogland. De Staten beleenden hem hiermee.

31 Vgl. J. van de Water 1729, Dl. I, 198 XXII, lijst van 'Heeren Geëligeerden, representeerende den Eersten Staat van de Stad, Steeden, en Lande van Utrecht', i.h.b. pag. 211 (1685). De structuur van de Staten bij idem I, 169–174 XI, voor de orde en het reglement waarnaar de Staten na 1674 door stadhouder prins Willem III werden georganiseerd. Naast de Geëligeerde Raden die telkens voor drie jaar (met verlenging) werden gekozen uit het lichaam van Proosten, Dekens en Kanunniken van de vijf kapittels, werden de Staten gevormd

door Edelen en Ridderschap, en Stad en Steden. Als geëligeerde moest men verder 25 jaar zijn en de gereformeerde religie aanhangen. In het archief van de Staten (Muller 1915) nr 393d, *Wapens van de Geëligeerden gekozen door Willem III (1674–1726)*, vinden we Van Velthuysens wapen op fol. 23 linksonder.

32 Zo was hij Extra-ordinaris Gedeputeerde van de Staten in 1690, Extra-ordinaris Raad in den Hove van Utrecht in 1699, Ordinaris Gedeputeerde en gedeputeerde naar de Staten-Generaal in respectievelijk 1703 en 1705. Ondertussen was Van Velthuysen ter nominatie van de geëligeerde raden in 1691 hoogheemraad van de Lekdijk Bovendams geworden, het gebied waarbinnen Heemstede was gelegen (zie: M. van Vliet, *Het hoogheemraadschap van de Lekdijk Bovendams*, Assen 1961, bijlage VIII, 'Naamlijst van dijkgraven, hoogheemraden, cameraers en secretarissen', pag. 647, 4 nov. 1691: Diderick van Velthuysen, ter nominatie van de Geëligeerde Raden). In 1708 werd hij het ook van de Lekdijk Benedendams.

33 Van de Water 1729, 211, voor zijn functies bij de Staten. Voor zijn rol als gedeputeerde in 1705 vgl. Van der Bijl, 155 en verder.

34 Struick, hoofdstuk VIII, 228 en verder. Vgl. ook de bijdrage van D.J. Roorda, 'Prins Willem III en het Utrechts regeringsreglement. Een schets

stad Utrecht hadden samen met de Staten van Utrecht alle moeite gedaan om niet bij de oorlog tegen Lodewijk XIV, die op 12 juni van dat jaar bij Lobith de Rijn was overgestoken, betrokken te worden.[34] Utrecht sloot haar poorten voor Willem III en verhinderde zo het Staatse leger actief aan de verdediging tegen de Franse vijand deel te nemen. Uiteindelijk besloten de Staten Generaal de Utrechtse bondgenoot te laten vallen en het leger terug te trekken achter de Hollandse Waterlinie. Op dezelfde dag dat de Staatse troepen rond Utrecht wegtrokken (op 18 juni), besloten Stad en Staten van Utrecht contact te zoeken met de vijand voor een zo gunstig mogelijke overgave. Dat leidde uiteindelijk tot de bezetting door de Fransen van de stad Utrecht, dat daarmee een steunpunt in de uitvoering van de Franse militaire strategie was geworden. Plundering en brandstichting brachten de stad grote schade toe. Ook het platteland moest het ontgelden: veel landgoederen langs de Vecht werden verwoest. Uiteindelijk zou in het najaar van 1672 door Willem III's voortvarende diplomatie de Franse vijand zich uit de Republiek, en dus ook uit Utrecht terugtrekken. Voor Utrecht waren de gevolgen aanzienlijk. Het Sticht werd door de Staten Generaal behandeld als veroverd gebied, de Staten en de vroedschap geschorst. Prins Willem III maakte gebruik van deze situatie. Zijn nieuw verworven macht als stadhouder heeft Willem III direct aangewend om zijn invloed in het Sticht te vergroten. Zo adviseerde hij gunstig ten aanzien van de hernieuwde toetreding van de Staten van Utrecht tot de Staten Generaal in 1674. Tegelijkertijd ontwierp hij echter een nieuw regeringsreglement dat

hem verstrekkende erfelijke bevoegdheden verschafte. Deze stelden hem in staat om op 25 april 1674 de oude Staten- en vroedschapsleden te ontslaan en nieuwe, oranjegezinde bestuurders in hun plaats aan te stellen. Ook alle burgerlijke en militaire ambtenaren zouden in het vervolg door de stadhouder worden aangesteld. Om zijn voortdurende aanwezigheid in een gebied, dat in hem zijn politieke meerdere diende te erkennen, te onderstrepen, kocht Willem III datzelfde jaar nog Soestdijk, overigens van een verwante van Van Velthuysens toekomstige schoonvader.

Oranjegezindheid was voor de opbouw van een voorspoedige ambtelijke carrière in het Sticht na 1674 dus een belangrijke voorwaarde geworden en Diderick van Velthuysen lijkt dat in alle opzichten te hebben beseft. Door zich oranjegezind te profileren is hij in staat geweest van deze politieke situatie te profiteren.[35]

Zijn afkomst was voor de planning van zijn loopbaan voor Van Velthuysen een steun. Zijn grootvader van moederszijde, Willem van der Straaten, was naast hoogleraar medicijnen aan de Utrechtse Universiteit ook lijfarts geweest van stadhouder Frederik Hendrik, Willem II en Willem III.[36] Voor zijn goede diensten werd Van der Straaten dan ook door Willem III in 1674 beloond met de benoeming tot burgemeester in de eerste oranjegezinde vroedschap van de stad Utrecht.[37] Trots om het welslagen van een welbesteed leven dat door een nieuwe politieke constellatie werd mogelijk gemaakt, is er de reden van dat we een lange opsomming van Van Velthuysens ambten en (ere)titels aantreffen onder zijn portret op zijn grafmonument in

34 'van gebeurtenissen, achtergronden en problemen' in *Van Standen en Staten* 1975, 91–135.

35 Daarbij moet aangetekend worden dat een Oranjegezinde houding niet iets onvoorwaardelijks had. Dat zou met name blijken na de dood van Willem III in 1702 toen de Utrechtse regenten vervielen in hun oude recalcitrantie ten opzichte van het beleid van de Staten Generaal. Zie hiervoor de bijdrage van Van der Bijl in *Van Standen en Staten*.

36 Haneveld 1979,[3]. Van der Straaten vervulde deze functie tot 1672.

37 De oranjegezinde signatuur van Van Velthuysens familie is wellicht ook de reden geweest voor Andries de Graeff zijn dochter aan Diderick van Velthuysen uit te huwelijken. Zelf immers was hij in 1672 door Willem III uit de Amsterdamse stadsregering gezet. Door zijn beide dochters aan oranjegezinden uit te huwelijken heeft hij mogelijk zijn eigen positie proberen op te vijzelen in ruil voor Amsterdams geld en goed. Elias Vol. I, 520–

521. Alida de Graeffs zuster Aertje (1652–1703) huwde in 1681 met Jonker Transisulanus Adolphus van Voorst (1651–1707), Heer van Jaarsveld, Hagevoerde, Bergentheim, Wenerhold, Egede en Wenaert, hofmeester van Willem III, Maarschalk van Eemland, Drossaard en Houtvester van de Hooge Heerlijkheid Soestdijk (etc.). Andries de Graeff was in 1676 in Utrecht om de zware 200ste penning te ontgaan. Wellicht dat in deze tijd het contact tussen de twee families tot stand is gekomen.

38 P.C. Bloys van Treslong Prins, *Genealogische en heraldische gedenkwaardigheden in en uit de kerken der Provincie Utrecht*, Utrecht 1919, 78–79. Het testament (G.A.U., nalatenschap Mr C. Berger, inv. nr 141, fol. 8 en 9) specificeert een tombe van wit marmer 'soo als 't selve sich in deze bygevoegde caarte figuratief vertoont' met Latijnse inscriptie en te vervaardigen door 'een van de bequaamste Meesters', voor de somma van drieduizend gulden. De tombe werd uitgevoerd door

J. Mast.

39 Van deze ruïne bestaat een tekening in zwart krijt door Roeland Roghman uit 1647, nu collectie Teyler-Stichting Haarlem (Lisman 1973, afbeelding pag. 11). Dezelfde kunstenaar maakte ook een reconstructie van de oude ridderhofstad (verblijfplaats onbekend, foto in R.A.U., Lisman 1973 afbeelding pag. 13). Het huidige huis draagt nog steeds het jaartal 1645 boven de deur. Vgl. ook Wevers 1991, 15–30, die de architectuur van het huis toeschrijft aan Gijsbert Thöniszoon van Vianen.

40 Men zou kunnen spreken van een octogonale plattegrond als men de ruimten van het huis samen beschouwt met de ruimten gevormd door de hoektorens, met dien verstande dat alleen op de zolderverdieping deze octagonale werking als ruimte herkenbaar is. Ook kan men de plattegrond van Heemstede zien als een Grieks kruis, waarvan de oksels worden opgevuld door de hoektorens. Overigens kent Heemstede als centralise-

de kerk van Houten. Dit graf is in meest letterlijke zin een monument ter ere van zijn ambitie, want voor de oprichting ervan had hij in zijn testament uitdrukkelijk geld gereserveerd.[38]

HEEMSTEDE

Wat trof Van Velthuysen aan toen hij op 4 mei 1680 de ridderhofstad kocht van Jacob Louis Grave van der Nath, Heer van Schagen en Enge, die overigens kort daarvoor op dezelfde dag Heemstede ontvangen had uit handen van Jhr Gerard de Wael van Vronesteyn, eigenaar van het goed tussen 1669 en 1680? In ieder geval bestond Heemstede uit het landhuis dat Hendrick Pieck van Wolfsweerd, Heer van Muyswinckel (gestorven in 1662) en Maria van Winssen (gestorven in 1669) in 1645 niet ver van de in verval geraakte middeleeuwse ridderhofstad hadden laten bouwen (afb. 77).[39]

Tot de fatale brand in januari 1987 bezat het compacte bakstenen gebouw, op een centraliserende, rechthoekige plattegrond opgetrokken, vier vijfhoekige torens en werd het bekroond door een centraal opgaand leien dak waaruit een zware schoorsteen opsteeg.[40] Streng symmetrisch, ook in de gevelindeling, maakte het huis door de hoektorens een kasteelachtige indruk, die door de ligging op een onderhuis in een gracht werd versterkt. De hoektorens vormen een interessant onderdeel, want na de tweede helft van de 17de eeuw raakten ze bij de opmars van het classicisme uit de mode. In Utrecht daarentegen bleven ze voor verschillende ridderhofsteden in gebruik.[41] Door vast te houden aan het motief van de torens als beeldbepalend ken-

merk, werd de identiteit van het huis Heemstede als ridderhofstad nadrukkelijk aangegeven.[42] Het gebruik van de toren als betekenisdrager loopt parallel aan het gebruik van de middeleeuwse toren in de 16de-eeuwse Italiaanse villabouw. Ook daar is het vanuit de middeleeuwen overgeleverde gebruik van de toren sterk verbonden met de uitdrukking van autoriteit en rang en met de ouderdom en traditie van de plaats van het landgoed.[43]

Van Velthuysen heeft het huis, dat naar maatstaven van 1680 qua architectuur ouderwets genoemd kon worden, laten staan omdat het ook voor hem adequaat zijn nieuw verworven status als Utrechts riddermatige symboliseerde. Op de tuinaanleg en het interieur zou hij echter in de loop van de jaren tachtig en negentig een eigen stempel drukken.

DATERING

In welke chronologie, op welke wijze en met wiens hulp Van Velthuysen zijn nieuwe bezit heeft aangepakt valt bij gebrek aan archivalia moeilijk te reconstrueren. Maar gelukkig beschikken we over voldoende visueel en beschrijvend materiaal dat ons beeld van de aanleg onder Van Velthuysen kan aanscherpen. Samen met het huis en de zo goed als onaangetaste oppervlakte van de tuin, die door een diepgaand archeologisch bodemonderzoek nader onderzocht zouden moeten worden, stelt dit materiaal ons in staat een beeld te vormen van de ontwikkeling van het landschap en de ingrepen in het huis.[44] Daarnaast verschaft het voldoende aanknopingspunten om te onder-

rende buitenplaats geen centrale ruimte waar de architectuur omheen is gecomponeerd, zoals bijvoorbeeld bij Huis ten Bosch (1645) wel het geval is. Voor uitvoerige bouwkundige analyses van Heemstede zie Wevers 1990 A en B en 1991.

41 Zo bepalen ook bij de ridderhofsteden Nederhorst ten Berg (ca. 1635), Voorn (eerste helft 17de eeuw) en Renswoude (1654) torens het aanzicht zoals ze dat bij de oudere, van oorsprong middeleeuwse, ridderhofsteden deden. Voor Nederhorst zie R. Meischke, 'Het kasteel Nederhorst den Berg', *Amstelodamum* 44 (1957), 86–91. Voor Renswoude en Voorn zie Bardet 1975, respectievelijk 215–219 en 292–293. Ook het in 1647 nieuw gebouwde huis van de hoge heerlijkheid Linschoten (Bardet 1975, 43–145) vertoont markante torens. Buiten Utrecht lijkt het in 1664 gebouwde huis IJsselmonde bij Rotterdam (afgebroken in 1900) zeer op Heemstede. De neiging naar een kasteelvorm met centrale plattegrond verbindt het huis Heemstede verder met de Utrechtse huizen

Drakestein (1635) en Zuylesteyn (1631–35), terwijl het elegante hoogopgehaalde dak in het Sticht in 1653 nog werd toegepast in een niet uitgevoerd ontwerp voor het buiten Gansenhoef aan de Vecht. Voor deze huizen zie Bardet 1975, 57 en verder, en 162 en verder. Voor het ontwerp van Gansenhoef vgl. Meischke 1982, 10–11.

42 Dit kan ook als reden hebben dat de riddermatigheid in feite bleef voorbehouden aan de ruïne van het oude huis Heemstede. Het is niet bekend of de riddermatigheid van dit oude perceel werd overgebracht op het nieuwe huis, zoals bijvoorbeeld het geval was in Zeist waar Van Nassau-Odijk in 1677 de rechten van de oude ridderhofstad Zeist (toen een ruïne) op het nieuw te bouwen huis mocht overdragen. Vgl. ook mijn opmerking in Hunt/De Jong 1988, cat. nr 56, 186 (met verdere literatuurverwijzing).

43 Vgl. S. von Moos, *Turm und Bollwerk. Beiträge zu einer politischen Architektur der italienischen Renaissancearchitektur*, Zürich 1974, hoofdstuk III,

met name 104–106 en zijn 'Der Palast als Festung: Rom und Bologna unter Papst Julius II', in Martin Warnke, *Politische Architektur in Europa vom Mittelalter bis heute. Räpresentation und Gemeinschaft*, Keulen 1984, 106–157.

44 De Provincie Utrecht liet op initiatief van drs R. Blijdenstein een weerstandsonderzoek uitvoeren op het terrein bij Heemstede, uitgevoerd door de Stichting Regionaal Archeologisch Archiverings Project van de Universiteit van Amsterdam (veldwerk verricht door Karin Anderson). De resultaten daarvan bemoedigen de gedachte dat een intensieve wetenschappelijke opgraving materiaal zal opleveren op het gebied van bassins, afvoerkanalen, fonteinleidingen, muurwerk, plantgaten en wellicht beeldhouwwerk. Zij zullen een reconstructie op basis van documentair materiaal, zoals hier te verrichten, kunnen aanvullen en corrigeren.

45 Vgl. Hollstein XXVIII, nr 45. De plattegrond draagt geen titel.

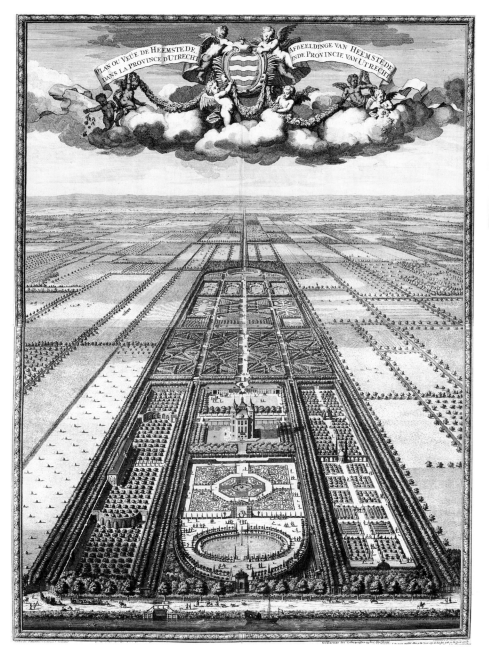

76. I. de Moucheron en D. Stoopendaal, Vogelvlucht van de tuinaanleg van Heemstede, kopergravure 1700/1702.

77. I. de Moucheron, Het huis Heemstede van voren gezien, kopergravure 1700/1702 (nr 5 in de serie).

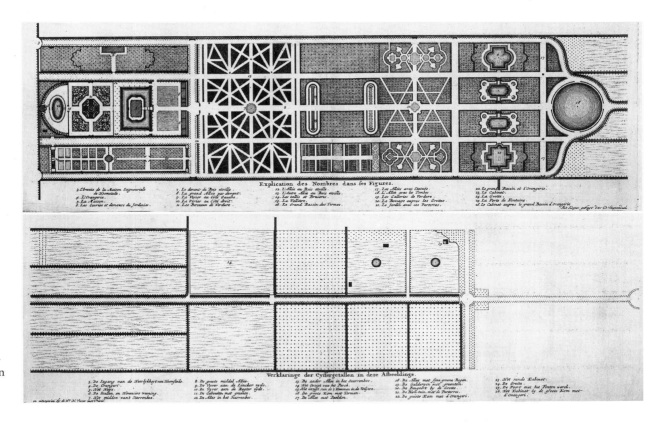

Explication des Nombres dans ſes Figures.

3. L'Entrée de la Maison Seigneuriale de Heemstede.
4. L'Orangerie.
5. La Maiſon.
6. Les Ecuries et demeure du Jardinier.
7. Le devant du Bois étoille.
8. La grand Allée par devant.
9. Le Vivier au Côté Gauche.
10. Le Vivier au Côté Droit.
11. Les Berceaux de Verdure.
12. L'Allée au Bois étoille.
13. L'autre Allée au Bois étoille.
14. Le taillis et Bruiéres.
15. La Valliere.
16. Le grand Bassin des Tormes.
17. Les Allées avec Statues.
18. L'Allée avec les Tombes.
19. Les Galleries de Verdure.
20. Le Passage aupres les Grottes.
21. Le Jardin avec ses Parterres.
22. Le grand Bassin et l'Orangerie.
23. Le Cabinet.
24. La Grotte.
25. La Porte de Fontaine.
26. Le Cabinet aupres le grand Bassin d'Orangerie.

Verklaringe der Cyffergetallen in deze Afbeeldinge.

3. De Ingang van de Heerlykheyt van Heemstede.
4. De Orangery.
5. Het Huys.
6. De Stallen en Huuisiers woning.
7. 't midden vant Starrenbos.
8. De groote middel Allee.
9. De Vyver van de Lincker wyde.
10. De Vyver aan de Regter wyde.
11. De Cabinetten met groente.
12. De Allee in het Starrenbos.
13. De ander Allee in het Starrenbos.
14. Het Cruys van het Park.
15. Het Cruyst van 't Eenium en de Volgers.
16. De groote Kom met Tormen.
17. De groote Kom met d'Orangeri.
18. De Allee met fine groene Bogen.
19. De Galleryen met groenten.
20. De Paseört by de Grotte.
21. De Bloen-tuin met de Parterres.
22. De groote Kom met Beulden.
23. 't ronde Cabinet.
24. De Grotte.
25. De Poort met het Fontein werck.
26. Het Cabinet by de groote Kom met d'Orangeri.

78. D. Stoopendaal, Plattegrond van de tuinaanleg van Heemstede, kopergravure na 1700/1702.

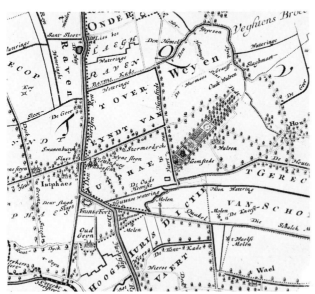

79. B. de Roy, Detail uit de 'Nieuwe Caerte van de Provincie van Utrecht' (blad 8 en 13), kopergravure 1696.

80. De hal op kasteel Heemstede met de geschilderde jachttrofeeën, opname 1957.

zoeken welke ideeënwereld achter Van Velthuysens transformatie schuilging.

Twee hofdichten, de een van Lukas Rotgans en de ander van Adriaan Reets, beide opgedragen aan de Heer van Heemstede, en de serie aquarellen en kopergravures van Isaac de Moucheron (1667–1744) maken het mogelijk ons een beeld van de aanleg te vormen.

Behalve de al genoemde vogelvlucht, maakte Daniël Stoopendaal een plattegrond van de tuin die wat nummering en toelichtingen in het Frans en Nederlands betreft met de vogelvlucht overeenkomt (afb. 78).[45] De serie kleine gravures, bestaande uit een titelpagina, een vogelvlucht en vierentwintig aanzichten van de tuin, is genummerd en draagt titels in het Nederlands en Frans, zodat de plaats van ieder detail in het grote geheel van plattegrond en vogelvlucht kan worden geïdentificeerd.[46] Achttien van De Moucherons voorstudies voor de kleine kopergravures zijn bewaard gebleven en voegen door de kleurige aquareltechniek verdere details toe (plaat 5, 6, 7 en 8).[47] Wat de datering betreft: de tekeningen en prenten moeten gemaakt zijn tussen augustus 1697, het jaar dat De Moucheron terugkomt uit Italië, en 1702, het sterfjaar van N. Visscher, de uitgever van de prenten.[48] De frontispice van de serie gravures en de plattegrond dragen namelijk als enige de naam van de Weduwe Visscher, die na de dood van haar man de zaak voortzette.[49] Kennelijk was de serie prenten tegen 1702 dus bijna voltooid. Dat zou er op kunnen duiden dat de serie bedoeld was ter ere van Van Velthuysens vijftigste verjaardag in 1701, die samenviel met de voltooiing van de tuin en de verbouwing van het huis. Dat lijkt extra waarschijnlijk omdat in het gedicht van Reets uit 1699 de grot, die in de gravures nr 23 en 24 wordt geïllustreerd, als nog niet voltooid wordt beschreven (plaat 7). We moeten ons dus waarschijnlijk voorstellen dat de opdracht aan De Moucheron dateert uit 1700 of 1701 en dat hij toen voorstudies makend in de tuinen van Heemstede heeft rondgelopen.[50]

Van de gedichten is het eerste van Lukas Rotgans. Zijn *Stichts Landtgezang op Heemstede* verscheen in zijn verzameld werk dat in 1715 door François Halma werd gepubliceerd.[51] Rotgans, die zich na een korte militaire carrière had teruggetrokken op zijn lusthuis Kromwyk aan de Vecht, moet zijn hofdicht op Heemstede hebben geschreven na 1691.[52] In zijn titel vermeldt hij namelijk het hoogheemraadschap Lekdijk Bovendams, een functie die Van Velthuysen dat jaar toebedeeld werd. Adriaan Reets was de tweede die een hofdicht getiteld *Heemstede* maakte.[53] Het werd gepubliceerd in 1699, wat

46 Vgl. Hollstein XIV, nrs 10–35 en hier noot 6. Een exemplaar van de serie kleine aanzichten (bedoeld als zelfstandige serie) in de collectie van de Afdeling Speciale Collecties van de Bibliotheek van de Landbouwuniversiteit Wageningen (inv. nr 02 153 05) draagt nog een in het Latijn gestelde opdracht van de hand van Johannes Hondius: *Viro Perillustr, Theodoro a Velthuysen,* TOPARCHAE. IN. HEEMSTEDE. WILLESKOOP. KORTHEESWYK. &c. COLLEGII. BASILICAE. PRIMARIAE. CANONICO. TRAJECTINORUM. PROCERUM. PRIMO. ORDINI. ALLECTO. AD. FOEDERATI. BELGII. ORDINUM. CONCESSUM. SAEPE. LEGATO. IN. SUPREMO. DITIONIS. TRAJECTINAE. TRIBUNALI. EXTRA. ORDINEM. JUDICI. AGGERUM. SUPERIORIS. ET. INFERIORIS. LECCAE. CURATORI. MULTIS. IN. PATRIAM. MERITIS. CONSPICUO. *Hanc Heemstediani Praetorii & Delicatissimi Viridarii Imaginem, aere a se expressam, cum omni obsequio & cultu, D.D.D. Johannes Hondius.* Een exemplaar van deze serie bevond zich in de nalatenschap van Alida de Graeff, zie Archief De Graeff, G.A.A., *inventaris nieuw nummer 1 tot 7 mei 1733 + Alida van Velthuysen de Graeff* fol. 80 Vo: 'Een boek wat Langwerpig in een Roode off Rosse bandt zijnde een gedrukte en affgesette afbeeldingh van de huijsinge te heemstede buijten Utrecht en desselfs gesigten.'

47 Deze worden bewaard op het Teylers Museum te Haarlem, portfolio S nr 59, 1–16. Zie Scholten 1904, 314–5. Oorspronkelijk zijn ze afkomstig uit het bezit van A. van der Willigen (1874). Afmetingen ca. 15,3 cm (hoogte) bij 20,6 cm (breedte), techniek pen in bruin, penseel in waterverf, wit en/of met kleur gehoogd. Uit de navolgende lijst blijkt de relatie tussen voorstudies en gravures. Alle gravures zijn spiegelbeeldig, behalve bij plaat 2, waarvoor de aquarel ten opzichte van de werkelijke situatie en ten behoeve van de gravure in spiegelbeeld werd geschilderd, en bij plaat 3. De aquarellen zijn ten behoeve van het maken van de gravures doorgegriffeld. Aangezien de gravures beschrijvende titels hebben worden deze het eerst gegeven met hun serienummer en de Nederlandse titel. Dan volgt een asteriks (*) met het nummer uit de catalogus van Scholten als een voorstudie in Teylers, of elders, bewaard is gebleven:

[1] frontispice met titel. * nr 1 [In sommige series volgt een Latijnse opdracht aan Van Velthuysen]

2 't Generale gezigt, van de Heerlykheyt Heemstede. * nr 2

3 De ingang van de heerlykheid van Heemstede. * nr 3

4 't Gezigt van de Orangerie. (* voorstudie British Museum, Londen, Hind, Dl. IV, pag. 166, inv. nr 1836-8-11-372)

5 't Gezigt van 't Huys van vooren.

6 't Gezigt van de Plaats, voor 't Huys na de Stallen te zien. * nr 4

7 Het midden van 't Starrenbos na 't Huys te zien van vooren. * nr 6

8 Het midden van 't Starrenbos na het eynde te zien.

9 't Gezigt van de Vyver aan de linkerzyde.

10 't Gezigt van de Vyver aan de regter zyde.

11 De Cabinetten met groente na 't Huys te zien van vooren. * nr 7

12 De Allee in 't Starrenbos, na 't eynde te zien. * nr 8

13 De Allee in 't Starrebos, na de ingang te zien. * nr 9

14 't Gezigt van het Parck.

15 Het Gezigt van de 2:Kommen in de Voiljere. * nr 11

16 't Gezigt van de groote Kom na de Wild baan te zien. * nr 10

17 't Gezigt van de Allée, met de Beelde. (* voorstudie Birmingham City Museum and Art Gallery, inv. nr P. 282 '53)

18 't Gezigt van de Allee met zyne groene Bogen

overeenkomt met zijn vermelding in de titel van Van Velthuysen als 'buitengewoon Raadsheer'. Reets heeft bij de samenstelling van zijn gedicht herhaaldelijk van Rotgans' dichtwerk gebruik gemaakt, zodat diens gedicht na 1691 maar voor 1699 geschreven moet zijn geweest.[54] Reets' gedicht uit 1699 doet een direct verband veronderstellen met de aquarellen en gravures uit 1700/1702. Kennelijk heeft Van Velthuysen tegen deze tijd zijn zo goed als voltooide tuin nogmaals in woord, maar dit keer ook in beeld willen vastleggen.

Deze gegevens worden ondersteund door ander materiaal. De grote lijnen van het ontwerp van de tuin werden al in 1696 afgebeeld op de door Nicolaas Visscher dat jaar uitgegeven *Nieuwe Caerte van de Provincie van Utrecht* (afb. 79).[55] Op deze kaart staan verschillende kastelen, huizen en riddermatigheden aangegeven, maar zelden is de tuinaanleg van een landgoed zo uitvoerig geïllustreerd als die van Heemstede. Hoe grof de kaart ook is, de indeling van de tuin op het westen, de bouwhuizen op het voorplein, de sterrebossen, de grote vijver en de lange laan staan aangegeven, alleen de indeling tussen sterrebos en vijver is wat onduidelijk en draagt nog niets van de kenmerken die op de vogelvlucht zijn te zien.

Zelfs de tuinen van Zeist, waarvan de aanleg al in 1677 werd begonnen, kregen op deze kaart niet die aandacht. Ongetwijfeld heeft Van Velthuysen bij de uitgever Nicolaas Visscher bewerkstelligd het ontwerp van zijn tuinaanleg op deze kaart te laten opnemen.[56] Kennelijk was de omtrek van de tuin omstreeks de helft van de jaren negentig – dus na zo'n tien, vijftien jaar – volledig aanwezig. *De Nieuwe Caerte* komt wat dat betreft overeen met wat Rotgans in zijn hofdicht tot uitgangspunt neemt en dat we daarom misschien ca. 1695 mogen dateren. De dichter geeft een vrij volledige indruk van de compositie langs de hoofdas inclusief de grote vijver op het oosten, aan het begin van de lange laan. Ook planten en bomen krijgen een plaats in zijn gedicht, maar aandacht voor de inrichting van de tuin boven de sterrebossen met moestuin, visvijvers en tuinsculpturen ontbreekt, vast en zeker omdat aan deze onderdelen nog werd gewerkt.

Als Abel Eppo van Bolhuis in 1699 op een reis door Nederland Heemstede bezoekt, doet hij in zijn reisjournaal uitvoerig verslag van zijn wandeling door de tuin en hieruit blijkt dat deze dan zo goed als af is.[57] Zowel de tuin met de parterres en de oranjerie in het westen als de lange laan met de sterrebossen, de visvijvers, de beelden en, verderop langs de hoofdas naar het oosten, de wildbaan, zijn voor hem te bezoeken. Tien tot twintig jaar ouderdom van de bomen en hagen ver-

123

en Ornamenten.
19 De Galderyen met groente. * nr 14
20 't Gezigt van de Boogaard aan de regter zyde na de Grotte te zien. * nr 5
21 De Blom-tuin met de Parterres na de Orangerie te zien. * nr 12
22 De groote Kom met de Orangerie na 't Huys te zien van agteren. * nr 13
23 De Grotte door de Galdery te zien.
24 De Grotte van vooren te zien. * nr 15
25 De Poort met het Fonteyn werck, en de tuyn met Parterres.
26 Het Cabenet, by de groote Com, met d'Orangery. * nr 16

48 Voor De Moucheron vgl. Van Gool 1750, Staring 1950-B, Blankert 1965, 245 en verder, en Zwollo 1973, 39–56. Voor Visscher zie Donkersloot-De Vrij 1981, 187–217 *Repertorium van kaartmakers, landmeters enz*, met name pag. 215. Wevers 1991 dateert de serie consequent op 1697.

49 Ook de grote vogelvlucht is door N. Visscher uitgegeven en dateert van voor 1702.

50 Claes Bruin en L. Smids 1716, noot 3 bij pag. 62, vermelden dat 'Heemstee, die wêergaaloose lustplaats […] door de Wed. van Nik. Visscher *onlangs* in het groot, met XXVI Gesichten uitgegeven en te gelyk vereeuwigd met de *Geboor-*

te-toorts van Frans van Oort, op de 63 ste Verjaardag van voornoemden Heer van Heemstede' (mijn cursivering). Wat de auteurs met onlangs bedoelen is niet duidelijk. Ze gaan duidelijk af op de frontispice van de serie die inderdaad als een van de weinige prenten 'Weduwe Visscher' als uitgever heeft. De genoemde *Geboorte Toorts* op Van Velthuysens verjaardag 'den 18 van Wintermaand 1714' is te vinden in Frans van Oorts *Gedichten*, s.l., s.a., (na pag. 64) en bevat dichterlijke uitweidingen op Heemstede.

51 *Stichts landtgezang op Heemstede. Aan den hoogedelen welgeboren Heere, Diderik van Velthuizen, Heer van Heemstede, Williskoop, Kortheeswyk &c. Kanonik ten Dom. geëligeerde Raadt ter vergadering van de Ed: Mog: Heeren Staaten 's Landts van Utrecht, en wegens hen gecommiteert in die van hunne Ed: Mog: Ordinaris Gedeputeerden. Hoog-heimraadt van den Lekkendyk bovendams. &c.* in: *Poezy, van verscheide mengelstoffen,* Leeuwarden 1715, 265–78. Het gedicht wordt genoemd in de *Tegenwoordigen Staat*. Voor dit hofdicht zie Van Veen 1960, 49.

52 Voor Rotgans zie: F. Halma's niet altijd betrouwbare voorbericht in Rotgans *Poezy*. Verder Van Schaik-Verlee 1968 en De Vet 1986.

53 Ad. Reets, *Heemstede, Aan den Hoogedelen*

Welgebooren Heer; Heer Didrik van Veldhuizen, Heer van Heemstede, Williskop, Kort Heeswijk, enz. Kanonik ten Dom, verkozen Raad ter vergadering van de Edele Mog: Heeren Staaten 's Lands van Utrecht, en der zelver gewoone Gedeputeerden, buitengewoon Raadsheer in 't Edele Provinciaale Hof van Utrecht, Hoogheimraad van den Lekkendijk bovendams enz. enz., Utrecht, Willem van Poolsum, 1699. Voor dit gedicht zie Van Veen 1960, 52–53. Over Reets is verder niets bekend.

54 Reets, 4: ''t Was Rotgans, die Uw heerlijk schoon / beschreef naar waardigheid'.

55 Sijmons 1973. Heemstede staat afgebeeld op blad acht van deze door Bernard de Roy getekende wandkaart.

56 Dit was een niet ongebruikelijke praktijk. Een advertentie in de tweede uitgave van de kaart van De Roy door Covens en Mortier uit 1743, die dan al sterk met bestaande bossen, parken en tuinen is vermeerderd, geeft aan dat, indien men de situatie ter hand stelt en een complete kaart afneemt, de plaats van een hofstede of buiten nog aan de kaart kan worden toegevoegd. Zie de inleiding van Sijmons 1973.

57 *Journael van 't gene ick Abel Eppo van Bolhuis gedenckwaardigs hebbe gesien op de Reijse nae Brabant,* 1699, R.A.G., Archief familie Van Bolhuis, inv. nrs

tegenwoordigde, afhankelijk van de hoogte waarop ze werden geplant, een redelijke tijdsspanne om effect te sorteren.

Dit alles betekent dat Van Velthuysen aan het begin van de jaren negentig al enige tijd de beschikking had over het volledige terrein van zijn tuin en dit had kunnen aanplanten. Aan de uitvoering van het ontwerp is in onderdelen nog tot rond 1699/1700 gewerkt, het moment dat Reets de opdracht voor zijn gedicht krijgt en het idee voor de topografische vastlegging door De Moucheron ontstaat.

Wanneer Van Velthuysen met de aanleg van de tuinen is begonnen laat zich veel moeilijker vaststellen. Het is onduidelijk of hij bij de aankoop van de ridderhofstad al een tuin heeft aangetroffen. Bijhouwer heeft gesuggereerd dat het westelijk gedeelte van de tuin – de aanleg rond het huis inclusief de sterrebossen – niet jonger dan 1650 en niet ouder dan 1680 kan zijn. Het oostelijke gedeelte vanaf de sterrebossen zou volgens hem naar Frans voorbeeld aan de bestaande tuin zijn toegevoegd.[58] In principe is het mogelijk dat bij het huis Heemstede een tuin heeft gelegen zoals rond bijvoorbeeld het huis Zuylesteyn. Daar bestond de plantage in de jaren veertig van de 17de eeuw uit vierkante tuinvakken, lanen en sterrebossen die echter nog niet door een overkoepelend architectonisch en geometrisch assenstelsel met elkaar in verband waren gebracht.[59] Het karakter van het sterrebos op Zuylesteyn was utilitair van aard en lang niet zo fraai gecomponeerd als het sterrebos van Heemstede waaraan, als het al bestond, toch nog wel het een en ander veranderd lijkt te zijn.[60]

Het is waarschijnlijk dat Van Velthuysen na 1680 nog verschillende percelen grond heeft moeten aankopen.[61] Bijhouwer mag in de eventuele bestaande inrichting van het landschap rondom het huis in 1680 en de nieuwe grondaankopen daarna tot ca. 1685 een zekere dichotomie tussen 'ouderwetse' Hollandse vormentaal en 'moderne' Franse modes bespeuren, maar deze observatie gaat aan een wezenlijk ge-

geven voorbij. In de aanleg van de tuinen van Heemstede treft men juist de behoefte aan om oud en nieuw in één concept samen te brengen. Dat bewijst met name de presentatie van de tuin door De Moucheron en Stoopendaal in hun indrukwekkende vogelvlucht. In verschillende opzichten draagt deze weergave een ideaalvisie uit.

Een andere reden dat Van Velthuysen bij zijn aankoop één concept voor ogen heeft gestaan is gelegen in het feit dat hij als vooraanstaand Stichts ambtenaar goed op de hoogte moet zijn geweest van de grote projecten die door Willem III en zijn hovelingen op het gebied van de tuinkunst werden ondernomen, zoals op Clingendaal (in de jaren zeventig, tachtig en negentig), Zorgvliet (vanaf 1674/75), Soestdijk (1675 tot 1681) en het nabijgelegen Zeist (vanaf 1677) (vgl. afb. 23 en 24, en plaat 9). Bij al deze tuinen ging het om omvangrijke, tuinarchitectonische composities. Een dergelijke betrokkenheid hoeft niet te verbazen want in de Utrechtse Staten had Van Velthuysen te maken met een hechte groep van Oranje-aanhangers als Willem van Nassau-Zuylesteyn en Everhard van Weede van Dijkveld, die na 1682 vertrouwensman van Willem III in Utrecht zou worden. Beiden werden herhaaldelijk door Willem III op missies naar Frankrijk en Engeland gestuurd in gezelschap van andere getrouwen zoals Jacob van Wassenaer en Duvenvoirde, Arnoud van Citters en Willem Adriaan van Nassau-Odijk.[62]

In Coenraad Droste's smalende opmerking dat in vergelijking met Zeist de tuin van Heemstede slechts 'poppe-werk' is, mogen we misschien een meer algemene reactie lezen van sommige leden van het oranjegezinde patriciaat op Van Velthuysens ambities.[63]

Het bestaande en nieuw verworven terrein rond zijn ridderhofstad heeft Van Velthuysen in ruimtelijk en decoratief opzicht in verschillende fasen aan de laatste mode op dit gebied aangepast. Daarvoor heeft hij zich terdege georiënteerd op de tuinarchitectonische experi-

---

5 *Journaal der reizen van Michiel van Bolhuis en van zijn zoon Abel Eppo 1680–1705*, 1 deel. Zie ook de transcriptie in *Maandblad van Oud-Utrecht*, XXX, 1957, 25–27.

58 Bijhouwer 1943, 40–43. De auteur drukt zich wat raadselachtig uit als hij schrijft dat ''t westelijk gedeelte van Heemstede niet ouder kon zijn dan 1650 en niet jonger dan 1680' terwijl uit de context blijkt dat hij een datering bedoelt tussen 1650 en 1680.

59 Vgl. Van der Wijck/Enklaar-Lagendijk, 1982. In het advies dat Mehrtens schreef voor de Rijksdienst voor de Monumentenzorg ten behoeve van de bescherming van Heemstede (1989/1990) wordt merkwaardigerwijs gesproken van 'de al bestaande Hollands-classicistische aanleg rond-

om het huis, die gelijktijdig met de bouw van het huis in 1645 of kort hierna werd geconcipieerd', een interpretatie van Bijhouwers woorden die niet door historisch materiaal wordt ondersteund.

60 De maatvoering van vierkante vakken van 20×20 Utrechtse roeden voor het omgrachte huis met voorhof en de parterrevakken suggereert dat van een bewuste mathematische grondslag gebruik lijkt te zijn gemaakt. Het is alleen niet duidelijk of die maatvoering al van voor Van Velthuysens ingreep dateert, of dat hij de omgeving van het huis zo heeft gereorganiseerd. Voor het maatsysteem zie Wevers 1991, 44.

61 Uit de toestemming die de Heer van Heemstede in 1685 verkrijgt om het zandpad van de Wayense brug tot aan het Wulvensche gerecht

te verbreden en te onderhouden kunnen we misschien opmaken dat dat jaar het grondgebied voor de toekomstige tuinaanleg zijn definitieve omtrek had verkregen (zie R.A.U., K. Heeringa, *Inventaris van het archief van het kapittel ten Dom*, Utrecht 1929, 481, nr 3955, 'Ontwerp van voorwaarden, waarop de geërfden van Oud-Wulven en Wayen, den heer van Heemstede toestaan, het zandpad van de Wayensche brug tot aan het Wulvensche gerecht te verbreden en te onderhouden', 1685). Immers verbreding en onderhoud van dit pad, dat liep langs het oostelijke uiteinde van de hoofdas, wijst op intensiever gebruik van deze weg. Hetzij om vanuit Utrecht Heemstede sneller te bereiken, hetzij om via dit pad de diverse materialen voor de aanleg van de tuin gemakkelijker te kunnen trans-

menten van het stadhouderlijke hof. Dat betekent ook dat hij in de loop van de jaren tachtig en negentig aanpassingen en nieuwe verfraaiingen heeft kunnen doorvoeren, die soms een contrast opleverden met hetgeen in een eerdere fase al tot stand was gekomen. Dit hoeft dus niet noodzakelijkerwijze een tegenstelling tussen 'Frans' en 'Nederlands' te zijn. Het oostelijke gedeelte is zonder meer het laatst uitgevoerd want Van Bolhuis noemt in zijn reisverslag de visvijvers 'nius gegraeven ende angelegt' en Reets spreekt in dit gedeelte over de 'nieuwen moestuin'. Maar ook elders in de tuin werden telkens nieuwe ideeën ten uitvoer gebracht zoals de grot in de moestuin waarvan Reets in zijn hofdicht de bouw door een sater laat aankondigen en die dus van na 1699 moet dateren. Een nadere analyse van onderdelen van de tuin zal nog duidelijker kunnen verklaren hoe Van Velthuysen buitengewoon gevoelig was voor de 'moderne' smaak waar het de tuinkunst betrof, een gevoeligheid die alles te maken had met het streven naar stabiliteit van zijn politieke carrière.

Een woord moet hier nog worden gezegd over de verfraaiingen van het interieur van het huis. Hal, zaal, 'Moucheronkamer', eetkamer en een kabinet werden van nieuwe ornamenten, betimmeringen en wand- en plafondschilderingen voorzien (afb. 80 en 90). Het is typerend voor de bouwpraktijk van huis en tuin in de laat 17de eeuw dat men aan de tuin vaak voorrang gaf: er moest immers met de tijdsfactor van de groei van de tuin rekening worden gehouden. Op Slot Zeist bijvoorbeeld dateert de eerste aanplant van 1677, huis en interieur kwamen tien jaar later tot stand. Het typeert een eenzijdig gerichte kunsthistorische benadering dat in de literatuur is verondersteld dat het interieur van de Heemstede direct na de aankoop als eerste door Daniel Marot werd vormgegeven.[64] In werkelijkheid is de verfraaiing van de interieurs in fasen verlopen. Marot was pas na 1685 in Neder-

land werkzaam, en vanaf 1686 op Slot Zeist, en het is niet waarschijnlijk dat hij tegelijkertijd op Heemstede is ingehuurd. Wel liet Van Velthuysen door Beerend Hofsmid in 1682 aan de achterzijde een balkon aanbrengen. Gezien hun stijl dateren de geschilderde jachttrofeeën in de hal ook van direct na 1680 (afb. 80).[65]

Bij de restauratie van 1973 kwam bij de schoonmaak van de nis boven de voordeur het jaartal 1695 tevoorschijn.[66] Dit lijkt een veel aannemelijker datum voor de herinrichting van het huis omdat tegen deze tijd de grote investeringen ten behoeve van de tuinaanleg voorbij waren. Rotgans noemt in zijn hofdicht doeken, panelen en een beschilderd plafond.[67] Dat kan bevestigen dat met de transformatie van de interieurs in de loop van de jaren negentig werd begonnen. Voor 1697, de datum van zijn terugkeer uit Italië, heeft De Moucheron niet de opdracht tot het schilderen van de grote arcadische landschappen in de salon kunnen krijgen en het ligt voor de hand dat Van Velthuysen hem heeft aangezocht nadat het timmerwerk voor dat interieur rond 1695–97 was voltooid. Of Marot daar de ontwerper van was, staat daarom nog te bezien. Hij verbleef van 1694 tot 1696 in Engeland en direct daarna werkte hij tot 1700 aan zulke grote opdrachten als de interieurs voor het in 1695 door Roman ontworpen huis De Voorst en de Trèveszaal in Den Haag (1696/97).[68] De verwantschap met interieurwerk van Marot kan ook verklaard worden door Van Velthuysens oriëntatie op de kring van de stadhouder. In het bijzonder kan het nabij gelegen Zeister Slot, dat kort na 1686 werd voltooid, hem op het idee van een herinrichting van zijn interieur hebben gebracht.[69]

De introductie van schuiframen op Heemstede, die wel door Reets maar nog niet door Rotgans uitvoerig werden geroemd, gaf aan de buitenzijde de vernieuwing van het interieur weer. Door de hier vastgestelde, latere datering is Heemstede niet langer het eerste huis dat

porteren. Het pad is goed te zien op De Roy's Nieuwe Caerte. Materiaal kon overigens ook worden aangevoerd via de Vaartse Rijn (in verbinding met Utrecht en de Lek) en vervolgens via verschillende weteringen tot aan de vaart van Heemstede die langs het westelijke gedeelte van het landgoed liep. Ook Van Bolhuis arriveerde per schip bij Heemstede.

62 Vgl. bijvoorbeeld O. Schulte, *Repertorium der Nederlandse vertegenwoordigers, residerende in het buitenland 1584–1810*, Den Haag 1976, 21–23 en voor de Statenleden de bijdragen van Van der Bijl en Roorda in *Van Standen tot Staten. 600 Jaar Staten van Utrecht 1375–1975*, Utrecht 1975.

63 Coenraad Droste, *Overblyfsels van Geheugchenis*, verzen 5943–5946 (29 Aug. 1700): 'En

Heemstee, dat by Zeyst heeft poppe-werk geleken, / Om dat het kleynder is, en heeft tot syn cieraat / Veel latwerk en het geen door broosheyt haest vergaet. / Zeyst is niet opgeschikt met slechte beuselingen'. Droste, vers 5961, noemde Zeist 'een vorstelyk stuk goet'. Opvallend is dat Droste Heemstede bezocht in een rij van grote adellijke, en met Oranje verbonden, huizen als Middachten, De Voorst, Het Loo, Soestdijk, Zuylestein, Amerongen en Zeist.

64 Van der Wijck 1973, 13.

65 Deze schilderijen bevinden zich nu in het Centraal Museum, Utrecht, en worden toegeschreven aan Cornelis Biltius. Hun lijstwerk kan onderdeel zijn van de latere interieurrenovatie. Documentatie van deze schilderingen ter plekke

voor de brand op de Rijksdienst Monumentenzorg te Zeist, interieurfoto's in de fotocollectie van de V.U. Amsterdam. De schilderijen worden niet genoemd in Scott Allan Sullivan, *The Dutch Game Piece*, Department of Art, Case Western Reserve University, 1977/1978, dat de traditie van de jachttrofee in de schilderkunst behandelde. De in dit boek genoemde werken van Jan Weenix, die vaak zijn trofeeën combineert met een gezicht op de buitenplaats Rijksdorp, geven goed aan hoe in de late 17de eeuw jacht en tuin als twee elementen van het buitenleven in elkaars verlengde konden liggen.

66 Van Asbeck en Van der Rijt 1973. Voor het interieur zie ook Wevers 1990 en 1991, wiens conclusies met de mijne overeenkomen, zij het niet al-

van dit nieuwe type venster gebruik maakte.[70] Ook hier heeft Van Velthuysen eerder de nieuwste ontwikkelingen gevolgd dan geïnitieerd.

DE GEDICHTEN EN PRENTEN ALS BRON

Hoezeer de tuinen van Heemstede verbonden waren met de persoonlijke ambities van Van Velthuysen blijkt wel uit het feit dat na zijn dood in 1716 en na de verkoop van Heemstede in 1720 de nieuwe eigenaren er niet tegen opzagen om de bomen om te hakken, de beelden en het lood van de fonteinen te verkopen en de tuin op hetzelfde compositieschema eenvoudiger te herbeplanten.[71]

In zijn biografie van De Moucheron uit 1750 merkte Van Gool dan ook al op dat diens gezichten van Heemstede de enige mogelijkheid bieden om een idee te krijgen van de voormalige pracht van deze buitenplaats.[72] Nog steeds zijn De Moucherons aquarellen en de daarnaar gemaakte etsen een onontbeerlijke hulp bij de analyse van de betekenis van deze tuinaanleg.

De vraag is alleen hoe ze als bron ingeschat dienen te worden. Hofdichten en topografie kunnen in deze materie elkaar de helpende hand bieden. Omdat aan de compositie van deze gedichten 'een wandeling als structuurprincipe' ten grondslag ligt, kunnen ze observaties bevatten die al dan niet met de topografische weergave samenvallen.[73] Omgekeerd kunnen de afbeeldingen ons beter doen begrijpen wat de dichters bij het maken van hun gedicht voor ogen hebben gehad. De tuin is immers voor beide media het uitgangspunt geweest. Net als de topografie is het hofdicht aan bepaalde conventies onderhevig geweest. In beide gevallen kan de wijze waarop topograaf en dichters gebruik gemaakt hebben van die conventies ons wellicht iets zeggen over de bedoeling van zowel afbeeldingen als gedichten.

Centraal hierbij staat de opdrachtgever. Zijn intenties en verwachtingen omtrent de te leveren resultaten moeten zelfs in hoge mate de keuze van deze kunstenaars hebben bepaald, al is niet ondenkbaar dat de hofdichters zichzelf hebben aangeboden om een hofdicht te schrijven. In ieder geval zal Van Velthuysen erop hebben toegezien dat zijn bezit, naast alle aandacht om het als een kunstwerk vorm te geven, op de meest ideale, conceptuele wijze aan de wereld werd gepresenteerd. Dat verklaart meteen ook waarom De Moucheron zich bij de topografische vastlegging een groot aantal vrijheden heeft gepermitteerd.

ISAAC DE MOUCHERON

Dat aan een ideale weergave grote waarde werd gehecht, bewijst de vogelvlucht van De Moucheron en Stoopendaal. Hun tweevoudige vertekening van de werkelijkheid had betrekking op de symmetrie (afb. 78) en de schaal van de tuin. Als we de streng doorgevoerde symmetrie vergelijken met de werkelijkheid van de plattegrond op de kaart van De Roy uit 1696 of de modernere kadastrale kaarten (afb. 79), dan zien we dat de dijk en de vaart op het westen schuin en niet recht langs de tuin lopen en dus voor een asymmetrisch grondstuk hebben gezorgd.[74] De gerende lijn langs de dijk werd binnen de compositie van de tuin vakkundig gemaskeerd door de boogvorm. Samen met de rechte afsluitingen in het tuingedeelte rond de oranjerie en de moestuin met grot werden voor de wandelaar in de tuin de illusies van perfecte symmetrie instandgehouden en de restruimten voor het oog verborgen. Wat de bezoeker in de tuin ontging, werd ook degene die de vogelvlucht bekeek onthouden. Schaalvergroting brachten de kunstenaars tot stand door de perspectivische projectie zo te hanteren dat de diverse wandelaars, met wie de beschouwer zich zou kunnen vereenzelvigen, bijna twee maal te klein werden afgebeeld. Deze truc was natuurlijk bedoeld om de architectuur van de tuin monumentaler te laten lijken. De beginselen van symmetrie en harmonie, ontleend aan de classicistische architectuurtheorie, werden, samen met het perspectief, kennelijk niet alleen voor de inrichting en vormgeving van

tijd op basis van dezelfde argumentatie.

67 Rotgans, 275.

68 Wevers 1991, 65, dateert de grote Zaal op Heemstede 1695 en schrijft deze en de andere vertrekken aan Marot toe, waarbij de zaal stilistisch de plaats in zou nemen tussen de Trèveszaal en de overloop van de Voorst.

69 De toeschrijving van de interieurs en de tuin van Heemstede aan Marot is ook de reden geweest dat het ontwerp voor Van Velthuysens graf in de kerk van Houten aan Marot is toegeschreven (Frits Scholten, 'Daniel Marot, ontwerper van grafmonumenten', in K. Ottenheym, W. Terlouw en R. van Zoest, *Daniel Marot. Vormgever van een*

deftig bestaan, Amsterdam 1988, 96/97). De overeenkomst met Marots stijl kan hier echter beter verklaard worden uit de overeenkomst met het tegen 1716 al uitgebreid gepubliceerde prentwerk van deze kunstenaar.

70 Vgl. de bespreking bij Wevers 1990 en 1991.

71 Vgl. *De Tegenwoordige Staat* 1772, 387. Deze nieuwe situatie is gedocumenteerd in drie tekeningen in particulier bezit (gedateerd 11 Aug. 1770). Voor afbeeldingen zie Van der Wijck 1982, afb. op pag. 160 en 161.

72 Van Gool, Dl. I, 362–367.

73 Vgl. De Vries 1985, 117, voor de wandeling

als structuurprincipe.

74 *Kaart van het terrein behorend bij het Kasteel Heemstede, uittreksel uit de Kadastrale Kaart van 1919*, Top. Atlas R.A.U. 1477-1. Voor andere kaarten vgl. de kaart behorende bij de *verkooping van het kasteel Heemstede bij Jutfaas met omliggende gronden en rechten op den naam, enz*, Veiling Utrecht 21 Juni 1919, H.A. Beets [notaris], Boothstraat Utrecht; J. Kuyper, *Gemeente-Atlas van Utrecht naar officiële bronnen bewerkt*, Leeuwarden s.a., Gemeente Houten 1867; de *Oorspronkelijk Aanwijsende Tafel van 1832 van het kadaster. Minuutplans van het Kadaster van 1832*; en de *Kaarte van de landerijen in de gemeente van de Heemstede ressort*. [...],

de tuin van wezenlijk belang geacht. Ook in de presentatie van zijn bezit aan de buitenwereld moesten deze elementen de boventoon voeren en wel op een wijze die misschien nog het meest overeenkomt met het ideaalbeeld dat Van Velthuysen bij het maken van zijn tuin voor ogen had. Een ideaalbeeld dat vooral werd gevoed door het verlangen het efemere karakter van de tuinarchitectuur te overstijgen.[75]

Deze kunstgrepen dienden een dubbel doel. Zij brachten allereerst het ideaal van de tuin in beeld maar ondersteunden daarnaast de propagandistische uitstraling van de aanleg. Alleen door dergelijk prentwerk kon een groot aantal mensen van het bestaan van Van Velthuysens schepping op de hoogte gebracht worden en kon het als monument voor zijn eigen ambitie een plaats krijgen temidden van de series afbeeldingen van tuinen, die in binnen- en buitenland zo gretig werden verzameld. Dat Van Velthuysen waarde hechtte aan afbeeldingen van zijn buitenplaats, mag blijken uit het feit dat hij er een cadeau deed aan de Utrechtse hoogleraar Latijnse taal- en letterkunde Peter Burman. Een geste die hem een Latijns dankdicht opleverde waarin zijn vrijgevigheid en beschermheerschap der kunsten uitvoerig werden geroemd (afb. 85).[76]

De reden dat Van Velthuysen De Moucheron voor het afbeelden van zijn tuin heeft aangezocht ligt in diens voorkeur voor het italianiserende landschap. De Moucheron ontwikkelde zich, geheel in de traditie van zijn vader, tijdens zijn verblijf in Italië van 1695 tot augustus 1697 tot een specialist in het schilderen van het ideale, arcadische landschap (afb. 81).[77] De met klassieke architectuur en mythologische figuren gestoffeerde landschappen die De Moucheron vlak na zijn terugkeer voor een van de vertrekken van Heemstede schilderde, staan aan het begin van een lange en succesvolle carrière op dit gebied in Amsterdam en Utrecht.[78] In zijn voorkeur voor zaalstukken op groot formaat kan Van Velthuysen gestimuleerd zijn geweest door zijn Amsterdamse connecties. Zo had zijn schoonvader Andries de

Graeff in 1672 een grote opdracht voor een allegorisch plafondstuk gegeven aan de schilder bij uitstek van dat moment, Gerard de Lairesse.[79] De Moucheron heeft na 1690 zijn specialisme in het schilderen van zaalstukken kunnen ontwikkelen, omdat De Lairesse's carrière toen door diens toenemende blindheid afliep.

Van Velthuysen moet na zijn uit eind 1697 of 1698 daterende opdracht voor de kamerstukken De Moucheron in 1700 of 1701 belast hebben met het vervaardigen van de serie aquarellen en gravures van zijn tuin. Ook hiervoor was De Moucheron bij uitstek geschikt. Zijn bijnaam in de Romeinse schildersbent was 'Ordonnantie', niet alleen vanwege zijn vermogen om op de juiste wijze landschappen te componeren, maar ook vanwege zijn talent architectuuronderdelen daarin een prominente plaats te geven (afb. 81). Tekeningen, schilderijen en prentwerk geven aan dat De Moucheron tijdens zijn Italiaanse verblijf en daarna de architectuur en tuinarchitectuur uitvoerig heeft bestudeerd.[80] Evenals in zijn geschilderde landschappen staat ook hier een belangstelling voor de Romeinse oudheid en Italië centraal. Deze kennis heeft er toe geleid dat hij tijdens zijn loopbaan ontwerpen voor gevels en tuinen heeft gemaakt. De topografische weergave van tuinen lag eigenlijk geheel in het verlengde van deze talenten.[81] De Moucherons werk, zo rijk aan associaties met de geïdealiseerde klassieke Italiaanse natuur en architectuur, bezat tegelijkertijd een stijl en ornamentiek die zich uitstekend kon voegen naar de Frans geïnspireerde arbeid van zijn op dat moment vooral aan het stadhouderlijk hof werkzame collega Daniel Marot. Voor Van Velthuysen zal ook dit laatste gegeven een belangrijke rol in zijn keuze voor De Moucheron hebben gespeeld. Het is zelfs goed mogelijk dat De Moucheron na 1698 nog een rol heeft gespeeld bij het bedenken van verfraaiingen in de tuin.

127

J.J. Joostten 1810. Alle kaarten aanwezig in de Top. Atlas, R.A.U.

75 Vgl. bijvoorbeeld ook de opmerkingen van Bidloo hierover in het manuscript bij zijn tekeningen, zie De Jong 1981.

76 *Eucharisticon ad Virum Perillustrem et Munificentissimum Theodorem a Velthuysen, Toparcham in Heemstede etc. etc. etc. Pro Donata Delicatissima Viridarii Heemstediani Tabula in Petri Burmanni Poematum Libri quattuor curante Petro Burmanno juniore*, Amsterdam 1745, Lib. IV, 267–270. Het geschenk aan Burman is wellicht identiek aan het kleine schilderij met een gezicht in de tuin van Heemstede dat bewaard wordt in de Staatliche

Gemälde Galerie in Dresden, hier afb. 85. Dit schilderij, gesigneerd: *I. Moucheron Fecit 1713*, meet 27 × 34,5 cm en werd aangekocht in 1741, hetzelfde jaar dat Burman stierf. Zie *Katalog der Staatlichen Gemälde Galerie zu Dresden*, Dresden 1930, nr 1653.

77 Vgl. voor literatuur over De Moucheron noot 48.

78 Vaak in samenwerking met Jacob de Wit en Nicolaas Verkolje, vgl. A. Staring, *Jacob de Wit 1695–1754*, Amsterdam 1958, ondermeer pag. 47 en 74 en verder verspreide opmerkingen.

79 Snoep 1970. De Graeffs belangstelling voor beeldhouwkunst blijkt uit zijn portretbuste

door A. Quellinus de Oude, nu Rijksmuseum. Zie Leeuwenberg 1973, nr 301, gedateerd 1661.

80 Zo vinden we in zijn nalatenschap (G. Hoet, *Catalogus of Naamlyst van Schilderyen*, Den Haag 1752, Dl. II, 154, nr 5) een schilderij van de Villa d'Este te Tivoli. Een tekening hiervan ook in het Rijksprentenkabinet te Amsterdam, inv. nr 1898 A 3571.

81 Zie hiervoor Staring 1950. Onder meer is van hem topografie bekend van Het Loo en Honselaarsdijk.

82 Van Veen, 49.

83 Vgl. Van Veen, het werk van De Vries en Gelderblom.

Voorzichtig heeft Van Veen in zijn boek over het hofdicht opgemerkt dat Rotgans' gedicht op Heemstede veel meer is dan een zuiver hofdicht.[82] Zeker vergeleken met zijn *Gezang op Goudestein* uit 1690 maakt Rotgans minder van literaire clichés gebruik en is het de Heemsteedse tuin zelf die aanleiding geeft tot tal van observaties. Natuurlijk is noch Rotgans' noch Reets' gedicht een nauwkeurig verslag van een reële wandeling, daarvoor zijn de tradities van het genre te sterk. De diverse uitweidingen en de toepassing van conventionele literaire frases maken van beide hofdichten allereerst literaire werken. Als zodanig is het hofdicht dan ook onderwerp van studie door neerlandici geweest.[83] Hun interesse gold vooral het hofdicht als een literair produkt te verklaren, waarbij zij voor het uitgangspunt van het genre, de tuin zelf, weinig belangstelling hebben opgebracht.[84] Een confrontatie van het hofdicht met het object dat het bezingt kan echter zowel op het literaire werk als op de tuin een ander licht werpen. Ondanks het feit dat hofdichten tot één genre behoren, hangt hun al dan niet obligate karakter af van het talent van de dichter, maar ook van zijn oriëntatie op de opdrachtgever. Niet zelden is het hofdicht een lofdicht op die opdrachtgever. En niet zelden worden daarom werkelijkheid en verbeelding – observatie en literaire uitwerking – in samenhang ingezet ten behoeve van de idealisering van tuin, landleven en eigenaar. Het zijn deze reële en beeldende componenten in het hofdicht die ons, afhankelijk van de specifieke context waarin het is te plaatsen, een idee kunnen geven van wat dichter en eigenaar als werkelijkheid en ideaal voor ogen stonden.

Rotgans zet in zijn hofdicht de traditie bewust naar eigen hand door geen enkel gebruik te maken van de in het hofdichtgenre zo geliefde (religieuze) moraliseringen.[85] Zijn voorkeur gaat daarentegen uit naar overwegend mythologische beeldtaal. Reets volgde hem erin na en beiden verwerken in hun georgisch gedicht elementen die tot het pastorale genre behoren. Deze voorkeur kan men een puur literaire achten, maar ze kunnen ook verband houden met de voorkeuren van Van Velthuysen. De gedichten waren de enige mogelijkheid om de tuin ook werkelijk te 'mythologiseren' en tot leven te brengen met figuren die elders als beelden stonden opgesteld of op vazen waren afgebeeld. De stijl en inrichting van de tuin vereisten een decorum waaraan de hofdichten zich in dit geval hebben aangepast. Het is opnieuw Van Veen die bij sommige beschrijvingen van Rotgans moest denken aan de italianiserende landschapschilderkunst en dat is zondermeer een juiste associatie.[86] De Moucherons arcadische landschappen in het huis baseerden zich, samen met de natuur van de tuin en de bezongen natuur in de gedichten, op het concept van de ideale, klassieke natuur.

Er is voldoende materiaal dat een nauwe relatie tussen Rotgans en zijn opdrachtgever wettigt. Voor Reets ligt dat anders, omdat we over hem eigenlijk niets weten.

Rotgans (1653–1710), van oorsprong Amsterdammer en verwant aan de Amsterdamse Huydecopers, woonde in Utrecht maar verbleef ook regelmatig op zijn buiten Kromwyk aan de Vecht.[87] Volgens de niet altijd betrouwbare Halma, in diens voorwoord tot Rotgans' *Poëzy*, hield hij zich op zijn buiten met de tuinkunst bezig, een niet onwaarschijnlijke bezigheid voor een buitenplaatsbezitter.[88] Er schuilt misschien ook enige waarheid in Halma's bewering dat Rotgans af en toe jaagde met de voorname leden van de staatsregering van Utrecht. Sommige van zijn gedichten waren opgedragen aan leden van de Staten van Utrecht, zoals zijn lofdicht uit 1691 op Godard van Reede, luitenant-generaal van de ruiterij en opperbevelhebber van het leger van Willem III, tegelijkertijd gouverneur van Utrecht.[89]

De bestuurlijke constellatie in het Utrechtse, waar Willem III de politiek via hem gunstig gezinde regenten bepaalde, vond in dit soort gedichten van Rotgans een adequate ondersteuning. Rotgans' orangisme bepaalde de thematiek van veel van zijn gedichten en culmineerde in zijn heldendicht *Wilhem de Derde* waaraan hij al vanaf 1689 werkte. Dit werk, dat hem bekend zou maken, verscheen in 1698. Rotgans moet de verschillende Utrechtse regenten vooral zijn opgevallen met de in 1691 in Utrecht verschenen publikatie van zijn *Gedichten*. In deze pamfletuitgave bundelde hij een aantal werken, zoals zijn in 1684 voor het eerst verschenen geschrift tegen de hugenotenvervolging door Lodewijk XIV en een satire over de Franse oorlogsverklaring aan de Republiek in 1688.[90] Beide gedichten kregen een politieke strekking doordat de tirannie van Lodewijk XIV jegens het protestantisme gecontrasteerd werd met lof aan het adres van de redders van volk en godsdienst. Hiervoor componeerde Rotgans gedichten over de reis naar Engeland van Mary II Stuart in 1689 en over Willem III's terugkeer naar Nederland eind januari 1691, een werk

84 Vgl. ook de discussie bij Gelderblom 1986 en 1988, deels in reactie op mijn eigen poging Hoogvliets hofdicht over Zijdebalen aan te wenden als informatiebron over de tuin van Zijdebalen en de ideeënwereld van de eigenaar (De Jong 1985). Zie ook het volgende hoofdstuk.

85 Van Veen merkt op (pag. 50/51) dat Rotgans in een ander gedicht wel tot dit soort beeldspraak in staat is.

86 Bijvoorbeeld bij deze passage (Rotgans, 277): 'als 't landtwerk is volbragt, / Dan stookt de bouman 't vuur op Ceres veldaltaaren' / En offert om gewas, om graan, en korenaaren.'

87 Dat overigens ook door De Moucheron werd uitgetekend, zie J.W. Niemeijer, 'Varia Topographica V. Het buiten Cromwijck door Isaac de Moucheron', *Oud Holland* 1973, 56–60.

88 Voor Halma's betrouwbaarheid zie Van

dat eerder dat jaar ook afzonderlijk was verschenen. Net als het lofdicht op Van Reede was de datum van publikatie, 1691, goed gekozen omdat in dat jaar door de overwinning aan de Boine in Ierland de stadhouder-koning nieuw aanzien had gekregen en de identificatie van Oranje met het protestantisme opnieuw was bevestigd.

Van Velthuysen bevond zich in de Utrechtse kring van potentiële opdrachtgevers en lezers en Rotgans moet zich of tot hem hebben gericht om een hofdicht te schrijven of Van Velthuysen heeft hem zelf die opdracht verleend. Rotgans en Van Velthuysen moeten elkaar goed verstaan hebben want anders had de dichter in 1698 zijn heldendicht over de stadhouder-koning niet aan hem als beschermheer opgedragen.[91] Van Velthuysens aanhankelijkheid aan Oranje werd in een opdracht van tien pagina's breed uitgemeten en zo in de meest gunstig denkbare context nog eens publiekelijk geafficheerd.

II DE TUIN

DE HOOFDAS

De twee dichters maken in hun tekst geen gewag van het ontwerp van de tuin als geheel. Dat verwondert ook niet, want net als iedere wandelaar in de tuin hadden zij geen zicht op de totale compositie zoals De Moucheron die op papier construeerde. Maar bij Rotgans vinden we aan het begin van zijn gedicht wel een opmerking over de ordening die de hoofdas aan de hele tuin oplegde:

'Een lange en diepe laan, met ypen, beuken, linden,
Met elst en es bepoot, versiert aan elken kant
Met starrebossen, naar de maat en eisch beplant,
Lacht ons van verre toe, en noodt ons aan te treeden.'[92]

In het oostelijk gedeelte van de tuin waren de zichtlijnen en de symmetrie van de vakken, die door de lange, prominente hoofdas werden opgelegd, onontkoombaar (afb. 78 en 82). Voor de wandelaars langs de as openden zich de meeste belangrijke gezichten en vergezichten. Sculpturen en andere ornamenten waren zo geplaatst dat zij op hun voordeligst vanaf standpunten op deze wandelroute gezien konden worden.[93] 'Naar maat en eisch beplant' waren ook de dwars-

assen, de windsingels om het hele goed heen en de zijlanen, die meer nog dan de hoofdas de mogelijkheid boden de hele tuin in één rechte lijn te doorzien. De hoofdas bepaalde ook de inrichting van het gedeelte ten westen van het huis met de parterres en grote vijver, door de dichters de 'lusthof' genoemd. Als elders in de tuin bepaalden ook hier geometrie en symmetrie de verschillende onderdelen.

Ondanks dit strenge systeem van assen en geometrische indeling waardoor het oog van vast punt naar vast punt werd geleid, moet de wandeling toch gevarieerd zijn geweest. Het sterrebos, met zijn compositie van hooggeschoren bomenlanen en groene tunnels zorgde, zo laat De Moucheron zien, voor een afwisseling van licht en schaduw. De verschillende bomen in de laanbeplantingen verderop voegden daar nog een verschil van bladvorm en bladkleur aan toe. De tuinruimtes, of het hier nu ging om de vijvers langs de hoofdas of de 'lusthof' aan de andere kant van de tuin, waren door hagen en dichte laanbeplanting van elkaar afgeschermd. Daardoor waren ze als ruimte geïsoleerd en alleen door een enkele zichtas met elkaar verbonden. Van verre leken zij de wandelaar een idee te geven van wat ze te bieden hadden, maar hun verrassingen openbaarden ze pas bij binnenkomst. Op dit contrast tussen architectonische helderheid en verscheidenheid doelt Rotgans als hij Van Velthuysen roem toezwaait 'die door verandering van voorwerp 't oog kan streelen; / En verschaft verscheidenheit van stoffen in zyn laan'. En Reets dichtte: 'O Heemstede! Uw vermaak by trappen.'[94]

De wandeling die beide dichters zelf maken illustreert dat de opdrachtgever wellicht graag zag dat zijn tuin in een zekere volgorde van de ene bezienswaardigheid naar de andere werd bezocht. Rotgans begint zijn wandeling op het voorplein van het huis en loopt via de hoofdas naar de wildbaan in het oosten, keert vervolgens terug en bezoekt de boomgaard en groentetuin ten zuiden van het huis, gaat vervolgens naar de lusthof en loopt via de oranjerie terug naar het huis, waar hij eindigt op het dak met een beschrijving van het weidse uitzicht over tuin en landschap. Reets begint zijn tocht westelijk in de laan en gaat via de sterrebossen naar het huis, bezoekt de boomgaard, vervolgens de oranjerie en tenslotte de lusthof. Hij sluit af met een algemene lof op Heemstede en zijn eigenaar. De wandeling, die de dichterlijke beschrijvingen evoceren, lijkt niet altijd even logisch, maar we kunnen er wel uit opmaken dat ook van een feitelijke wande-

Schaik-Verlee 1968.
89 Gedicht naar aanleiding van de slag aan de Boine: *Stichtse Lofbazuin, geblaazen over het veroveren van Ierland (etc.)*, Utrecht 1691, zowel verschenen in een losse editie als in het verzameld werk van 1715.

90 Zie hierover De Vet 1986, 27/28.
91 Vgl. 'Opdragt aan den Hoog-Edelen Welgeboren Heer Diderik van Veldhuisen (etc.)' in L. Rotgans, *Wilhem de Derde, door Gods genade, Koning van Engeland, Schotland (etc.)*, Utrecht 1698.
92 Rotgans, 266.

93 Rotgans, 268: ''t Schynt dat het beeldtwerk in 't verschiet van alle zyen / My toelacht'.
94 Rotgans, 276; Reets, 17.
95 Reets' beschrijving (21, 22) van 'een poort [...] als een halve maan' met 'een beeld van Sfinks [...] Aan elke zy' is conform met De Moucherons

ling de lusthof met parterres, beelden en buitenoranjerie rond de grote vijver het onbetwiste hoogtepunt diende te zijn. Ook in de presentatie van de tuin in het werk van De Moucheron ligt het accent eerst op het gebied ten oosten van het sterrebos en vervolgens op de lusthof (afb. 96). In de compositie van de tuin biedt deze ruimte met haar open, architectonische opzet dan ook een belangrijk contrast met de schaduwrijke sterrebossen en hooggeschoren hagen langs de hoofd- en zijassen in het oostelijke gedeelte. Nergens waren zoveel bezienswaardigheden samengebracht als in de lusthof: de rijke ornamentale natuur van parterres, vormsnoei en kuipplanten en de verschillende tuinsieraden als triomfboog, fonteinen, beelden en een beschilderd paviljoen.

Dat beide dichters hun tocht op de hoofdas beginnen brengt het belang dat aan dit compositorische element gehecht werd goed naar voren. Maar ze camoufleren daarmee het feit dat de entree van het landgoed allesbehalve axiaal was. Twee ingangen lagen aan de Heemsteerderdijk, waarvan de noordelijke de hoofdingang was (afb. 76).[95] Door deze poort en de erachterliggende laan heenrijdend, draaide men de koets naar rechts, achter de stalgebouwen langs om vervolgens door een smalle opening op de voorhof te komen. Deze binnenkomst was allesbehalve fraai vanuit het oogpunt van monumentale presentatie van huis en tuin, al bood zij wel de gelegenheid tot een verrassende confrontatie. Het is dus geen wonder dat Reets zijn wandeling begint aan het einde van de as, bij de ingang aan het Houtense pad (afb. 78). Alleen van hieruit deed de compositie van het landschap zich het meest ideaal voor en was het huis ook werkelijk het middelpunt.[96] Overigens was de as tot aan de grote vijver inderdaad een toegangsweg. Afbuigend bij de grote vijver naar links of rechts, vormde zij met de noordelijke en zuidelijke laan voor ruiters een verkeerssysteem rond de tuin en garandeerde zij vanaf het huis met de stallen een makkelijke toegang tot het wildpark aan het einde van de as.[97] Deze circulatie liet de hoofdas voor wandelaars als zichtas vrij.

Van Velthuysen moet zich hebben gerealiseerd dat zijn tuin niet in alle opzichten aan de theorie van de tuinarchitectuur van dat moment kon voldoen. De ligging van het huis zo vlak bij de Heemsteedse

Vaart en de behoefte de riddermatige architectuur ervan te behouden, verhinderden dat. De meest ideale oplossing kon Van Velthuysen zien op het nabijgelegen Slot Zeist, dat voor hem in veel opzichten een voorbeeldfunctie moet hebben vervuld (plaat 9).[98]

Zeist was aangelegd door Willem Adriaan van Nassau-Odijk (1632–1705), een achterneef van Willem III. Hij was op verschillende wijzen met de politiek van Willem III verbonden. Zo vertegenwoordigde hij Willem III als eerste edele in de Staten van Zeeland en vervulde hij verschillende diplomatieke missies voor hem. Odijk noemde zichzelf 'homme du Prince' en voerde een dienovereenkomstige staat. Drie jaar nadat Willem III Soestdijk had aangekocht en drie jaar voordat Van Velthuysen in bezit van Heemstede kwam, verwierf Odijk zich in 1677 de ambachtsheerlijkheid Zeist, die op voorspraak van Willem III tot vrije hoge heerlijkheid werd verheven, waardoor Odijk in bezit kwam van een eigen rechtsgebied. Ook kreeg hij gedaan dat de rechten van de oude ridderhofstad Zeist (toen een ruïne) op een nieuw te bouwen huis werden overgebracht. Nadat hij datzelfde jaar het voor het huis gelegen pastorieland en de grondheerlijkheid van de Zeisterstraat had verworven, kon met de aanleg van huis en plantage begonnen worden. Op de kruising van de wegen Arnhem-Utrecht en Bunnik-Soest, bezat Odijk een strategisch en opvallend gelegen buitengoed.

Een monumentale hoofdas van vijf kilometer beheerste het ontwerp van huis en tuinen. De grote vogelvlucht van Stoopendaal – waarmee die van Heemstede in alle opzichten rivaliseert – geeft maar een gedeelte van de aanleg weer.[99] De drieëneenhalve kilometer lange laan die vanaf het huis via het dorp Zeist de heide inliep, is niet zichtbaar. Langs die laan waren sterrebossen en plantages aangelegd. Wél toont Stoopendaal de anderhalf kilometer lange as die zich achter het huis uitstrekt. De vormgeving van de tuinen, waarvan de eerste aanplant uit 1677 dateert, het voorplein en bijgebouwen (eveneens begonnen in 1677) en het huis, dat in 1686 werd voltooid, passen geheel in een stadhouderlijke traditie. De vorm van de omgrachte tuin rond het huis bijvoorbeeld doet sterk denken aan elementen uit de tuin van het Huis ter Nieuburgh (begonnen voor stadhouder Frederik Hendrik in 1630) (afb. 45), met dit verschil dat de afsluitende

wel heel monumentale weergave ervan; hij beschrijft voorstellingen van Venus op haar zegewagen met zwanen en Adonis op de poort. Wellicht waren deze gebeeldhouwd op de vazen die De Moucheron de ingangspilaren laat sieren (De Moucheron plaat nr 3 en de bijbehorende voorstudie). Vgl. ook De Moucheron en Stoopendaals grote vogelvlucht voor de ligging van de toegangen.

96 Reets, 5. Deze toegang draagt volgens hem de wapens van Van Velthuysen en De Graeff. De huidige poort, bekroond met stenen vazen, is waarschijnlijk 18de-eeuws.

97 De Moucheron toont op gravure nr 17 en 18 ruiters op deze lanen.

98 Voor Zeist zie: Meischke 1961; Kuyper 1980, 145; Van der Wijck 1982, 127–139; Blijdenstein 1983, 149–172; Visser 1986; De Jong in Hunt/De Jong 1988, cat. nr 56.

99 Vgl. *Veue de la Maison de Zeyst avec ses Jardins, et Plantages appartenans A Monsieur Le Comte de Nassau / Het gezigt van het Huys van Zeyst, met zyn Tuynen en Plantagien, Toebehoorende aan myn Heer de Graaf van Nassau*, uitgegeven door N. Visscher, met Privilegie ets in twee bladen (Hollstein Vol. XXVIII, 144, nr 49).

100 Faugère 1899, 74 en 86.

boogvorm ('anse de panier') hier een 'demi lune d'eau' is geworden. Ter Nieuburgh was grotendeels geïnspireerd op het Parijse Luxembourg van Salomon de Brosse (rond 1630 voltooid). De tuin hiervan – eveneens met een boogvormige afsluiting – werd in de jaren vijftig van de zeventiende eeuw nog steeds door Nederlanders bewonderd om 'cette belle terasse en forme d'amphithéatre' en 'plus à la moderne, mieux compassée et disposée avec plus d'art' bevonden dan de Tuilerieën, waar Le Nôtre van 1664 tot 1672 grote veranderingen zou aanbrengen.[100] Van Nassau-Odijk, zelf in 1657 in Parijs op 'Grand Tour' en opnieuw als diplomaat in 1678, heeft zich wellicht laten inspireren door dit Franse voorbeeld, dat in Nederland al een zekere reputatie genoot. Een bron voor Odijk was misschien ook het model in het tractaat *Le Jardin de Plaisir* (Stockholm 1651) van de Franse tuinarchitect André Mollet, dat een omgracht slot met lanen en boogvormige afsluiting van de tuin presenteert en dat deels geïnspireerd was op de tuinen van Frederik Hendriks Honselaarsdijk waar Mollet werkzaam was geweest.[101] Mollets tractaat vormde voor het verschijnen van nieuwe tractaten waarin de beginselen van Le Nôtre's landschapskunst werden vastgelegd (zoals A.J. Dezailler d'Argenville's *La Théorie et la Pratique du Jardinage* van 1709), een van de belangrijkste bronnen waaruit de classicistische beginselen van de tuinarchitectuur geleerd konden worden en bood, in zijn combinatie van Frans-Nederlandse tradities, voor Hollandse opdrachtgevers een dankbaar uitgangspunt. Zeist draagt in alle opzichten de sporen van de harmonie en symmetrie die in dit boek als basisvoorwaarden voor de tuinaanleg werden bepaald, geheel in de traditie van de Italiaans-renaissancistische architectuurtheorie.[102] Mollets voorschriften dat de aanleg een derde of meer langer dan breed diende te zijn, dat er achter het huis een vaste opeenvolging diende te zijn van parterres, bosquetten, lanen en 'pallisades' (hoge en lage gesnoeide groene 'muren') en dat een laan met dubbele of driedubbele bomenrij als as zich voor en achter het huis diende uit te strekken, vinden we allemaal in Zeist terug.[103] De tuinen van Zeist betekenden voor de tijdgenoot ongetwijfeld iets nieuws. Andere projecten in de kring van de stadhouder hadden al eerder geëxperimenteerd met de introductie van nieuwe, op Franse voorbeelden geïnspireerde, compositieschema's,

zoals Philips Doublet in zijn tuin te Clingendaal bij Den Haag in de jaren 1660 en 1670 (afb. 24). Hier werd ook de hoofdas toegepast, maar als bij Heemstede liet de geografische situatie niet toe dat de ingang op de hoofdas kwam te liggen en moest men het huis van de zijkant naderen. Ook op Honselaarsdijk werd de compositie van de tuin in de jaren zeventig veranderd en op een hoofdas toegesneden.[104] In Soestdijk experimenteerde de stadhouder in de jaren 1675 tot 1681 met de aanleg van lanenstelsels.[105] Maar nergens werd aan het eind van de jaren zeventig en in de loop van de jaren tachtig van de zeventiende eeuw op zo'n grote en ruimtelijke schaal als op Zeist een tuinaanleg zichtbaar die Franse en Nederlandse tuintradities trachtte te vermengen. Stoelde het uitgangspunt van het ontwerp nog op een oudere Frans-Nederlandse traditie, de rijke inrichting met fonteinen, beelden, cascades, parterres, vormsnoei en zorgvuldig aangebrachte uit- en doorzichten, moet Odijk hebben laten aanbrengen naar aanleiding van een meer recent begrip van Franse voorbeelden. Zijn reis naar Frankrijk in 1678, in gezelschap met de fontainier Willem Meester, werd ondermeer gebruikt 'pour s'informer des inventions qui sont en usage pour les fontaines'.[106] Op deze reis werden ook Franse prentenvoorbeelden verzameld en naar Nederland opgestuurd.[107]

Naar schaal en decoratie belichaamde Zeist een nieuwe smaak, een 'vorstelijke' smaak bovendien, die illustratief is voor de ambities van het stadhouderlijk milieu ten aanzien van de tuin- en landschapskunst.

Heemstede mocht in de de ogen van sommige tijdgenoten qua omvang misschien 'poppe-werk' zijn in vergelijking met Zeist, Van Velthuysens aspiraties waren er niet minder om. In zijn eigen tuin heeft hij zich gespiegeld aan het architectonisch ideaal dat in Zeist optimaal werd vertegenwoordigd, niet in het minst omdat deze tuinarchitectuur een associatie met het stadhouderlijk hof impliceerde. Het ligt daarom extra voor de hand Daniel Marot als ontwerper met Heemstede in verband te brengen.[108] Toch lijkt dit onwaarschijnlijk, omdat Marot tot de dood van de Willem III in 1702 uitsluitend voor de stadhouder-koning en zijn omgeving werkzaam geweest lijkt te zijn.[109] De rol die Marot daar als tuinarchitect heeft gespeeld is overigens

101 Hopper 1982 en Mollet 1651, plaat 2.
102 Vgl. Hopper 1983.
103 Mollet, Chapitre XI, 31 en 32.
104 Dit moet zijn gebeurd in de jaren zeventig en voor 1683, getuige de vogelvlucht van A. Blooteling (1640–1690), naar A.Bega (1637–1697): *Generale Afbeeldinge van het Princelyke Lust Huys en Hoff van Syne Hoogheydt den Heere Prince van Oranje 't Honslerdyk*, kleurenets gedateerd 1683.

105 Vgl. Tromp 1987 en De Jong in Hunt/De Jong 1988, cat. nr 24.
106 *Oeuvres Complètes*, vol. VIII, 155, brief 2144 (Constantijn Huygens jr aan Christiaan Huygens, 27.10.1678). Kennis die deze fontainier ook voor Willem III toepaste in de tuinen van Soestdijk.
107 Vgl. bijvoorbeeld Bezemer 1987, voor de rol van prentkunst in de kring van Doublet en de

stadhouder. Willem Meester stuurde Doublet in 1678 vanuit Parijs diverse prentwerken, ibidem pag. 20 en 21.
108 De meeste literatuur over Heemstede (zie noot 15) noemt Marot hetzij als werkzaam voor het interieur, hetzij als ontwerper voor de tuin.
109 Vgl. Ozinga. Pas na 1704, toen hij naar Amsterdam was verhuisd omdat door de dood van Willem III zijn belangrijkste opdrachtgever was

81. I. de Moucheron, Ge-
fantaseerd parkgezicht, plaat
3 uit *Zaal-stucken in 't huis
van de Hr B.B. de Mezquita*,
ets.

82. I. de Moucheron en
D. Stoopendaal, Detail van
de vogelvlucht van de tuinaanleg van Heemstede: het
oostelijke gedeelte met de
sterrebossen en de wildbaan,
kopergravure 1700/02.

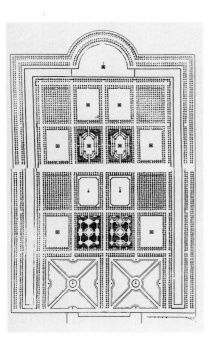

84. I. de Moucheron,
De latwerkgalerijen boven
het sterrebos, kopergravure
1700/1702 (nr 19 in de
serie).

85. I. de Moucheron,
De latwerkzitkabinetten op
de hoofdas in de tuin van
Heemstede, olieverf op
doek, gesigneerd
I. Moucheron fecit 1713.

83. A. Mollet, Ideaalplatte-
grond voor een tuin, *Le
Jardin de Plaisir*, Stockholm
1651, plaat 1.

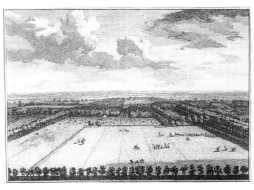

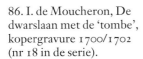

86. I. de Moucheron, De
dwarslaan met de 'tombe',
kopergravure 1700/1702
(nr 18 in de serie).

87. I. de Moucheron, De
vijver op het zuiden van de
as, kopergravure 1700/1702
(nr 10 in de serie).

88. I. de Moucheron, Het
park met de wildbaan op
het noorden van de hoofdas,
kopergravure 1700/1702
(nr 14 in de serie).

verre van duidelijk en waarschijnlijk tot nu toe zeer overschat.[110] Op Heemstede moeten we eerder denken aan Van Velthuysen zelf, die als dilettant en met behulp van adviezen van zijn collega's in de Staten van Utrecht zijn ideeën door ter zake kundige tuinlieden en lokale ambachtslieden heeft laten uitvoeren. Tuintractaten en prenten kunnen aan zijn ideeënvorming hebben bijgedragen, de bevriende classicus Burman kan zijn vragen op het gebied van de klassieke iconografie hebben beantwoord.

De ligging van de ridderhofstad en misschien ook wel financiële middelen verhinderden een even grootse opzet als Zeist, waarin de verschillende onderdelen naar de eisen van de theorie konden worden samengebracht. Toch waren op Heemstede alle ingrediënten van assen, parterres, boogvormige afsluiting, sterrebossen en bosquets aanwezig, zij het in een samenstelling die werd gedicteerd door andere geografische en klimatologische mogelijkheden. Waterlopen om het hele goed heen waren noodzakelijk voor de afwatering, terwijl singels van bomen de wind buiten moesten houden. Deze twee elementen zorgden voor beperkingen in het ontwerp. Maar de aanwezige natuur werkte niet alleen tegen, maar ook mee. De aanwezige, langgerekte perceelenindeling in rechthoekige, geometrische vlakken had aan het landschap al een ordening opgelegd die door tuinarchitectonische middelen verder werd vervolmaakt. Ondanks deze eigenzinnige compositie met vaststaande ingrediënten, creëerde Van Velthuysen een ensemble dat buiten het stadhouderlijk hof niet voorkwam en in zijn doordachte opzet origineler dan Zeist genoemd kan worden. De inrichting van de tuin weerspiegelt zijn kennis van wat Mollet en voor hem J. Boyceau in zijn *Traité du Jardinage* (1638) naast

'harmonie' en 'symétrie' hadden beschreven, namelijk 'variété': verscheidenheid van plattegrond, opstand, reliëf, van beplanting met bloemen en bomen naar vorm en kleur en van tuinsieraden als grotten, beelden, fonteinen en perspectieven.[111]

Zoeken we, naast Zeist, naar een direct Frans voorbeeld waarop Van Velthuysen zich zou kunnen hebben georiënteerd, dan zou dat Le Nôtre's recente modernisering van de Tuilerieën in Parijs van 1664 tot 1672/80 geweest kunnen zijn. Overigens was Le Nôtre's ontwerp nauw verwant aan het eerste ideaalontwerp in Mollets tractaat (afb. 83). Mollet gaf als voorbeeld een compositie van parterres gevolgd door rechthoekige bosquets langs een hoofdas en twee parallelle zijassen; een waterkanaal en boomsingels lopen om de tuin heen, die eindigt in een halfcirkelvormige afsluiting.[112] Weliswaar heel anders van dimensie dan Heemstede, geeft Mollets ontwerp en prentwerk van de plattegrond van de Tuilerieën globale overeenkomst te zien met de tuin van Heemstede, waar dezelfde kenmerken, zij het in een ander samenstel, ook aanwezig zijn. Een opeenvolging van parterres, opgaand bos ('bois plantez'), bosquets en bassins van gras ('salles ou bassins de gazon') in rechthoekige en vierkante vakken langs een stelsel van drie evenwijdige assen, vond een beëindiging in een fors waterbassin waarachter zich de hoofdas voortzette.[113] Ook hier verhoogde het karakter van besloten tuinruimtes en bezienswaardigheden langs de hoofdas een bewust nagestreefde verscheidenheid binnen het geometrische totaalschema.

VAN STERREBOS TOT WILDBAAN

De dichters en De Moucheron geven verschillende details over dit

weggevallen, kreeg Marot opdrachten uit de Amsterdamse regentensfeer (Ozinga, hoofdstuk V). Zie ook de volgende noot.

110 Vgl. ook de opmerkingen over de organisatie van de aanleg van Het Loo in het vorige hoofdstuk. Marots rol is beperkt gebleven tot het ontwerpen van onderdelen in de tuin (zoals parterres en fonteinbeelden). In verband met de situatie na 1702 ontstaan ook pas vanaf 1702 de publikaties met prenten van zijn ontwerpen. Van de vierentwintig tuinontwerpen (die voor tuinornamenten niet meegeteld) zijn er maar vier in opdracht ontstaan: voor Hampton Court (uit de jaren negentig, Jessen 1892, 252), voor de markies du Prié in Turijn (na 1702, Jessen 1892, 234), voor Rendorp op Watervliet (na 1704, Jessen 1892, 235) en Baron d'Obdam op Twickel (na 1702, Jessen 1892, 245). Dit betreft bijna uitsluitend parterre-ontwerpen. Geen van deze toont overeen-

komst met de parterre op Heemstede, zoals te zien op de grote vogelvlucht.

111 Boyceau, Bk III, I, 69 gaat uitvoerig in op de 'variété': 'Suivant les enseignements que nature nous donne en tant de variétez, nous estimons que les Jardins les plus variez seront trouvez les plus beaux.' Mollet 1651 spreekt in zijn hoofdstuk XI, pag. 31 en 32 over tuinsieraden en 'diversifier' in het kader van de beplanting.

112 Voor de Tuilerieën zie Hamilton Hazlehurst 1980, 167–185 en G. Bresc-Bautier en A. Pingeot, *Sculptures des jardins du Louvre, du Caroussel et des Tuileries*, Paris 1986, I, 17–37.

113 Het feit dat het een openbare wandelplaats was heeft aan de bekendheid ervan, ook bij Nederlanders, bijgedragen.

114 Rotgans, 266–268 en Reets 7–14, De Moucheron gravures nrs 7–19 en daarnaast de vogelvlucht en de plattegrond.

115 Zie de gravures nr 6 en 5. Reets, 14 en 15, beschrijft de vazen. Deze vormden een onderdeel van een reeks andere, niet nader omschreven vazen, die rond het huis stonden opgesteld.

116 Reets, 15 (voor de koetshuizen en de dieren) en 20 (voor de hondenkennel). Ook de paarden voor de koetsen, de koetsen zelf, een duiventil en een volière met zangvogels kon men hier vinden.

117 *Journael van 't gene ick Abel Eppo van Bolhuis gedenckwaardigs hebbe gesien op de Reijse nae Brabant*, 1699, R.A.G. (zie noot 57). Van hem is ook de term rondeel ('rondal') afkomstig.

118 De vogelvlucht en de plattegrond geven aan dat de vierkante piëdestallen van de vazen op een lijn stonden met de diagonale assen. Omdat de lanen elkaar, en de zijassen, niet rechthoekig kruisen, of op een hoek van 45 graden, stonden de piëdestallen noch op een lijn met de overige lanen en

gedeelte van de tuin (afb. 82).[114] Op basis van hun gegevens kunnen we concluderen dat het oog van de bezoeker, die op de brug met zijn rug naar het huis stond, via een aantal coulissen geleid werd naar het perspectief van de diepe, lange laan. Zijn blik ging allereerst langs twee rijk gebeeldhouwde stenen vazen ter weerszijden van de brug, waarvan de voorstellingen gewijd waren aan Diana en Bacchus. Jacht en pastorale natuur werden hier aangekondigd als de twee belangrijkste thema's die de wandelaar op zijn bezoek langs de hoofdas als bepalende elementen zou aantreffen.[115] De voorhof met de twee bouwhuizen herinnerde de bezoeker al direct aan de jacht, het privilege dat Van Velthuysen zich door het bezit van Heemstede had verworven, omdat hier de rijpaarden en de grote kennel met jachthonden onderdak hadden.[116] Aan het plein achter de koetshuizen lag het begin van de hoofdas. Een lage, concaaf gebogen muur met groene schermen erachter en twee bakstenen, met vazen bekroonde pilaren ontnamen de wandelaar het volle zicht op het brede wandelpad. Na de smalle doorgang kwam het betreden van het sterrebos, met blikrichtingen naar diverse kanten toe, als een verrassing.

In het midden van het sterrebos lag een verdiepte, droge kom van gras, het rondeel, waar twaalf paden elkaar ontmoetten (plaat 5). Het bos strekte zich met de lanen uit over de zijassen, zodat lange vista's het gevolg waren: 'ende saegen 12 wegen door de alleën langs', schreef Abel Eppo van Bolhuis in zijn reisverslag (plaat 6).[117] Waar de diagonale assen zich kruisten met de zijassen, en daar waar de middelste horizontale noord-zuidas zich kruiste met twee andere lanen, stonden zes grote vazen opgesteld. Vanaf de centrale, groene kom op de hoofdas waren ze allemaal waar te nemen.[118] In een afwisselend spel

van licht en schaduw versterkten ze als repoussoirs het perspectief.

Geschoren hagen vormden een scheidingsmuur tussen sterrebos en volgend gedeelte.[119] Hierachter trof de wandelaar vier langwerpige vakken aan, waarvan er drie aangeplant waren als boomgaarden; de vierde en meest zuidelijke was ingericht als wat Reets de 'nieuwe' keukentuin noemde.[120] Ter weerszijden van de hoofdas lagen in deze boomgaarden twee maal twee ellipsvormige galerijen van dubbele geschoren hagen. In de eerste galerij kon men door steenkleurige monumentale latwerkpoorten binnentreden in een schaduwrijke loofgang (afb. 84);[121] in de tweede was, als variatie, een ornamentaal grasperk aangebracht. Een verkleind sterrebos volgde. Ook hier trof men in het midden een graskom aan, vanwaar men links en rechts een dwarsas kon oplopen, die toegang gaf tot de grasparterres op noord en zuid. Latwerkschermen met zitbanken in de buitenste windsingel sloten deze as visueel af.[122] Anders dan in het grote sterrebos kon men vanaf de graskom niet alle lanen afzien. Wel kon men hier zitten in groen en steenkleurig geschilderde latwerkkabinetten (afb. 85).[123] De diagonale assen van dit sterrebos sneden elkaar net voor en net na de graskom in het midden, en alleen daarvandaan had men zicht op de piëdestallen met beelden die in de grasparterre stonden opgesteld. Hun opstelling in het volle licht moet aangenaam gecontrasteerd hebben met de vazen in de schaduw van het grotere sterrebos. Dit is slechts één voorbeeld hoe de compositie van de onderdelen zich hield aan het concept van afwisseling en variatie.[124]

'De Alleë met groene Bogen' is De Moucherons betiteling voor de volgende dwarsas, in het Frans 'l'Allée avec les tombes' (afb. 86).[125] De Moucheron tekende aan het einde van deze allee een grote, tom-

assen, noch diagonaal daaraan. Ze stonden dus voor het oog meestal 'verkeerd'. Juist geplaatst leken ze alleen vanaf de gezichtspunten op diagonale assen. Van verderaf zal de discrepantie vanwege de scherpe licht/donker effecten en de silhouetwerking misschien niet zo zijn opgevallen. De Moucherons gezichten op de zijassen (gravures nr 12 en 13) geven een verschillende opstelling van de vazen te zien, die te verklaren is uit het feit dat een juiste weergave op deze prenten als een disharmonie zou zijn overgekomen.

119 De vogelvlucht toont op de hoofdas twee grote, verder niet te identificeren beelden die als wachters dit punt markeren.

120 Reets, 12/13. Rotgans, 269, noemt in het algemeen appel, peer en kers als vruchtbomen voor de boomgaarden op Heemstede.

121 Door Van der Groen (ed. Oldenburger/ Wijnands, 137 en verder) ook wel 'wandelaryen'

genoemd en volgens hem te construeren uit grenehout. De architectuur hiervan doet erg denken aan de voorschriften en modellen die Van der Groen ervoor levert; ze bezitten niet de verfijndheid van Franse ontwerpen voor latwerk zoals in Nederland verspreid door N. Visscher als *Nouveaux Desseins de Jardins, Parterres et Fassades de Maisons Inventez Par Jean le Pautre se vendent chez N. Visscher* (Amsterdam). Deze editie trof ik ondermeer aan in een exemplaar van Van der Groen (collectie Rijksprentenkabinet, Amsterdam, nr 328 L 13), waarschijnlijk om Van der Groens verouderde ontwerpen van moderne tegenhangers te voorzien. De latwerken op Heemstede zouden daarom uit de beginfase van Van Velthuysens aanleg van de tuin kunnen stammen, want ze contrasteren in hun stijl nogal met tuinornamenten als de grot, de triomfboog en het paviljoen in de lusthof. Droste (zie noot 63) kleineerde het latwerk in

1700 als tuinornament vanwege de 'broosheid' ervan.

122 Deze latwerkschermen, waarschijnlijk voorzien van zitbanken, komen op de plattegrond voor als een aantrekkelijke, visuele beëindiging van de drie laatste dwarsassen; hun positie valt samen met het moment waar een wandeling vanaf het huis aanleiding gaf tot vermoeidheid.

123 De Moucheron gravure nr 11. Deze werden ook wel 'monnikskappen' genoemd, vgl. Pijzel-Domisse, 30, 31.

124 De beelden in de grasparterre vinden we niet terug op de plattegrond. Ze waren kennelijk vooral bedoeld om gezien te worden vanuit de hoofdas: binnen de symmetrie van de parterres vinden ze geen tegenhangers.

125 De Moucheron gravure nr 18.

126 De Moucheron gravure nr 9 en 10. Alleen op de plattegrond zijn de boomgaarden te zien; op

beachtige constructie, waarvan nog een exemplaar aan de andere zijde van de laan moet hebben gestaan. De sarcofaag, met een grote bol op de deksel, wordt door geen van de dichters genoemd.

Op de hoofdas openden vervolgens zes latwerkpoorten naar links en rechts een nieuwe vista die voerde over vier vijvers met fonteinen, als open ruimtes in boomgaarden uitgespaard (afb. 87).[126] Voor het eerst vond men hier langs de hoofdas waterwerken. De twee vijvers naast de as waren identiek van opzet. Vanuit begroeide, latwerkpriëlen kon men kijken naar de fonteinstraal, opschietend uit een krans van vier kleinere. Openheid maakte in de vijvers aan noord- en zuidzijde plaats voor geslotenheid: hier werd de ruimte omlijnd door lanen met bomen (afb. 87). Het fonteinwerk leverde in het watervlak van de vijvers een fraai schouwspel op.

Twee grote beelden op piëdestallen domineerden de laatste dwars-as en we mogen Reets' opmerking geloven dat het hier om gegoten, vergulde exemplaren ging.[127] Deze as werd aan beide zijden afgesloten met latwerkschermen.[128]

De bezoeker naderde nu het einde van de tuin (afb. 82). De hoofd-as werd hier onderbroken door een grote ronde vijver, waarachter hoge hagen als een coulisse oprezen.[129] De dichters beschrijven een eiland in het water, een situatie die door andere gegevens wordt bevestigd.[130] Volgens hen was het eiland door lage hagen in vieren gedeeld en beplant met dwergfruitbomen. De Moucheron liet het eiland weg en tekende er een indrukwekkende fontein voor in de plaats. Ontegenzeggelijk geeft dit op papier een fraai effect, maar het zegt veel over de wijze waarop de tekenaar de tuingezichten heeft verfraaid om een ideaalvoorstelling te bereiken; hij stond zichzelf bij het uittekenen van dit gedeelte nog meer vrijheden toe door tegen de hagen een aantal forse hermen af te beelden.[131] Het wandelpad boog om de vijver heen om zich verder als hoofdas door de velden in het land-

schap uit te strekken. Geboomte achter de hagen zorgde voor een overgang van het architectonische gedeelte naar het meer landelijke en minder sterk georganiseerde gedeelte van Van Velthuysens bezit. Links en rechts kon men onder de bomen door een blik werpen op het zogeheten 'Parck', de wildbaan met herten (afb. 88).[132] Dat De Moucheron een speciale afbeelding maakte van de herten binnen de omheining van de wildbaan geeft aan dat hun aanwezigheid in dit meer landelijke gedeelte van de aanleg even beeldbepalend was als de vista's in de architectonische tuin. Voor Van Bolhuis werd de wildbaan geopend en hij besteedde in zijn verslag veel aandacht aan de wilde herten (ongeveer zeventig in getal) en aan een aantal tamme die hem naliepen. Ook voor de volière, die verderop op de hoofdas lag, had Van Bolhuis belangstelling. Met twee vijvers en een geschoren priëel, bevolkt door fazanten, pauwen en exotische eenden, vertegenwoordigde het de laatste geordende ruimte binnen het complex.[133] Weinig wandelaars zullen zijn gelopen tot het hek dat, met de wapens van Van Velthuysen en De Graeff, de hoofdas afsloot (afb. 78).

HET GEBOOMTE EN DE JACHT

'Hoc nemus […], haec patulis arbor luxuriosa comis […], umbraque', 'hier een woud, daar een boom, weelderig met brede kruin, en schaduw' – zo dichtte Peter Burman op Heemstede dat hij, als vriend van Van Velthuysen, uit eigener aanschouwing zo goed kende.[134] De bomen van Heemstede moeten inderdaad sterk tot de verbeelding hebben gesproken. Ze waren er in allerlei variëteiten te bezichtigen, geschoren tot architectonische hagen in de hoofdas, als schaduwrijke tunnels in het sterrebos en vrijstaand rond bijvoorbeeld de noordelijke en zuidelijke vijvers (plaat 5 en 6, afb. 77, 82, 87, 88). Rotgans noemt iep, beuk, linde, els en es als beplantingen langs de hoofdas.[135] Zijn observaties over de bomen komen overeen met de 17de-eeuwse

---

de vogelvlucht zijn, ter wille van het overzicht en het perspectief, alleen de vijvers getekend. De benodigde kracht voor de fonteinen werd verkregen door middel van de molen langs de watering ten zuiden van de tuin op de hoogte van de vijvers (getekend op de vogelvlucht).

127 De Moucheron gravure nr 17, Rotgans, 268 en Reets, 10. Reets spreekt over de beelden als tuingoden 'Die 't lachchen wekken door 't aanschouwen', een wat haastige lezing (en daardoor verkeerde interpretatie) van Rotgans' ''t Schynt dat het beeldtwerk in 't verschiet van alle zyen/My toelacht; elks gezigt staat vrolyk onder 't groen'. Er is geen beschrijving die duidelijk maakt om wat voor beelden het gaat. Reets spreekt van werk van Myron of Lysippus, in ieder geval was dus een

klassieke associatie bedoeld. Abel Eppo van Bolhuis schrijft eveneens over vergulde beelden.

128 De Moucheron gravure nr 17. De architectonische opzet met pilasters en kroonlijst vormde een passende encadrering voor een gebeeldhouwde herme met twee bustes ernaast. Latwerkpiramiden flankeerden deze monumentale opzet.

129 Rotgans, 268, Reets, 9–10 en De Moucheron gravure nr 16.

130 Vgl. de plattegronden uit 1770 bij Van der Wijck 1982, 160–161 en de kadastrale kaart van 1919, Top. Atlas, R.A.U. 1477–1.

131 Geen van de dichters rept erover, en als ze er al gestaan hebben (twaalf in totaal), behoren ze tot de allerlaatste fase van verfraaiing door Van

Velthuysen.

132 De Moucheron gravure nr 14, noemt dit gedeelte 'Parck', Reets, 5 en 7, geeft 'dierenpark' en noemt de herten grazend binnen de omheining. Op de afbeelding van De Moucheron zien we links ook nog een grote groep vogels: fazanten voor de jacht?

133 De Moucheron gravure nr 15, Reets, 6 geeft een beschrijving en noemt pauwen en fazanten. Links op de vogelvlucht (afb. 76) graveerde Stoopendaal een groep jagers te paard met honden.

134 *Eucharisticon ad Virum Perillustrem et Munificentissimum Theodorem a Velthuysen, Toparcham in Heemstede etc. etc. etc. Pro Donata Delicatissima Viridarii Heemstediani Tabula in Petri Burmanni*

praktijk van aanplanten.[136] Hagen van sparrebomen vindt hij op de hoofdas in het grote sterrebos en als de schermen van de ellipsvormige galerijen, waar iepen tegen het latwerk van de berceaux groeien. Het kleine sterrebos was aangeplant met essen en elzen. De hagen achter de grote vijver op de hoofdas waren daarentegen volgens de dichter esdoorns, in het voorjaar groen, in het najaar geelkleurig van blad.

Abel Eppo van Bolhuis noteerde deze variëteit aan bomen als bijzonderheid in zijn reisverslag en toonde daarvoor meer interesse dan voor de vergulde en witte beelden en het fraai geverfde latwerk, die hij pas op het einde van zijn beschrijving noemde.[137] Als wandelplaats bood de tuin, die in de loop van negentien jaar tot wasdom was gekomen, hem meer variëteiten en mooiere exemplaren, dan hij in de wilde natuur kon aantreffen.

Anders dan de precieze graveertechniek van de prenten, die de tuin een formele statigheid geeft, geven De Moucherons aquarellen een indruk van levendigheid en beweeglijkheid. Daardoor corresponderen ze ook beter met hoe de tuin zich aan een bezoeker moet hebben voorgedaan: op sommige plaatsen geordend door de hand van de kunst, op andere plaatsen ruimte latend voor de kunstvormen van de natuur zelf (plaat 5 en 6).

In de ogen van een wandelaar als Van Bolhuis betekende het bezit van veel bomen aanzienlijke welstand, zeker als ze niet bedoeld waren om om de zoveel jaar gekapt te worden. Voorzover we weten was het hout op Heemstede niet bedoeld voor regelmatige verkoop: de eerste keer dat er gekapt werd was in 1720, na de dood van Van Velthuysen. De te voorziene opbrengst van het Heemsteedse hout maakte de investering in de aankoop van het landgoed kennelijk extra aantrekkelijk.

Voor Van Velthuysen vertegenwoordigde zijn opstand aan bomen een in economische zin niet gebruikt kapitaal.[138] Zij dienden als sieraad, tot vermaak, en zorgden, vooral op het heetst van de zomer, voor aangename schaduw.[139] In het Utrechtse landschap was dat des te opvallender. Sinds de beginjaren van de 17de eeuw was er binnen Utrecht geen bos van betekenis; het meeste was ten ondergegaan aan legale of illegale houtkap.[140] Reets' beschrijvingen van de bomen op Heemstede als 'hoog en sterk / Geboomt zo treffelijk verheven,/ Beurd zijne kruinen na het zwerk,/ Die aangenaame schaduw geeven' krijgen in dat licht een bijzondere, zeker niet alleen poëtische, betekenis.

Als lid van de Staten van Utrecht wist Van Velthuysen goed hoe kostbaar het bezit van bomen was. Al vanaf 1546 en recenter in 1671, 1673, 1674 en 1675 en later jaren hadden de Staten plakkaten uitgevaardigd tegen het schenden en stelen van bomen in andermans hoven en tuinen.[141] De herhaalde ordonnanties tegen deze praktijk van afhouwen, kerven en breken, van diefstal of moedwillige vernieling geven aan dat deze verboden weinig effect sorteerden. Ondanks forse sancties deden velen het toch, omdat brandhout een bittere noodzaak was om in leven te blijven. Het is opvallend hoe vaak de plakkaten werden uitgevaardigd van de beginnende koude herfst in oktober tot en met het vroege voorjaar in april. Van Velthuysen zelf parafreerde op 16 maart 1694 een ordonnantie van 8 mei 1656 'jegens de moetwillige Vagabonden ende Booswichten, die Eycken, Linden, Essen, Beucken, Bercken, en andere opgaande Boomen, in desen Gestichtse geplant, houwen, kerven, schenden ende breken'.[142] Het stuk bepaalt dat deze bomen tot 'nut, cieraat en vermaak' zijn geplant. Het nut gold hier natuurlijk de eigenaar.

In dit licht vormen de parkbossen en sterrebossen op de landgoederen van Van Velthuysens collega's in de Staten van Utrecht, zoals De Marees op zijn ambachtsheerlijkheid Maarsbergen en Van Nas-

Poematum Libri quattuor curante Petro Burmanno juniore, Amsterdam 1745, Lib. IV, 268.

135 Rotgans, 266–268 voor deze vermeldingen. Reets volgt in zijn observaties Rotgans na.

136 Bij Van der Groen vinden we de den (pag. 8) voor aanplant in bos, laan en dreef; de els(t) (pag. 9) 'om in kort groot te wesen' voor te scheren hagen; de linde (pag. 14); de iep (pag. 14) voor in lanen; de beuk (pag. 16) voor in lanen, bossen en architectonisch te behandelen hagen, priëlen en lusthuizen; de esdoren als 'cierlijcken boom' (pag. 16) voor laanbeplanting; de es (pag. 16) voor in lanen en dreven; de kastanje, eveneens 'cierlijck' genoemd (pag. 18), voor bossen en lanen. Deze bomen horen tot de meest voorkomende inheemse boomsoorten en werden, volgens Van der

Groen, gekweekt via zaad (de es, de elst, gekweekt in venen, en de esdoren), via hun vrucht (beuk en kastanje), door middel van uitlopers van bestaande bomen (linde en iep). Dennezaad werd geïmporteerd uit Noorwegen. Vgl. ook de opsommingen bij Cause 1676 en Buis 1985, II, 9.5, 725 en verder.

137 Van Bolhuis' observaties komen grotendeels overeen met Rotgans' beschrijving: hij noemt op de hoofdas grote hagen van sparrebomen, haagbeuk, iepen en, in grootste getale, elzen. Appel- en kastanjebomen noteert hij in de boomgaarden, dwergappels op het eiland in de vijver en lindebomen op de afsluiting van de tuin.

138 Vgl. Buis 1985, I, hoofdstuk 2 en II, hoofdstuk 4 en 5.

139 Schaduw vooral genoemd door Reets, bijvoorbeeld pag. 11 en ook door Burman, 268. Vergilius noemt in het Tweede Boek van de *Georgica* herhaalde malen de weldaad van de schaduw die bomen leveren.

140 Buis 1985, I, 124 en verder.

141 Van de Water 1729, bijvoorbeeld I, 715–717, II, 710–724 en III, 406–417. Vergelijk Buis 1985, I, 3.4 voor boswetgeving en dit soort plakkaten in Gelderland. Het probleem van kappen en diefstal levert een interessante parallel op met wat uit het 18de-eeuwse Engeland bekend is, zie Stephen Daniels, 'The political iconography of woodland in later Georgian England' in: D. Cosgrove, S. Daniels (eds), *The iconography of landscape. Essays on the symbolic representation, design and use of past environments*, Cambridge 1988, 43–82.

sau-Zuylesteyn op zijn goed Zuylesteyn, kapitale investeringen en een integraal onderdeel van de opzet van hun tuinarchitectuur (afb. 89). Vooral de sterrebossen waren economisch aantrekkelijk om hakhout te winnen.[143] Niet alleen van hen, maar ook van zijn zwager Transisulanus van Voorst, die voor Willem III hofmeester, drossaard en houtvester was van de Hooge Heerlijkheid Soestdijk, kreeg Van Velthuysen details te horen over de betekenis van de landschapsarchitectuur in de door hem bewonderde kringen rond de stadhouder.[144] Contacten zoals deze hebben hem wellicht ook in staat gesteld om praktische kennis op te doen en op een makkelijke wijze aan de grote hoeveelheid bomen te komen die voor zijn eigen plantage nodig waren.[145]

Jacht, bos en tuin hoorden nauw tezamen. Assenstelsels en zichtassen waren vanaf de 16de eeuw in eerste instantie met het oog op het jagen ontwikkeld.[146] Bovendien vormde de jacht een privilege waar nauwkeurig op werd nagezien en dat, wat het onderhoud van jachtbossen betreft, gezorgd had voor de eerste boswetgeving.[147] Eenzelfde samenhang kon Van Velthuysen in zijn directe omgeving waarnemen: zijn zwager was als houtvester van de Hoge Heerlijkheid Soestdijk verantwoordelijk voor lanen, bos én de jacht; bosbeheer en jacht zul-

len tussen hen herhaaldelijk onderwerp van gesprek zijn geweest. Behalve zijn aanplant, verbond het privilege van de jacht de heer van Heemstede via zijn medebestuurders in de Staten uiteindelijk met Willem III, die ook in Utrecht op zijn Soestdijkse bezitting een verwoed jager was. De vier schilderingen met jachttrofeeën in de hal op Heemstede getuigden in het huis, net als in de tuinaanleg, van het belang dat aan dit privilege werd toegekend (afb. 80). Net als op Soestdijk overigens, waar het plafond van de vestibule beschilderd was met een illusionistische voorstelling van een meute jachthonden rond een pikeur met jachthoorn.[148]

Reets' vergelijking van het geboomte van de tuin met het beroemde Griekse Thessalisch Tempe is misschien een dichterlijke gemeenplaats, maar wel een toepasselijke. De geordende aanleg van sterrebossen, vijvers en lanen rond de hoofdas waren met het lossere, pastorale karakter van de velden en de wildbaan aan het einde van de tuin in opzet en stemming bedoeld als een geïdealiseerde natuur die verwees naar de klassieke mythologie en het klassieke landschap.

Als Rotgans de kweek en schoonheid van de bomen roemt om hun 'sieraadt en vruchtbaarheit', verwijst hij naar Vergilius' lof op de bomen uit diens Tweede Boek van de Georgica. Hun 'nut, cieraat en

142 Van de Water 1729, II, VI.

143 Al enige tijd voor Van Velthuysen beschikten zij over hun landgoederen (respectievelijk vanaf 1656 en 1672), waar zij aan de verbetering van hun plantages werkten. De uitgestrekte bosaanplant van Maarsbergen bijvoorbeeld, eigendom van Samuel de Marees (gestorven in 1691), dat in uitgestrektheid doet denken aan Heemstede. Voor Maarsbergen, Bardet 1975, 158 en de kaart van Justus van Broeckhuysen uit 1721, *Caarte van de Ambachtsheerlikheid, en Landerije van Maarsbergen Ao 1721*, bewaard op het R.A.U. (hier afb. 89). Voor Zuylesteyn, bezit van Willem van Nassau-Zuylesteyn (1649–1708), waar Willem III vaak vertoefde voor de jacht, zie mijn opmerkingen in Hunt/De Jong 1988, cat. nr 55 en D. Stoopendaals, *Vue de la Maison de Zuylesteyn, De Ses Jardins et Plantages Appartenans au tres noble Seigneur Monsieur Frederik de Nassau, Comte de Rochford, Vicomte de Tumbridge, Baron d'Ensfield, Libre Seigneur de Zuylesteyn, Leersum, Ginkel, Seigneur de Wayesteyn etc etc etc / Het Gesigt van het Huys van Zuylesteyn, met zyn Tuynen en Plantagien, toebehoorende de wel Ed. Hooghgeboooren Heer Fred. de Nassau [etc]*, gravure, na 1710 (Holstein XXVIII, 144). Van Nassau-Zuylesteyn voegde verschillende bosper-

celen aan de door hem geërfde tuin toe. Zowel De Marees als Van Nassau-Zuylesteyn behoorden tot de factie van Prins Willem III, die hen in 1674 als zijn vertrouwelingen in de Staten van Utrecht installeerde, zie Van de Water 1729, I, 169–174.

144 Elias I, 521 voor Van Voorst. Dat zij samen een en ander ondernamen blijkt uit hun proces tegen Cornelis Tromp, Graaf van Sillysburgh, woonachtig op Trompenburg in 's Graveland, zie G.A.U. U 059a 005 Notaris Egb. van Ree, 22 augustus 1686.

145 Voor de functie van landgoederen als plaats van kweekmateriaal, vgl. Buis 1985, II, 9.4. Voor de Utrechtse situatie en de kweek en exploitatie van bos vgl. ook Aalbers 1982 en voor het beheer van een landgoed en de taken van de houtvester (zorg voor de jacht, afbakening, hermeting en verkoping van bos) Ploos van Amstel 1984.

146 Wimmer 1985.

147 Vgl. Buis 1985, I, 27, 238 en verder. Uit de levensloop van Gerard Ploos van Amstel (1617–1695), van 1634 tot 1677 houtvester in het Sticht, blijkt deze nauwe verbondenheid van jacht en bos. Zijn taken behelsden ondermeer de afbakening, hermeting en verkopingen van het Amerongse bos. Daarnaast hield hij toezicht op de naleving

van de jachtplakkaten, die even streng waren als het verbod op het schenden van bomen. Het nieuwe Utrechtse jachtplakkaat, dat in 1667 mede op basis van Ploos van Amstels vele rekesten met aanvullende regelingen tot stand kwam, was buitengewoon precies in het vastleggen van wat wel en wat niet bij de jacht was toegestaan. Zie Ploos van Amstel 1984, 64–74.

148 Tromp 1987, 42, daterend van ca. 1677/78.

149 Columella, *De Arboribus*, Boek I, III; andere schrijvers waren Cato en Varro, die schreven over de kunst en wetenschap van het cultiveren van de natuur en het profijt en plezier dat het planten vertegenwoordigde. Cato en Varro, *De Re Rustica*, Boek I, III: het planten als 'magna ars et scientia […] ad utilitatem et voluptatem'.

150 Voor de latinist Burman (1668–1741), vanaf 1697 professor Historiarum Extraordinaris en vanaf 1703 professor Politices aan de Hoge School van Utrecht, vanaf 1715 hoogleraar te Leiden, zie *Nieuw Nederlandsch Biografisch Woordenboek*, Leiden 1918, IV, k. 354 en Struick 1968, 240. Zijn in Amsterdam uitgegeven editie van *Ovidius. Opera Omnia* dateert van 1727. Zijn hechte vriendschap met Van Velthuysen blijkt niet alleen

vermaak' kon ook refereren aan wat Columella in zijn *De Arboribus* over de zorg van bomen had geschreven.[149] Een plezier dat we in Nederland het beste verwoord vinden in de wijze waarop Constantijn Huygens in *Hofwyck* zijn omgang met het planten en genieten van bomen beschreef, overigens met kennis van de *scriptores res rusticae*.

Peter Burman gebruikt in zijn lofzang op Heemstede met nadruk het woord 'nemus', in de specifieke betekenis van 'geheiligd woud'. Burman, invloedrijk latinist en vriend van Van Velthuysen, zal geweten hebben hoe dit woord vooral van toepassing was op Diana.[150] Zij was immers naast *venatrix*, de jaagster, ook *nemorensis*, de godin en beschermster van het woud. Zo vinden we de jageres Diana in haar bosheiligdom als onderdeel van het verhaal van Actaeon in de *Metamorphosen* van Ovidius. Juist in dit verhalenboek, zo kon Van Velthuysen op gezag van Burman weten die het als onderdeel van de complete werken van Ovidius uitgaf, bestaat er een nauw verband tussen landschap en mythologische figuren.[151] Het landschap is de plaats van handeling voor goden, nimfen en mensen, die er bos en water bewonen. Hun belevenissen leveren stof tot het verklaren van de mythische oorsprong van bloemen, bomen, dieren en stenen. Ovidius' *dramatis personae* transformeren zich herhaaldelijk tot natuur: Daphne wordt een laurier, Narcissus een narcis, Actaeon een hert. Zij vormen

het bewijs dat de natuur vervuld is van creatieve krachten die vormen voortbrengen die lijken op die van de kunst.

Uit deze magische wereld van een door goddelijke krachten bezielde natuur is op Heemstede een ruime keuze gemaakt. Borstbeelden van Diana en Apollo waren geschilderd op de westwand van de hal op de eerste verdieping van kasteel Heemstede. Een geïdealiseerd landschap met Diana en haar gezellinnen vond de bezoeker, samen met andere arcadische landschappen, in de door De Moucheron beschilderde kamer in het huis (afb. 90). In hetzelfde vertrek prijkte boven de schoorsteen nogmaals een schilderstuk met Diana die zich gereed maakt voor het baden.[152] Aeolus, Flora, Bacchus, Ceres, Apollo en een waternimf bevolkten als lucht-, aard- en watergoden het plafond van de eetzaal.[153] Met Soestdijk was geen ander huis in het Sticht zo duidelijk gewijd aan natuur, jacht en vruchtbaarheid.[154]

Dat natuur bij Ovidius ook de setting van een tuin kon zijn, bewijst een Nederlandse prent die het verhaal van Diana en Actaeon illustreert in een tuinarchitectonische omgeving (afb. 91).[155] Wat in werkelijkheid niet kon, was, naast de schilderkunst, in prenten en de hofdichten wel mogelijk: het ten tonele voeren van bosgodinnen, Stichtse velddriaden, saters, bosnimfen en de bosgod Pan. Zij bewoonden volgens Reets de sterrebossen van Heemsteede.[156] Rotgans kiest het

uit de heer van Heemstede's schenking van een afbeelding van Heemstede en zijn gedicht als dankwoord daarop, maar ook uit het feit dat Van Velthuysen hem in zijn testament (Nalatenschap Mr C. Berger, inv. nr 141, fol. 5, in G.A.U.) gedenkt met zijn persoonlijke, gouden zakhorloge en een grote, zilveren, ovale kom met verguld binnenwerk en met het wapen van Prins Maurits, ongetwijfeld een erfstuk uit het bezit van Van Velthuysens grootvader Van der Straaten.

151 Ovidius, *Metamorphosen*, Boek III, vers 155 en verder. Voor Diana als woud- en jachtgodin: Pauly-Wissowa, *Real-Encyclopedie der classischen Altertumswissenschaften*, Stuttgart, 1905. k. 325–328 en W.H. Roscher, *Ausführliches Lexicon der griechischen und römischen Mythologie*, Leipzig 1884, II, k. 1002–1011. Vgl. G.K. Galinsky, *Ovid's Metamorphoses. An Introduction to the Basic Aspects*, Oxford 1975, 97–98. Met name in boek I tot IV, XIII en XIV van de *Metamorphosen* zijn natuur en landschap belangrijke thema's.

152 Vgl. de pasage bij Ovidius, *Metamorphosen*, Boek III, vers 163–170. Overigens lijkt op de geraadpleegde foto's het schilderij in de twintigste eeuw flink overgeschilderd. Het handelt hier niet om Venus, zoals Wevers 1991 denkt. Op het pla-

fond van de kamer waren bloemenslingers dragende putti geschilderd.

153 Documentatie van deze schilderingen ter plekke voor de brand op de Rijksdienst Monumentenzorg te Zeist, interieurfoto's in de fotocollectie van de V.U. Amsterdam en Centraal Museum Utrecht, waar na de brand een aantal van de schilderijen uit de interieurs van Heemstede worden bewaard. Kleurenopnamen vindt men bij Wevers 1991.

154 Daar decoreerden tapijten en een schoorsteenstuk, gewijd aan de jacht- en bosgodin, de antichambre van Mary II Stuart. Het plafond van de grote zaal, de climax in de ruimtelijke opzet van het huis Soestdijk, werd door De Lairesse beschilderd met voorstellingen van Diana en haar gezellinnen; samen met Johan Glauber nam De Lairesse ook de arcadische landschapschilderingen op de wanden voor zijn rekening. Zie Snoep 1970, 209–211 en Tromp 1987, 42–45.

155 Een zestal gravures met illustraties van verhalen uit de *Metamorphosen* van Ovidius in een tuinarchitectonische setting vinden we gecombineerd met series gravures van tuinen uit de *Paradisus Oculorum* in de bundel *Schoone gezigten in de provintie 's Utrecht, Holland, Gelderland e.a.* Amster-

dam, Wed. Nicolaas Visscher, na 1702 (exemplaar ondermeer in Wageningen, Landbouw Universiteit, Speciale Collecties R353B02). P. Schenk gaf deze oorspronkelijk Franse ontwerpen van J. le Pautre (vgl. BN, CdE, J. le Pautre Ed. 42-c Tome III, fol. 63) uit met een Nederlands onderschrift en een verwijzing naar de passage bij Ovidius. Deze mythologisering van de tuin met figuren (anders dan beeldhouwwerk) is in de late 17de eeuw niet ongewoon, vergelijk bijvoorbeeld de serie tuinscènes die Cotelle schilderde van Versailles: A. Schnapper, *Tableaux pour le Trianon de marbre 1688–1714*, Parijs/Den Haag, Mouton, 1967.

156 Pan, Silvanus en nimfen figureren ook in Vergilius' Tweede Boek van de *Georgica* als landelijke goden. Diana en Ceres, de veldgodin, vinden we als tuinbeelden op de frontispice van de serie gravures door De Moucheron. Nimfen, bosgoden en Pan noemt ook Frans van Oort als bewoners van Heemstede in zijn *Geboorte Toorts* van 1714 (*Gedichten*, s.a., s.l., na pag. 64).

157 Reets, 6 en 13, Rotgans, 268. Volgens Reets, 22, versierden voorstellingen van Venus en Adonis de toegangspoort tot Heemstede.

158 Reets, 11. Plinius beschrijft in zijn brieven (Boek V, brief 6) een tuin ten zuiden van zijn villa

sterrebos als plaats voor een omhelzing van Venus en Adonis. Reets en Rotgans evoceren beide Diana en Actaeon bij de wildbaan.[157] Aangekomen bij de wildbaan en de akkers eromheen, introduceert Reets zelfs een pastorale in de vorm van een gesprek tussen de herders Tityrus en Dafnis, geheel in de traditie van Vergilius' *Eclogae* of herdersdichten. Hun optreden versterkte voor de lezer, ongetwijfeld met instemming van Van Velthuysen, het landelijke, informelere karakter van dit gedeelte van Heemstede.

Al deze klassieke associaties met de tuin werden ondersteund door de bezienswaardigheden ter plekke. Op de vazen bij het huis, aan het begin van de hoofdas, was men Diana en Bacchus al tegengekomen. In de lanen herinnerden andere vazen en klassieke beelden aan Romeinse voorbeelden. Associaties die ook opgeroepen konden worden door onderdelen van de tuin. De vier vijvers doen Reets denken aan naumachiën, Romeinse waterspelen met schepen, terwijl de ellipsvormige galerijen herinneren aan de vorm van een Romeins circus.[158]

Het hanteren van klassieke voorbeelden in de uitleg en aankleding van de tuin laat zich goed vergelijken met de praktijk elders, bijvoorbeeld op Het Loo en Bentincks Zorgvliet.[159] Bentinck ging zover, dat hij op de overgang van tuin naar jachtterrein, daar waar architectuur overging in de 'wildernisse' van de duinen, het domein van Diana ook werkelijk met een beeld van de jachtgodin tot uitdrukking bracht (afb. 92).[160] Het gebruik van klassieke iconografie was een van de middelen om het karakter en de bestemming van verschillende soorten landschap uit te drukken.

Onder de bezienswaardigheden op Heemstede neemt de alleen in prent afgebeelde tombe, de bol op de sarcofaag, een eigen plaats in (afb. 86). De naamgeving lijkt te verwijzen naar klassieke tombes, zoals ze voorkomen in de idealiserende 17de-eeuwse landschapschilderkunst van De Lairesse en De Moucheron. Misschien kunnen we de tombe daarom ook aanmerken als een inventie van De Moucheron zelf. De bol op de kubus was in de 17de-eeuwse emblematiek symbool voor *Quies* of rust, meer in het bijzonder voor de goede heerser die dwalingen een halt toeroept (afb. 93).[161] Als *Quies* vinden we de kubus in 1710 terug in het kader van het landleven. Jan Goeree gebruikte

het in zijn vignet bij het hofdicht Voortwyk van de dichter Wellekens in diens *Dichtlievende Uitspanningen*, een bundel met overwegend pastorale poëzie (afb. 94).[162] Hier slaat *Quies*, omringd door ploegscharen en veldvruchten, op de rust van het landleven, ver van de perfide stad, de (stede)kroon vol slangen. De beide hofdichters leggen meermalen de nadruk op de rust in de Heemsteedse tuin. Vergilius' beschrijving van het landleven als symbool van de vrede in het Tweede Boek van de *Georgica* wordt door Rotgans geactualiseerd als de rust die na de Franse invasie van 1672 is teruggekeerd en de akkers en plantages heeft doen herstellen. Reets neemt zijn toevlucht tot het *beatus ille*-motief van Horatius, waarmee hij Van Velthuysen schaart in de lange, klassieke traditie van ambtenaren die na hun officiële werk genieten van een deugdzaam *otium*: 'Gelukkig is hy, die op 't land/ Verslijten mag zijn leevens jaaren,/ Terwijl hy jonge boomen plant.'[163]

De tombe is een klassieke stoffage bij uitstek, en niet alleen qua vorm. Als *Quies* somt het de betekenis op van Van Velthuysens tuin en buitenleven: een oord van politieke rust en daarmee een dankbetuiging aan het adres van de stadhouder; als oord van persoonlijke rust een resultaat van zowel deugdzaam *otium* als loyaal gevoerd *negotium* in dienst van diezelfde stadhouder. Op Heemstede smeedde het buitenleven zwaarden om tot ploegijzers, en werden wapentrofeeën ingeruild voor die van de jacht.[164]

EEN KLASSIEK LANDSCHAP

Al deze motieven maken van de compositie langs de hoofdas meer dan slechts een handvol bezienswaardigheden en het is opvallend hoe het gebied tussen sterrebos en wildbaan grote overeenkomsten vertoont met contemporaine ideeën over de ideale landschapschilderkunst.

In zijn *Groot Schilderboek* behandelde de schilder Gerard de Lairesse de schikking en het coloriet van het te schilderen landschap.[165] Hij legt met name de nadruk op die onderdelen die 'de zinnen verlustigen, en de oogen vermaken', zoals rotsen, water, bergen, bomen, fonteinen en groene velden. *Varietas*, de veranderlijke samenstelling

in de vorm van een Romeinse hippodroom ('in modum circi'); deze vorm zou in verschillende Italiaanse tuinen uit de Renaissance worden toegepast; Italiaanse tuinarchitectuur deed ook dienst als setting voor een naumachie. Coffin 1991, 14, 58, 112.

159 Zie hiervoor het hoofdstuk over Het Loo.

160 Hunt/De Jong cat. nr 45a, fig. 39. Iets dergelijks trof men ook op Duinrel bij Wassenaar. Daar inspireerde Diana als woud- en jachtgodin

tot plaatsing van een 'Cabinet van Diana' in een meer ongecultiveerde natuur op de grens tussen boomaanplant en duinen. Een gravure in de serie van Schenk spreekt in de Latijnse ondertitel van 'penetrale Dianae', het allerheiligste van Diana, zie P. Schenk (1660–1713), *Afbeeldinge der voornaemste gezichten van Duinrel*, Amsterdam, Petrus Schenk, voor 1702, serie van 16 ingekleurde etsen (Hollstein Vol. XXV, pag. 288, nrs 1243–1258). Deel vier van *Paradisus Oculorum*. Voor Duinrel

zie Hunt/De Jong cat. nrs 65 en 76.

161 O. Vaenius, *Emblemata sive symbola*, Brussel 1624, 1, met het bovenschrift 'Mobile fit fixum' – 'het bewegende wordt stilgelegd' en het onderschrift 'Globus cubo impositus ostendit (regnante principe Bono) que dissoluta sunt e vaga constabiliri / La boule mise sur un cube, veult dire que lors qu'un Roy gouverne bien, ce qu'estoit vague et inconstant l'establit'. Zie ook Heckscher, 38 en E. de Jongh, 'Pit van Wijsheid. Een ikono(on)logi-

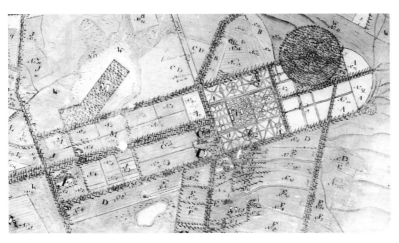

89. J. van Broeckhuysen, Detail van de kaart van de ambachtsheerlijkheid en de landerijen van Maarsbergen, 1721.

90. I. de Moucheron, Wandschilderingen op doek aan de west- en noordwand van de salon in kasteel Heemstede, met links Diana in haar woudheiligdom, 1697/98.

91. P. Schenk (naar J. Le Pautre), Diana en Actaeon, ets ca. 1690 opgenomen in de bundel *Schoone gezigten in de provintie's Utrecht, Holland en Gelderland*, Amsterdam, na 1702.

92. J. van Avelen, Het beeld van Diana in de tuin van Zorgvliet, ets tussen 1691 en 1698.

Mobile fit fixum.

93. O. Vaenius, Embleem
'Mobile fit fixum', *Emblemata sive symbola*, Brussel
1624.

A. Muering del.   C. v. Jagen fec.

94. J. Goeree, 'Quies', vignet bij het gedicht *Voortwyk*
uit 1706 in J.B. Wellekens
en P. Vlaming, *Dichtlievende
Uitspanningen*, Amsterdam
1710.

95. A. Muering en C. van
Jagen, Landschappelijke compositie, in G. de Lairesse,
Groot Schilderboek, Haarlem
1740.

is belangrijk, of dat nu bomen betreft, of de seizoenen en de belichting: afwisseling is, als in de natuur, geboden. Daarnaast geldt decorum, want ieder landschap drukt een eigen stemming uit, vooral als het landschap, zoals De Lairesse zegt, met geschiedenis vermengd wordt. Bijwerk en stoffage, die men naast de Bijbel en de fabels van Esopus het beste aan Ovidius kan ontlenen, geven extra uitdrukking aan het soort landschap; schildert men bijvoorbeeld een bos dan zijn bosgoden, tombes, rustbanken en bosnimfen geëigend. Het is deze stoffage die een landschap *antiek* of *modern* maakt, waarbij het moderne onvolmaakt, het antieke volmaakt is 'wanneer men het weet te schikken met vreemde en uitmuntende gebouwen, tombes, en diergelyke overblyselen van de aloudheid, welke met voornoemde stoffagie te samen een *antieksch* Landschap uitmaaken'.[166] De Lairesse geeft verschillende voorbeelden hoe mythologische figuren en antieke stoffage een landschap van geschiedenissen kunnen voorzien en het zo kunnen verheffen. Wat lelijk, krom, en slecht gevormd is behoort in eerste instantie niet tot wat De Lairesse 'schilderachtige natuur' noemt. Die positie is weggelegd voor de schone, 'geordineerde' natuur, waar de stammen van de bomen recht zijn en fraai van loof en kruin. De Lairesse geeft aan het einde van zijn verhandeling over het landschap een beschrijving van zo'n ideale antieke en schilderachtige compositie op een wijze die de lezer bijna doet vergeten dat hij over het maken van een schilderij spreekt.[167] Zijn ideale natuur is, zoals hij het uitdrukt, een 'lusthof' waar natuur en kunst eendrachtig aan het fraaie resultaat hadden bijgedragen. Hij beschrijft de wind en de zon, een marmeren fontein met beelden die afsteekt tegen het groen. Vazen staan langs een brede weg, hij noteert een overdaad aan soorten bomen als eik, es, linde, olijf en cipres. Hermen staan opgesteld als wegwijzers, het bevallige marmeren beeld van een naakte nimf wordt gevolgd door een tombe, die een fraai effect maakt. Een brug, boerenhuizen, het gezicht over de vlakte tot de horizon en een nobele tempel vormen een andere stoffage.

Ook al spreekt De Lairesse hier nadrukkelijk over geschilderde landschappen, de overeenkomsten met wat er langs de hoofdas in Heemstede te zien was is opvallend. Een afbeelding in De Lairesse's boek (afb. 95) suggereert dat het onderscheid tussen landschap en tuin niet altijd even groot werd geacht.[168] De samenhang tussen tuin en landschap blijkt overigens ook uit De Lairesse's uitvoerige adviezen over geschilderde landschappen op schotten als 'perspectief' in de tuin.[169] Juist omdat De Moucheron als landschapschilder Heemstede uittekende, bovendien deskundig was op het gebied van tuinaanleg en als kunstenaar schatplichtig was aan De Lairesse, juist daarom zijn de overeenkomsten in zienswijze van tuin en landschap naar een 'antieke' maatstaf des te overtuigender. Zijn rol als 'vormgever' op Heemstede kunnen we ondermeer terugvinden in de 'tombe', die hij in ieder geval voor de gravure heeft bedacht.[170] Als traditionele stoffage in de landschapschilderkunst kan de tombe echter ook heel goed in de tuin zijn uitgevoerd geweest als beschilderd schot, precies zoals Mollet en De Lairesse in hun tractaten hadden voorgeschreven.[171]

In de combinatie van architectonische en meer ongeordende natuur was dit gedeelte van de Heemsteedse tuin in afbeelding en in realiteit bedoeld als een vertaling van een geïdealiseerd klassiek landschap; dit klassieke landschap verwees tegelijkertijd naar de zo bewonderde Italiaanse natuur.

KEUKENTUIN EN ORANJERIE

Het gedeelte van sterrebos tot wildbaan was breed en diep en de diverse hoofdlanen en zijassen zorgden voor een goede ontsluiting van de bezienswaardigheden. Daardoor bezat dit gedeelte van de Heemsteedse tuin ook een hoge mate van ruimtelijkheid. Het westelijk gedeelte van de tuin bestond daarentegen uit drie op zichzelf staande compartimenten: die van de keukentuin of 'bogaert by de grotte' op het zuiden, de lusthof achter het huis en de oranjerie op het noorden (afb. 76). Ieder van deze gedeelten was omheind door muren, hagen of schuttingen en droeg daardoor een sterk besloten karakter. De hoofdas stuitte vanuit het sterrebos op het centraal gelegen huis, maar de twee parallelle oost-west lanen liepen door en zorgden zowel voor de toegang naar keukentuin, oranjerie en lusthof, als voor verband in de compositie van de aanleg als geheel. Naast de lanen scheidden waterlopen de drie tuingedeelten, en dat doet vermoeden dat we hier

sche bijdrage', in: *Veel liefs voor Liesbeth*, Utrecht 1980, 53–67 met opmerkingen over deze traditie in de 17de eeuw.

Als tuinornament is de Heemsteedse bol op de rechthoek een curieuze voorganger van Goethe's Altaar van de Goede Fortuin, dat hij in 1777 in Weimar liet opstellen. Daar verbeeldt de bol de fortuin die op het vierkant tot rust komt. Vgl. Heckscher 1961. Een ander voorbeeld is het monument voor Tycho Brahe, ook uit 1777, in Jae-

gerspris Park te Denemarken, zie K. Schawelka in *Daidalos* nr 38 (Dec. 1990), 81–89.
162 J.B. Wellekens en P. Vlaming, *Dichtlievende Uitspanningen*, Amsterdam 1710, 93–98. Voortwyk is als gedicht gedateerd 1706. Alciati in zijn *Omnia Emblemata*, Parijs 1602, 450–454 geeft de bol en de kubus als losse, tegengestelde elementen: fortuin is rond, de deugd vierkant.
163 Rotgans, 266/67 en Reets, 4, 26, 33/34.
164 Naar Rotgans 1699, Boek I, III, 107/108.

165 De Lairesse I, Zesde Boek, verhandeling over het landschap in zeventien boeken, 343–434.
166 De Lairesse I, Zesde Boek, 349, 352, 355.
167 De Lairesse I, Zesde Boek, 421–434.
168 De Lairesse I, Zesde Boek, afbeelding tegenover pag. 350 (A. Muering del., C. van Jagen fec.), bedoeld om de compositie van het verschiet aan te geven.
169 De Lairesse I, Zesde Boek, 376–383.
170 En daarnaast misschien in de hermen

met een traditionele indeling van het terrein van vóór Van Velthuysen te maken hebben. De parcellering volgde de geometrische, door sloten van elkaar gescheiden indeling van de landbouwgrond buiten de tuin, zoals we op de grote vogelvlucht kunnen zien. We kunnen er zelfs uit opmaken dat voor het terrein van de lusthof twee traditionele percelen moeten zijn samengevoegd: het cultuurlandschap van de landbouw werd getransformeerd tot het kunstlandschap van de tuin.

Deze indeling zal Van Velthuysen om verschillende redenen hebben willen handhaven, al heeft hij zeker de inrichting ervan veranderd. Hun ligging gaf hem de mogelijkheid het besloten karakter uit te buiten, misschien zelfs wel te verhogen, zodat hier nutsgewassen en exotische planten konden worden gekweekt en tentoongesteld.

Elk van de drie tuinen beschikte over een eigen entree. De boomgaard en keukentuin bereikte men via de noord-zuid dwarslaan. Een houten met sculptuur en vazen bekroonde poort verschafte toegang tot het brede wandelpad, tevens compositorische as voor deze tuin.[172] Twee berceaux ter weerszijden van de poort, ieder uitkomend in een vierkant paviljoen, gaven een sterk architectonisch accent dat aan het einde van de as een opzienbarende tegenhanger vond. Het wandelpad leidde langs een aanplant van dwergfruitbomen en trof op een kruising vier priëlen van taxus met vergulde ornamenten op hun toppen (afb. 97).[173] Op het vervolg van het pad werd de monotonie van de aanleg doorbroken door een arcade van geschoren groen, met in het midden een rond tuinhuis op een verhoging en gemarkeerd door twee hoge, piramidevormige naaldbomen. Op de blauwkleurige koepel tekent De Moucheron ter bekroning een lantaarn, terwijl Rotgans er een beeld van Hercules met de hemelbol op zijn schouders beschrijft.[174] Reets geeft de impressie dat het paviljoen van binnen was

beschilderd en met beeldhouwwerk voorzien.[175] Naar deze decoraties kunnen we alleen maar gissen; Hercules met de hemelbol van Atlas op zijn rug was in deze boomgaard in ieder geval geëigend. Het beeld refereerde aan het klassieke verhaal van de tuin der Hesperiden, waar Hercules door list in bezit kwam van de gouden appels.

Vaak wordt bij de beschrijving van Nederlandse tuinarchitectuur een sterk onderscheid gemaakt tussen sier en nut, waarbij het laatste altijd een mindere positie krijgt toebedeeld. Op Heemstede moet echter het nutsaspect van de boomgaard als integraal onderdeel van de hele opzet beschouwd worden. Dat geldt ook voor de kleine, smalle bedden met groenten en kruiden en voor de broeikassen, waar volgens Rotgans meloen werd gekweekt.[176] Deze lagen verder langs het pad achter het ronde paviljoen. Niet alleen verschafte de aarde hier groente en vruchten voor dagelijks gebruik.[177] De overvloed aan appels, peren en groenten vertegenwoordigde in algemene zin de vruchtbaarheid van de Heemsteedse grond en daarmee vormde het een bijzondere bron voor bewondering en genieting.[178] Iets daarvan blijkt uit een gedicht dat Burman, net hoogleraar in Leiden, in december 1715 schreef ter gelegenheid van Van Velthuysens 64ste verjaardag omdat hij bij de viering daarvan zelf niet aanwezig kon zijn. Als troost, zo meldt het dichtwerk, ontving hij een brief van zijn vriend, die (het is hartje winter) vergezeld ging van een treffend geschenk: schalen vol peren en appels, 'waard om door nymphen hand te zijn geplukt'.[179]

Op het wandelpad wordt Reets plotseling met een sater geconfronteerd, die hem vertelt van een grot met zeegewassen en watergeklater die hier door Van Velthuysen gebouwd zal worden.[180] De bosgod meldt verder dat Thetis het ontwerp voor de grot leverde en Tri-

rond en in de fontein in de grote vijver.

171 Voor De Lairesse zie noot 169 hierboven en Mollet 1651, Chapitre XI over de 'Ornements du jardin de plaisir': 'on posera de belles perspectives peintes sur toile'.

172 Rotgans, 269, Reets, 17-18 en De Moucheron gravure nr 20 en de voorstelling.

173 Reets, 18. Om hun merkwaardige vorm werden ze ook wel 'monnikskappen' genoemd, maar Reets spreekt erover als 'een Lustprieel, van een / Gescheurd heel aardig in vier deelen'. Voor de term monnikskappen, vgl. de inventaris van Ouderhoek aan de Vecht uit 1756 bij Pijzel-Domisse 1978, waar het gaat om latwerknissen met dezelfde vorm. De berceaux met vierkante paviljoens en de 'monnikskappen' behoren tot het

vroeg 17de eeuwse tuinidioom in de trant van Vredeman de Vries, dat tot in de 18de eeuw populariteit genoot.

174 Rotgans, 269.

175 Reets, 18: 'Naar konst geschilderd en gehouwen'.

176 Rotgans, 269. De glazen broeibakken met hun vensters zijn op de grote vogelvlucht goed te zien daar waar ze het meeste zon vangen: aan de noordkant van de tuin. Voor meloenbakken zie ook Van der Groen (ed. Oldenburger/Wijnands), 47/48, met afbeelding van de broeibak.

177 Zij zijn de 'dapes inemptae', de niet-gekochte spijzen van eigen grond, die als thema in de hofdichten (doch niet bij Rotgans en Reets) zo'n rol spelen. Van Veen, 21, 22 en vele andere passa-

ges.

178 Rotgans, 269: 'voortgesproten uit d'aarde wel bereidt'; Ook Reets, 17 en 18, roemt de vruchtbaarheid en het zware ooft aan de takken. Halma, in 1725, noemt de 'schoone vruchtbomen' in één adem met de fonteinen, wandeldreven, sterrebossen, de wildbaan, de oranjerie en de uitheemse gewassen.

179 Petrus Burmannus, In Natalem Quartum et Sexagesimum Viri Perillustris Theodori Velthusii, Heemstedii Toparchae, Trajectinorum Ordinum Principis. &c Celebratum XVIII. Decembris 1715 (exemplaar G.A.U.): 'Ecce venit, donis horti comitata beati, / Velthusii larga litera scripta manu. / Fert pyra, Phaeacis non insicianda viretis / Pomaque, Nympharum pollice digna legi' (pag. 7).

97. I. de Moucheron,
Gezicht op het tuinhuis in
de boomgaard in de tuin van
Heemstede, pen in bruin,
penseel in waterverf,
1700/1702.

96. I. de Moucheron en
D. Stoopendaal, Detail van
de vogelvlucht van de tuinaanleg van Heemstede: het
westelijk gedeelte met huis,
de lusthof en de buiten-
oranjerie, kopergravure
1700/ 1702.

100. I. de Moucheron, Gezicht op de parterres, de triomfboog en de buiten-oranjerie, kopergravure 1700/1702 (nr 21 in de serie).

101. Utrechts meester, Ontvangst van Willem III in 1674 in de Statenkamer te Utrecht ter gelegenheid van zijn aanstelling tot erfstadhouder, olieverf op paneel 1674.

98. P. Schenk, De Venusgrot in de tuin te Dieren, ets in de serie *Praetorium Dieranum* voor 1702.

99. P. Schenk, De grot bij de vijver in de tuin van Huis te Dieren, plaat 11 uit *Praetorium Dieranum* Amsterdam, vóór 1702.

ton al een groot aantal kinkhoorns en schelpen heeft verzameld. Bosgoden zullen helpen met de bouw van de grot. Het bouwwerk werd inderdaad een van de hoofdornamenten van Heemstede (plaat 7 en afb. 76).[181]

Tegen de westelijke wand lag de grot tussen twee latwerkgalerijen in, pendanten van de berceaux bij de ingang. Octogonaal van plattegrond werd het door een latwerkkoepel overwelfd. Pilasters, bogen en kroonlijst waren gemaakt van rotsig steenwerk, de ingangsboog en het blauwe fries van de kroonlijst bezet met een rijkdom aan schelpen.[182] In de achterwand van de grot was een met schelpen geornamenteerde nis, waar water zich, dankzij ingenieus fonteinwerk, via een cascade van kleine bassins verzamelde in een groter bekken. Panelen ter linker en ter rechterzijde waren ingelegd met schelpen in de vorm van festoenen, maskers en de initialen V en H: Velt Huysen.[183]

Als architectonische constructie betekende de grot het scheppen van een illusoire wereld van stenen, schelpen en water. Deze imitatie van de natuur was bij uitstek verbonden met allerlei klassieke denkbeelden. Door Vitruvius werd de grot gerekend tot het satirische genre van theaterdecors, waar bomen en grotten landschap imiteren. Reden waarom voor Reets de sater het meest geëigend was om de bouw van de grot op theatrale wijze te verkondigen.[184] Reets kende vast ook passages uit Ovidius. Deze auteur vertelt ondermeer van een bosgrot waar Peleus en Thetis elkaar beminden. Of de architectuur van deze Thetisgrot, zo schrijft Ovidius, een resultaat is van natuur of kunst valt moeilijk te zeggen, al wordt die twijfel uiteindelijk beslist ten gunste van de kunst.[185] Hiermee sneed Ovidius een cruciaal thema aan, dat ook in Italiaanse en Franse grotten uit de 16de en 17de eeuw een grote rol speelde: is de grot een produkt van de natuur of van de kunst, of van beide? Elders in zijn *Metamorphosen* spreekt Ovidius van een beschaduwde grot met heldere bron, als een domein van Diana.[186] Dit keer was de grot niet het werk van de kunst, maar van de natuur. Met alle scherpzinnigheid haar eigen imiteerde zij hier de kunst, want uit levende rots en zachte tufsteen had de natuur hier zelf een boog gewrocht (vgl. afb. 91).

Op Heemstede was de grot door de architectonische opzet allereerst een produkt van de kunst, een Ovidiaanse Thetisgrot. Maar de open constructie met z'n gefilterde licht, de vermenging van grotwerk, groen loof en schelpen, de diverse kleuren die weerkaatsten in het vallende en kunstig stromende water, moeten van de grot een geheimzinnig oord hebben gemaakt. Raadselachtig genoeg, ook door de stimulans van diverse zintuigen, om een bezoeker te dwingen na te denken over de soms dubbelzinnige relaties tussen natuur en kunst.

Er zijn nog andere inspiratiebronnen voor de Heemsteedse grot te noemen. De aanleg van een grot was een kostbare aangelegenheid. Om deze reden bestond in Van Velthuysens tijd vooral in de stadhouderlijke tuinen belangstelling voor dit tuinornament.[187] Spectaculair waren de grotten die tussen 1679 en 1684 in de tuin van Willem III's jachtslot te Dieren waren aangebracht. Grotwerk bij de vijver leek met zijn grote steenblokken een imitatie van een 'natuurlijke' onderaardse holte van rotsen en was geïnspireerd op 16de-eeuwse rustieke, Italiaanse voorbeelden (afb. 99).[188] Andere grotten op Dieren, zoals de Venusgrot, waren meer architectonisch van aard en volgden in hun opzet als vrijstaand bouwwerk een meer recente, Franse traditie, een traditie waartoe ook Van Velthuysens grot behoort (afb. 98).[189] Misschien kende Van Velthuysen Bentincks belangstelling voor de aanleg van grotten, waarvan er verschillende in de tuin van Zorgvliet te zien

180 Reets, 18–20. De grot dateert dus van na 1699, de publikatiedatum van Reets' gedicht.

181 Langs het wandelpad gaf een ornamentale rand van piramidevormige taxus, afgewisseld met lagere struiken, al een verhoogd accent dat de wandelaar op iets bijzonders voorbereidde. De Moucheron achtte geen ander onderdeel van de tuin twee illustraties waard; zie gravure nr 23 en 24, met de voorstudie).

182 De façade naar de tuin toe was van open latwerk en evenals de koepel en galerijen begroeid. Zitbanken naast de ingang, met in het latwerk erachter een borstbeeld, verschaften een moment van pauze om de architectuur van de kleurrijke grot te bekijken.

183 Andere fonteinen bevonden zich in het midden van de grot, in het centrum van de inge-

legde vloer, en als drakenfonteinen in grotwerk onder de gemonogrammeerde panelen. Deze waterwerken, evenals die in de lusthof, werden technisch mogelijk gemaakt door een molen langs de Heemsteedse vaart, zie De Moucheron gravure nr 21 (hier afb. 100).

184 Vitruvius, V, vi, 9 (het hoofdstuk over theaters en theaterdecors).

185 Ovidius XI, vers 234–236. Voor de vele betekenissen van de grot en de dubbelzinnigheid ervan zie Miller 1982, met name hoofdstuk II, IV en V.

186 Ovidius III, vers 155–163.

187 Voor een schets van deze traditie tot aan Willem III zie Van Regteren Altena 1970. Aanleiding voor de bouw van de kostbare grot was wellicht het legaat van f 20.000, dat Van Velthuy-

sen in 1698 ontving van zijn tante Christina van der Straaten, G.A.U. U 110 a 005, Notaris Hendrick van Hees 1681–1745, 3 febr. 1698.

188 Vgl. Hunt/De Jong 1988, cat. nr 22. Italiaans grotwerk was ondermeer bekend uit Frans prentwerk, bijvoorbeeld J. Le Pautre's *Grandes Veües de Grottes et Iardins a l'Italienne*, Parijs, P. Mariette, s.a. Ook in de tuinen van kasteel Roosendaal vond men dit soort rustieke grotwerk, Hunt/De Jong cat. nrs 57 en 58. Harris 1699, 32 (61) beschrijft een grot op Het Loo, onderdeel van de begane grondverdieping en grenzend aan de koninginnetuin. Boomwortels, ruwe stenen, schelpen en fonteinen waren hier samengebracht in een met zwart en wit marmer geplaveide ruimte, waarin ook nog plaats was voor een volière.

189 Voor dit onderscheid tussen het Italiaanse

waren en die in 1699, het tijdstip dat Van Velthuysen de bouw van zijn eigen grot plande, net uitvoerig in prenten waren gepubliceerd (afb. 49, 50).[190] Als losstaand bouwwerk was de achterwand van bijvoorbeeld de Ganymedesgrot uit 1679/80 versierd met zeldzame schelpen en spiegels, materiaal dat Bentinck geschonken was door Johan Maurits van Nassau uit de grot in zijn tuin bij het Haagse Mauritshuis.[191]

Buiten de directe hofkring was een dergelijke magnifieke grot als Van Velthuysen bezat een zeldzaamheid.[192] Zijn opzet de tuin, in navolging van het stadhouderlijk hof, met iets bijzonders te verrijken, slaagde volkomen: op het naburige slot Zeist bevond zich weliswaar ook een schelpengrot, maar deze was kleiner, veel minder spectaculair van vormgeving en weggestopt in een nis in de kelder onder de grote slotzaal.

De grot bood een uitgang op de zuidlaan, die zich hier naar het oosten toe presenteerde als een diep perspectief door de hele tuin. Een paar passen naar het westen toe gaf de laan uitzicht op de Heemsteder dijk, de enige keer dat een van de assen in de tuin een directe verbinding legde met het landschap erbuiten. Aan de zijde van de dijk werd de laan gemarkeerd door twee gepaarde zuilen ter weerszijden van de opening: zo werd ook de aankomende reiziger een eerste, verrassende indruk gegund van de dimensies van de tuin die hij zou gaan bezoeken.

Spiegelbeeldig aan de boomgaard met de grot bevond zich op het noorden, maar frontaal naar de volle zon uit het zuiden, de oranjerie (afb. 76).[193] Het oranjehuis lag in het midden van een aanplant van dwergfruitbomen; langs de muren van de hof groeiden leibomen met perzik en abrikoos. Tussen de leibomen waren op vaste punten zitnissen aangebracht.[194] Twee gebogen hagen met doorgangen ter weerszijden en hun nissen versierd met borstbeelden op piëdestallen, zorg-

den voor een aantrekkelijke ruimtelijke indeling van dit verder wat monotone tuinvak. Van begin mei tot begin oktober zullen het vooral de fruitbomen zijn geweest die hier bewonderd werden. De oranjerie was immers een winterplaats, waar in najaar en winter Van Velthuysens verzameling exotische oranje-, limoen-, mirte-, laurier- en granaatappelbomen beschutting vonden.[195]

De rechthoekige oranjerie, die men frontaal naderde, was imposant door zijn grootte, de twaalf venstertraveeën geleed door Ionische pilasters. Op de vogelvlucht kunnen we zien dat het bouwwerk over drie schoorstenen beschikte, voor evenzovele kachels, of stoven, die de ruimte 's winters konden verwarmen.[196] In opzet en architectuur is de Heemsteedse oranjerie nauw verwant aan de Purmer winterplaats van Pieter de Wolff, door Commelin aangeprezen en geïllustreerd in zijn standaardwerk uit 1676: de *Nederlantze Hesperides. Dat is, Oeffening en gebruik van de limoen en oranje-boomen gestelt na den aardt, en climaat der Nederlanden.*[197]

Anders dan bij dit voorbeeld was op Heemstede niet gekozen voor een hof recht voor de winterplaats, waarin de collectie planten en bomen naar buiten konden worden gedragen en die ook oranjerie of buitenoranjerie werd genoemd.[198] Een grote collectie als deze - op de vogelvlucht tellen we meer dan tweehonderd gewassen in potten - was meer dan een liefhebberij. Er was veel geld voor nodig om de verschillende specimina te kopen en te verzorgen. 'Door veel arbeids groot gebragt', dichtte Rotgans, en daarmee doelde hij op de vaardigheden van techniek en kunst die exotische natuur op Nederlandse bodem lieten bloeien en vrucht dragen. Als zodanig waren de oranjebomen, die bloesem en vrucht gelijktijdig toonden, een object van bewondering, van status. Reden genoeg om ze, samen met de rest van de verzameling, te exposeren als hoogtepunt in de lusthof, en wel in wat Rotgans betitelde als 'een schouburg ryk van pracht'.[199]

148

en meer Franse type zie Weber 1985, I, C3, 56–63.

190   Met name in de serie afbeeldingen die Van Avelen maakte van de tuinen van Zorgvliet die door Nicolaas Visscher tussen 1691 en 1698 werden uitgegeven, zie Hunt/De Jong 1988, cat. nrs 43 tot en met 47, en 49.

191   Zie voor deze grot en de schenking Blok, Lemmens 1979, 280–281 en Terwen 1981, 113–118. In de tuin van Johan Maurits bevond zich overigens tevens een ronde 'Hooren saal'. De Heemsteedse grot vertoont veel verwantschap met dit schelpenkabinet, dat ook door een latwerk werd overkoepeld (Vgl. de opmerking bij Terwen 1981, 117).

192   Men kan hier nog denken aan de schel-

pengrot die Georg Wilhelm Graaf von Inn- und Kniphausen rond 1700 liet aanleggen in de tuin van De Nienoord te Leek. Overigens had ook deze opdrachtgever banden met de stadhouder-koning.

193   De Moucheron gravure nr 4 en voorstudie. Rotgans, 274 en Reets, 20/21.

194   Van Bolhuis spreekt over een 'appelhof met naenties' (voor deze term vgl. J.H. Knoop, *Fructologia*, Leeuwarden 1763, 1, 14, 29, 31 en 57); abrikoos en perzik bij Reets, 21. Hij noemt ook de druif.

195   Rotgans, 273, noemt naast deze gewassen nog 'boomgewassen in myn landtzang niet te noemen, / Uitheemsche kruiden'. Reets, 29 noemt de laurier.

196   De Moucheron toont maar twee schoorstenen.

197   In het tiende hoofddeel van dit boek, pag. 9 en plaat 9. Van Velthuysen voorzag zijn voorbeeld van pilasters en kortte De Wolffs oranjerie met vier vensters in. Voor De Wolff zie ook De Jong 1984/85, 22/23.

198   Voor de diverse typen oranjerieën zie Paulus 1982, 136 en verder. Als oranjerie werden betiteld: a) een mobile winterkas, neergezet over in de grond geplante bomen heen, die zomers werd afgebroken; b) de oranjerie als plaats tot overwintering; c) de oranjerie als zomerstandplaats van mobile bomen, georiënteerd op de winterplaats; d) de oranjerietuin, los van de winter-

De lusthof werd bereikt via een wandeling onder de drie rijen eikebomen door, die het huis omringden (Rotgans spreekt toepasselijk van het 'aadlyk veldthuis') (afb. 96). De bomen boden weliswaar bescherming tegen de wind maar vanuit het huis belemmerden ze een vrij zicht op de parterres en de architectuur van de lusthof, een compositie die in elk tuintractaat werd afgeraden. Alleen vanaf het balkon was er, door een opening in de rij eikebomen, zicht op de parterres, door de triomfboog heen naar het paviljoen op het einde van de as. Deze niet erg harmonische oplossing werd enigszins gecompenseerd door de haag, die de lusthof aan de kasteelzijde afsloot, voor een gedeelte lager te scheren, met als effect een meer ruimtelijk verband.

De hofdichters en De Moucheron besteden veel aandacht aan de lusthof (afb. 100, 102 en plaat 8).[200] Dubbel zo breed als de boomgaard en oranjerietuin was natuur hier door mathematiek en kunst tot perfectie gebracht. In tegenstelling tot de zichtas vanuit het huis leidde in de tuin het pad niet rechtstreeks van begin naar eind. De compositie van parterres met erachter de grote ronde kom, afgesloten door een boogvormige muur, was dusdanig dat de bezoeker werd uitgenodigd de aanleg stap voor stap in zich op te nemen, kijkend, ruikend, bewonderend. Deze wandeling werd gemarkeerd door een aantal belangrijke ornamenten die niet alleen bijdroegen tot een steeds rijker effect, maar ook een specifieke betekenis hadden.

In geometrische precisie lagen de parterres rondom een ornamentaal grasperk met een fontein in het midden. Randen met planten en geschoren piramides van taxus en jeneverbes op de hoeken accentueerden het octagonale wandelpad. Als planten noemen de dichters hier tulpen, hyacinten, narcissen, rozen, lelies, irissen en papavers. Reets beschrijft de sculpturen van arduinsteen, die in de parterres voor een verticaal accent zorgen; Cybele (de aarde), Flora (de natuur

van bloemen en planten) en Apollo (de zon) verzinnebeelden hier de natuurkrachten. Ze werden aangevuld door een standbeeld van Meleager: de jacht als integraal onderdeel van het Heemsteedse landschap. Reets' voorkeur ligt niet bij deze beelden 'klassieke stijl'. Hij en Rotgans beschrijven met verve vier marmeren borstbeelden, opgesteld in de hagen om de lusthof heen.[201] Zij stellen voor: Willem de Zwijger, Prins Maurits, Frederik Hendrik en Willem II. De visualisering van Van Velthuysens politieke gezindheid bereikte hier een hoogtepunt en wie anders dan Rotgans was geschikt om de betekenis van deze beelden te verwoorden? Hij dichtte:

'Veldthuizens yver doet Oranjes Prinssen praalen
In 't midden van den hof; om door dat schoon gezigt
Elkeen t' errinneren, hoe dier wy zyn verplicht
Aan hunne dapperheên; hoe Neêrlandt, vrygevochten,
Zyn heil is schuldig aan hun bloedige oorlogstogten.'[202]

Willem III kreeg ook zijn plaats in de parterretuin. Niet als borstbeeld, maar als emblematische fontein: een kleine, slangenwurgende Hercules werd opgesteld in het centrale bassin.

Met de plaatsing van deze beelden en deze fontein deed Van Velthuysen iets opmerkelijks. Hij verving een gebruikelijke klassieke heersersiconografie (portretbustes van Romeinse keizers waren standaard in tuinen) door een eigentijdse. De Oranjes werden daarmee moderne 'exempla virtutis', voorbeelden die navolging en verering waard waren. Dat was des te opvallender omdat het gebruik van dit soort Oranje-iconografie voorbehouden was aan de officiële propaganda. Als fontein bleef de jonge Hercules beperkt tot fonteinen op Het Loo, Honselaarsdijk en Zorgvliet (afb. 64, 67 en 51).[203] Ook de opdrachten voor borstbeelden van de stadhouders kwamen in de eer-

---

plaats; e) een gebouw of tuinzaal in een oranjerietuin, niet noodzakelijkerwijs een winterplaats.

199 Rotgans, 273.

200 Rotgans, 270-274 en Reets, 23-32. De Moucheron gravure nrs 21, 22, 25 en 26.

201 Op de afbeeldingen is echter te zien dat het hier moet gaan om zes borstbeelden, twee terzijde van de ingang naar de lusthof en twee maal twee beelden naast de zitnissen op de dwarsas van de parterre. Van Bolhuis spreekt van 'braeve heegen waerin hoofden waeren geset tot perpectiven'.

202 Rotgans, 271/272. De volledige passage luidt:
'De beeltenissen van vier Prinssen van Oranje;
De geessels van 't gewelt, en tiranny van Spanje.

Die 't landt verlosten door hun wapens uit verdriet.
[...] mogt gy leeven
Een uur slechts, Vorsten, om uw' Nazaat op den troon
Van Brittenlandt te zien, daar een driedubble kroon
Afschittert van zyn kruin met diamante straalen;
Daar Recht, en Godsdienst door zyn wapens zegepraa-
len;
Voorheen geschonden door Gewetensdwinglandy; [...]
Veldthuizens yver doet Oranjes Prinssen praalen
In 't midden van den hof; om door dat schoon gezigt
Elkeen t' errinneren, hoe dier wy zyn verplicht
Aan hunne dapperheên; hoe Neêrlandt, vrygevochten,
Zyn heil is schuldig aan hun bloedige oorlogstogten.
De heldendeugd wordt nooit verduistert door het graf;
Noch legt haar luister met d'ontzielde leden af:

Maar pronkt in marmer of albast om standt te hou-
wen.'

203 Rotgans noemt deze Herculesfontein niet, Reets, 27, wel. Dit kan betekenen dat de Hercules na de voltooiing van Rotgans' gedicht werd toegevoegd onder invloed van de Herculesfontein op Het Loo, geplaatst tussen 1691 en 1697 en rond die tijd ook uitvoerig in prent gebracht. Zie ook het vorige hoofdstuk.

204 Voor Soestdijk maakte Rombout Verhulst in 1683 een serie bustes met Frederik Hendrik, Willem II, Mary Stuart en Willem III, nu op het Mauritshuis, Den Haag. *Mauritshuis Illustrated General Catalogue*, Den Haag 1977, nrs 364, 365, 366, 367. Een serie beelden van Willem I, Maurits,

102. I. de Moucheron, De
triomfboog met fonteinen
in de lusthof op Heemstede,
kopergravure 1700/1702
(nr 25 in de serie).

103. Perelle, De triomfboog
in het bosquet de l'Arc de
Triomphe in Versailles,
gravure uit *Recueil de Vues
de Paris*.

104. Perelle, De parterre
met boogvormige afsluiting
in de tuin van Richelieu,
gravure uit *Recueil de Vues de
Paris*.

105. D. Stoopendaal, De
oranjerie in de tuin van slot
Zeist, gravure voor 1702.

106. J. le Pautre, Buitenhuis
met tuin, gravure in *Nouveaux Dessins de Jardins, Parterres et Fassades de Maisons*.

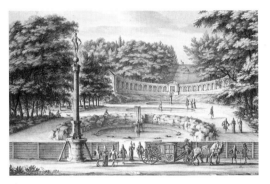

107. J. van Call, Gezicht op
het Amphitheater in Kleef
vanaf de Tiergartenallee,
gouache ca. 1690.

108. J. van Avelen, De oranjerie van Zorgvliet, gravure
tussen 1692 en 1698.

ste plaats uit de stadhouderlijke kring zelf.[204] Als genealogie waren ze natuurlijk in eerste instantie bedoeld als visualisering van de legitieme positie van Willem III als erfstadhouder en opperbevelhebber.[205] Het hof maakte soms gebruik van dit soort politieke iconografie om er loyaliteit mee uit te drukken, zoals Van Nassau-Odijk deed door een borstbeeld van Willem III in de zogeheten Willemszaal van slot Zeist te plaatsen.[206] Buiten de stadhouderlijke kring was dit ongebruikelijk.[207]

Van Velthuysens orangisme moet echter beoordeeld worden naar de politieke situatie in het Sticht, waar hij carrière wilde maken. Daarbij kon hij zich beroepen op het loyale gedrag van zijn grootvader Van der Straaten, eerst als lijfarts ten opzichte van Frederik Hendrik, Willem II en Willem III, later als Utrechts burgemeester in de nieuwe, oranjegezinde vroedschap van 1674. Er is een opvallende parallel tussen Van Velthuysens gebruik van borstbeelden van Oranjeprinsen in zijn tuin en de feestelijke versieringen ter gelegenheid van de ontvangst van Willem III in Utrecht in dat cruciale jaar 1674. Een anoniem schilderij toont hoe de prins ter gelegenheid van zijn aanstelling tot erfstadhouder door de Staten werd onthaald (afb. 101). De voorhal tot de Statenkamer was versierd met krijgstrofeeën, vaandels, wapenschilden en een harnas. De deur naar de Statenkamer vormde een tegenwicht tot dit oorlogstuig. Hier was, als de berceau in een tuin, een poort van groen en bloemen opgesteld, versierd met de bustes van Willem III's vier voorouders, cupido's, een hoorn des overvloeds en oranjebomen.[208] De Staten gaven hiermee aan dat zij Wil-

lem III, naar traditie, als hun meerdere wensten te erkennen in kwesties van oorlog en vrede.

Loyaliteit was ook wat Van Velthuysen als Statenlid met zijn borstbeelden van de Oranjeprinsen wilde uitdrukken. Dat blijkt nog eens overduidelijk uit wat Rotgans er over dichtte in de Opdragt aan Van Velthuysen in zijn heldendicht over Willem III uit 1698.[209] Daar zijn zij een wat pompeus symbool van Van Velthuysen als gezagsgetrouwe bestuurder; hij is 'Een Wachter, op wiens wacht het volk mag slaapen, / En rusten, schoon 't geweld veel onrust baart./ Een kloeke Loots, / Die 't Schip der Nederlanden,/ In 't midden van 't verbolgen krygsgety,/ Helpt stuuren, en de Kiel behoed voor 't stranden;/ Gezeten aan het roer van Staatsvoogdy./ Die 't Staatenhuis, beroemd door Stichtse Vaders,/ Met zorg bewaakt, en slaaft ten dienst van 't land;/ [...]/ Die in zyn hert den Stamboom van Oranje / Gewortelt houd [...]'.

De triomfboog vormde een toepasselijke achtergrond voor deze apotheose, al gaf een verborgen waterspel al deze waardigheid een onverwachte speelsheid (afb. 102). Want als men de boog naderde, wachte de bezoeker een verrassing: water sprong uit de taxuspiramiden langs het pad omhoog en vormde zo een watergalerij naar de triomfboog toe.[210] Het was een solide bouwsel met een rechthoekige doorgang, wellicht van steen, maar hierover zijn we niet ingelicht.[211] De 'zegeboog' (Rotgans' bewoording) was tegelijkertijd fontein; hoog van de zijkanten van de boog stroomde water uit drakekoppen via bekkens naar beneden. Deze combinatie van boog met fonteinen toont een

Frederik Hendrik en Willem II zag W. Mountague in augustus 1695 aan de ingang van Huis ten Bosch (Mountague 1696, 41: 'Four whole Marble Effigies'). Hier handelde het om de vier beelden die Fr. Dieussart volgens een contract van 1646 maakte voor Honselaarsdijk, zie Morren 1908, 29 en Neurdenburg 1948, 20/21, afb. 91 en 92.

205 Bijvoorbeeld in R. de Hooghe's prent van de eedsaflegging van Willem III als kapitein-generaal op 25 mei 1672 (Frederik Muller 2316 A) en op erepoorten, als de Erepoort op de Markt, tijdens de inhuldiging van Willem III in 1692 in Den Haag (Muller 2827, Van Stolk 2864 VI). Overigens allebei gelegenheden waar deze legitimering niet zonder betekenis was.

206 Vgl. bijvoorbeeld ook de reeks Oranje-portretten die Laurens Buysero, griffier van de Oranjes, omstreeks 1645 in zijn Haagse huis liet aanbrengen, H.W.M. van der Wijck, 'Een Pieter Post-zaal ter ere van de Oranjes', Bull. KNOB.

1968, 83-89.

Voor hulde aan het adres van Oranje in de tuin van Zorgvliet zie het vorige hoofdstuk.

207 Wel vinden we in de latere 18de eeuw series met borstbeelden van de Oranjes in tuinen opgesteld. Hier gaat het mijns inziens om laat 17de-eeuwse beelden die in het kader van verzamelingen van tuinbeelden werden opgesteld. Dat blijkt bijvoorbeeld uit de inventaris uit 1737 van Henrik Trip op wiens hofstede Saxenburg vele beelden stonden opgesteld, waaronder borstbeelden van Willem I, Maurits, Frederik Hendrik en Willem II, gebeeldhouwd door J. Blommendael (Van Nierhoff 1971, 38/39). Het is verleidelijk te denken dat het hier zou kunnen gaan om de beelden die in 1720, na de dood van Van Velthuysen, werden verkocht (vgl. Tegenwoordige Staat 1772, 387). Dat zou betekenen dat Van Velthuysen beeldhouwers had aangezocht die ook voor de stadhouder werkten, zie de betreffende passages in het hoofdstuk over

Het Loo. Voor een serie bustes als die op Soestdijk zie de inventaris van 1756 van de buitenplaats Ouderhoek gepubliceerd door Pijzel-Dommisse in 1978.

208 Centraal Museum, Catalogus van schilderijen, Utrecht 1952, nr 306, olieverf op paneel, 42 × 52 cm (inv. nr 2318). Een pendant, cat. nr 307, illustreert de afkondiging van het nieuwe regeringsreglement in 1674 en laat zien hoe ook het bordes van de Statenkamer versierd was met groen en bloemen.

209 Rotgans 1698, 'Opdragt'.

210 Rotgans noemt de bedriegertjes tweemaal, op 271 en 274 en gaat in op de verwarring en het vermaak van dit mechanisch spel. Reeds noemt het op 8 en 28. De Moucheron geeft op de vogelvlucht een idee van de verwarring die het waterspel teweegbrengt. Het is niet duidelijk of de fonteinen inderdaad uit de taxuspiramiden omhoog sprongen. Men kan ook denken aan een rij kleine-

grote gelijkenis met een Frans voorbeeld, de van 1677 tot 1679 gerealiseerde triomfboog in het Bosquet de l'Arc de Triomphe in Versailles (afb. 103).[212] Heeft Van Velthuysen dit voorbeeld, dat hem uit prenten bekend moet zijn geweest, bewust gekozen om de vorstelijke herkomst ervan?

De triomfboog vormde niet alleen een fraai effect als achtergrond, het was tegelijkertijd een waardige toegang tot de ruimte van de buitenoranjerie, het tweede hoogtepunt in de lusthof.[213] Tegen de halfcirkelvormige, met latwerk verhoogde muur stonden twee rijen van exotische bomen en planten opgesteld, op vaste intervallen afgewisseld door een taxuspiramide (afb. 96). Ook rond de ovaalvormige vijver stonden op twee niveaus potten opgesteld.[214] Een hoge waterstraal sprong uit de zwanenfontein in het midden van de vijver, twee kleine draken spuwden water op de breedteas. In alle opzichten bood de boogvorm een indrukwekkende afsluiting van de lusthof. Het ving de blik van de beschouwer, leidde de aandacht naar de bezienswaardigheden ervoor en hield haar vast op het midden waar een octogonaal paviljoen stond opgesteld. Het uitzicht daarvandaan leverde op zijn beurt een mooie compositie op van water en oranjeriebomen op de voorgrond, de triomfboog en de parterres in het midden, het huis als achtergrond (plaat 8).

Deze boogvorm, of exedra, was meer dan een goed gekozen decor voor het tentoonstellen van planten. Als 'schouburg ryk van pracht' bracht het de vorm van het klassieke theater in herinnering.

DE TUIN ALS 'SCHOUBURG'

Door de intensieve studie van de Romeinse architectuur was de boogvorm in de Italiaanse renaissance vanaf de 16e eeuw een belangrijk motief in de architectuur geworden, dat weliswaar 'teatro' werd genoemd, maar niet altijd meer een theaterfunctie bezat.[215] Het vond toepassing in de villa-architectuur (de 16de-eeuwse Villa Giulia en Villa Madama in Rome bijvoorbeeld), maar werd in architectuurtractaten ook aanbevolen als voorplein voor een palazzo.[216] Vanwege de associatie met het antieke theater kende men aan de boogvorm een nobel effect toe en gebruikte men het om status, schoonheid en waardigheid mee uit te drukken.[217] Ook in de Franse tuinarchitectuur was de boogvorm een belangrijk kenmerk geworden; we vinden het ondermeer als afsluiting van de Jardin de Luxembourg in Parijs (voltooid ca. 1630) en van de tuin van kardinaal Richelieu in Richelieu (1639) (afb. 104).[218] Mollet gebruikte het motief in zijn beide ideaalontwerpen in *Le Jardin de Plaisir* uit 1651, resultaat van zijn ervaringen in Frankrijk en Nederland, waar het motief was toegepast in de aanleg van Huis ter Nieuburgh en het Huis Honselaarsdijk (afb. 45). In deze traditie werd het motief vanaf de jaren zeventig toegepast als groene galerij in de parterretuin achter slot Zeist (vanaf 1677) (plaat 9) en op Het Loo, bij de uitbreiding van na 1691 (afb. 44). Romeyn de Hooghe betitelde de boogvormige, stenen colonnade van het Veluwse jachtpaleis nadrukkelijk als *amfitheater*.[219] Belangrijk voor de gebruik van het motief aan het stadhouderlijk hof was een verwant amfitheater dat Johan Maurits van Nassau in 1657 in zijn Kleefse tuinen

153

re fonteinkoppen langs het pad aan de voet van het snoeiwerk.

211 Rotgans, 27; Reets, 28 en De Moucheron gravure nr 25. Paren Dorische pilasters met rustica banden ondersteunden het hoofdgestel waarop schijnpedimenten rustten, versierd met oculi. Vergulde putti met festoenen en vazen op de hoeken verlevendigden het silhouet.

212 Voor het Bosquet de l'Arc de Triomphe in Versailles vgl. Weber 1985, 291/292. De architectuur van de boog contrasteert scherp met de architectuur van de latwerkgalerijen in het sterrebos. De triomfboog lijkt daarom een vinding te zijn die ca. 1690, of later, op Heemstede is aangebracht, in elk geval vóór het hofdicht van Rotgans (ca. 1695). Op de vogelvlucht en de prenten 21 en 22 wordt de boog op Heemstede geflankeerd door twee beelden. Als De Moucheron de boog van nabij weergeeft (gravure nrs 25 en 26), zijn ze echter niet meer te zien. Geen van de dichters rept er-

over.

213 Rotgans, 273 en Reets, 28. De Moucheron gravure nr 23.

214 Dit keer waren het jongere, of kleinere, exemplaren en ook zij werden afgewisseld door taxuspiramiden. De as werd aan de voet van de traptreden die het bassin inleidden, door twee naaldvormige jeneverbessen gemarkeerd.

215 Klaus Schwager, 'Kardinal P. Aldobrandinis Villa di Belvedere in Frascati', *Römisches Jahrbuch für Kunstgeschichte* 9/10 (1961/62), 289–382 en Eberhard-Paulus, 1982, III, 143 en verder.

216 V. Scamozzi, *l'Idea della architettura universale [...]*, Venetië 1615, I, derde boek, cap. xxii, 322, waar hij over zo'n plein spreekt naar aanleiding van de Villa Giulia en de Villa Madama: 'in forma di Theatro [...] in forma di mezza Lune, ò mezi ouati [...]'. Vgl. ook Hopper 1983, 108. Op Heemstede verraadt zowel de halfronde toegangspoort invloed van dit gedachtengoed als de laan-

beplanting aan het einde van de hoofdas (zie de plattegrond van Stoopendaal, afb. 78). Daar zijn de boogvormige toegang, het eerste stuk van de laan en vervolgens het plein voor het hek in de hoofdas geheel opgevat als de entree van een vorstelijk lustslot. Vgl. voor een dergelijke compositie op Honselaarsdijk Hopper 1983.

217 Scamozzi, 322. Ook bij S. Serlio, *Tutte l'Opere d'Architettura et Prospetiva*, Venetië 1619, 71–75 vinden we een beschrijving en een afbeelding van het antieke theater. Voor de diverse associaties met deze vorm ook: Paulus 1982, III, 3.

218 Woodbridge 1986, 134–137 en 143–147. Het motief werd ook in Engeland toegepast, ondermeer in de tuin van Wilton House, vgl. Hunt 1986, 139–143.

219 Figuur 9 en 10 van zijn aanzichten van Het Loo: 'Gesicht van het Amphitheatre na 't Hof' en ''t Amphitheatre in 't Perk der Nanen'.

220 Diedenhofen 1979, 176, waarschijnlijk

op de Springenberg had laten oprichten en dat rechtstreeks op Italiaanse voorbeelden was geïnspireerd (afb. 107).[220] In de tuinen van Kleef, Zeist en Het Loo was de boogvorm, net als in Richelieu, gecombineerd met een waterbassin, dat het centraliserende effect van de boogvorm versterkte.

De combinatie van boogvorm en oranjerie was zeldzamer. Niet gebonden aan een vast patroon, was de opstelling van oranjeriebomen in een halve cirkelvorm een van de vele mogelijkheden, zoals een Frans ontwerp laat zien (afb. 106). Een groepering die in Nederland voorkwam was de opstelling in rijen of rond een bassin, los van de winterplaats, zoals in de tuinen van Zeist (afb. 105).[221] Uit deze variaties kunnen we opmaken dat de oranjerie zich in de jaren zeventig en tachtig van eenvoudige stelplaats voor kuipen met planten ontwikkelde tot een complexe aanleg, die een centrale rol vervulde in de tuin. Complex, omdat niet alleen de theatervorm beladen was met klassieke herkomst. De oranjebomen zelf werden herhaaldelijk geassocieerd met het verhaal van de tuin der Hesperiden, waar Hercules, als een van zijn twaalf heldendaden, de gouden appels ontvreemde. Een vertelling die een algemeen verbreide allegorie werd voor deugd en *heroïek*.[222] In Nederland kon daarom de oranjeappel tot embleem van de stadhouder worden, iedere oranjerie een tweede Hesperidentuin, waar persoonlijke zorg en arbeid de condities van de Nederlandse natuur hadden genegeerd en exotische planten tot wasdom brachten.[223]

De combinatie van boogvorm, oranjerie en stelplaats voor een exotische verzameling vond plaats op Zorgvliet in de jaren 1675–77 (afb. 108).[224] Sterk beïnvloed door het voorbeeld van het Kleefse amfitheater, vormde het een van de meest bewonderde onderdelen van Bentincks tuin. Dat Bentinck de antieke betekenis van dit 'theater' besefte, blijkt wel uit het feit dat de zaal in het centrum van de aanleg gedecoreerd was met afgietsels van triomfale voorstellingen van de Romeinse zuil van Trajanus en geschilderde, klassieke afbeeldingen.[225] Theater- en triomfmotief versterkten elkaar hier wonderwel en waren een geëigende achtergrond voor de opstelling van Bentincks kostbare collectie exotica.[226]

De boogvormige oranjerie op Heemstede is ondenkbaar zonder dit voorbeeld van Zorgvliet, waar in de parterre voor het huis, op de as met de oranjerie, eveneens een Herculesfontein prijkte. Van Velthuysen moest echter de oranjerie als gebouw scheiden van de oranjerie als stelplaats: zijn boogvorm was op het westen gelegen, wat als winterplaats, en eigenlijk ook als stelplaats in de zomer, niet gunstig werd geacht.[227]

Niettegenstaande dit feit was de buitenoranjerie in letterlijke zin een 'schouburg' van natuur en kunst, waar zelfs de getrapte opstelling rond de vijver kon doen herinneren aan de 'cavea', de boven elkaar geplaatste zitplaatsen in een Romeins theater.[228] Zoals in het verhaal over de Hesperidentuin bewaakten ook hier twee draken, die hun water spuwden in het bassin, de verzameling oranjeappels. Met de parterretuin, gewijd aan de Oranjestadhouders en met de aan Versailles ontleende triomfboog, vormde de buitenoranjerie met zijn oranjebomen naar compositie en inhoud een eenheid die van de lusthof het orangistisch hoogtepunt in de Heemsteedse tuinaanleg maakte.

Het centraal op de middenas geplaatste paviljoen vatte de bedoelingen van Van Velthuysen nog eens samen (plaat 8, afb. 96). De over-

---

naar ontwerp van Jacob van Campen, die zich inspireerde op Scamozzi, Serlio en Palladio; Hunt/ De Jong 1988, cat. nr 43.

221 Deze opstelling bijvoorbeeld ook op Clingendaal (vgl. Hunt/De Jong 1988, cat. nr 54).

222 Commelin 1676, de voorrede en 1 en 2. Voor de betekenis hiervan voor de ontwikkeling van de oranjerie en bijbehorende decoratieprogramma's zie Paulus 1982, III, 4.

223 Zie hoofdstuk 3. Ook Rotgans, 29 maakt deze associatie.

224 Hunt/De Jong 1988, cat. nrs 47 en 146. De ontwerper was misschien Maurits Post (1645–1677), petekind van Johan Maurits van Nassau en vanaf 1670 architect-ordinaris van Willem III.

225 Zie voor Zorgvliet en de relaties tussen Bentinck en Johan Maurits van Nassau het vorige hoofdstuk. De zaal van Bentincks oranjerie was overigens ook verder zeer rijk ingericht met twee vergulde tafels met albasten bladen, zeventien Engelse rieten stoelen, waarvan twee met leuningen, een Delfts porseleinen bloempot, een schilderij van een Arbutus of haagappelboom en vier beeldjes. Zie *Inventaris van alle sodanige meubilen op Sorgvliet bevonden onder de bewaringe van Philips Bolderdijck, Thuyman (etc.)* van 26 Oktober 1709, Notaris Abraham van Neck, coll. Rijksdienst Beeldende Kunst, Den Haag.

226 Voor de relatie tussen 'teatro' en triomffarchitectuur vgl. Paulus 1982, III 3 c en H. Ch. Ehalt, 'Schloss- und Palastarchitektur im Absolutismus', in: H. Stekl (ed.), *Architektur und Gesellschaft von der Antike bis zur Gegenwart*, Salzburg 1980, ondermeer 203 en verder. Bij Wenzel 1970, 76 vinden we ook Duitse voorbeelden, waar een sterk Nederlandse invloed van het theatermotief uit spreekt, bijvoorbeeld in de tuin van Gaibach (1699–1700).

227 Commelin 1676, 20 schrijft een plaats op het zuiden of zuid-oosten voor; de zomeropstelling moet het liefst op het zuid-oosten plaats vinden en niet op het westen, zuid-westen of noorden. Dat betekende dat men op Heemstede in het voorjaar een lange route met de kuipplanten moest afleggen tussen winterplaats en stelplaats rond de vijver. Deels werd daar in voorzien door in de laan tussen oranjerie en huis op de hoogte van het voorplein een extra doorgang te maken. Opvallend is dat deze noordlaan, in tegenstelling tot de zuidlaan, aan de Heemstederdijk afgesloten werd door een schot, misschien om in verband met het transport van de exotica zo veel mogelijk wind in deze laan te vermijden. Op de vogelvlucht is ook nog te zien hoe achter de boogvormige muur op

koepelde en octagonale plattegrond bood door middel van vier vensters uitzicht op de vier windstreken. Op de wanden van de muurdammen waren voorstellingen van de vier elementen geschilderd: Aeneas en Anchises (Vuur), Europa op de stier (Water), Apollo en Marsyas (Lucht) en Orpheus bij de onderwereld (Aarde).[229] Muurdammen en vensters werden van elkaar gescheiden door mythologische figuren, ongeveer op de wijze zoals De Moucheron ze afbeeldde (plaat 8).[230] Zij hielden boven de wandschilderingen afbeeldingen vast van de belangrijkste gezichten in de tuin, elk opgevat als een van de vier seizoenen. Mars en Venus met de lusthof in een krans van bloemen verbeeldden de lente; Apollo en Minerva met het landhuis, omgeven door tarwe en graan, de zomer; Diana en Bacchus hielden een voorstelling vast van de hoofdas met de sterrebossen omringd door festoenen met druiven: de herfst; de winter werd verzinnebeeld door Saturnus met het interieur van de oranjerie in winteropstelling.[231] Spiegels waren aan het plafond aangebracht.[232]

Het idee om schilderingen aan te brengen, ontleende Van Velthuysen regelrecht aan een antieke bron. In het zevende boek over de architectuur beschreef Vitruvius de Romeinse praktijk van het schilderen van landschappen, godenbeelden en legenden op de muren van exedra's en beschutte wandelplaatsen.[233] Verschillende eigenaren van Italiaanse villa's in de 16de eeuw bliezen dit voorschrift nieuw leven in. Het landschap werd een geschilderde topografische afbeelding van de villa met tuin en bood zo een mogelijkheid het eigen bezit in één oogopslag waar te nemen.[234]

De scènes in Van Velthuysens paviljoen verschaften nog eenmaal een overzicht van de tuin die men had doorgewandeld. Samen met de geschilderde elementen illustreerden ze de essentie van Van Velthuysens creatie: water en aarde waren er bedwongen; door middel van het vuur in de oranjerie werden exotica beschermd tegen de koude, natte Hollandse lucht. De seizoenen vatten de cyclus van het buitenleven samen, de goden illustreerden nogmaals de klassieke herkomst en betekenis ervan. Lusthof, landhuis, sterrebos en oranjerie brachten de privileges van de heerlijkheid in herinnering en de tuin als statusverhogend element in een op loyaliteit aan Oranje toegespitste carrière.

Een blik uit het paviljoen bevestigde dat dit niet alleen ideaal maar ook werkelijkheid was, zij het, net als zijn politieke ambitie, van voorbijgaande aard. Maar ook op deze tijdelijkheid was Van Velthuysen bedacht, want de hofdichten en De Moucheron, terzijde gestaan door Stoopendaal, legden zijn ideaal van de tuin als een klassiek landschap blijvend vast.

het zuiden de restruimte benut werd als werkplek voor tuinlieden. Er staan potten en kuipen opgesteld en er is zelfs een kleine kweekkas gebouwd. Een brug, afgesloten door een hek, stelde het in verbinding met de zuidlaan.

228 Deze getrapte opstelling vond men ook in de oranjerie van Zeist en Zorgvliet en voor de colonnade van Het Loo, die ook dienst deed als stelplaats voor oranjerieplanten.

229 Deze beschrijving bij Reets, 30/31. Deze schilderingen moeten zijn aangebracht na de publikatie van Rotgans' gedicht, die alleen de voorstellingen op de grens van wand en koepel beschrijft. Kennelijk was ten tijde van Rotgans' gedicht (ca. 1695) het paviljoen nog niet voltooid. Is De Moucheron verantwoordelijk geweest voor het afmaken van de beschilderingen? Landschappelijke en perspectivische schilderingen maakte hij ook in de oranjerie op Zijdebalen en voor zitpaviljoens in de tuin van het Vechthuis van Theodoor Boendermaker aan de Vecht, zie *De Zegepraalende Vecht*, toelichting bij plaat 31/32.

230 De Moucheron gravure nr 26. Waarschijnlijk heeft de tekenaar zich hier het een en ander aan vrijheden veroorloofd. Op de plattegrond en de vogelvlucht van Stoopendaal is te zien dat het paviljoen octogonaal is, en alleen met een deur aan de voorzijde open is. De openheid die De Moucheron aan het paviljoen geeft was nodig om ook het uitzicht volledig in de topografische afbeelding te kunnen betrekken. Dat de mythologische personages inderdaad kariatiden waren mogen we opmaken uit de beschrijving van Reets, 30.

231 Deze beschrijving bij Rotgans, 273. Bij Saturnus ontbreekt een tweede figuur.

232 Reets, 31. 'elk naar rang / Geplaatst' suggereert een geometrische indeling die wellicht te vergelijken is met het spiegelplafond in het porseleinkabinet op Het Loo, na 1695 de bibliotheek, vlak voor de galerij.

233 Vitruvius VII, V, 2. Hij noemt landschappen als havens, kusten, rivieren, bronnen, tempels, bossen, heuvels, vee en herders. Daarnaast noemt hij de omzwervingen van Odysseus door het landschap en het gevecht om Troje (de Aeneas en Anchises in het Heemsteedse paviljoen!) als geschikte onderwerpen.

234 Voor de Italiaanse traditie zie Coffin 1979, 74-80.

Hoofdstuk 5. *Natuur en Deugd*

Zijdebalen: de tuin als wereldbeeld van de doopsgezinde zijdehandelaar David van Mollem

I BUITENS LANGS DE VECHT

Reizend door Nederland in 1740 schreef de Duitse architect Balthasar Neumann aan zijn opdrachtgever Friedrich Karl von Schönborn dat hij op het gebied van de bouwkunst geen extra bijzondere indrukken opdeed, maar 'wass [...] in garten wessen undt einrichtung dahier bey denen particulier zu finden, dass ist wohl schön, wirdt also auf die application dass Studium sein [...]'.[1] Voor een architect die in 1731/32 en in 1735 de hoogst originele trappenhuizen van de paleizen in Bruchsal en Würzburg had ontworpen en die in 1743 het ontwerp voor de pelgrimskerk van Vierzehnheiligen voltooide, is het begrijpelijk dat er van de Nederlandse, hoofdzakelijk burgerlijke architectuur niet veel te leren viel. Dat de tuinarchitectuur van de burgers en kooplui voor deze barokarchitect wel voorwerp van studie kon zijn, zegt iets over de opvallende plaats die het tuinontwerp in de laat 17de- en vroeg 18de-eeuwse Nederlandse cultuur innam. Tegen 1740 waren ook voor veel andere Duitse, Franse en Engelse reizigers tuinen een bezienswaardigheid van de eerste orde geworden.[2] In een tijd waar veel verkeer over water, in de trekschuit, plaatsvond, riepen de buitens, tuinen en landerijen langs Nederlandse rivieren als Amstel, Spaarne en Vecht bij reiziger en toerist verbazing en verwondering op.

Wat Neumann in 1740 als tuinarchitectuur bij verschillende particulieren aanschouwde was de uitkomst van een proces van meer dan honderd jaar, waarin burgers buiten de stad vorm waren gaan geven aan het klassieke ideaal van het buitenleven. Niet alleen de idealisering van het buitenleven, maar ook het daadwerkelijk verlangen om buiten te zijn, leidde in verschillende fasen tot een typisch Nederlandse variant van de in Europa algemeen verbreide mode van villabouw en tuinarchitectuur. De bloei van het burgerlijk mece-

naat op dit gebied duurde van ca. 1660 tot ver in de achttiende eeuw.

De verstedelijking van het gewest Holland, die al aan het eind van de zestiende eeuw begonnen was en tot ver in de zeventiende eeuw voort zou duren, was ongetwijfeld van invloed op deze trek naar buiten. De behoefte aan rust, ontspanning en vermaak blijkt uit de namen van de buitens die rijkere burgers vanaf de jaren twintig lieten bouwen: Zorgvrij, Lustrust, Zorgvliet, Buitenzorg of Hofwyck (plaat 2). Veel steden kampten met ruimtegebrek en om die reden zochten ook minder vermogende stedelingen hun heil buiten de stadsmuren. In Haarlem trachtte het stadsbestuur om militaire redenen al vanaf 1593 door ordonnanties het zogeheten 'buitentimmeren' tegen te gaan. Uit 1603 dateert een verbod op het bouwen van houten opstallen buiten de stadsmuren, tenzij deze uitsluitend als schuilplaats tegen de regen of voor het opbergen van tuingereedschap dienst deden. Een verbod dat samenhangt met het feit dat de stad Haarlem een aanzienlijke woningnood kende en rond 1600 bijna uit haar muren barstte.[3] Een detail uit een kaart van B. Floris van Berckenrode uit 1622 geeft de vroegste verkaveling ten zuiden van de stad Haarlem weer, aan de westoever van de rivier het Spaarne. Er is dan nog geen buitenplaats te zien, maar in 1643 geeft een kaart van dezelfde tekenaar een geheel ander beeld dan eenentwintig jaar eerder. Langs het Spaarne zijn vier buitenplaatsen verschenen, terwijl ten zuiden van de stad vele tuinen zijn aangelegd, waarvan verschillende als proeftuinen van kwekers. Een tekening van Laurens Vincentz van der Vinne (1658–1729), negenendertig jaar later gemaakt in 1682, toont hoe in de tweede helft van de eeuw de oever van het Spaarne direct bezuiden de stad tot een aaneengesloten bebouwing van tuinen met tuinkoepels aan het water was geworden (afb. 109 en plaat 2). Kijkend vanaf de vlonder voor Spaarnhout, heeft de kunstenaar de veelal houten getimmerten met hun aanlegsteigers en plezierbootjes verscholen tus-

1 Zie Karl Lohmeyer, *Die Briefe Balthasar Neumanns an Friedrich Karl von Schönborn, Fürstbischof von Würzburg und Bamberg, und Dokumente aus den ersten Baujahren der Würzburger Residenz*, Saarbrücken 1921, 106 en W. Hansmann, 'Balthasar Neumann als Gartenarchitekt', *Die Gartenkunst* 1 (1989), 33–47.

2 Vgl. bijvoorbeeld Bientjes 1969, 196–203.

3 Voor de Haarlemse situatie zie Sliggers 1984; De Jong 1984, 56–57.

4 Van der Wijck 1982, 29–40.

5 Zie: *De Zegepraalende Vecht*. Voor dit boek: Hollst. Vol. XXVIII, 145, nr. 55; Luttervelt 1970, 10–12; De Jong in Hunt/De Jong 1988, cat. nr 12. De kaart in dit boek (door Daniël Stoopendaal) geeft de ligging van de buitens aan. Andere kaar-

ten van de Vechtstreek illustreren de spectaculaire groei van buitens tussen 1700 en 1740, vgl. bijvoorbeeld *Nieuwe kaart van Mynden, en de 2 Loosdrechten*, uitgegeven door Nicolaas Visscher ca. 1702, en *Nieuwe kaart van Mynden, en de 2 Loosdrechten*, uitgegeven door Johannes Covens en Cornelis Mortier, 1734 (beide R.A.U.).

6 *De Zegepraalende Vecht*, respectievelijk platen

109. L. Vincentz. van de Vinne, Gezicht op het Spaarne buiten Haarlem vanaf de aanlegplaats voor Spaarnhout, pen en bistre, gedateerd 1682.

111. D. Stoopendaal, Gezicht vanaf de Vecht op het huis van Boendermaker bij Breukelen aan de Vecht, gravure uit *De Zegepraalende Vecht*, Amsterdam 1719.

110. D. Stoopendaal, Twee gezichten in de tuin van Petersburg aan de Vecht, gravures uit *De Zegepraalende Vecht*, Amsterdam 1719.

114. J. Cresant, Portretbuste
van David van Mollem ter
gelegenheid van zijn zeven-
tigste verjaardag, terracotta,
grijsgekleurd, gedateerd
ET 70 1740.

115. N. Verhaer, Portret-
penning van de dichter
Arnold Hoogvliet, zilver,
1739.

112. P.J. van Liender, De
voorgevel van het huis
Zijdebalen buiten de
Weerdpoort te Utrecht, pen
in grijs, gewassen, gesigneerd en gedateerd 1756.

113. D. Stoopendaal, De
tuin van Zijdebalen in 1719,
gravure uit *De Zegepraalende
Vecht*, Amsterdam 1719.

sen het riet, treffend vastgelegd. Waren de tuinhuisjes in het begin nog eenvoudig van architectuur, na 1682 zouden deze vierkante gebouwtjes uitgroeien tot veelhoekige monumentale paviljoens en soms tot volwaardige buitens voor welgestelde Haarlemse en Amsterdamse burgers.

Langs de Vecht was een vergelijkbare expansie waar te nemen. De verbouwing van een boerenhofstede tot het classicistische landhuis Goudesteyn voor de Amsterdammer Joan Huydecoper markeerde een belangrijk begin in de jaren twintig van de 17de eeuw.[4] Hoe de eenvoudige, en hoofdzakelijk op nut ingerichte, erven om deze hofsteden heen zich in honderd jaar ontwikkelden tot de tuin als zelfstandige kunstvorm, en de hofsteden tot villa's, kunnen we zien in het in 1719 verschenen boekwerk met de veelzeggende titel *De Zegepraalende Vecht*.[5]

In achtennegentig platen (gekozen, getekend en gegraveerd door Daniël Stoopendaal) worden twaalf stads-, dorps- en landgezichten en meer dan vierenveertig buitenplaatsen, huizen en hofsteden weergegeven. Van verschillende buitens, bijna allemaal eigendom van rijke Amsterdamse regenten, burgers en kooplieden, worden huis en tuinaanleg zelfs in meerdere platen uitvoerig gedocumenteerd. De buitens Ouderhoek van Anthoni van Hoek, Loenen van Christiaan Persyn, Petersburg van Christoffel Brandts (afb. 110) en Driemond van Cornelis van Laar spannen met respectievelijk zes, vijf, twaalf en acht platen de kroon.[6] Het boek is een demonstratief vertoon van luxe en bezit, waarin het aantal platen per buitenplaats een rangorde vertegenwoordigt in de status die de verschillende eigenaren zichzelf toedichtten.[7] *De Zegepraalende Vecht* is het eerste, uitvoerig geïllustreerde boek dat de in de 17de eeuw al populaire lofprijzing op de stad vervangt door een verheerlijking van het landleven.

Naast genoemde prenten bevat het boek een titelprent en een plattegrond van de Vechtstreek. Wat tekst betreft is een voorbericht opgenomen van Andries de Leth (de samensteller van het werk), een verklaring van de titelprent en een gedicht 'Speelreis langs de Vechtstroom', beide door Claas Bruin en een 'Vechtzang' door Jan de Regt. Uit zijn aanhef leren we dat De Leth maar al te goed het effect van een grote verspreiding door prentkunst naar waarde wist te schatten. Het lijkt erop dat hij met dit boek de buitenplaatsen van de Amsterdamse,

burgerlijke elite heeft willen propageren en een antwoord heeft willen geven op de talloze prenten die – zoals hij zegt – van de tuinen van vorsten en hoge hofambtenaren in Frankrijk en Engeland en Nederland waren verschenen. Hij doelde met deze opmerking op de series prenten die veelal door Nicolaas Visscher en na diens dood in 1702 door diens weduwe in Amsterdam werden uitgegeven.[8] Zij was ook de uitgeefster van *De Zegepraalende Vecht*.

Dit gevoel van eigenwaarde – hadden de Amsterdammers niet het grootste aandeel in de rijkdom van de Republiek? – vinden we ook terug in Claas Bruins 'Speelreis langs de Vechtstroom'. Zijn continue toespelingen op de Vecht als de Florentijnse Arno, op de Vechtstreek als een tweede Tivoli of Frascati en op verschillende tuinen als een nieuw Arcadië of klassiek Tempe, zullen menig bezitter een trots gevoel van eigenwaarde hebben gegeven. Niet langer was de illustere traditie van het buitenleven aan vorsten en hovelingen voorbehouden: 'Dus Vorst'lyk kan een koopheer leeven/ Door 's Hemels zeegen, zorg en vlyt/ [...] / De Waereldstad aan d'Amstelvloed,/ Hoe wonderlyk 't U klinkt in de ooren,/ Teelt Koningen op Schryfkantooren'.[9]

Het boek was echter niet alleen bedoeld voor diegenen die aan de Vechtstroom woonden, maar ook voor de vele toeristen die in het zomerseizoen van Utrecht tot Amsterdam 'plaisierigh oogvermaak willen genieten, soo nut als aangenaem'. Dat velen inderdaad zo'n pleziertocht per trekschuit of eigen sloep maakten vanuit Amsterdam of Utrecht, blijkt wel uit de vele Engelse, Franse, Duitse, Italiaanse en Nederlandse reisbeschrijvingen uit de laat zeventiende eeuw en daarna.

Al in 1667 waren de oevers van de Vecht, zelfs in de winter, zo aantrekkelijk dat Cosimo de Medici's schatmeester Cosimo Prie de buitens tussen Nieuwersluis en Weesp op maandag 19 december betitelde als 'molte belle villette all'Olandese' ('vele fraaie, kleine villa's op z'n Nederlands').[10] Ook latere reizigers beaamden de specifieke schoonheid van de Vecht, zoals de arts Albrecht von Haller, die op 26 april 1726 over dezelfde streek als Cosimo Prie noteerde: 'Unter allen Strassen in Holland ist diese die anmuthigste. Schon bey Amsterdam hat sie etwas besonders wegen der Breite dess Fahrwassers und denen angelegnen Gärten. Nachdeme man aber bey Nieweschluyss [Niewersluis] in den Vecht gekommen, befindet man sich völlig in einem

47 tot en met 52 (Ouderhoek), 63 tot 68 (Loenen), 77 tot en met 88 (Petersburg) en 93, 94 a–d, 95 en 96 (Driemond). Daarnaast vallen op Zijdebalen van David van Mollem (plaat 3, 4 en 5), Hoogevecht van Francois Sweerts (platen 18 tot en met 21), Otterspoor van Jakob van Lennep (platen 22, 23 en 24), het huis van Theodoor Boendermaker (platen 30, 31 en 32), Middelhoek (met platen 54–

56) en Wallenstein (plaat 68–70).

7 Daartoe kocht men zich waarschijnlijk een plaats in *De Zegepraalende Vecht*. Dat blijkt ondermeer uit de platen van Driemond, waar de platen 94 a, b, c en d in de serie 93, 94, 95 en 96 een beslissing achteraf lijken te reflecteren om huis en tuin met meer platen te illustreren.

8 A. de Leth, 'Aan de Heeren Liefhebberen

van het Vechtleven' in *De Zegepraalende Vecht*.

9 *De Zegepraalende Vecht*, Claas Bruins 'Speelreis langs de Vechtstroom, op de uitgegeevene Gezichten van de Zeegepraalende Vecht', 32.

10 Hoogewerff 1919, 40. De dag ervoor (18 december 1667) beschreef hij de streek tusen Utrecht en Nieuwersluis als vol met 'vaghi palazette con bel ordine architettati [...] per delizia del

bezauberten Lande. Alle Dörfer und sonderlich Marsch [Maarssen] sind eitel Gärten und prächtige Lusthäuser, der Fluss schwimmt voller Schwanen, das Land ist aufs schönste angebaut, und alles scheinet eher ein willkürliches Gemälde als etwas Würkliches'.[11]

Het aanzien van de compacte buitens, omringd door zorgvuldig bijgehouden tuinen aangelegd op door waterlopen omgeven percelen en afgewisseld door weiden en akkerland, was uniek in Europa. In plaats van grote adellijke landhuizen kon men hier deftige, maar bescheiden villa's zien, waarvan de tuinarchitectuur vooral na 1700 een rijke overdaad aan architectuur en tuinsieraden presenteerde, een overdaad die de reizigers slechts vanaf het water hebben kunnen bevroeden, omdat de meeste tuinen zich achter hagen en huizen uitstrekten.

Een opvallende groep bezitters van buitenplaatsen langs de Vecht werd gevormd door de doopsgezinden. Hun aantal was zo groot dat de streek tussen Breukelen en Nieuwersluis de bijnaam van 'Menistenhemel' kreeg.[12] Leden van de families Van Lennep, Rutgers, De Neufville en Wolff bezaten hier en elders langs de Vecht vaak de mooiste buitenplaatsen, gesticht met kapitaal dat zij hadden verdiend met dezelfde handel: de zijdenijverheid.[13] *De Zegepraalende Vecht* opent met drie platen van een buiten waarvan de naam verwees naar deze belangrijke tak van handel en nijverheid: Zijdebalen, net buiten de Utrechtse Weerdpoort aan de Vecht gelegen en het eigendom van de doopsgezinde zijdereder David van Mollem (afb. 113).

DAVID VAN MOLLEM (1670-1746)

Het was David van Mollems vader, Jacob van Mollem (1623-1699), die de basis legde voor het kapitaal waarmee de aanleg van het buitengoed bekostigd zou worden. Afkomstig uit Amsterdam, richtte hij zich in 1681 met een rekest tot de vroedschap van Utrecht met het verzoek een zijderederij te mogen stichten.[14] Zijn voorbeeld was, zo blijkt uit het document, de winstgevende Haarlemse zijderederij die met steun van de stedelijke overheid op initiatief van de doopsgezinde Galenus Abrahams de Haan in 1678 was opgezet. Het arbeidsintensieve afwikkelen van de balen ruwe zijde gebeurde daar met behulp van een ingenieuze afwindmachine; op arbeidskosten kon zo aanzienlijk worden bespaard.[15] Jacob van Mollems grootste troef was een geheime machine, 'een soogenaemde nieuwe inventie', waarmee het arbeidsintensieve reden van de ruwe zijde aanzienlijk goedkoper en dus winstgevender gemaakt kon worden. Voor het aandrijven van deze machine had Van Mollem echter waterkracht nodig. Daarvoor had hij zijn oog laten vallen op het gebied buiten de Weerdpoort, waar de sterke stroom van het water in de Westerstroom verval maakte ten opzichte van het lager gelegen waterpeil van de Vecht (afb. 112). In dit gebied maakten overigens een slijp- en volmolen al gebruik van deze waterkracht, maar het feit dat de volmolenaar in 1680 was overleden, moet voor Van Mollem de reden zijn geweest in zijn rekest het stadsbestuur te verzoeken de volmolen naar elders te verplaatsen.[16]

De Utrechtse vroedschap reageerde snel op Van Mollems in vleiende bewoordingen gestelde verzoek.[17] Het door Van Mollem voorgespiegelde economisch belang van zijn zijderederij voor de stad Utrecht werd door de burgemeesters serieus opgevat. Een maand later werd het contract met uitgebreide voorwaarden en bepalingen tussen vroedschap en Van Mollem opgesteld en getekend.[18] Van Mollem kreeg beschikking over het gebruik van het water en een octrooi om voor vijfentwintig jaar als enige binnen de jurisdictie van de stad het zijdereden uit te oefenen. Mocht zijn bedrijf binnen zes jaar niet slagen, dan diende Van Mollem de hoge verplaatsingskosten van de volmolen te betalen. Zou na deze datum om andere redenen de zijderederij tot een einde komen, dan kreeg de stad opnieuw beschikking

villegiare. Molti sono ricorsi da aqua mobile, che rendendo isolato ancora il giardino unito all' istesse fabbriche e distinto con ordinati ripartimenti e viali con molte piante rende vaghezza non ordinaria', Hoogewerff 1919, 38.

11 Haller 1958, ed. Lindeboom, 65/66.

12 Van Luttervelt 1970, 22/23.

13 Vgl. voor een opsomming van doopsgezinden en hun buitens Van Luttervelt 1970, 22; voor hun deelname aan de zijdehandel Van Nierop 1931b, 113-124.

14 Vgl. voor het verzoekschrift van 28 februari 1681 G.A.U. II nr 1114. Voor de navolgende gegevens over de geschiedenis van de zijderederij en fabriek zie Muller 1912, 1-6, P.J.M. van Gorp, 'De Zijderederij Zijdebalen te Utrecht' in De Jong/

Snoep 1981, 14-20 en Snoep, 'De van Mollems en de Utrechtse zijdenijverheid' in De Jong/Snoep 1981, 9-13 en Perks 1974, 230-242. Voor de economische welvaart die de zijdehandel en de zijderederij brachten zie Van Nierop 1931, 28-55 en 113-143.

15 Uit Van Mollems rekest blijkt dat hij al zestien jaar in Utrecht het beroep van zijdereder uitoefende. Wellicht begon hij zijn vak bij de uit Amsterdam afkomstige Elias Nolet die in 1667 toestemming had gekregen om in het voormalige Utrechtse Magdalenaklooster zijde te reden en te spinnen. Van Mollems nering moet goed hebben gelopen: na in de Groene Brugsteeg te hebben gewoond, geeft hij bij de doop van zijn zoon David in 1670 het adres Janskerkhof op. Muller 1912, 2 en

Snoep in De Jong/Snoep 1981, 9.

16 Vgl. hiervoor het rekest van Van Mollem. Voor deze kwestie voorts Muller 1912, 2, Perks 1974, 230/231 en Snoep in De Jong/Snoep 1981, 10 en 11.

17 Vgl. G.A.U. Vroedschapsresoluties van 21 en 28 februari 1681.

18 G.A.U. Stadcontractboek, folio 102. Het contract werd opgesteld op 7 en ondertekend op 21 maart. Voor de bepalingen zie ook Muller 1912, 3, Perks 1974, 231 en Snoep in De Jong/Snoep 1981, 11.

19 Een in deze branche niet ongewone situatie. Ook in Haarlem en elders werd gebruik gemaakt van de arbeidskracht van armen en wezen. Vgl. Van Nierop 1931, 122 voor hun situatie en

over water en erf. De burgemeesters verklaarden vervolgens Van Mollem te zullen helpen bij het zoeken naar voldoende arbeidskrachten, te weten arme vrouwen en kinderen.[19] De optimale toevoer van stromend water zou een constante zorg voor de Van Mollems blijven. In 1686 probeerde Van Mollem ook de slijpmolen, die ten behoeve van de wapenfabricage gebruik maakte van het water, van de eigenaar over te nemen. Dat lukte zijn zoon pas in 1719 op voorwaarde dat de loopmakers er nog sporadisch van gebruik konden maken; pas in 1745 werd David van Mollem van deze bepaling ontheven en kon de molen verbouwd worden tot tuinmanswoning.[20]

Jacob van Mollem heeft na maart 1681 op de plek van de oude volmolen zijn installatie-op-waterkracht waarschijnlijk eerst in een loods opgezet. In 1684, 1691 en 1693 verwierf hij grond langs de Vecht waarop eerst de fabriek werd gebouwd en daarna een woonhuis met erf zou worden aangelegd.[21] Twee jaar later werd er kennelijk gedacht aan de vormgeving van het terrein achter het huis, want uit die tijd stamt Van Mollems verzoek aan de Utrechtse vroedschap om de Schouwwetering, die zich direct achter het huis uit de Westerstroom vertakte, naar achteren te mogen verleggen (afb. 120).[22] Het is niet waarschijnlijk dat Jacob van Mollem zich voor zijn dood in 1699 nog uitvoerig met de aanleg van een tuin heeft beziggehouden. De twee vroegste reisbeschrijvingen, die van Sturm uit 1697 en van Uffenbach uit 1711, maken geen melding van bijzonderheden in tuin en huis.[23] Wel gaan zij beiden uitvoerig in op de door een omvangrijk waterrad aangedreven haspel-, spoel- en twijnmachinerie in de langwerpige, twee verdiepingen hoge fabriek met winkel en werkplaats, opgetrokken langs het Westerstroompje.[24] Groot is hun verwondering over het technisch vernuft van deze installaties. Sturm had het geluk er een schets van te kunnen maken.[25] Uffenbachs broer daarentegen wordt het optekenen verboden, waarschijnlijk uit angst voor bedrijfsspiona-

ge. Het is niet onwaarschijnlijk dat vele bezoeken, waaronder ook het bezoek van tsaar Peter de Grote in 1717 en van diens bibliothecaris Schumacher in 1721, bedoeld waren om het geheim van Van Mollems welvaart tot in details te bestuderen en als voorbeeld voor elders te gebruiken.[26]

Ook na Jacob van Mollems dood en die van zijn vrouw Maria Sijdervelt bleef voor hun zoon David Amsterdam het centrum van de zijdehandel.[27] Van hieruit werd de geïmporteerde ruwe zijde over de Vecht naar de fabriek in Utrecht vervoerd en in gerede vorm teruggetransporteerd naar het kantoor in Amsterdam om verhandeld te worden ten behoeve van de zijdeweverijen. Hier ook vond men het centrum van de zijdehandel. Verder woonden er de verschillende doopsgezinde families, waarmee de Van Mollems nauwe banden onderhielden en waaronder zij, naar doopsgezinde traditie, hun huwelijkspartners zochten. David van Mollem en zijn zuster trouwden beiden met kinderen uit het geslacht Van Oosterwijck, waarvan de vader eigenaar was van een zijdeweverij.[28]

Als doopsgezinden waren zij uitgesloten van politieke en militaire functies en van bestuurlijke en justitiële ambten. Maar door hun handelsinzicht (Haller beschreef hen in 1725 als 'stark in der Handlung') en hechte familieband waren deze zijdereders en -wevers in staat veel geld te verdienen dat zij konden investeren in de aankoop van grond, huizen, schilderijen, goud en zilver of in de aanleg van een tuin.[29] Op Zijdebalen lagen de fabriek, de oorsprong van het kapitaal, en huis en tuin, de visualisering van vergaarde rijkdom, naast elkaar. Deze combinatie van huis en tuinaanleg met een fabriek kwam aan de Vecht overigens wel vaker voor (afb. 120).[30]

Na de dood van zijn vader beschikte David van Mollem, als representant van de tweede generatie, weliswaar over de fabriek, het huis en de grond achter het huis naar het westen toe, maar het is waar-

honorering en Taverne 1978, 385–386.

20 Vgl. Perks 1974, 233/234. Ook later in de eeuw zou zich nog verschillende keren de situatie voordoen (in 1749 en in 1779), dat de erfgenamen van David van Mollem zich tot het uiterste moesten inspannen de regelmatige toevoer van water voor hun rederij te behouden. Vgl. Perks 1974, 234.

21 G.A.U. Bibliotheek O.U –2217 XXXX, met eigendomsbewijzen van fabriek en hofstede Zijdebalen. Het stuk land dat hij in 1691 respectievelijk 1694 verwierf (waarop huis, fabriek en erf werden aangelegd) was erfpacht van de heer van Pijlsweert, vgl. Van de Pollstichting, Zeist, familiearchief Van der Mersch, nr 48 d (akte van belening) en i, inventaris van de nalatenschap van David van Mollem, 8 juli 1746, 'Eerste Capittel', nr 4. In het vervolg geciteerd als: inv. 1746.

22 G.A.U. Vroedschapresoluties 26 maart 1695.

23 Sturm 1719, 36–38 en Uffenbach 1753–4, Dl. III, 698.

24 P.J.M. van Gorp, 'De zijdederij Zijdebalen in Utrecht' in De Jong/Snoep 1981, 14–20 voor opmerkingen over de machinerieën en de diverse opmerkingen van reizigers hierover. Een goede indruk van de gecompliceerde constructie van de machinerieën kan men krijgen via de platen van de afwikkel- en twijnmolens in het Recueil des Planches sur les Sciences, les Arts libéraux et les Arts méchaniques, avec leur Explication, Parijs 1772.

25 Fig. 6, 7 en 8 in zijn reisverslag. Een afbeelding bij De Jong/Snoep 1981, 19 afb. 9.

26 Voor het bezoek van Peter de Grote vgl. Reitz 1744, Dl. II, 303–304 (ook bij J. Scheltema, Peter de Grote, keizer van Rusland in Holland en te Zaandam in 1697 en 1717, Amsterdam 1814, Dl. II, 26/27). Schumacher (zie R. Vermij 1990, 109) vermeldt dat hij erin slaagde plattegrond en opstand van Van Mollems geheime machine in tekening te brengen met behulp van de als lakei verklede wiskundige en deskundige in machines, Kaschuber.

27 In ieder geval tot 1709 woonde David van Mollem nog in Amsterdam in de Gouden Rijder op de Keizersgracht bij de Hartenstraat.

28 Vgl. de stamboom bij Muller 1912, 13 en Ter Molen-Den Outer 1975, 505.

29 Voor Haller zie Lindeboom 1958, 30.

30 Van Luttervelt 1970, 49.

schijnlijk pas na het sterven van zijn moeder in 1709 dat hij over voldoende kapitaal beschikte om aan de verfraaiing van zijn buitenplaats te kunnen denken.[31] Tussen deze datum en 1740, dus over een periode van bijna dertig jaar, zou David van Mollem tijd, geld en energie besteden aan wat hem naast de zijdehandel het meeste ter harte ging: de aanleg en inrichting van zijn tuin.[32]

162 EEN PORTRET

In 1740 werd David van Mollem zeventig jaar, een gebeurtenis die samenviel met de voltooiing van zijn tuin. Verschillende kunstenaars kregen de opdracht in woord of beeld een herinnering aan dit moment vast te leggen. Nicolaes Verkolje schilderde dat jaar een familieportret waarop David van Mollem, omringd door zijn gezin, in zijn tuin wordt afgebeeld (plaat 10).[33] Op het schilderij vinden we Van Mollem geheel links, met naast hem zijn oudste kleinzoon David van Mollem Sijdervelt (1727–1755). Diens broertje, Anthonie van Mollem Sijdervelt (1731–1765) staat naast hun vader Jacob Sijdervelt (1696–1750) en diens tweede vrouw Maria van Oosterwijck (1711–1750); zij heeft haar twee kinderen Willem (1740–1759) en Suzanna (1739–1765) op schoot.[34] Bij de personen vinden we verschillende allegorische verwijzingen naar familieleven, godsvrucht, handel, kunsten en wetenschappen. Zij vertegenwoordigen een denktrant die typerend is voor de wijze waarop Van Mollem zich aan de wereld wenste te presenteren en die, zoals we nog zullen zien, ook in zijn tuin is terug

te vinden. De grootvader wijst zijn kleinzoon op een gegraveerde afbeelding van het verhaal van de Barmhartige Samaritaan met de tekst 'Hac itur caelum via' onder verwijzing naar Lucas x vers 24: 'zo [door barmhartigheid] zal men in de Hemel komen'. Ook het reliëf achter David van Mollem verbeeldt de deugden barmhartigheid en grootmoedigheid in de persoon van de oudtestamentische David, die, als hij Saul slapend aantreft, het advies van Abisai om Saul te doden negeert en hem juist het leven spaart omdat Saul een van God gezalfde is (1 Sam. 26: 7–11). Achter de twee broertjes ligt de bijbel met het opschrift *Biblia Sacra* die tot deze beeldspraak inspireerde. Jacob Sijdervelt steunt op een tweede boek met het opschrift 'Studio Fovetur Ingenium' ('vlijt verbetert de scherpzinnigheid van geest'). Vader en zoon verwijzen naar de centraal opgestelde moerbeiboom voor hen, waar zijderupsen aan de bladeren knagen. Een zijderups op een moerbeiblad vinden we als wapenschild van Jacob Sijdervelt terug op de pot. Het randschrift 'In esca lucrum' ('in eten ligt winst') laat het geheel voor zichzelf spreken, al kunnen we in de moerbeiboom ook een verwijzing lezen naar het stamboomhouderschap van Jacob Sijdervelt, die de continuïteit van zowel familie als handel garandeerde.[35] Naar de handel, in combinatie met wetenschap, verwijst ook het astrolabium, links naast David van Mollem.[36] Jacob Sijdervelts echtgenote, in rijke zijden gewaden gehuld, heeft als een Caritas haar kinderen op schoot. De grote tuinvaas naast haar draagt haar wapenschild met de tekst 'Salutem procreat' ('het strekt tot zegen'), geflankeerd

31 Na de dood van zijn vader werd David van Mollem in 1700 beleend met het stuk grond waarop fabriek, huis en erf waren gelegen vgl. Van de Pollstichting, Zeist, familiearchief Van der Mersch, nr 48 d. In 1709 werd er nog een akte van Compagnieschap opgesteld tussen David van Mollem en zijn moeder Maria Sijdervelt zie Van de Pollstichting, Zeist, familiearchief Van der Mersch, nr 50 f.

32 De belangrijkste literatuur over Zijdebalen is *De Zegepraalende Vecht* 1719; Kramm 1851; Muller 1912; Bienfait 1943, 220–224; Cat. tentoonstelling *De Zegepraalende Vecht*, Centraal Museum Utrecht 1942/43, cat. nrs 257–286; Van Luttervelt 1970, 143/148, 234–239; Perks 1974, hoofdstuk 51 en 52, pag. 230 en verder; Ter Molen-Den Outer 1975; De Jong/Snoep 1981; De Jong 1985; Wilmer 1982, 52–55; Gelderblom 1986 en 1988.

33 Amsterdams Historisch Museum, in bruikleen van de Rijksdienst Beeldende Kunst, inv. nr 472, paneel 63,5 bij 79 cm, gesigneerd en gedateerd Verkolje 1740. Ter Molen-Den Outer 1975.

34 Jacobs eerste vrouw was Jacoba van Mollem

(1699–1735), dochter van David van Mollem. Hoe hecht de familierelaties waren kan men aflezen aan de genealogische gegevens, wapenschilden en bijbehorende deviezen achter op het schilderij: Jacob Sijdervelt was naast Davids schoonzoon ook diens neef omdat zijn moeder Maria van Mollem (1668–1732) Davids zuster was. Ook de moeder van Maria van Oosterwijck was een zuster van David van Mollem. Voor de genealogie van Van Mollem zie Muller 1912, 13, Ter Molen-Den Outer 1975, 505 en J. Mac Lean, 'De oudere generaties van het geslacht Sijdervelt, zijdereders', *Jaarboek van het Centraal Bureau voor Genealogie en het Iconographisch Bureau* 32 (1978), 121–146.

35 Op de vaas wordt het wapen geflankeerd door personificaties van Nijverheid (een geknielde putto met staf en bijenkorf, zie Ripa/Pers 1644, 346/347, Industria) en Handel (een geknielde putto uitgedost als Mercurius).

36 Als attribuut van de Astronomie fungeerde het astrolabium, samen met Geografie, Handel en Scheepvaartkunde ook in het huis als zinnebeeld van de handelsonderneming van Van Mollem.

Jacob de Wit schilderde deze allegorieën in 1742 in grisaille in de grote zaal. De Jong/Snoep 1981, cat. nr 71.

37 Ripa/Pers 1644, 579 en 176/77. Op de trappilaar nog een beeldhouwwerk met in elkaar grijpende handen en duiven als symbool van huwelijkstrouw. Op de trap naar beneden nog een fries met twee elkaar omhelzende figuren en het opschrift 'huic domui' (een toespeling op 'Pax huic domui' ['Vrede zij dit huis']?).

38 De koperplaat voor deze gravure bevindt zich nog steeds in het familiearchief, Zeist, Van de Pollstichting, *Inventaris van het familie-archief Van der Mersch*, III Stukken betreffende het geslacht Van Mollem, nr 48 j. Onder nr 48 i, *de inventaris van de nalatenschap van David van Mollem* uit 1746, vinden we de koperplaat ook vermeld (fol. 56). Het in alexandrijnen gestelde hofdicht *Zydebalen. Hofdicht, Den Welédelen Heere David van Mollem toegezongen* werd in 1739 geschreven en in 1740 gedrukt te Delft door Pieter van der Kloot, die ook in 1738 de *Mengeldichten* van Arnold Hoogvliet had verzorgd. Het werd opgenomen in het *Vervolg*

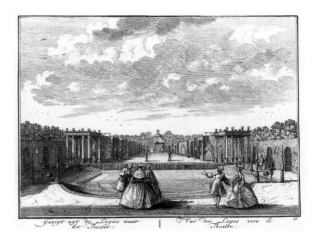

116. Anonieme kunstenaar, Het buiten Spaarnhout met tuin gelegen aan het Spaarne bij Haarlem, gezien van het westen, pen en rood krijt, gewassen met inkt.

117. H. de Leth, De grote watergrot in de tuin van Huis ter Meer aan de Vecht, ets ca. 1730.

118. H. de Leth, Het theater met de Turkse tent in de tuin van Huis ter Meer aan de Vecht, ets ca. 1730.

119. S. Schijnvoet, Ontwerp voor een vaas op piëdestal in tuinsetting, plaat nummer 17 in Deel II van S. Schijnvoet, *Voorbeelden der Lusthof-Cieraaden*, Amsterdam [na 1717].

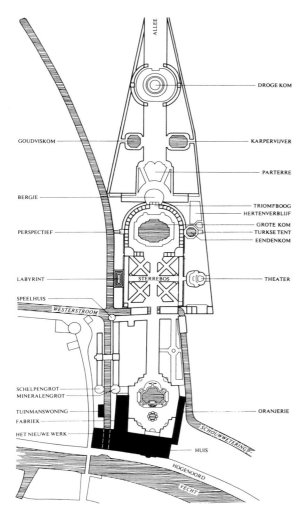

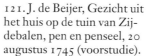

164

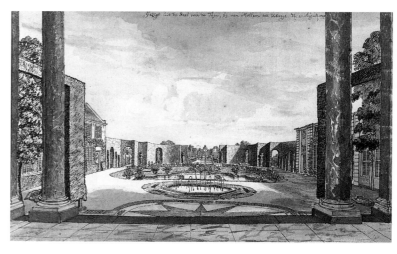

120. Reconstructie van de plattegrond van Zijdebalen door A.F.E. Kipp en ir J.R. van Ommen, Utrecht. De oriëntatie van de hoofdas is op het (zuid)westen.

121. J. de Beijer, Gezicht uit het huis op de tuin van Zijdebalen, pen en penseel, 20 augustus 1745 (voorstudie).

122. J. de Beijer, De vijver achter het huis Zijdebalen, pen en penseel, 20 augustus 1745 (voorstudie).

123. J. de Beijer, Gezicht op de lanen van het Sterrebos in de tuin van Zijdebalen, pen en penseel, 1746.

door Vruchtbaarheid en Godsvrucht: geloof, huwelijk en moeder- schap staan hier centraal.[37]

Het schilderij is door deze combinatie van portret en zinvol bij- werk zowel een lofzang op de onlosmakelijke familieband, als op de deugden van de Van Mollem-Sijdervelts: barmhartig, grootmoedig, vlijtig, vol godsvrucht en vruchtbaar in het huwelijk. Naar doopsge- zinde opvattingen deugden van levensbelang. De setting is, hoewel geïdealiseerd, even betekenisvol. Het terras, de schaal vol vruchten, de hoofdas met triomfboog, het beeldhouwwerk en de coulissen van hagen verwijzen naar Van Mollems grote belangstelling voor de tuin- kunst. Een verguld raamwerk, waarop op antieke wijze een schilderij is gespannen, herinnert hier aan een andere opdracht die Van Mollem in 1739 verstrekte. De voorstelling is namelijk identiek aan de door Jan Punt gegraveerde titelprent voor het in 1740 gepubliceerde hof- dicht *Zydebaalen* van de hand van de dichter Arnold Hoogvliet (1687– 1763) (plaat 13).[38] Met meer dan 600 verzen behoort dit hofdicht tot een van de omvangrijkste en fraaiste in het genre en is het, net als dat van Rotgans en Reets voor de tuin van Heemstede, belangrijk voor ons inzicht in de betekenis die de tuin van Zijdebalen voor Van Mol- lem had.[39] Een derde opdracht die Van Mollem ter gelegenheid van zijn verjaardag verstrekte, was het maken van een terracotta portet- buste van hemzelf door Jacques Cresant, de beeldhouwer die vanaf 1728 in Utrecht werkzaam was en veel werk voor de tuin had geleverd (afb. 114).[40] Hierop volgde vijf jaar later, ter gelegenheid van Van

Mollems vijfenzeventigste verjaardag, een topografische vereeuwi- ging van de tuin. Die opdracht ging naar Jan de Beijer (1703–1780?), een kundig tekenaar met een grote reputatie op het gebied van het le- vendig in beeld brengen van architectuur en landschap (afb. 121– 135).[41] Van twintig augustus tot en met vier oktober 1745 tekende hij op veertien verschillende dagen vierentwintig aanzichten van de tuin; elk blad werd gesigneerd, gedateerd en voorzien van een plaatsaan- duiding.[42] Zij dienden als voorstudies, die De Beijer eind 1745 en in 1746 gebruikte voor een definitieve, in vele details uitgewerkte en met talrijke bezoekers gestoffeerde, serie tekeningen. Deze werd als kunstboek op Zijdebalen bewaard.[43]

Lang heeft Van Mollem van deze volledige documentatie van zijn bezit niet kunnen genieten, want hij stierf op 5 juli 1746.[44] In zijn tes- tament werd nadrukkelijk gesteld dat bedrijf, inboedel van het huis en de tuinen op zijn minst tot aan de volwassenheid van Van Mollems twee kleinzoons, die hij als universeel erfgenaam bestempelde, be- waard en onderhouden moesten worden.[45] De inventaris van Van Mollems inboedel laat zien waar zijn bezit uit bestond: grond, waarop huis en tuin zich bevonden, meubels, kleding, gouden en zilveren voorwerpen, een grote bibliotheek, een schilderijencollectie en, apart geïnventariseerd, de beelden, vazen en potten exotische gewassen in de tuin en de oranjerie.[46]

Uit een tweede inventaris, gedateerd 1796 en gemaakt na de dood van Maria Petronella van der Mersch, weduwe van Anthonie van

der Mengeldichten van Arnold Hoogvliet, Rotterdam, Philippus en Jakobus Losel, 1753, 1–24. In het vervolg zal naar deze tekst verwezen worden als *Hofdicht*.

39 Vgl. Van Veen 1960, 93–95.

40 Centraal Museum Utrecht HC 1928/126, grijs gekleurd en gedateerd Et. 70 1740. Voor Cre- sant zie Knoef 1941, en voor de buste idem 171 en afb. 173 en De Jong/Snoep 1981, cat. nr 59, met verdere literatuur. Pendant was een buste van Hendrik Grave (1670–1749) die dubbel familie van Van Mollem was, in 1744 benoemd tot luite- nant-admiraal van de Maze (vgl. Zeist, Van de Poll- stichting, *Inventaris van het familie-archief Van der Mersch*, III VI 90). In de inv. 1746, *Sevende Capittel*, worden de beide beelden vermeld als staande in een kamer boven het Nieuwe Werk, de fabriek (fol. 55 Vo); hun oorspronkelijke plaats was wel- licht de bibliotheek of de grote zaal van het huis.

41 Voor hem zie Romers 1969.

42 Romers 1969, nrs 809–832. De Beijer maak- te een of twee tekeningen per dag, behalve op de laatste dag, toen hij er drie maakte. Drieëntwintig

tekeningen in pen en penseel, elf bladen in lig- gend, twaalf in hoog formaat, worden als serie bewaard op het G.A.U., Topografische Atlas, PA 85 A–W; nr 24 is terecht gekomen in de Koninklijke Verzamelingen, KHA, PS A/T 300. Alle tekenin- gen afgebeeld in De Jong/Snoep 1981, met verde- re gegevens over formaat en herkomst.

43 Inv. 1746, fol. 56: 'Een Kunstboek waarin negen groote en veertien kleijne gezigten van de Plaats'. De bladen, negen in liggend en veertien in staand formaat en vervaardigd in pen en penseel, hebben alle een grijs-bruin gewassen omlijsting, die het 'kunstboek'-karakter benadrukt. Vier teke- ningen zijn 1745, negentien 1746 gedateerd. Deze collectie bevindt zich nu in het Centraal Museum Utrecht, inv. nrs 22608–22615 en 22619–22634, Romers 1969, nrs 833–840 en 842–856 en De Jong/Snoep 1981 voor afbeeldingen en beschrij- ving en opmerkingen over de lotgevallen van de tekeningen. Een nader uitgewerkte tekening valt buiten deze serie van De Beijer en is van een nog niet bekende tekenaar, De Jong/Snoep 1981 cat. nr 20, Romers 1969, nr 841.

44 Van Mollems dood wordt beschreven door Jacob Bicker Raye, *Notitie van het Merkwaardigste Meyn bekent* (1732–1772), ed. Fr. Beyerinck en M.G. de Boer, Amsterdam 1935, 127/128: '10 Ju- ly is hier tyding gekoomen dat tot Uytregt over- leede de Heer Davit van Mollem, groot koop- man en fabriceur in zey, hebbende tot Uytregt een considerabele zymolen buyte de Weerde poort, die door het waater omdraayt waardoor honderde mensen aan de kost koomen, waarby een seer fraaye buytenplaats, sodat de stadt Uytregt seer veel aan dien Heer sal verliesen, alsoo het een seer braaf man was, die seer goetarms was'.

45 Testament David van Mollem in Not. Arch. 182 a 005, Notaris Joris Diedenhoven, 3 Juli 1746 en Zeist, Van de Pollstichting, *Inventaris van het familie-archief Van der Mersch*, III Stukken betref- fende het geslacht Van Mollem, nr 48 g. Jacob Sij- dervelt, zo bepaalt het testament, mag de rederij en zijdehandel naar eigen goeddunken verder voe- ren, voor eigen rekening of ten laste van het ver- mogen van zijn zoons, op voorwaarde dat hij bij hun trouwdag of meerderjarigheid het geheel in

125. J. de Beijer, Gezicht op de Grote Kom en de Triomfboog op het Bergje in de tuin van Zijdebalen, pen en penseel, 1745/1746.

128. J. de Beijer, Het uitzicht op de Allée vanuit de Triomfboog, pen en penseel, 20 augustus 1745 (voorstudie).

127. J. de Beijer, Het Perspectief bij de Grote Kom in de tuin van Zijdebalen, pen en penseel, 1746.

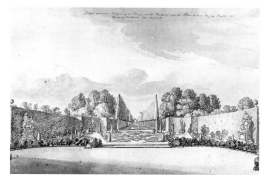

124. J. de Beijer, Gezicht vanaf de Grote Kom door de hoofdas en het Sterrebos op het huis Zijdebalen, pen en penseel, 1746.

126. J. de Beijer, Gezicht op het Italiaans Theater, pen en penseel, 23 augustus 1745 (voorstudie).

129. J. de Beijer, Gezicht op de parterre en de Triomfboog op het bergje vanuit de Allée in de tuin van Zijdebalen, pen en penseel, 1745/46.

Mollem Sijdervelt die tot zijn dood in 1765 de fabriek had bestuurd, blijkt dat dit bezit inderdaad als een geheel werd bewaard.[47] De dood van de weduwe van David van Mollems kleinzoon luidde het verval van de fabriek en de buitenplaats in: een in 1807 gedaan verzoek om liquidatie van de fabriek en afbraak van het huis resulteerde in een sluiting van de fabriek in 1816. De veilingcatalogus van 1819 laat nog eens zien wat generaties Van Mollems in het huis en de tuinen hadden verzameld en gedurende meer dan honderd jaar in stand wisten te houden.[48] Tot op het allerlaatste moment bleven fabriek en tuin de bezienswaardigheid die het de hele 18de eeuw door was geweest: het laatste gedocumenteerde bezoek, dat van de Caledonian Horticultural Society, dateert uit 1817.[49]

EEN MENIST ALS MECENAS

Op Verkolje's portret steekt de zwarte jas van David van Mollem opvallend af tegen de rijk gestoffeerde omgeving.[50] Dit portret maakt ook een heel andere indruk dan het borstbeeld door Cresant, waar de zeventigjarige zeer zelfbewust de toeschouwer aankijkt. Op het schilderij lijkt het werelds vertoon met de doopsgezinde deugden maar nauwelijks in evenwicht te zijn. De spreekwoordelijke doopsgezinde eenvoud lijkt hier volop in tegenspraak te zijn met Van Mollems ambitie naast koopman ook mecenas te willen zijn. De betrokkenheid van doopsgezinden bij wetenschap en kunst werd ook door tijdgenoten als niet vanzelfsprekend ervaren, men verweet hen nogal eens

'menniste schynheyligheydt'.[51] In de moderne literatuur wordt opgemerkt dat de doopsgezinden in de 17de en vroeg 18de eeuw wel in, maar niet van de wereld waren en daarom slechts een beperkte belangstelling voor de cultuur zouden hebben.[52] Ze liepen niet in de voorhoede, waren niet 'cultuurvormend', hoewel enkelen wel opmerkelijke bijdragen leverden aan wetenschap en kunst.[53] Het is maar de vraag of deze frictie tussen 'wereldse cultuur' en de eenvoud en ethiek van de eigen kring door de doopsgezinden ook zelf zo is gevoeld.[54] De leerstelligheden op het gebied van het geloof en de praktijk van de cultuur werden misschien veel meer in elkaars verlengde gezien dan wij nu kunnen bevroeden. Voor doopsgezinden als de cartograaf Willem Jansz. Blaeu, de instrumentmaker Jacob Metius, de ingenieur Jan Adriaensz. Leegwater en kunstenaars als Govert Flinck, de Ruysdaels, Carel van Mander, Joost van den Vondel of Reyer Anslo stonden geen religieuze leerstelligheden of ethische bezwaren de uitoefening van hun professie in de weg.

Als exponent van een tweede generatie, voorzien van kapitaal en een winstgevend bedrijf, laat Van Mollem zien hoe sommige doopsgezinden aan het begin van de achttiende eeuw een veel bredere oriëntatie op de hen omringende wereld voorstonden.[55] Het verhinderde de zijdereder geenszins de deelname aan de Utrechtse Doopsgezinde Gemeente.[56] Succesvol ondernemerschap bood hem en verschillende geloofsgenoten aanleiding om de verworven rijkdom te investeren in wat de cultuur om hen heen aanbood. Voor doopsgezinde

dezelfde staat moet overdragen. Reparaties aan huis en tuin vallen in 1746 nog ten laste van de boedel van Van Mollem. Een aanvulling op dit protocol bij dezelfde notaris vond plaats op 4 juli, waarin Jacob Sijdervelt wordt gemachtigd alle wisselbrieven en assignaten te endosseren en te innen, en wissels op Van Mollems naam uit te betalen.

46 Zeist, Van de Pollstichting, inv. 1746, nr 48 i. Deze inventaris van 1746 werd kort na Van Mollems dood opgemaakt.

47 De buitenplaats verkeerde toen niet meer in zo'n perfecte conditie als rond het midden van de eeuw. Voor Maria Petronella van der Mersch en haar bestuur van de fabriek zie ook Snoep in De Jong/Snoep 1981, 11/12. De inventaris in Zeist, Van de Pollstichting, *Inventaris van het familie-archief Van der Mersch*, III Stukken betreffende het geslacht Van Mollem, nr 64, J (als inv. 1796). Hoezeer het persoonlijk bezit en dat van Zijdebalen uit elkaar werden gehouden, blijkt wel uit het feit dat in 1766 Anthonie van Mollem Sijdervelts collectie van schilderijen, tekeningen, boeken en weten-

schappelijke instrumenten uit zijn Amsterdamse huis wel werd geveild: *Catalogus van een fraay en uitmuntend kabinet met konstige schilderyen, gekleurde en ongekleurde tekeningen [...] nagelaten door wylen den heere Anthony Sydervelt*, Amsterdam, H. de Winter, 23 april 1766. David van Mollem Sijdervelt, de oudste kleinzoon, stierf al in 1755.

48 Zie Catalogus 1819, *Catalogue d'un ensemble somptueux de grandes figures et de vases magnifiques, en marbre statuaire et autres. Ainsi que de quelques morceaux et peinture. Le tout ayant fait l'ornement des Jardins et de la Maison très renommée dite Zyde Baalen, à Utrecht. Lesquels objets seront vendus, au dit lieu Vendredi, le 26 Février, 1819*. Het exemplaar G.A.U. 2217x 85B heeft in de marge de prijzen en de namen van kopers. Beeldhouwwerken, schilderijen, gereedschappen, meubels, het lood van de fonteinleidingen en de sloop van de opstallen brachten in totaal *f* 23078.10 op, waarschijnlijk een fractie van de oorspronkelijke waarde.

49 Reisverslagen die Zijdebalen documenteren zijn in chronologische volgorde: *1697*: L. Chr. Sturm 1719, 36–38; *1711*: Z.C. von Uffenbach

1754, 698; *1717*: Tsaar Peter de Grote zie: Reitz 1744, Dl. II, 303–304; *1721*: J.D. Schumacher zie R. Vermeij in *Maandblad van Oud-Utrecht* 63 (1990) 11, 107–110; *1725*: A. von Haller, zie Lindeboom 1958, 68; *1725/26*: Erik Pontoppidon Menoza 1746, Dl. III, 5–30; *1736*: een onbekende Franse reiziger, zie Van Biema 1910, 77–92; *1741*: R. Poole 1743, Dl. II, 86–92; *1750*: M.A. du Boccage née Le Page 1771, 81/82; *1759*: B. Ferner in Kernkamp 1910, 399–400; *1762*: G. Garampi ed. 1889, 181–188, zie ook Von Weech 1899, 218; *1772*: H. Peckham 1772, 81–84; *1775*: Fr. Xavier de Feller ed. 1823, Dl. I, 256, 257, 261, 262; *1776*: H. Sander 1777, Dl. I. 590–600; *1777*: Fr. Hovius, zie Van Eeghen 1958; *1778*: L. Desjobert ed. 1910; *1780*: Ernest von Knuth ed. 1782, Dl. III, 152–156; *1784*: E. Watson 1790, 144–149; *1797*: Pauline Dorothea Frisch Tutein 1816, 43–49; *1817*: Caledonian Horticultural Society in *Journal of a Horticultural Tour* etc. 1823, 247–251.

50 De inventaris van 1746 noemt ook niets dan zwarte kledij voor Van Mollem.

51 Visser 1989, 93.

opdrachtgevers lijkt het daarom de moeite waard ons niet zozeer te verdiepen in de vermeende frictie die inherent zou zijn aan hun mece-naat, als wel de houding te onderzoeken die een samengaan van het een met het ander kennelijk gedoogde. Overigens weerklonken el-ders in de Republiek eveneens regelmatig waarschuwingen tegen te grote weelde en winstbejag, al sloot de Gereformeerde Kerk uit prak-tische overwegingen heel wat makkelijker compromissen tussen ethiek en financiële inhaligheid.[57]

Afgaand op Van Mollems bibliotheekinventaris uit 1746 valt zijn oriëntatie te karakteriseren als algemeen humanistisch, zonder een duidelijk specialistische interesse. De ongeveer zeshonderd boeken betreffen uiteenlopende onderwerpen als theologie (veel exemplaren van het Nieuwe Testament) en zedeleer, maar weinig stichtelijke en doperse literatuur (martelaarsboeken wel, Menno Simons niet en praktisch geen catholica); daarnaast treffen we publikaties aan over antieke, kerk- en contemporaine geschiedenis, letterkunde, wis- en natuurkunde, geneeskunde, techniek, reizen en geografie; wat de kunsten betreft treffen we een aantal werken aan op het gebied van de kunstbeschouwing, architectuur, perspectiefleer, schilderkunst, ico-nologie, tuinkunst en botanie. Van deze behoefte aan algemene ont-wikkeling getuigt ook de hechte kring van (niet allemaal doopsgezin-de) kunstenaars die hij om zich heen verzamelde.

Met de dichter Hoogvliet (1687–1763), die opgang maakte met zijn Bijbel-epos Abraham de Aartsvader (hiervan verschenen drukken in 1728, 1729, 1734, 1744 en later), verkeerde hij op vriendschappelij-ke voet.[58] Zijn appreciatie voor diens hofdicht Zydebaalen blijkt uit de zilveren portretpenning die hij Nicolaes Verhaer in 1739 van Hoog-vliet liet maken (afb. 115).[59] Collega-dichter Sybrand Feitama (1694–1758), evenals Van Mollem doopsgezind, verzorgde de verzen op deze penning, waar de gelauwerde Hoogvliet als 'den Maro [Vergili-us] onser dagen' wordt geëerd.[60] Feitama was op zijn beurt weer goed bekend met Nicolaes Verkolje, van wie hij tekeningen verzamelde en die voor een van zijn belangrijkste werken een titelpagina tekende.[61] Tot verzamelaars van Verkolje's werk behoorde ook Jacob Sijdervelt, die met Feitama verschillende tekeningen verhandelde. Het motto 'Studio Fovetur Ingenium' waar Sijdervelts hand op rust in Verkolje's familieportret, is een verwijzing naar de werken van Feitama, die on-der dit motto gepubliceerd werden.[62] Deze liefde voor de tekenkunst werd overgebracht op de jonge Anthonie van Mollem Sijdervelt, die door de oudere collectioneur Feitama werd geholpen met de start van zijn eigen tekeningenverzameling.[63] Belangstelling voor de teken-kunst verklaart ook het aantrekken van Jan de Beijer voor het maken van een kunstboek met topografische afbeeldingen van Zijdebalen.[64]

Men mag misschien zelfs zeggen dat Verkolje door de Van Mol-lems werd geprotegeerd: tien van zijn werken sierden als onderdeel van de schilderijenverzameling de verschillende vertrekken van het huis.[65] Voor het interieur schilderde hij ook nog een wandschildering met een voorstelling van de 'Getrouwe Herder' (de 'Pastor Fido') en

52 Zilverberg 1980, 180 en verder. Deze visie lijkt ingegeven door het feit dat de dopersen zich wel over theologie en ethiek hebben uitgelaten, maar niet zozeer over kwesties die de burgerlijke beroepsuitoefening betroffen.

53 Zilverberg 1980, 180–194 en Visser 1989, 93.

54 Vgl. ook de interessante vraagstelling bij Visser 1989.

55 W.H. Kuipers, 'In de wereld, maar niet van de wereld. De wisselwerking tussen doopsgezin-den en de hen omringende wereld', in Groenveld e.a. 1980, 229.

56 In Archief Doopsgezinde Gemeente, G.A.U. nr 58, lidmaten registers 1716–1902 vin-den we ondermeer de doopsels van Van Mollems kinderen Jacoba (6 juni 1723) en Lavinia (30 no-vember 1732) en de volwassenendoop van Maria van Oosterwijck (29 juni 1738). Onder nr 45, 'In-gekomen stukken 1647–1848', vinden we Van Mollem als vrijwillige contribuant met f 50, het hoogste bedrag op de lijst ten dienste van het 'Fonds Geschickt tot den Predickdienste onder Directje van Commissarissen'. Voor de Utrechtse Gemeente zie H.B. Berghuis, Geschiedenis der Doopsgezinde Gemeente in Utrecht, Utrecht 1926 en A. le Cosquino de Bussy, Grepen uit de Geschiedenis der Doopsgezinden te Utrecht 19 mei 1639–1939, Bussum 1939.

57 Schama 1988, hoofdstuk V.

58 Smit 1983, 206; deze vriendschap blijkt uit Hoogvliets biografie door Jan de Kruyff in Leven der Nederlandsche Dichteren en Dichteressen, Leiden 1782.

59 Van der Meer 1976 en idem 'Een penning voor de dichter Arnold Hoogvliet' in Teylers Mu-seum magazijn 1986, nr 13, 3–5. Ook cat. nr 70 in De Jong/Snoep 1981. Het exemplaar in Teylers Museum heeft op de zijkant een gegraveerde op-dracht van David van Mollem aan zijn beide klein-zoons, en was dus kennelijk ook als gedenkpen-ning voor derden bedoeld (de inv. 1796 vermeldt de plaquette, opgeborgen in een foedraal).

60 Naast de titelpagina van Hoogvliets hof-dicht, verzorgde de toneelspeler-graveur Jan Punt (1711–1779) ook de titelpagina en illustraties van de vierde druk van Hoogvliets Abraham de Aarts-vader (1744). Sybrand Feitama verzorgde een lof-dicht op Hoogvliet in dezelfde druk zie Smit 1983, 213. Hoogvliet schreef overigens ook gelegen-heidsgedichten voor de Van Mollems: ondermeer een bruiloftsgedicht op Jacob Sijdervelt en Maria van Oosterwyk en een lijkdicht op David van Mol-lem, Vervolg der Mengeldichten, 69–72 en 139–143.

61 Broos 1985, 124.

62 Broos 1985, 124, noot 131 onder verwijzing naar Feitama's Telemachus, uit het Fransch van den heere Fenelon; in Nederduitsche vaerzen overgebragt, onder den zinspreuk Studio Fovetur Ingenium, Am-sterdam 1733, daar vertaald als ''t Verstand, door kunst ter Deugd geleid, vind lust en rust in werk-zaamheid'.

63 Broos 1985, 125.

64 Dit verklaart ook de tekeningen van de voorgevel van het huis Zijdebalen door de U-trechtse tekenaar Pieter van Liender in 1756 en 1766, vgl. De Jong/Snoep 1981, cat. nrs 86 en 87. De gebroeders Van Liender leverden ook tekenin-gen aan Feitama, zie Broos 1985, 125.

130. J. de Beijer, Het uitzicht over de Droge Kom in de richting van de Triomfboog en het huis Zijdebalen, pen en penseel, 6 september 1745 (voorstudie).

131. J. de Beijer, Gezicht op het Speelhuis vlak voor de brug over de Schouwwetering, pen en penseel, 20 september 1745 (voorstudie).

132. J. de Beijer, Gezicht op de vier halsgevels van de Nieuwe Fabriek en de Schelpen- en Mineralengrot vanuit het Speelhuis, pen en penseel, 1746.

133. J. de Beijer, Gezicht op de Schelpengrot in de tuin van Zijdebalen, pen en penseel, 1746.

134. J. de Beijer, Het interieur van de Schelpengrot, pen en penseel, 1745.

135. J. de Beijer, Het interieur van de Mineralengrot, pen en penseel, 1746.

vergelijkbaar werk deed hij ook in Amsterdam voor de families Sijdervelt en Oosterwijck, samen met Isaac de Moucheron.[66] De Moucheron beschilderde op Zijdebalen overigens de oranjerie met landschappen.[67] Aan deze rij van kunstenaars kunnen we nog toevoegen Gerard Hoet en Jacob de Wit (1695–1754), die schilderingen maakten voor de interieurs van het huis en de beeldhouwers J.B. Xavery (1697–1742) en J. Cresant, die veel van de tuinbeelden voor hun rekening namen.[68] Kort voor 1745 voerde Cresant ook vier terracotta bustes van Utrechtse hoogleraren uit, die door Van Mollem ten geschenke werden gegeven aan de stad ter plaatsing in de Universiteitsbibliotheek.[69] Met deze geste, en een schenking van een groot schilderij, de *Dood van Seneca*, aan het tegenover Zijdebalen gelegen St. Anthonie Gasthuis, kreeg Van Mollems mecenaat zelfs een publiek karakter.[70] Van Mollems belangstelling voor kunsten en wetenschappen, zo mogen we concluderen, vormde voor hem een serieuze aangelegenheid. Qua smaak is zijn voorkeur voor schilders en schilderijen goed vergelijkbaar met andere 18de-eeuwse kunstverzamelingen, zoals die van de Amsterdamse koopman Gerrit Braamcamp (1699–1771), die ook Xavery, Cresant en De Wit opdrachten verleende.[71]

De belangstelling van David van Mollem zal zijn gevoed door wat hij in zijn omgeving kon zien, zoals bij de eveneens doopsgezinde leden van de hem bekende familie Feitama, die drie generaties lang vooral tekeningen en grafiek verzamelden.[72] Van Mollems verzameling was echter lang niet zo groot, en ook niet voor belangstellenden te bezoeken. Van Mollem beschikte binnenshuis als onderdeel van

zijn verzamelingen ook niet over een rariteitenkabinet. Daarin konden schelpen, mineralen, insekten, geprepareerde dieren, etnografica en porselein als *naturalia* en *artificialia* vaak in wisselende samenstelling een geheel vormen met schilderijen, tekeningen, grafiek en antiquiteiten als beelden en penningen. Samen boden ze een overzicht van de 'zichtbare wereld'.[73] Dergelijke verzamelingen waren favoriet bij verschillende Amsterdammers als Simon Schijnvoet (1652–1727), onderschout en hoofdprevoost van het Aalmoezeniershuis, de apotheker Albertus Seba (1665–1736), burgemeester Nicolaes Witsen (1641–1717) of een Utrechtse verzamelaar als de duizendpoot drukker, uitgever en handelaar Nicolaas Chevalier (1661–1720).[74] Van Mollem was van dit soort verzamelingen goed op de hoogte, alleen ging zijn aandacht niet zozeer uit naar rijke collecties, opgeborgen in het woonhuis.[75] Voor hem was het de ruimte van de tuin die fungeerde als aanleiding tot en excuus voor het samenbrengen van een buitenkabinet gevuld met voortbrengselen van natuur en kunst.

11 ZIJDEBALEN, HET 'EDEN ONZES TYTS'

DOOPSGEZINDEN EN DE NATUUR
Van Mollem was niet de enige doopsgezinde met een voorliefde voor tuinarchitectuur. De grote concentratie van menisten met buitens en tuinen langs de Vecht bij Breukelen en Nieuwersluis was natuurlijk in hoge mate te danken aan hun door handel vergaarde rijkdom. Ook

65 Inv. 1746, 'Sevende Capittel van Schilderijen'. De verzameling van 84 schilderijen bestond voornamelijk uit landschappen, stillevens, portretten en historiestukken. Onder de schilderijen was werk van N. Berchem, A. van de Velde, De Hooch, Jan van der Heyden, Jan Steen, David de Heem, Palamedes, Van Poelenburgh, Brekelenkamp, Asselijn, Isaac de Moucheron, Melchior de Hondecoeter, Reijnier de Lairesse, Gerard Honthorst, Gerard Hoet en anderen (naar opgave in de inventaris, de stukken als onderdeel van de betimmering niet meegerekend).

66 Van Gool 1750, Dl. I, 394. Deze samenwerking kwam wel vaker voor: Van Gool 1750, Dl. I, 364. Zie ook Ter Molen-Den Outer 1975, 495. Overigens retoucheerden Verkolje en De Moucheron samen tekeningen van oude meesters, Broos 1984, 23/25. Van Verkolje is ook gelegenheidswerk voor de Van Mollems bekend, zoals de allegorische tekening op het huwelijk van Lavinia van Mollem en Nicolaas Sautijn uit 1737, Catalo-

gus Sotheby's 2 juni 1986, Sale 435, nr 73.

67 *Hofdicht*, 3. Dat het om landschappen ging kan men afleiden uit *Journal of a Horticultural Tour*, 250. Volgens de inv. 1746 maakte Jan de Beijer een aparte tekening van de oranjerie, die tot op heden spoorloos is.

68 Voor Hoet en Jacob de Wit zie de veilingcatalogus van 1819, 13–16. Hoet schilderde voorstellingen van de Vier Elementen voor de Grote Zaal, De Wit ontwierp grisailles, een met de Handel (zie de voorstudie uit 1738 in De Jong/Snoep 1981, pag. 76 en cat. nr 72), een dessusporte met kinderen die handelswaar verpakken, vervolgens vier allegorieën op Handel: Mathematica, Astronomie, Geografie, Scheepvaartkunde (zie de voorstudie uit 1742 in De Jong/Snoep 1981, pag. 76 en cat. nr 71), een Mercurius met de attributen van vlijt en toewijding; vervolgens waren er nog van onbekende kunstenaars twee allegorieën met een voorstelling van Amphion, een Mercurius en Minerva, vier trofeeën, een plafond met een ge-

vleugelde genius en een voorstelling van een korf met bloemen. Voor Cresant zie Knoef 1941, voor Xavery, Leeuwenberg 1973, 373–384. Op Zijdebalen werkten ook de gebroeders Mattijszen uit Utrecht(?); van hen is niet veel bekend.

69 De bustes (van Arnoldus Drakenborch, Everardus Otto, Petrus van Musschenbroek en David Millius) werden mogelijk geschonken in dank voor het feit dat de zijdererij in februari 1745 de volledige beschikking over de oude stadsslijpmolen had gekregen, die Van Mollem liet afbreken om er een tuinmanswoning voor in de plaats te zetten. Zie: J.F. van Someren, *De Utrechtse Universiteitsbibliotheek. Haar geschiedenis en kunstschatten vóór 1880*, Utrecht 1909, 44, I. Jost, *Drie stenen voor een bibliotheek. Klassieke kunst en de Utrechtse universiteit*, Den Haag 1980, 21, 47 noot 16 en De Jong/Snoep 1981, cat. nrs 60–63.

70 De gift van de *Dood van Seneca*, een werk uit het atelier van Gerard van Honthorst, aan het Gasthuis dat praktisch tegenover Zijdebalen was

170

woonden zij als groep graag in elkaars nabijheid. Maar de doopsgezinde aandacht voor de tuin lijkt niet alleen een pure demonstratie van bezit te zijn geweest. Tuinieren bood de mogelijkheid zelf intensief met de natuur bezig te zijn: met het ontwerp ervan, het verzamelen en kweken van zeldzame en minder zeldzame gewassen en het bijeenbrengen van tal van andere voortbrengselen uit de zee, de lucht en van het land. Van Mollem zal zeker de doopsgezinde generatiegenoten van zijn vader hebben gekend die in de jaren 1670 en 1680 behoorden tot de voorhoede van buitenplaatsbezitters en tuinliefhebbers. Zoals Agneta Block (1629–1704), die vanaf 1670 op haar buiten Vijverhof aan de Vecht bij Loenen haar eigen tuin ontwierp en zich wijdde aan het kweken van zeldzame planten.[76] Uit haar correspondentie met de Bolognese hoogleraar in de botanie, Lelio Trionfetti, kunnen we opmaken dat zij door praktische kennis (Agneta Block beheerste niet het voor de botanische wetenschap noodzakelijke Latijn), observatie en arbeid een aanzienlijke collectie planten en zaden op Vijverhof had bijeengebracht.[77] In 1687 schreef zij dat zij beschikte over 450 tot 500 verschillende soorten, waarvan 200 uit het buitenland, door ruil verkregen van Trionfetti zelf, maar ook uit handen van dr Ciassi uit Venetië, de Parijse hoogleraar Joseph Pitton de Tournefort en Paulus Hermann, prefect van de Leidse hortus botanicus. Haar liefhebberij was niet altijd succesvol, omdat van de honderd soorten die zij jaarlijks zaaide er meestal niet meer dan twintig opkwamen, waarvan vijf of zes het tot volle wasdom brachten. Om de schoonheid van zeldzame planten toch te kunnen vasthouden, liet

Agneta Block verschillende kunstenaars planten en bloemen uittekenen. Vierhonderd daarvan werden geportretteerd door Herman Saftleven, Mattias en Aleid Withoos, Willem de Heer, Otto Marseus van Schriek, Maria Sibylle Merian en haar dochter Johanna Helena Herolt-Graff.[78] Ook liet zij vogels uit haar volière uittekenen door Pieter Holsteijn en Rochus van Veen en vlinders en insekten die zij in haar naturaliënkabinet verzamelde. Jan Weenix schilderde Agneta Block en haar tweede echtgenoot Sybrand de Flines omstreeks 1690 in haar tuin op Vijverhof temidden van haar verzameling *naturalia*, gecompleteerd door schilderijen, prenten en beeldhouwwerk (de *artificialia*), die verwijzen naar haar belangstelling voor de produkten van menselijke vaardigheid (plaat 11).[79] *Fert Arsque Laborque Quod Natura Negat*, 'Kunst en Arbeid brengen tot stand waar de Natuur in gebreke blijft', dit opschrift siert de zilveren penning uit 1700, die Agneta Block als *Flora Batava* eert (afb. 27). Het verheldert hoe we Agneta Blocks passie voor natuur en kunst moeten waarderen. Niet alleen was zij geïnteresseerd in de verschillende manifestaties van natuur en kunst, vooral ging haar aandacht uit naar de samenhang tussen deze twee grootheden. Natuur heeft bijstand nodig van menselijke techniek en vaardigheden om tot perfectie gebracht te worden: 'Hier streelt gy keurelykst, gy wet hier onse sinnen/ Door Konst, en Arbeid, om Natuur volmaakt te minnen', schreef Gualtherus Blok op Agneta Block.[80] De verschillende exotische zaden en planten kunnen hun natuurlijke groei en bloei pas bereiken met behulp van de door kunst en techniek geconstrueerde kassen en door de arbeid en zorg van de

gelegen, moet hebben plaatsgevonden tussen 1737 en 1746, zie L. Derks e.a., *De dood van Seneca door Gerard van Honthorst?*, Centraal Museum 1982, 5–8.

71 Clara Bille, *De Tempel der Kunst of het kabinet van den heer Braamcamp*, Amsterdam 1961, met name de hoofdstukken II, IV, V en VI.

72 Voor het geslacht Feitama zie Engel/Smit 1986, 473 en Broos 1984, 1985 en 1987.

73 Vgl. hiervoor Von Schlosser 1923/1978, Scheller 1969, Impey/MacGregor 1985, Engel/Smit 1986 en recentelijk E. Bergvelt en R. Kistemaker, *De wereld binnen handbereik. Nederlandse kunst- en rariteitenverzamelingen, 1585-1735*, Zwolle/Amsterdam 1992, boek en catalogus, verschenen tijdens het laatste stadium van de voorbereidingen voor dit boek. Ik verwijs in algemene zin naar deze publikaties, waarin verschillende van de hier genoemde personen en de kwesties rond dit soort verzamelingen uitvoerig aan bod komen. Voor gegevens die mijn eigen materiaal aanvullen,

zal ik meer expliciet naar deze boeken verwijzen als Bergvelt en Kistemaker 1992 A (voor het boek) en 1992 B (voor de catalogus).

74 Voor Schijnvoet zie Engel/Smit 1986, 248 nr 1389 en Kuyper 1977; voor Seba Engel/Smit 1986, 249 nr 1392 en L.B. Holthuis, 'Albertus Seba's "Locupletissimi rerum naturalium thesauri" (1734–1765) and the "Planches de Seba" (1827–1831)', *Zoölogische Mededelingen uitgegeven door het Rijksmuseum van Natuurlijke Historie te Leiden*, 43 (1968–69), 239–252; voor Witsen Engel/Smit 1986, 306 nr 1706 en P.J.A.N. Rietbergen, 'Witsen's World: Nicolaas Witsen (1641–1717) between the Dutch East India Compagny and the Republic of Letters', *Itinerario* 9 (1985), 121–134; voor Chevalier, Engel/Smit 1986, 58 nr 302 en Snoep 1973.

75 Bezoekers, zoals Poole in 1741 (zie noot 49) zagen van het huis enkel de eetkamer met een opmerkelijke verzameling Chinees porselein.

76 Van der Graft 1943 en De Jong 1984/85.

77 Voor de correspondentie met Trionfetti zie Poelhekke 1965.

78 Johanna Helena Herolt-Graff sloot in 1697 de verzameling af die zeer waarschijnlijk al in 1661 (dus al voor het bezit van Vijverhof) door Saftleven was begonnen, Van der Graft 1943, hoofdstuk 7 en bijlage op pag. 135. Van der Graft geeft ook de catalogus van Blocks verzamelingen nadat ze in bezit waren gekomen van de Delftse verzamelaar Valerius Röver. Verder Van der Graft, 'Agnes Block en haar liefde voor tropische gewassen', *Jaarboekje van Oud-Utrecht*, 117–124, Schulz 1977 en Engel 1986, 155.

79 Voor Weenix' portret zie Hunt/De Jong 1988, cat. nr 10 en Bergvelt en Kistemaker 1992 B, cat. nr 270.

80 Van de Graft 1943, 113.

81 J.F.M. Sterk, 'Een 17de-eeuwse buitenplaats in de Purmer', *Hoofdstukken over Vondel en zijn kring*, Amsterdam 1923, XIV, 123–132. De Wolff beschikte ook over een verzameling 'rariteit-

mens die de verantwoording draagt voor de Goddelijke schepping. Marmer krijgt pas door bewerking een vorm, de tuin van Vijverhof kan pas gestalte krijgen door de natuurlijke situatie te onderwerpen aan de wetten en de regels van de kunst. De vlinders in Agneta Blocks verzameling waren een voorbeeld van hoe 'kunstig' de natuur kan zijn, en de parterres gaven aan hoe natuur tot kunst kan worden. Agneta Blocks stiefzoon Pieter de Wolff (zoon van haar eerste man, de zijdehandelaar Hans de Wolff) was ook een bekend kweker van exotica. In de jaren 1661 tot 1670 was zijn buitenplaats in de Purmer bekend door de geslaagde cultuur van limoenen- en oranjebomen, zelfs zo bekend dat Commelin in zijn boek de *Nederlantze Hesperides* uit 1676 lovende woorden aan hem wijdde.[81] Ook de familie Rutgers, zo nauw met Agneta Block verbonden, bezat buitenplaatsen met tuinen. David Rutgers (1628–1707), zoon van Agneta's oom en voogd, bezat Groenenvecht, terwijl zijn zoon omstreeks 1688 het buiten Sterreschans, eveneens langs de Vecht, liet bouwen. Suzanna Rutgers, zuster van bovengenoemde David, bezat met haar echtgenoot Philips de Flines (1640–1700), die familie was van Agneta's tweede man Sybrand de Flines, de hofstede Spaarnhout aan het Spaarne bij Haarlem, verworven in 1676 (afb. 116).[82] In Amsterdam woonden zij naast Agneta en Sybrand in een huis op de Herengracht, dat in 1675 en 1683 door Gerard de Lairesse werd beschilderd met grisailles van antieke voorstellingen. Philips de Flines' collectie van vooral Italiaanse schilderijen, antieke borstbeelden en sculpturen alsmede zijn bibliotheek verraadden een zeer classicistisch ingestelde smaak. Ook zijn rol in het literaire genootschap *Nil Volentibus Arduum*, dat Frans-classicistische literaire theorieën introduceerde, getuigde hiervan.[83] Evenals Vijverhof was Spaarnhout bekend om de tuin en beroemd om zijn botanische collecties en naturaliën-kabinet: door Constantijn Huygens jr werd De Flines met nadruk een 'curieux en matière de peinture d'Architecture et de Jardinages' genoemd.[84] De bijzondere gewassen van Spaarnhout werden geroemd door de Leidse hoogleraar en botanicus Paulus Hermann in zijn *Paradisus Batavus* uit 1698.[85]

Het voorbeeld van Agneta Block en Philips de Flines geeft een goed inzicht in de vroege belangstelling van doopsgezinden voor de tuinkunst. De doopsgezinde interesse in de tuinkunst was in de Republiek niet uniek, maar er is een aantal redenen waarom de tuin hen wel in het bijzonder heeft aangesproken. Huis en tuinaanleg van Vijverhof en Spaarnhout kenmerkten zich vooral door een eenvoudige opzet en allebei vormden ze een mooi voorbeeld van de strenge en heldere, classicistische smaak, die ook bij veel andere doopsgezinden opgang vond. Kennelijk werden de doopsgezinden, voor wie eenvoud een deugd betekende, door de 'dure' eenvoud van de classicistische vormentaal aangesproken. Een al te grote ostentativiteit werd vermeden door geld op deze wijze 'deugdzaam' te besteden. Ook het bezig zijn met de natuur in tuin en verzamelkabinet moet langs deze lijn geïnterpreteerd worden.

In de sterk ethisch geïnspireerde theologie van de 17de-eeuwse dopersen spelen naastenliefde, deugd en eenvoud een belangrijke rol. Zij vormen de condities van het menselijk bestaan.[86] Menselijke logica kan de goddelijke openbaring en de schepping niet doorgronden; menselijke wetenschap bestaat niet omwille van zichzelf, maar dient zich in naastenliefde te uiten en aan te zetten tot een christelijke levenswijze. De natuurwetenschappen kunnen niet pretenderen de wonderen der natuur te verklaren: de verschijnselen van de natuur en de ordening in de schepping zijn niets anders dan emblemen van de liefde en goedheid van God.

Waar kon men de schepping beter leren kennen dan in een tuin als het geordend overzicht van Gods natuur? Daarom kon het aanleggen en verfraaien van een tuin, het kweken van planten en het verzamelen van verschijnselen uit de natuur gelden als een eerbare besteding. Tuinieren was een deugdzame activiteit, vooral naarmate de eigen participatie in het ontwerpen van de tuin toenam. Als activiteit garandeerde het een zuivere, morele en ethische intentie. Deze zienswijze vormt de reden dat Nicolaas Bidloo, de doopsgezinde lijfarts van tsaar Peter de Grote, in zijn manuscript uit ca. 1730 over de tuin die hij zelf

ten', met name zeegewassen, zie Bergvelt en Kistemaker 1992 A, 333.

82 Philips de Flines, vermogend zijdelakenhandelaar, was een zoon van Gilbert de Flines (neef van Agneta's tweede man Sybrand) en Rebecca de Wolff, een zuster van Agnes' eerste echtgenoot. Voor Spaarnhout zie Sliggers 1984, 100, 112–114, Engel 1986, 479 en Hunt/De Jong 1988, cat. nr 16 en hier afb. 116.

83 Snoep 1970. Van zijn schilderijen en bibliotheek bestaan uitvoerige gedrukte catalogi, beide gepubliceerd in Amsterdam, na zijn dood in 1700.

Vgl. Bergvelt en Kistemaker 1992 A, 318/319.

84 *Oeuvres Complètes* VIII, 167 (nr 2172, Constantijn Huygens aan Christiaan Huygens 18 mei 1679, zie ook brief nr 2178).

85 De inventaris van De Flines' nalatenschap, opgemaakt in 1704, noemt 75 potten met onder andere aloë, een drakenboom, rozemarijn, jasmijn, violier, muurbloem, primula, passiebloem, spaanse peper, yucca, citrus, rozen, tuinanjers, cipres en een vijgcactus, als laatste resten van een veel omvangrijker en exotischer collectie. Vgl. Sliggers 1984, 100, 112–114. De boedelinventaris

van Spaarnhout, na zijn dood in 1700 opgemaakt, vermeldt ook nog zes schilderijen van gewassen, die in zijn vertrekken hingen.

86 Deze en volgende opmerkingen zijn gebaseerd op het verhelderende stuk van Visser 1989.

87 Voor de tekst van Bidloo zie Willemse 1975, 49/50 en voor zijn activiteit als 'tuinamateur' De Jong 1981; we weten dat hij tsaar Peter en het hof diverse adviezen over tuinarchitectuur heeft gegeven en zelfs een tractaat over de fonteinkunst op zijn naam had staan.

88 Tot ver in de 18de eeuw zou de relatie tus-

als volleerd amateur bij Moskou in Rusland aanlegde, over het tuinieren en over het landleven spreekt als een 'nutte Eerlijke & vermaakelijke uijtspanning', waar verstand en arbeid de instrumenten zijn waarmee de tuin en het land bewerkt worden. Voor Bidloo is de tuin niets minder dan een reconstructie van het Paradijs, waar men moet 'arbeijden, en de zegen en wasdom van God wagten, die wanneer sij comt niemand als hem voor hebben te dancken, wel wetende, dat wij de winst en het vermaak alleen door hem ontfangen O! aangenaeme en regtveirdige winst met vermaak & Een gerust geweten vermengd'.[87] Tuinieren is eerbaar handenwerk, de natuur van de tuin een afbeeldsel van Gods schepping, de tuin zelf een voorportaal van hemelse zegen en datzelfde kon ook gelden voor een activiteit als de landbouw.[88]

Deze morele rechtvaardiging van een buitengoed kwam echter ook bij niet-doopsgezinden voor. Huygens rechtvaardigde, als humanistisch geschoolde calvinist, het bezit van zijn buitenplaats Hofwyck door op te merken dat hij op een eerlijke manier zijn geld had verdiend. Op basis van aan Seneca ontleende argumenten gaf hij aan dat zijn rijkdom geoorloofd was, want op een juiste wijze verworven. Als argumenten speelden voor hem ook nog mee de zuinige manier waarop hij van zijn bezit genoot en de geestelijke erfenis die hij er zijn kinderen mee kon geven. Behalve Huygens, verdedigde ook Everhard Meyster, literator en burgemeester van Amersfoort, in 1669 het bezit van zijn buiten Dool-om-berg met morele argumenten. Van verkwisting was geen sprake want hij legde zijn tuin aan 'Tot stichtingh van de ziel'.[89] Het geld dat de aanleg van het een en ander kostte, speelde daarbij een rol van ondergeschikt belang; het kreeg immers een te verantwoorden bestemming.

Veel van deze argumentatie lijkt te zijn ingegeven door een neostoïcijnse filosofie. Het was Lipsius die aan het einde van de 16de eeuw de tuin tot een parabel van de stoïsche filosofie had gemaakt. Voor de stoïcus was de vrije tijd in de tuin (het *otium*) iets actiefs, het was *negotium* (of werk). Lipsius schreef daarover: 'In die werkeloosheid vind ik ook mijn werk, dáár ontdekt mijn geest wat hij zonder enige verrichting verrichten, zonder enige arbeid bewerken kan. "Nooit ben ik minder alleen", zei iemand, "dan wanneer ik alleen ben; nooit heb ik meer te doen dan wanneer ik niets te doen heb"'. Een uitdrukking die, naar Lipsius' mening, in een tuin onstaan moest zijn. Voor de filosoof was de tuin dan ook niet een oord van luxe en ijdelheid, of een plaats van puur plezier. De tuin dient tot contemplatie te inspireren en aan te zetten tot deugzaamheid. Samen met de Rede leidt Deugd tot Wijsheid en tot overgave aan God.[90]

Deze houding kan verklaren waarom het motto 'Studio Fovetur Ingenium' op schilderij en ook op de verklaring van de titelpagina van Hoogvliets hofdicht zo'n belangrijke rol voor Van Mollem heeft gespeeld. Het fungeerde als een sleutelmotto voor zijn activiteit als amateur van wie het 'Verstand, door kunst ter Deugd geleid, vind lust en rust in werkzaamheid'; werkzaamheid die zowel de handel (zijn *negotium*) als het ontwerp van tuin (als *otium*) kon betekenen.[91] Dat Van Mollem inderdaad aan het ontwerp van zijn eigen tuin gewerkt heeft, blijkt uit *De Zegepraalende Vecht*. De tekst bij de platen noemt hem 'de ontwerper, de besitter en bewooner' van Zijdebalen. Deze informatie is nogal opmerkelijk, want zelden noemt dit boek ontwerpers. Alleen Jan en Samuel van Staden, Steven Vennekool, Jac. Marot en Simon Schijnvoet, de ontwerper van de tuin van Petersburg, worden expliciet als architecten en 'meesters van plantagiën konstig aan te leggen' genoemd.[92] Schijnvoet was in dit gezelschap, evenals Van Mollem, geen geschoold ontwerper maar een dilettant, zij het van een veel professioneler niveau; hij publiceerde na 1717 zijn ontwerpen voor tuinen, tuinsieraden en tombes in een tweedelig plaatwerk *Voorbeelden der Lusthof-Cieraaden* (afb. 119).[93]

DE DILETTANT

Na de dood van zijn moeder in 1709 eigenaar geworden van huis, erf en fabriek, deed zich voor Van Mollem de mogelijkheid voor om ambities op het gebied van de tuinkunst te ontwikkelen. Naast de hem

sen doopsgezinden en tuin- en landbouw als iets bijzonders gezien worden, vgl. 'Lof van den landbouw en van de doopsgezinden' in *Hedendaagsche Vaderlandsche Letteroeffeningen* 1e Deel, 2de Stuk 1772, 24–27. Hierin wordt vooral de nadruk gelegd op het feit dat de doopsgezinden de landbouw als *eerwaardig* beschouwen.

89 Voor Huygens zie De Vries 1987, voor Meyster *Des Weerelds Dool-om-berg ont-doold op Dool-in-Bergh*, Utrecht 1669, fol. 1 en 11.

90 Voor deze stoïsche traditie zie Morford 1987 en voor Lipsius' tekst de editie van Schrijvers

1983, 91. De uitdrukking die Lipsius citeerde was afkomstig van Scipio Africanus, de veldheer die het zwaard verruilde voor de ploeg. Voor het stoïcisme bij Huygens zie De Vries 1987. Van Mollems belangstelling spreekt in ieder geval uit zijn schenking van het schilderij *De Dood van Seneca* aan het St. Anthoniegasthuis, zie noot 70.

91 Zie noot 62.

92 *De Zegepraalende Vecht*, 14. Zie voor Schijnvoet en Petersburg ook Claas Bruin in zijn 'Speelreis' (gedicht bij plaat 31).

93 Deel I: *Voorbeelden der Lusthof-Cieraaden*

zynde Piramiden, Eerzuylen en Andere Bywerken, Deel II *Voorbeelden Der Lusthof-Cieraaden, Zynde Vaasen, Pedestallen, Orangiebakken, Blompotten En Andere Bywerken &c*, Amsterdam, opgedragen aan Christoffel Brants voor wie Schijnvoet Petersburg ontwierp. Schijnvoets ontwerpen dateren (volgens sommige van de platen die werden uitgevoerd door zijn zoon J. Schijnvoet, J. Ruyter, J. Goeree en L. Scherm) van 1697, 1700, 1700, 1701 en 1704, maar gezien de titelpagina van Deel I, met zijn gedetailleerde aanzichten van Petersburg, kan de uitgave van zijn boek pas dateren van ca. 1717,

bekende doopsgezinde traditie zal ook het eveneens in 1709 in Parijs verschenen geïllustreerde tractaat van Dezailler d'Argenville *La Theorie, et La Pratique du Jardinage* een rol bij zijn oriëntatie op de tuinkunst gespeeld hebben. We vinden een exemplaar van deze eerste druk onder zijn boeken in de inventaris van 1746.[94] Van Mollem zal zich gerealiseerd hebben dat de vele voorschriften in dit belangrijke standaardwerk over de geometrische tuintraditie niet direct aansloten bij de mogelijkheden van het terrein achter het huis aan de Vecht. Maar in dit direct klassiek geworden standaardwerk over de geometrische tuinkunst kon hij talloze praktische aanwijzingen omtrent het aanleggen van een tuin aantreffen, van het gereed maken van het terrein, het hanteren van de geometrische grondbeginselen van het ontwerpen tot de keus van een parterre en de cultuur van zeldzame gewassen. Als beginneling zal het leerboek hem hebben aangesproken, want Dezailler richtte zich aan het begin van zijn boek tot de 'Particulier riche, & curieux de Jardinage', die aan de hand van zijn voorschriften zelf een ontwerp kon leren maken.[95] De bedoeling van de Franse theoreticus was instructies te verschaffen voor een 'jardin de plaisance ou de propreté', een tuinaanleg die zich zou kenmerken door orde en regelmaat en vooral bedoeld was om genot aan het oog te verschaffen door middel van parterres, latwerken, beelden, fonteinen en cascades. Meer dan een nutstuin aangelegd ten behoeve van de kweek van fruit en groente, zou de pleziertuin kunnen spreken van de goede smaak of 'bon goût' van de eigenaar/ontwerper. Overigens heeft Van Mollem in dit stadium ook andere Franse en Nederlandse tuintractaten bestudeerd, waarvan hij meestal de laatste druk bezat en die vooral de cultuur van zeldzame gewassen behandelden.[96]

Voor de aanleg van zijn tuin deed hij in 1712 zijn eerste eigen grondaankoop en deze stelde hem in staat direct achter het huis een ontwerp uit te voeren. De situatie van deze eerste fase vinden we geïllustreerd in de *Zegepraalende Vecht* (afb. 113). Links en rechts bakenden respectievelijk de fabriek op het zuiden en de oranjerie op het noorden een plaats af die voor het grootste gedeelte werd ingenomen door een vijver. Langs de rand daarvan was, net als op Heemstede, een verzameling exotische planten neergezet. Hooggeschoren hagen met beelden ertegen onttrokken als coulissen ruimten aan het oog die waarschijnlijk als boomgaard en nutstuin waren bedoeld. Zij omzoomden ook de hoofd- en zichtas die uitmondde bij een op het zuidwesten gelegen paviljoen dat over de verlegde Schouwwetering moeten hebben gekeken. Het geheel was betrekkelijk eenvoudig van opzet, en Stoopendaal heeft de symmetrische opzet sterk geïdealiseerd omdat in werkelijkheid de hoofdas niet recht op het huis stond.[97] Pas aan het begin van de hoofdas kon de wandelaar een indruk van werkelijke symmetrie krijgen (afb. 120).

In deze eerste fase lijkt Van Mollem Dezaillers advies te volgen dat het maken van een buitenruimte allereerst op sier moet zijn ingesteld. Een ruimte die het oog verlokt door uitzicht langs een hoofdas, en het op de wandeling leidt langs zeldzame planten, een vijver met fontein en cascade en verschillende beelden. De afbeelding in de *Zegepraalende Vecht* doet vermoeden dat Van Mollem de tuin veel groter heeft willen doen lijken dan deze in werkelijkheid was en ook dat was een van Dezaillers belangrijkste adviezen.[98]

De publikatie van zoveel tuinpracht in Stoopendaals *Zegepraalende Vecht* vertegenwoordigde een belangrijk moment. Voor het eerst kon men hier aan de hand van afbeeldingen thuis rondwandelen in de bezittingen van anderen, die niet eens zover van de eigen buitenplaats vandaan waren gelegen. Heeft deze visualisering Van Mollem in 1719 doen besluiten dat zijn eigen aanleg uitbreiding en verfraaiing behoefde? Stoopendaals boek bood een catalogus aan vormen en motieven die op Zijdebalen niet of in geringe aantallen waren te vinden: staand beeldhouwwerk, bustes en vazen in de tuinen van Hoogevecht, Ouderhoek, Gansenhoef, Nieuwerhoek en Petersburg (afb. 110), een overdaad aan fonteinen in de tuin van Boendermaker bij Breukelen (afb. 111) en op Petersburg, grotwerk op Ouderhoek en opnieuw op

toen de tuin van Petersburg zijn voltooiing naderde. Voor Schijnvoet als ontwerper zie ook Kuyper 1977.

94 Inv. 1746, 'Twaalfde Capittel', fol. 88 Vo. Van Mollem moet deze editie direct bij verschijnen hebben gekocht, anders had hij wel de in 1713 te Parijs verschenen tweede editie in bezit gehad of de diverse in Den Haag verschenen edities (1711, 1715 en 1739). Ik gebruik de in Den Haag verschenen editie uit 1739, die, zoals in het boek zelf uitvoerig staat aangegeven, op een aantal punten sterk is uitgebreid. Deze uitbreidingen heb ik in mijn verhaal dan ook niet betrokken. Dezaillers boek was de eerste belangrijke codificatie van de geometrische tuinstijl aan het einde van de 17de eeuw; de tweede druk van 1713 bevatte een aantal wezenlijke veranderingen en vormde de kiem voor nieuwe opvattingen over de tuinarchitectuur tijdens het Régence, zie Dennerlein 1981, Deel I, 3 tot 28 en pag. 226/227 voor een overzicht van de verschillende edities van Dezaillers boek.

95 Dezailler 1739, 4.

96 In de inv. 1746 vinden we verspreid over folio 81 Vo tot 107 R ondermeer edities van D.H. Cause, *De Koninklijke Hovenier aenwijsende de middelen om Boomen, Bloemen en Kruyden te zaaijen [...]*, Amsterdam 1676; C. Commelin, *Horti medici Amstelaedamensis plantarum usualium catalogus*, Amsterdam 1698; R. Dodoens, *Cruydtboek*, Leiden 1618; Jan van der Groen, *Den Nederlandtsen Hovenier*, Amsterdam 1699 (hiervan kocht Van Mollem later ook nog de editie van 1710 en een supplement uit 1719); A. Munting, *Naauwkeurige beschrijving der aardgewassen*, Leiden en Utrecht 1696; J. de la Quintinye, *Nouveau traité pour la culture des fleurs*, Amsterdam 1697; Ph. Miller, *Groot en algemeen kruidkundig hovenier, en bloemisten-woordenboek, behelzende de manier om moes-, bloem-, vrugt-, kruid-tuinen aan te leggen [...]*, Leiden 1745

Petersburg, vijvers en waterkanalen op Hoogevecht, Otterspoor, Gansenhoef en Sterreschans, latwerkspeelhuizen en paviljoens op Rupelmonde, bij Boendermaker en op Ouderhoek, rijke parterres en kunstig geschoren hagen in de tuinen van bijna alle buitenplaatsen en triomfbogen op Hoogevecht, bij Theodoor Boendermaker, op Queeckhoven, Wallestein, Petersburg en Oostervecht, meestal als monumentale afsluiting van de hoofdas (afb. 110). Voor bijna al deze onderdelen werd een Nederlandse variant van de rijke Lodewijk XIV-stijl gehanteerd, in Nederland aan het begin van de 18de eeuw vooral door de prentvoorbeelden van Daniel Marot en Simon Schijnvoet populair geworden.

Het valt op dat Van Mollem direct na 1719 is overgegaan tot nieuwe grondaankopen. Dat jaar kocht hij de al genoemde stadsslijpmolen, en na die datum heeft hij ook de fabriek uitgebreid met vier halsgevels over de Westerstroom (afb. 132).[99] Verspreid over de jaren 1720, 1724, 1726 en 1730 heeft Van Mollem vooral geprobeerd de tuin ten westen van de bestaande hoofdas uit te breiden.[100] Dat was allesbehalve makkelijk te realiseren gezien de verschillende eigendomsverhoudingen van de diverse percelen die hij op het oog had.[101]

Een diepe hoofdas moet Van Mollem na 1719 van vitaal belang voor het ontwerp van zijn tuin hebben beschouwd. Het was niet alleen een prachtig compositorisch element dat alle verschillende, nieuw aan te leggen onderdelen kon samenbinden, het zorgde ook voor een perspectivische zichtas die oneindigheid kon suggereren. Daarnaast kon het de tuin voornaamheid verlenen, want iedereen kon weten dat een dergelijk gebruik van de hoofdas met name voorkwam in de tuinen van het stadhouderlijk hof, zoals op Het Loo en, dichter bij Utrecht, Zeist of Heemstede (afb. 76 en plaat 9). Van een dergelijke diepe as als compositorisch middel kon langs de Vecht bijna nooit gebruik gemaakt worden omdat vele eigenaren, net als Van Mollem, worstelden met het verwerven van een adequaat grondstuk waarop de tuin als een compositorische eenheid kon worden aangelegd. De

grondpercelen langs de Vecht, van elkaar door waterlopen gescheiden, verhinderden een grootse totaalopzet. De meeste tuinen bestonden uit een aaneenschakeling van op zichzelf staande tuinruimten, resultaat van de aankoop van ongelijksoortige stukken boerenweiland over een aantal jaren. Om de aanleg van de as mogelijk te maken, verplaatste Van Mollem het paviljoen aan de Schouwwetering naar een iets zuidelijker punt, daar waar wetering en Westerstroompje elkaar ontmoetten en een bezoeker naar drie zijden een mooi uitzicht had over het water en, in zuidelijke richting, op de Domtoren (afb. 120 en 131). Langs de as, over de wetering, zou Van Mollem in fasen, telkens als grondaankopen hem daartoe in staat stelden, onderdelen van de tuin aanleggen zoals het sterrebos (afb. 123), een Italiaans theater (afb. 126) en een doolhof; vervolgens de grote kom met op een kunstmatig bergje de triomfboog. De halfronde exedra, evenals de hoofdas een beproefd compositorisch middel in stadhouderlijke tuinen, zorgde hier voor een hoogtepunt in de tuin (afb. 96, 108, 120 en 125). Na 1726 was er voldoende grond om vanaf de boog verder te werken aan de vormgeving van de hoofdas (afb. 128). Ondertussen ging het werk in de rest van de tuin gewoon door; in 1738 en 1744 werden nog monumentale vazen aangekocht.[102]

Door de omstandigheden beperkt, droeg ook de aanleg van de tuin van Zijdebalen een sterk praktisch karakter: waar uitbreiding mogelijk bleek, werd iets nieuws aangebracht. De hoofdas legde echter een dusdanig strenge symmetrie op, dat de tuin bij de voltooiing in omstreeks 1740 als een samenhangende compositie aan de bezoeker moet zijn overgekomen. Van het noodgedwongen verspreide karakter van de verschillende bezienswaardigheden wist Van Mollem in het totaalschema een deugd te maken. Het kwam namelijk overeen met de stelling van Dezailler dat symmetrie in de hoofdlijnen afgewisseld diende te worden door variëteit en diversiteit in de onderdelen; pas dan kon een tuin volmaakt genoemd worden.[103] Met name de aanleg van sterrebossen en intieme ruimtes als groene salons of bosquets was

(vertaald door Jakob van Eems).

97 Door een vroeg 19de-eeuwse opmeting van de tuin weten we dat de as niet loodrecht op de grote zaal in het huis, dat evenwijdig aan de Vecht was gelegen, gezet kon worden. Vgl. de plattegrond van A. van Diggelen uit 1819, 91 × 86 cm, G.A.U., T.A. Ab 102A. Op basis hiervan werd een reconstructie gemaakt van de plattegrond van Zijdebalen door A.F.E. Kipp en J.R. van Ommen, Utrecht (hier afb. 120). Deze wijkt op een aantal punten af van die gemaakt door Muller/Schuylenburg, zie Muller 1912.

98 Dezailler 1739, 18.

99 In de inv. van 1746 ook wel de 'nieuwe winkel' genoemd, en bestaande uit ruimten waar, naast de bestaande negen twijnmolens in de oude fabriek, nog eens drie twijnbanken werden opgesteld.

100 Deze zou uiteindelijk lopen tot de Daalse Dijk.

101 Een overzicht van het grondbezit, verdeeld naar aankoop, vindt men in de inv. van 1746, 'Eerste Capittel'. Het betrof hier open terreinen, meestal in gebruik als warmoezenierstuinen. In 1736 werd nog een stuk grond tegenover het huis, aan de andere kant van de Vecht aangekocht om

als overtuin te dienen (G.A.U. Vroedschapresoluties 22 mei 1736). De inv. van 1796, fol. 49 vermeldt hier een vergulde koperen zonnewijzer en een liggende stenen leeuw.

102 Voor de twee vazen van de vier seizoenen uit 1714, gekocht op een veiling in 1744 en de Davidvazen, gedateerd 1738 en na die datum door Van Mollem gekocht, zie hieronder.

103 Dezailler 1739, 15 en 23.

104 Van Mollem kon zijn voordeel doen met de uitgebreide aanwijzingen op pag. 22 en in hoofdstuk VI, toegelicht met afbeeldingen. 'Bois et bosquets' vormen voor Dezailler 'le plus grand

daarbij belangrijk; hun opgaande groene muren gaven tegenwicht aan de vlakke parterres en paden terwijl de ruimtelijke invulling en versiering ervan de mogelijkheid creëerde voor schaduwrijke plaatsen met telkens nieuwe verrassingen en contrasten. Dezaillers beschrijvingen en illustraties boden voor zulke onderdelen talloze uitgangspunten voor een eigen ontwerp.[104] Die nadruk op afwisseling had alles te maken met het belang dat Dezailler hechtte aan de wandeling door de tuin waarvan men lichamelijk en geestelijk verfrist diende terug te keren: 'Un seul tour de jardin est un voyage dont on revient toujours content & utilement exercé' ('iedere wandeling door de tuin is een reis waarvan men altijd tevreden en goed geoefend terugkeert').[105] Een andere belangrijke regel die Van Mollem zich ter harte kon nemen was dat de dispositie van de plattegrond en de distributie van de onderdelen het beschikbare terrein dienden te volgen en van de voor- en nadelen van dat terrein gebruik moesten maken. Zo werden Westerstroom en Schouwwetering door de aanleg van berceaux langs of over hun water dan ook visueel en esthetisch in de compositie van de tuin betrokken (afb. 132). Daarmee kregen ze een functie die in tuinen elders tot stand werd gebracht door een speciaal ontworpen waterpartij. Soms moest vanwege het stuk grond ook een forse concessie worden gedaan aan wat de theorie voorschreef, zoals de aanleg van de parterre achter de triomfboog in plaats van de vereiste locatie direct achter het huis (afb. 121 en 129). Ook in opmerkingen van de Franse theoreticus over de eisen die een onregelmatig stuk grond aan de ontwerper stelt wat betreft zijn kennis van geometrie, architectuur, planten, ornament en goede smaak, moet Van Mollem

veel hebben aangetroffen dat zijn eigen keuzes kon rechtvaardigen.[106] De kennis met Dezailler opgedaan heeft Van Mollem ondersteund met naslagwerken op het gebied van de bouwkunst, de geometrie, het perspectief en de fonteintechniek.[107] Intensief zal hij ook zijn collectie prenten hebben bestudeerd, zowel de topografische afbeeldingen als de voorbeelden op het gebied van architectuur, decoratie en beeldhouwwerk. Zo bezat hij ondermeer prentwerk van de Thetisgrot in Versailles en van de monumentale grotten in de tuinen van Huis ter Meer aan de Vecht (afb. 117 en 118).[108] Inspiratie lijkt hij met name te hebben opgedaan in Simon Schijnvoets prentwerk dat na 1717 ter beschikking kwam (afb. 119). Schijnvoets ontwerpen heeft hij wellicht ter plekke op Petersburg gezien en bestudeerd.[109] Diens sterk decoratieve voorkeur voor een assemblage van vazen, vormsnoei en obelisken vinden we op verschillende plaatsen op Zijdebalen terug, met name in de triomfboog met obelisken, de vazen en de opstelling van zeldzame gewassen in potten bij de Grote Kom (afb. 125).

Alleen heeft Van Mollem dat alles niet kunnen ontwerpen. Hoogvliet geeft een aanwijzing in zijn hofdicht dat Nicolaes Verkolje ontwerpen leverde voor beelden.[110] Voor deze kunstenaar moet dat geen moeilijke opgave geweest zijn, geverseerd in het bedenken van geschilderde allegorieën als hij was. Getuige zijn familieportret van de Van Mollems was hij goed op de hoogte van de classicistische kunsttheorie die van een schilder eiste dat hij op het platte vlak levensecht beelden en basreliëfs kon weergeven (plaat 10).[111] Misschien dat ook andere, Amsterdamse, kunstenaars als Frans Blanchard (1704–1744) en wellicht Schijnvoet zelf Van Mollem hebben bijgestaan.[112]

ornement' van de tuin. De van een hoefijzervormige ruimte uitgaande lanen aan begin en einde van het sterrebos kan hij aan de eerste twee gegraveerde voorbeelden in Dezaillers boek hebben ontleend. De halfcirkelvormige berceaux naast de triomfboog kan Van Mollem ontleend hebben aan Dezaillers voorbeelden voor het type bosquets dat hij een 'cloître' noemt, een door een arcade, galerij of berceau omgeven tuinruimte.

105 Dezailler 1739, 97.

106 Dezailler 1739, 16.

107 Hij bezat edities van tractaten van Le Muet (1679), Vignola, A. Bosse (1688), Biltman, Goeree (1681), Salomon de Bray (1640) en een verzamelwerk over de ordes, de *Paralelle de l'Architecture* (1702). Daarnaast bezat hij werken over de optica en de perspectief (waaronder Nicolaas Hartzoekers *Doorzigtkunde* uit 1699) en over waterbouwkunde en de aanleg van fonteinen, waaronder S. de Caus' *Les Raisons des forces Mouvantes*

(1615) en William Wheeler, *Civil Engineer. A list of some chief Workes which Mr. W.W. offereth to undertake*, Amsterdam 1651 of diens *Description of the patent Water-Scoupwheels, invented by W. Wheeler* uit 1645. Materiaal kon hij ook vinden in de tractaten op het gebied van de schilderkunst van De Lairesse (1712) en Van Hoogstraten (1678).

108 Van Mollems verzameling op dit gebied was niet groot, maar hij bezat ondermeer P. Schenks prentenserie van Het Loo, Thomassins *Verzameling van beelden, groepen, fonteinen, thermen, vasen en andere pragtige cieradien van het Koninglyke Paleys en Park van Versailles* (1724), Félibiens beschrijving van de grot van Versailles (1672 of de door Le Pautre geïllustreerde edities van 1676 of 1679), Hendrik de Leths serie van het nabijgelegen Huis ter Meer (ca. 1730), Stoopendaals *Het Verheerlykt Watergraefs- of Diemer-meer [...]* (1725), prentwerk van Le Pautre, een plaatwerk getiteld *Jardines de Rome* (dit kan zijn Von San-

drarts *Giardini di Rome oder Römische Gärten* [1692] of Falda's *I Giardini di Roma* [1674, 1683]), *Voortreffelijkheden van Italiën en Voortreffelijkheden van Oud en Nieuw Roomen*, uitgegeven door P. Mortier in 1715, en een pak losse prenten.

109 Voor Petersburg zie De Balbian Verster 1925. Van Mollem bezat zowel Deel I *Voorbeelden der Lusthof-Cieraaden zynde Piramiden, Eerzuylen en Andere Bywerken* als Deel II *Voorbeelden Der Lusthof-Cieraaden, Zynde Vaasen, Pedestallen, Orangiebakken, Blompotten En Andere Bywerken &c*, Amsterdam (na 1717).

110 Hoogvliet, *Hofdicht*, 7; het ging om voorstudies voor de door Cresant uit te voeren beeldjes van Geleerdheid, Landbouw, Zeevaart en Krijgsdeugd aan de ingang van het sterrebos bij de Grote Kom.

111 De voorschriften bij De Lairesse 1740 (1709 eerste druk), Tiende Boek 'Verhandeling van de Beeldhouwery', 223–259. Van Mollem be-

Dat er continu werk in uitvoering was blijkt ook uit de reisbeschrijvingen. Tsaar Peter krijgt in 1717 de tuin met fonteinen en grotwerk te zien. Op Von Haller maakt de tuin in 1725 de indruk groot, maar niet erg kostbaar te zijn. Ook hij, en Menoza in dezelfde tijd, bewonderen met name het grotwerk, dat door Van Mollem waarschijnlijk gedurende de tweede fase na 1719 in de buurt van de nieuwe fabriek werd uitgebreid tot twee zelfstandige grotten, één voor schelpen, de andere voor mineralen. Pas in 1736 beschrijft een Franse reiziger de tuin als 'magnifique' en versierd met 'belles allées en portique, de quantité de figures de marbre'. Kennelijk raakten tegen deze tijd de lanen meer volgroeid en hadden de verschillende beelden en vazen hun bestemming gekregen. Na deze datum zijn de reisbeschrijvingen unaniem in hun lof over de rijke aankleding van de tuin, zoals die van de Engelsman Richard Poole, die Zijdebalen op 22 en 23 Augustus 1741 bezocht. Ook hij kreeg het idee dat het om een grote aanleg ging; dat de tuin die indruk overbracht op de bezoeker zou Van Mollem plezier hebben gedaan, per slot van rekening was de tuin aan de Vechtzijde niet meer dan 80 tot 85 meter breed, de hoofdas was ongeveer 700 meter diep.[113] Poole beschreef Zijdebalen als 'exquisitely beautiful' vanwege de variëteit aan mooie wandelwegen en de nauwkeurig geschoren en geknipte hagen (afb. 123). Zijn oog viel op de verschillende bezienswaardigheden: de volière met zeldzame vogels, de oranjerie met exotische planten (waarschijnlijk bedoelt hij hier de stelplaats rond de Grote Kom [afb. 125]), de karpers in de vijvers, de marmeren beelden (afb. 128), de waterwerken (afb. 121), de bloemen en de grotten (afb. 134 en 135).[114]

Deze overvloed op een betrekkelijk klein oppervlak was niet bepaald wat Dezailler met al zijn adviezen voor ogen had gestaan. Weliswaar besteedde hij in zijn handboek uitgebreid aandacht aan ornamenten in de tuin als latwerken, geschilderde perspectieven, fonteinen, vazen, beeldhouwwerk en grotten, die, mits op de juiste plaats gezet, hun effect konden sorteren. In de tweede editie van zijn boek uit 1713 waarschuwde Dezailler echter verschillende keren tegen een onjuist en overdadig gebruik van ornamenten in particuliere tuinen.[115] Dezaillers belangrijkste uitgangspunt werd toen 'de faire ceder l'Art à la Nature', wat inhield dat de effecten die met de natuur tot stand gebracht konden worden in hun eenvoud vaak doeltreffender en meer op hun plaats geacht werden dan een overdaad aan dure tuinsieraden als beeldhouwwerk en vergankelijke architectonische latwerkconstructies.[116] Ook het Nederlandse theoretische werk van de Leidse Pieter de la Court uit 1737 waarschuwde de Hollandse burger tegen het in het klein navolgen van de ostentativiteit die volgens het decorumprincipe alleen acceptabel was voor vorstentuinen.[117] Naar ons 20ste-eeuwse inzicht zou Dezaillers pleidooi voor een eenvoudige tuinstijl goed bij Van Mollems doopsgezinde levensovertuiging hebben gepast. Zijn stijlbegrip, en dat van vele andere buitenplaatsbezitters langs de Vecht, mag misschien 'ouderwets' genoemd worden, want het verschilde nogal van de experimenten op het gebied van de landschapsarchitectuur elders in Nederland, zoals in Kennemerland.[118] Aan de Vecht transformeerde een toenemend aantal rijke kooplieden van de tweede generatie hun tuin door gekunstelde verfijning en overdaad tot een begeerlijk en luxueus statusattribuut. Bezit

zat een druk van De Lairesse uit 1722. Dat schilders vaker tuinsieraden ontwierpen blijkt uit het voorbeeld van de schilder Willem van Mieris (1662-1747) die in 1702 vier tuinvazen met voorstellingen van de seizoenen ontwierp voor de Leidse lakenhandelaar en kunstverzamelaar Pieter de la Court (1664-1739), zelf een volleerd amateur op het gebied van de tuinarchitectuur. Hij was de auteur van *Byzondere Aenmerkingen over het aenleggen van Pragtige en Gemeene Landhuizen, Lusthoven, Plantagien en Aenklevende Cieraeden*, Leiden 1737. Voor Van Mieris en De la Court zie Fock 1973.

112 Tekeningen van Blanchard (werkzaam in Amsterdam vanaf ca. 1720) in de collectie van het Koninklijk Oudheidkundig Genootschap, Amsterdam tonen grote verwantschap met bijvoorbeeld de bekroning van de triomfboog op Zijdebalen, vgl. C.C.G. Quarles van Ufford, *Catalogus van overwegend Amsterdamse architectuur- en deco-*ratie-ontwerpen uit de achttiende eeuw, *Jaarverslagen Koninklijk Oudheidkundig Genootschap*, Amsteram 1972, 22-24. Zie ook A.W. Weismann, *Geschiedenis der Nederlandsche Bouwkunst*, Amsterdam 1912, 403 (en afb. op pag. 404) en Van Luttervelt 1970, 169.

113 Deze indruk maakte de tuin ook nog steeds toen de smaak allang veranderd was. In het *Journal of a Horticultural Tour* uit 1823 wordt de tuin nauw en diep genoemd, maar toch zo aangelegd dat de geringe omvang goed gemaskeerd wordt.

114 Voor deze reisbeschrijvingen zie noot 49.

115 Dezailler 1739, hoofdstuk VIII en vooral ook pag. 18/19 en 38. Latwerken (vanwege hun snelle bederf), te veel en te kostbare tuinsieraden, geschilderde perspectieven en grotten noemt Dezailler vanaf 1713 als niet meer in de mode.

116 Vgl. Dennerlein 1981, 24/25 en 28. 'De faire ceder l'Art à la Nature' zou de belangrijkste maxime worden van de tuinkunst tijdens de Franse Régence.

117 *Byzondere Aenmerkingen over het aenleggen van Pragtige en Gemeene Landhuizen, Lusthoven, Plantagien en Aenklevende Cieraeden*, 1763, 6-9 (tweede druk, eerste druk Leiden 1737). Ook hier het pleidooi voor een natuurlijker tuinaanleg en tegen geldverspillende tuinsieraden als grotten en snel rottende latwerkconstructies. Het werk bevond zich (toepasselijkerwijs) niet in Van Mollems bibliotheek. Overigens hield De la Court zichzelf geenszins aan zijn eigen voorschriften, zie Fock 1973.

118 Met name in Kennemerland zou de door Dezailler voorgestane vereenvoudiging van de natuur in de jaren 1720 en 1730 van de achttiende eeuw haar sporen in de tuinarchitectuur nalaten. Tuinen als Waterland, Velserbeek en Hartelust (allen geïllustreerd in Hendrik de Leths *Het Zegepralent Kennemerlant* van 1729-'32) vertonen alle

van beeldhouwwerk was als tuinsieraad veelal een doel op zich geworden, de verschillende beelden onderhielden nog wel een relatie met de architectonische opzet van de tuin maar van een doordacht samengesteld decoratieprogramma was vaak geen sprake meer. Daarvoor levert de in de 18de eeuw toenemende handel in tuinbeelden voldoende bewijs.[119] Het was deze als typisch burgerlijk en 'Hollands' ervaren overdaad en gekunsteldheid die in het Engeland uit het begin van de 18de eeuw zoveel kritiek opriep.[120] Het verslag van de reis die de Caledonian Horticultural Society in 1817 maakte, noemt de tuin van Zijdebalen dan ook 'the best specimen remaining of the true old Dutch style of gardening, of which we had read so much in books'.[121]

Ook Van Mollem kocht beeldhouwwerk op veilingen.[122] Zijn bedoeling met zijn aankopen gold echter niet het zonder systeem bijeenbrengen van een verzameling. Aan de thematiek van zijn sculpturen en hun onderlinge samenhang hechtte hij een grote waarde, want ze vormden als onderdeel van de tuin een geschikt middel om gedachten over schepping, natuur en mens uit te beelden. Doopsgezinde ethiek kon ook hier geldelijke investering en ostentativiteit rechtvaardigen.

EEN RONDGANG DOOR DE TUIN

Samen met zijn reisgenoot De Jong, maakte ook Hoogvliet op Zijdebalen een wandeling die hij als structuurprincipe gebruikte voor zijn hofdicht. Jacob Sijdervelt en Hendrik Nicolaas Sautijn fungeren daarbij in de tekst als gids om 'niets van zoo veel hofsieraats [te] verliezen'.[123] Net als Reets en Rotgans in hun hofdichten op de tuin van

Heemstede, heeft Hoogvliet zijn observaties een literaire uitwerking gegeven. Uit de zilveren plaquette die Van Mollem voor Hoogvliet liet maken (afb. 115), mogen we afleiden dat hij zeer over diens produkt tevreden was. Hoogvliets talent creëerde binnen het gedicht een werkelijkheid die op een ideale wijze Van Mollems eigen bedoelingen met de tuin moet hebben verwoord. De thema's van Hoogvliets beeldspraak waren immers niet een exclusieve vinding van de dichter, maar waren onderdeel van het complexe samenstel aan ideeën dat ook Van Mollem tot de aanleg van zijn tuin inspireerde. Bovendien waren opdrachtgever en dichter met elkaar bevriend.

Hoogvliets literaire vermenging van werkelijkheid en fictie maakt zijn hofdicht tot een bijzondere leidraad door de tuin. Daarmee neemt het gedicht temidden van alle kunstopdrachten van Van Mollem een heel eigen plaats in. Het spreekt uit wat in bijvoorbeeld de tekeningen van De Beijer impliciet blijft. De verheerlijking van Van Mollem als eigenaar van de tuin vormt het voornaamste thema van het gedicht. Door de weinig obligate wijze waarop Hoogvliet dat verwoordt, behoort het tot de originelere gedichten in zijn genre. Een ander opvallend gegeven is dat Hoogvliet, in tegenstelling tot Reets en Rotgans, naast mythologische beeldspraak veelvuldig gebruik maakt van religieuze moraliseringen. Gezien zijn andere literaire, religieus getinte werk, mocht Hoogvliet op dat gebied als een specialist gelden. Zijn toepasselijk gekozen arsenaal aan literaire motieven doet de lezer beseffen dat de tuin een veelheid aan betekenissen bevat. Maar al schept Hoogvliets poëzie haar eigen dichterlijke werkelijkheid, veel van zijn metaforen correspondeerden met wat er in de tuin

een groot contrast met de overdadige ornamentiek van het in dezelfde tijd ontstane Zijdebalen. Zie hiervoor Florence Hopper, 'The Dutch Régence Garden' in: *Garden History* 9 (1981)2, 118–136. Een verklaring voor deze ontwikkeling vanuit het perspectief van de opdrachtgevers werd echter nog niet geleverd.

119 De mobiliteit van tuinbeelden was een gevolg van het feit dat tuinbeelden als deel van de inventaris van een tuin na de dood van de eigenaar meestal werden geveild en er tegelijkertijd een toenemend aantal buitenplaatsbezitters was dat om tuindecoraties vroeg. Vgl. Hulkenberg 1969 (voor de veiling van beelden van de Keukenhof in 1746) en Nierhoff 1971, 38–42 (voor de veiling van de collectie beelden uit de tuin van de hofstede Saxenburg in 1741). Dat Van Mollem uitdrukkelijk in zijn testament stipuleerde dat Zijdebalen in de familie bewaard moest blijven, kan ondermeer zijn ingegeven door zijn vrees dat zijn creatie een-

zelfde lot zou ondergaan. Het heeft niet mogen verhinderen dat de verkoop van de beelden van Zijdebalen in 1819 er uiteindelijk een sprekend voorbeeld van is hoe de geometrische tuinstijl aan een einde was gekomen.

120 'Dutch' werd niet minder dan een scheldwoord in dit verband. Vgl. de bijdragen over dit thema van Hunt, 'Reckoning with Dutch gardens' in: Hunt/De Jong 1988, 41–60 en idem '"But who does not know what a Dutch garden is?". The Dutch garden and the English Imagination' in: Hunt (ed.) 1990, 175–207. Voor laat achttiende-eeuwse kritiek in Nederland op deze 'koopmansstijl' zie De Jong 1987–1. Deze kritiek gold vooral de kleinere tuinen rond de steden, in Broek en Waterland en langs de Vecht.

121 *Journal of a Horticultural Tour* 1823, 251.

122 De inv. 1746, 'Elfde Capittel van Losse Beelden, in den Thuijn staende […]', noemt verschillende vazen die op veilingen werden aange-

schaft; daaronder bevonden zich de twee grote pronkvazen bij de Grote Kom (de hier verderop te behandelen 'Davidvazen' die 'te Zeijst gekocht' waren).

123 *Hofdicht*, 4; Sautijn, gehuwd met Van Mollems dochter Lavinia, voegt zich in de buurt van de triomfboog bij het gezelschap (pag. 7).

124 Voor de problematiek ten aanzien van de interpretatie van het hofdicht Zijdebalen zie De Jong 1985 en Gelderblom 1986. De laatste verzet zich tegen de opvatting dat het hofdicht als een descriptief genre bestempeld moet worden, een opvatting die hij aan mij toeschrijft, al was dat niet de these van mijn artikel van 1985. Daar ging het erom hoe de kunsthistoricus van het hofdicht als bron gebruik zou kunnen maken bij de reconstructie van een tuin. In zijn eigen bijdrage is alleen het gedicht als een literair produkt aan de orde en wordt noch de tuin als aanleiding noch het verband tussen opdrachtgever, gedicht en algeme-

aan beelden, vazen en planten te zien was. Tegelijkertijd waren zijn woorden zo gekozen dat ze konden verwijzen naar doopsgezinde opvattingen, zoals die ook de strekking van het bijwerk op bijvoorbeeld het familieportret van de Van Mollems had bepaald.

Observatie bepaalde in hoge mate het effect dat de tuin tijdens een wandeling op de bezoeker maakte, de tuinruimte was daartoe zelfs met allerlei bezienswaardigheden bewust ingericht. De dichter maakte zich dit gegeven eigen en componeerde zijn gedicht zo dat de lezer op een verheven wijze deelgenoot van een dergelijke ervaring kon worden.[124] Wat het gedicht vertelt is daarom evenzeer een historische bron als de tekeningen, de twee inventarissen en de veilingcatalogus, waarmee het zinvol en samenhangend bronnenmateriaal vormt.[125]

Hoogvliet betreedt de hoofdas van de tuin door de marmeren kolommen na een bezoek aan de Grote Zaal in het huis (afb. 121 en 122).[126] Daar opent zich het perspectivisch vergezicht dat zijn ogen 'door de ruimte, in schyn, allengs tot d'engte leidt'.[127] Hij maakt melding van de oranjerie die hij verder rechts laat liggen, gaat vervolgens uitvoerig in op de vijver met haar klaterende fonteinen en vermeldt de stroomgoden Lek en Vecht; het grootste gedeelte van het beeldhouwwerk laat hij daarentegen op deze plek voor wat het is.[128] Over de hoofdas loopt hij langs potten met exotische gewassen als oranje-, limoen- en citroenbomen totdat hij bij het begin van het sterrebos is aangeland, waarvan de acht paden hem in verwarring lijken te brengen (afb. 123). In het centrum van het sterrebos stond een piëdestal.[129] Ook hier

heeft het beeldhouwwerk van vier vazen en de vier delen van de dag niet zijn aandacht, wel het labyrint aan de linkerzijde van de tuin en het geschilderde perspectief van het zogheten 'Theater italien'.[130] De Beijer tekende het theater gedetailleerd uit (afb. 126). Voor het toneel beeldt hij Xavery's beeldje van Minerva af, gevoed door Mercurius, in de coulissen tekent hij Cresants Mercurius en Minerva en een Neptunus en Galathea van de broers Mattyszen.[131] Uit de inventarissen weten we dat de figuren van de Commedia dell'Arte bestonden uit beschilderde houten schotten.[132] Waarschijnlijk liep de dichter via een zijpad naar de door hem bezongen menagerie (door De Beijer getekend vanuit de Turkse Tent) en de hertenkamp.[133] Vandaaruit treedt Hoogvliet binnen in de ruimte rond de Grote Kom, die gesierd wordt door een loden triton (afb. 125).[134] De monumentale triomfboog, de opstelling van exotische gewassen en de gebeeldhouwde, marmeren vazen maakten van dit gedeelte onbetwist een van de hoogtepunten in de tuin, door Hoogvliet gekwalificeerd als 'het Eden onzes tyts'. Terugkijkend naar het huis (afb. 124) ziet hij vier beelden van marmer aan de toegang tot het sterrebos: de vier 'staten' van de wereld, te weten Geleerdheid, Landbouw, Zeevaart en Krijgsdeugd.[135] Hoogvliet gaat uitvoerig (dertig verzen lang) in op de twee grote vazen met voorstellingen uit het leven van de oudtestamentische David en Esther, die voor de vijver staan opgesteld (afb. 125).[136] Hoogvliet mist hier de twee latwerkpriëlen, die aan weerszijden voorzien zijn van beelden: Hercules en Omphale, en Silvinus en Galathea, alle vier van de hand van Cresant.[137] Ook het spectaculaire perspectief in een van de twee priëlen noemt hij niet (afb. 127). Dat geldt ook voor de twee

---

ne tuincultuur aan de orde gesteld.

125 De Jong/Snoep 1981 en mijn reconstructie in De Jong 1985.

126 De vier marmeren kolommen van de tuinportico zijn misschien identiek met de vier zuilen die Van Mollem in 1711 verwierf bij de verkoop van bouwmaterialen die de afbraak van de westzijde van de Utrechtse Mariakerk diende te financieren, zie het manuscript van Calkoen, G.A.U., 33, 57, 59, 61 en 82. Ik dank deze informatie aan A.F.E. Kipp.

127 *Hofdicht*, 3.

128 Hetzelfde verval van water dat de machineriëen in de fabriek aandreef, maakte ook de spuitende fonteinen op Zijdebalen mogelijk. De inv. 1746 noemt in de vijver een gebeeldhouwde zwaan en erbij twee 'italiaanse' beelden (waarschijnlijk is bedoeld van 'italiaans' marmer) die in de inv. van 1796 beschreven worden als Bacchus en Venus, in de verkoopcatalogus van 1819 als

Bacchus en Flora, gemaakt door Cresant 'grandeur naturelle'. De fonteinen ervoor bestonden uit telkens twee vergulde draken, slangen, schildpadden, kikkers en hagedissen (inv. 1796). Beide inventarissen maken ook nog gewag van 12 borstbeelden op voetstukken tegen de hagen (zie afb. 121).

129 Inv. 1746, fol. 77. De inventaris van 1796, fol. 47 vermeldt op het voetstuk een koperen sfeer, het voetstuk omringd door 51 potten met aloës.

130 De inv. 1746, fol. 76 Vo en fol. 77 noemen vier vazen van bentheimersteen op arduine voetstukken, twee van Xavery, twee van Van der Mast; de hardstenen termen van de delen van de dag noemt de inventaris werk van Van der Mast. In de lanen langs de wetering stonden nog twee vazen van bentheimersteen op 'grotte' voetstukken, gekocht op een veiling 'De Leeuw'; in het sterrebos een loden putto (naar A. Quellinus). In de 'vier Laantjes' putti voorstellende de vier jaargetijden.

131 Vgl. de inv. 1746, fol. 79 die ook nog 2 hardstenen vazen op arduinen voetstukken, twee arduinen voetstukken met vergane houten putti en twee voetstukken met een vergaan houten en een gebroken stenen beeldje beschrijft.

132 Inv. 1746, fol. 79 Vo: 'Eenige Schermen', inv. 1796, fol. 49: 'Ses planken met levens grote geschilderde Pourtraiten'.

133 Voor de menagerie en de betiteling 'Turksche Tent' door De Beijer zie zijn afbeeldingen in De Jong/Snoep cat. nrs 25 en 26. De hertenkamp werd niet afgebeeld.

134 Inv. 1746, fol. 78.

135 *Hofdicht*, 6/7 en inv. 1746, fol. 77. De veilingcatalogus uit 1819 noemt als maker J.B. Xavery.

136 De inv. 1746, fol. 77 Vo beschrijft ze als twee grote marmeren vazen op 'grotte' voetstukken, gekocht op een verkoping te Zeist. De veilingcatalogus 1819, nr 66 schrijft ze toe aan Cre-

monumentale vazen met voorstellingen van de vier seizoenen in de triomfboog, de enige ornamenten van Zijdebalen die tot op heden traceerbaar zijn (afb. 138a–138b).[138] Wel beschrijft de dichter twee ovalen reliëfs op de piramides die de triomfboog aan de achterzijde flankeren (afb. 129 en plaat 12); zij zijn voorzien van voorstellingen met een geknakte tulp en een zaaiend kind, door Hoogvliet geïnterpreteerd als levens ijdelheid en de hoop op leven na de dood.[139] Op dit punt aangeland gaat Hoogvliet ook in op de beeldengroepen rond de parterre. Hij identificeert hier Hemel en Aarde, Flora en Apollo (afb. 128).[140] Dan vervolgt hij zijn wandeling langs de hoofdas en bezoekt de karpervijver, omzoomd door kastanjebomen en de door een schaduwrijke berceau omgeven Droge Kom, centraal op de zichtas gelegen (afb. 130).[141] Ook hier geven de vele gewassen en de in kunstige vormen gesnoeide buxus aanleiding tot exclamaties: 'O Heerlyk Paradys, zoo vol veranderingen!/ O Eedle Kweekhof van ontelbre zeldzaamheên!'. Het beeldhouwwerk van de met Cacus worstelende Hercules in het bassin valt Hoogvliet niet voldoende op om er een dichtregel aan te wijden. Het perspectief dat zich vervolgens over de as de landerijen in uitstrekt, neemt Hoogvliet, onder verwijzing naar Vergilius' *Georgica*, als uitgangspunt voor een beschouwing over het genre van zijn gedicht: de tuin en niet de landbouw is hier onderwerp van zijn poëzie. Belangrijk is hier Hoogvliets algemene bespiegeling

over de deugd van het landleven waarvoor hij Horatius' *beatus ille* thema tot uitgangspunt neemt. Dan keert de dichter over de hoofdas terug om zijn wandeling te vervolgen. Eerst brengt hij nog een bezoek aan de 'broeierij', de kweektuin met vruchten die kennelijk in de restruimten aan weerszijden van de laan was ingericht.[142] Sommige vruchten worden hem hier door Van Mollem aangeboden, al lijkt het erop dat deze ontmoeting naar de eisen van het hofdichtgenre speciaal voor het gedicht bedacht is. Dan slaat hij na de brug over de Schouwwetering het laantje naar het paviljoen of speelhuis in (afb. 131). Maar eerst trekken twee grote vazen op de hoofdas hier zijn aandacht met hun voorstellingen van het afscheid van Hector en Andromache en Scipio Africanus die een gevangen slavin teruggeeft aan haar geliefde.[143] Een beeldengroep van geheel andere orde staat rechts langs het pad: drie marmeren putti verbeelden hoe 'Koopmanschap zet met beleit/ Zyn voet, in 't klimmen, op den rug der Naarstigheit,/ En wordt, door Wysheit staag genoopt en voortgedreven,/ tot aan den vollen hoorn des Overvloeds verheven'.[144] Langs het speelhuis wandelt Hoogvliet door een berceau langs het water, waar het jacht ligt aangemeerd (afb. 132).[145] Hij ziet er verschillende beelden waaronder een Diana en Mercurius en een Vrouw Wereld belachen door Democritus en beweend door Heraclitus.[146] Lopend over de brug, zonder oog voor de groep van Tijd en Eeuwigheid aan zijn

sant en dateert ze als 1738, een datering die we ook vinden in de reisbeschrijving van Harry Peckham uit 1772. De vazen behoren dus tot de laatste grote aanwinsten van Van Mollem.

137 Inv. 1746, fol. 78.

138 Zie Leeuwenberg 1973, 284–287. De inv. van 1746 noemt ze als het werk van Cresant, de veilingcatalogus van 1819 geeft onder nr 64: 'Deux superbes Vases d'un gout exquis ornés de Basreliefs où sont représentée les quatres Saisons, surmontés de leur couvertures [...] par J. Cresant'. Ze zijn gedateerd 1714 en door Van Mollem op een veiling 'De Leeuw' gekocht, waarschijnlijk uit de inboedel van de buitenplaats Elsenburg, waar Theodoor de Leeuw in 1744 overleed (Luttervelt 1970, 196).

139 *Hofdicht*, 9/10; volgens Hoogvliet dus werk van Xavery. De inv. 1796 interpreteert ze als Vergankelijkheid en Hoop. De inventarissen van 1746 en 1796 beschrijven in de paden achter de boog twee trofeeën op voetstukken die het landleven en de vrede verbeelden; de veilingcatalogus van 1819, nr 68 geeft in het Frans de in het Nederlands gestelde opschriften: 'La paix donne l'abon-

dance', 'L'Abondance s'acquit par le travail'.

140 Respectievelijk Coelus, Cybele (door Cresant, enigermate beschadigd volgens inv. 1746, fol. 78 Vo) en Apollo en Flora door Xavery (inv. 1746: de Flora gebroken).

141 De Beijer illustreerde de karpervijver, zie De Jong/Snoep 1981, cat. nrs 23 en 24. De kastanjebomen rond deze en de goudvisvijver worden als zodanig beschreven in het reisbericht in het *Journal of a Horticultural Tour*, 1823, 249.

142 Het *Journal of a Horticultural Tour* 1823, 250 geeft een vrij uitvoerige beschrijving. Zo was er een slangenmuur voor de abrikozenkweek, volgens de Schotse bezoekers oorspronkelijk bedoeld voor druiven (Hoogvliet noemt (lei) peren), een houten muur met oude wijnranken, dwergappelbomen en groentebedden, waaronder selderij. De inv. 1796, fol. 48 Vo noemt hier drie beelden langs de paden en twee beeldjes van hout voorstellende een zaaier en een maaier op stenen voetstukken; in 1796 staat hier ook beeldhouwwerk dat oorspronkelijk in het theater stond opgesteld.

143 Hoogvliet schrijft ze in het *Hofdicht*, pag. 15, evenals de inventarissen, toe aan Cresant. De

veilingcatalogus, nr 59 identificeert de voorstellingen abusievelijk als 'Deux Vases magnifiques [...] sur l'une est représenté Darius rendant son fils, sur l'autre on voit Hector qui rend la fiancé enlevée'.

144 *Hofdicht*, 15. Volgens de inv. 1746, fol. 79 Vo en de inv. 1796, fol. 46 Vo een werk van Cresant, volgens de veilingcatalogus 1819, nr 38, gemaakt door Xavery.

145 De koepel van het speelhuis was naar de inv. 1796, fol. 46 Vo bekroond met vier marmeren borstbeelden op de hoeken en een loden, vergulde Cupido. De Beijer geeft ook een zicht op het speelhuis vanuit de fabriek, De Jong/Snoep 1981, cat. nrs 39 en 40. Volgens de inv. 1796, fol. 44 Vo was het interieur van het jacht voorzien van trijpen kussens en divers theegerei. Achter de heg van de berceau vermeldt de inv. 1796, fol. 46 Vo, nog een gebronsd houten beeld van Mars.

146 Inv. 1746, fol. 79 Vo en fol. 80 identificeert, evenals de veilingcatalogus 1819, nr 37, de beelden als Ceres en Bacchus. Maar waar de catalogus nr 36 de groep van Vrouw Wereld beschrijft als werk van Xavery, noemen de inventarissen

rechterhand, Neptunus voor hem en Hippocrates en Galenus naast de ingang, stapt Hoogvliet het 'hofpaleis van Nereus' binnen, de schelpengrot.[147] Een lange beschrijving van dit 'Natuurkunstkabinet' volgt, waaruit we mogen opmaken dat het gold als een van de hoogtepunten van de tuin (afb. 134). In de mineralengrot verschijnen aan de dichter Gastvrijheid, Vriendschap en Beleefdheid die hem vertellen dat zij Zijdebalen als hun woonplaats hebben gekozen (afb. 135).[148] Na dit visioen bezoeken de dichter en zijn reisgenoot nog de fabriek die aanleiding geeft tot bespiegelingen over de zijderups. Het gedicht besluit met een algemene lof op Zijdebalen en David van Mollem.[149]

Het is opvallend dat de momenten waarlangs Hoogvliet zijn literaire wandeling heeft opgebouwd, overeenkomen met de compositorische hoogtepunten in de tuin en daardoor ook met de standpunten die De Beijer voor zijn tekeningen innam. Deze overeenkomst laat zich verklaren als we Van Mollem zien als degene die zowel de wandeling in de tuin als die in het gedicht en de tekeningen regisseerde.[150] Hoogvliets dichterlijke beschrijvingen kleden als het ware de ideale beleving van de tuin in. Zo legt hij accenten bij wat als bijzonder ervaren moest worden. De waterwerken en klaterende fonteinen bijvoorbeeld, door mechanieken tot spuiten gebracht en een bijzonderheid in het vlakke Nederlandse landschap. Of de werking van de perspectief in de as, die 'in schyn' oneindigheid suggereerde en die op iedere stap als een telescoop voor- en achtergrond deed veranderen. De

door optische manipulatie steeds wisselende taferelen (of 'tonelen' als men toen zei) moet de 18de-eeuwse wandelaar tijdens zijn rondgang ook echt als een belevenis zijn overgekomen, zowel in de hoofdas als bij het perspectief dat door een van de latwerkpoorten te zien was (afb. 127).[151] Ook zijn gevoel van verwarring bij de entree van het sterrebos mogen we misschien lezen als een ervaring die menigeen onderging bij het zien van de verschillende assen, die alle, als een doolhof, een andere, nog onbekende wandeling suggereerden. Herhaaldelijk spreekt Hoogvliet van de kwaliteit van de kunstenaars: de 'schrandren Xavery', de 'geestige Verkolje' en de 'kunstige Cressant'. De kunstwaarde van het beeldhouwwerk wordt er extra door benadrukt.

Uit noodzaak is de dichter selectief, het gaat hem immers niet om een letterlijke beschrijving. Zo onlokt het Italiaans theater hem geen commentaar, terwijl het in de tuin wel een markante bezienswaardigheid was. De architectonische opzet ervan vertoonde veel overeenkomsten met de architectonische enscenering van de tuin, die door de perspectieven en de decorachtige zetstukken van hagen, latwerken en triomfboog zelf iets van een theater had. Theaters in tuinen waren met name in de eerste helft van de 18de eeuw in Europa populair, zoals ook het tuintheater in de tuin van Huis ter Meer aangeeft (afb. 118).[152] Het Italiaans theater op Zijdebalen heeft misschien ook nog een directe verwijzing naar Italië ingehouden, een land waar de Van Mollems vanwege hun zijdehandel uit de eerste hand mee bekend

Cresant.

147 Inv. 1746, fol. 80: Tijd en Eeuwigheid (van hout volgens de veilingcatalogus van 1819, nr 54) en de marmeren Neptunus door Cresant. Hippocrates en Galenus volgens de inv. 1746, fol. 80 R en Vo van marmer. In het laantje naar Tijd en Eeuwigheid stonden ook nog een 'zeer oude' Venus, twee verrotte, houten putti, een Bacchus en een vrouwenkop. In het laantje naar de grot toe stonden nog een marmeren borstbeeld van Diana, een loden Bacchuskop en een marmeren borstbeeld van Mercurius door Xavery. Deze laantjes werden uitgetekend door De Beijer, zie De Jong/Snoep 1981, cat. nrs 41 tot en met 44.

148 In deze grot vermeldt de inv. van 1746, fol. 80 Vo acht geboetseerde saterskoppen van Cresant (de inv. 1796, fol. 45 Vo maakt melding van tien); verder bevond zich er een loden beeld van Neptunus met twee zeepaarden van de hand van Cresant (inv. 1796, fol. 45 Vo) en twee wit geschilderde vruchtpotten op voetstukken.

149 Daarmee zijn nog niet alle beeldhouw-

werken vermeld: de inventarissen en de veilingcatalogus maken melding van 35, verder niet te identificeren borstbeelden en zo'n 15 vazen (elf van steen, twee van hout en twee van terracotta). Deze stonden waarschijnlijk verspreid in de lanen en berceaux.

150 De Beijer tekende nog een gezicht vanaf de brug naar twee lanen van het sterrebos (alleen als voorstudie bewaard, De Jong/Snoep 1981, cat. nr 9), een gezicht vanaf de brug over de Westerstroom in de richting van een perspectief (De Jong/Snoep 1981, cat. nrs 33 en 34), en, staande achter het huis met de rug naar de vijver, het gezicht door een berceau, versierd met fonteinen, waardoor men vanuit de Mineralengrot het huis kon bereiken (De Jong/Snoep 1981, cat. nrs 49 en 50).

151 Hofdicht, 12. In zijn Essai de perspective. Usage de Chambre Obscure pour le Dessein, Den Haag 1711 (2de druk), onder meer op pag. 23 spreekt W.J. van 's Gravesande over de toepassing van het perspectief in de tuin als een plat vlak (een

schilderij of 'toneel'), dat, als men er naar toe beweegt, van karakter en dimensie verandert. Een vergelijkbare observatie is te lezen in Frans Ryks Westermeer in Nieuwe Verzameling van Nederduytsche Mengeldichten, Amsterdam 1727, 299–300: 'Om verder myne lust te boeten, / in 't schoon en aangenaam gezicht, / Van WESTERMEERS geschooren dreeven / En ypen laanen, groen en dicht, / Als cederen, in de lucht verheeven, / Die 't punt der oogstraal wyd en veer, / Gelyk als verrekykers, rekken; / Waar door men, langs het visryk Meer, / 't Boomkweekend Aalsmeer kan ontdekken'. Geciteerd naar Gelderblom 1986, 178.

152 En het theater in de tuin van Westerwijk, Wijk aan Zee (zie Bienfait 1943, Deel I, 191 en Deel II, plaat 259). Tuintheaters fungeren ook in de ontwerpen van Daniel Marot, zie Ozinga 1938, 211, nrs 32 en 33. R. Meyer, Hecken- und Gartentheater in Deutschland im XVII. und XVIII. Jahrhundert, Emsdetten 1934 behandelt de populariteit van het tuintheater. Voorzover we weten was het op Zijdebalen niet de bedoeling dat in het theater

waren.[153] Noch Hoogvliet noch de inventarissen werpen enig licht op de Turkse Tent, een modieus bouwsel dat gelijkenis moet hebben vertoond met een dergelijke tent in het theater van Huis ter Meer (afb. 117). Alleen De Beijer vermeldt het in een opschrift op een van zijn tekeningen. Hoogstwaarschijnlijk werd de tent van Van Mollem geïnspireerd op de belevenissen van de met hem bevriende wereldreiziger Cornelis de Bruyn, die in het Midden-Oosten had gereisd en in 1726/27 op Zijdebalen stierf.[154]

Hofdicht en tekeningen geven ons geen indruk van de kleurigheid van de tuin: de wit marmeren beelden en vazen tegen de groene hagen, de groengeschilderde tuinbanken, het vergruisde porselein uitgestrooid in de parterre en het met blauw, rood en wit ingelegde mozaïekwerk van de triomfboog. Verguld of groen geschilderd waren de draken, slangen en vogels die dienst deden als fonteinspuiters. Exotische planten, al naar gelang het seizoen kleurig door bloem en/of vrucht, stonden opgesteld in witte of blauwgeschilderde, soms met schelpen of met verguld loden festoenen versierde potten. Dat alles werd overtroffen door de schittering van kleuren in de schelpen- en mineralengrot.[155] Nog weer andere details leren we uit de reisbeschrijvingen. De Caledonian Horticultural Society keek vooral naar het natuurlijk materiaal in de tuin. De deelnemers aan de reis viel op dat beuk, eik en haagbeuk gebruikt waren voor de hoge architectonische hagen, en taxus en buxus voor de kleinere afscheidingen in de tuin, in 1817 zo dik als een bakstenen muur.[156] Ook bij anderen werd de perceptie van de tuin ingegeven door hun specifieke achtergrond. De Italiaan Giuseppe Garampi bijvoorbeeld vergeleek Van Mollems waterwerken met de overvloed aan fonteinen in de parken van Rome, al vond hij ze op Zijdebalen soms aangenamer. Bekend met de beeldentuinen in zijn geboorteland keek hij met een geoefend oog naar

stijl en voorstellingen van de beeldhouwwerken en identificeerde hij het marmer van de beelden als afkomstig uit Carrara. Zijn conclusie was dan ook dat er Italianen in de tuin werkzaam waren geweest en dat de marmeren beelden kant en klaar uit Italië waren aangevoerd.[157] Over één ding zijn alle reizigers het eens: de tuin van Zijdebalen was een curiositeit zonder weerga, de bezienswaardigheid van een rijk man, waar de zintuigen zich konden laven aan een grote variatie aan voortbrengselen van natuur en kunst.[158] Bewondering en verwondering kwamen op de eerste plaats, geen van de reizigers becommentarieerde ooit het programma van de tuin zoals dat door Van Mollem bedoeld moet zijn geweest.

WONDERTONEEL VAN DE NATUUR

Hoogvliets evocatie van de tuin, opgebouwd uit realiteit en dichterlijke verbeelding, is analoog aan Van Mollems concept van de tuininrichting. Zo gaven de exotische gewassen op de hoofdas, rond de Grote en de Droge Kom (afb. 131, 125 en 130) aanleiding tot idealisering.[159] Uitheemse vruchten als citroen-, oranje- en limoenplanten langs het middenpad associeert de dichter met de appels van Atlas, 'Gewis ik wandel door den hof der Hesperyden!' Die associatie met het klassieke paradijs wordt nog eens versterkt door de beschrijving van de exotische vogels en dieren in de menagerie en de hertenkamp.[160] Ook de vele planten in potten rond de vijver voor de triomfboog zijn:

'Atlas ooftgeboomte, in 't ronde als een plantaadje'
Geördent, geschakeert met allerlei sieraadje
Van zeldzaam hester- kruit- en boom- en plantgewas,
Uit vreemde luchten door den zorgelyken plas

---

ook echt voorstellingen werden gegeven. Al vanaf de 16de eeuw onderhielden tuin en theater vanwege de toepassing van het perspectief een nauwe relatie met elkaar. Daarnaast was de tuin in de 16de, 17de en 18de eeuw bij uitstek een 'lieu théâtral', zie daarvoor Jean Jacquot e.a., *Le Lieu Théâtral à la Renaissance*, Parijs 1964 en mijn opmerkingen over de theatervorm (de 'exedra') in het hoofdstuk over Heemstede.

153 Van Mollems schoonzoon Jacob Sijdervelt werd ook wel Giacomo genoemd. H. Hinlopen in zijn *Palemon. Herderszang over de dood van den weledelen Heere David van Mollem*, een lijkdicht uit 1746, maakt melding van een reis naar Venetië en Rome in 1695, waar David van Mollem een gouden medaille uit de handen van de Paus ont-

ving. Deze medaille wordt genoemd in een lijst van medailles uit de boedel van Anthonie van Mollem Sijdervelt opgemaakt door P. van Mollem Sijdervelt in 1796 of 1797 (Zeist, Van de Pollstichting, *Familie-Archief Van der Mersch* 64L). Misschien dat het theater een reisherinnering was aan Italiaanse tuintheaters met Commedia dell'Arte figuren zoals bijvoorbeeld in de tuin van de Villa Montegaldella bij Padua.

154 Voor een recente biografie zie Bergvelt en Kistemaker 1992 A, 315/316, waaruit blijkt dat Van Mollem en De Bruyn elkaar al ca. 1701 kenden. De Bruyn publiceerde ondermeer *Reisen door de vermaardste deelen van Klein Asia* (1698) en *Reisen over Moskovië, door Persië en Indië* (1711). Van Mollem bezat beide boeken. Voor de Turkse tent

zie W. Meulenkamp, '"In de Turksche smaak" […]: de Turkse tent, de moorse kiosk en het oosters paviljoen in Nederland 1700–1900' in: H. Teunissen e.a., *Topkapi & Turkomanie. Turks-Nederlandse ontmoetingen sinds 1600*, Amsterdam 1989, 118–130.

155 Deze kleuren worden genoemd in de inventarissen en door verschillende reizigers.

156 *Journal of a Horticultural Tour* 1823, 247/48.

157 Het is niet duidelijk of Garampi, [1762] 1889, 182 en verder, dit heeft horen vertellen (hij schrijft 'fu detto avere lavorato parecchi italiani') of dat hij dit zelf uit wat hij zag en hoorde heeft afgeleid.

158 Poole (in 1741) is het meest expliciet in

Gevoert, vandaar de zon des morgens op komt klimmen,
En daar zy 't oog ontwykt in blozende avontkimmen;
Om hier in menigte, elk om 't schoonste, door veel vlyts
En zorg verzamelt, in het Eden onzes tyts
Te pronken voor het oog; de zinnen te verrukken'

Opnieuw is er deze vergelyking bij de Droge Kom, waar de gewassen een 'Heerlyk Paradys, zoo vol veranderingen!' worden genoemd, een 'Eedle Kweekhof van ontelbre zeldzaamheên'. Het paradijs is tijdloos en om dat nog eens te benadrukken introduceert de dichter een gesprek tussen de noordenwind en de winter. Beide krijgen geen vat op de tuin, de hof 'blyft even groen, (ô wonder!) / En pronkt voor 't oog als in een eeuwigh Meisaizoen'.

Zeldzame gewassen en variatie in de natuur werden vanouds geassocieerd met het eeuwig groene, tijdloze Paradijs, waarvan Zijdebalen met zijn uitzonderlijke collectie planten (in 1746 zo'n 450 stuks in potten door de tuin verspreid) en dieren een afspiegeling diende te vormen.[161] Het gaf Hoogvliet ook de mogelijkheid te verwijzen naar de schepping in het algemeen. Al deze exotische pracht stond immers klaar om:

'een denkbeeld van wysheid in te drukken
Des grooten Scheppers, die, onëindig in 't beleit,
En 't kunstig vormen van zoveel verscheidenheit
Van duizent duizenden van allerhande zaden,
Elk in zyn' eigen aart gekent aan bloem en bladen,
Hen hoedt, en tot het eint der waerelt hoeden zal!'[162]

Het is deze religieuze inslag die veel van de natuurbeschouwing in het gedicht bepaalt en ongetwijfeld door Van Mollem, die hierin zijn eigen concept herkende, met instemming zal zijn gelezen. Het is een natuur waar zowel mens als dier hun plaats weten. Als bezitter en ontwerper heerste Van Mollem zelf over de natuur, waar de dieren in de menagerie het voer uit zijn hand verwachtten, zoals hijzelf de gunst verwacht van de Schepper.[163] Met de haar eigen emblemata onderwijst de natuur de mens: de gulzige karper bijvoorbeeld, leert hem dat hebzucht eer, plicht en gemoedsrust doet vergeten. De nietige zijderups, bron van Van Mollems welvaart en rijkdom, spint de mens een les van nederigheid. Hij staat zijn zijde af en kleedt daarmee 'den Mensch in ryk gewaat;/ Den Mensch, by u zoo groot, zoo heerelyk van staat;/ En echter in zich zelf een aardworm in dit leven:/ Zoo zien we d' eene Worm aan de andre kleedren geven!'[164]

Het cruciale begrippenpaar natuur en kunst ontbreekt niet bij Hoogvliet. Enerzijds ligt bij hem de nadruk op de volmaaktheid van de schepping, anderzijds kan de natuur door menselijk ingrijpen vervolmaakt worden. 'Kunst vervult wat aan Natuur ontbreekt' en hier doelt Hoogvliet op de zeldzame planten die alleen door menselijke techniek en kennis in een vijandig en koud klimaat kunnen gedijen. Zonder kunst zou ook de architectonische vormgeving niet tot stand gekomen en de natuur niet door geometrie geordend en geperfectioneerd zijn. Zonder kunst ook geen beeldhouwwerk, zoals Cresant bewijst met zijn sculpturen waar 'd'edele Natuur door kunst in 't marmer leeft'.[165]

De twee tuingrotten zijn specifieke voorbeelden waar 'de geestige Natuur de Boukunst pryst,/ En weêr de Kunst Natuur, door orde en regelwetten,/ By hare schoonheit weet een' luister by te zetten!'[166] De relatie tussen natuur en kunst is hier gecompliceerder omdat de zeldzame schelpen zelf golden als kunstwerken van de natuur. Door ze op de wanden van de grot te ordenen en te schikken tot architecto-

zijn hantering van termen als 'variety' en 'beauty' en de tuin als een 'curious place'; Garampi (in 1762) brengt in zijn verslag de tuin direct in verband met de rijkdom en het aanzien van de eigenaar.

159 *Hofdicht*, 4, 5/6 en 11.
160 *Hofdicht*, 5.
161 Met name de Hortus Medicus of Botanicus werd als verzameling van planten met het Paradijs geassocieerd, zie het laatste hoofdstuk. De inv. van 1746 geeft 194 potten met grote en kleine oranjebomen en 258 potten met laurier, mirte en aloë. De inventaris van 1796 somt op zes aloë's, 62 grote oranje-, limoen- en citroenbomen, 268 diverse planten in potten, 138 laurierbomen, een dadelpalm, twee ananasplanten en 96 andere plan-

ten en bomen, allen in potten. Voor de beeldvorming van het paradijs bij 20ste-eeuwse, Canadese mennonieten in relatie tot de tuinarchitectuur vergelijk N.-L. Patterson, 'Mennonite Gardens', *Canadian Antiques and Art Review* 1980, Juni, 36–39 en van dezelfde schrijfster '"See the Vernal Landscape Glowing": The symbolic landscape of the Swiss-German Mennonite Settlers in Waterloo County', *Mennonite Life*, 1983, December, 8–16.
162 *Hofdicht*, 6.
163 *Hofdicht*, 5.
164 *Hofdicht*, 23. Hoogvliet gebruikt hier de zijderups waar vele andere hofdichters het thema van de nietige bij (oorspronkelijk afkomstig uit de *Georgica* van Vergilius) gebruikten om eenzelfde les te leren, zie Van Veen 1960, 141 en 142. Ook

elders in Hoogvliets gedicht is er sprake van intertextualiteit, zoals de passage waar hij, aan het einde van de as gekomen (*Hofdicht*, 12/13), uitroept dat hij het beschrijven van vee en landbouw over zal laten aan anderen, een duidelijke verwijzing naar Vergilius die in de *Georgica* zegt aan het beschrijven van tuinen niet te zullen beginnen.

165 *Hofdicht*, 7.
166 *Hofdicht*, 18. Het is zeker niet zo dat de buitenplaats in het gedicht voorgesteld wordt als een bovennatuurlijk cadeau, afkomstig van een magische Natuur, vergelijk Gelderblom 1986, 187–189. Deze auteur suggereert dat Hoogvliets thematiek van cultuur natuur maakt, zodat de buitenplaats en zijn bewoners tot de natuurlijke orde zijn gaan behoren. Hij gaat daarbij echter voorbij

nische en decoratieve patronen, kon hun schoonheid worden verhoogd. Ook in de mineralengrot waren 'Natuur en Kunst op 't vriendelykst veréént', zij het dat de compositie van het geheel voor meerder uitleg vatbaar was, al naar gelang de definitie van natuur en kunst.[167] Natuurvormen als loof- en bloemwerk waren in deze grot samengesteld uit kostbare mineralen, bedoeld om een kunstwerk te maken waarvan men de wijsheid van God en zijn voorzienigheid met de natuur zou kunnen aflezen. Voor de reizigers vormden de grotten door hun samenspel van natuur en kunst een hoogtepunt van het bezoek aan Zijdebalen, zoals voor Richard Poole die in 1741 schreef dat de schelpengrot 'for Beauty and Curiosity is inexpressible, far exceeding all that I have yet seen of that Kind; in which, many hours might be mus'd away, in still viewing new Curiosities'.[168]

Schelpen en mineralen, maar ook bloemen, planten, dieren, architectuur en beeldhouwwerk maakten samen van de tuin een buitenkabinet van natuur en kunst, een 'natuurkunstkabinet' zoals Hoogvliet naar aanleiding van de schelpengrot schreef.[169] Natuur en kunst waren hier in alle verschillende verschijningsvormen waarneembaar als manifestaties van de rijkdom van Gods Schepping. Het samenstellen van zijn tuin als een verzameling moet voor Van Mollem sterk met zijn religieuze overtuiging hebben samengehangen. Voor hem was de tuin als herschepping van het Paradijs een geëigender ruimte om een collectie in samen te brengen dan zijn woonhuis. In de tuin vormde de natuur haar eigen 'wondertooneel' en rariteitenkabinet.

Van Mollem plaatste zichzelf op deze wijze in een doopsgezinde verzameltraditie, die in Agneta Block en Philips de Flines belangrijke exponenten had gekend. Deze keuze voor de tuin is des te opmerkelijker, omdat hij van de verzamelkabinetten en collecties van zijn tijdgenoten en vrienden goed op de hoogte was. De met hem bevriende Cornelis de Bruyn was een verwoed verzamelaar van schelpen, koralen, antiquiteiten, munten, penningen, beelden, schilderijen en tekeningen.[170] Van Mollems boekerij bevatte verschillende naslagwerken op verzamelgebied van *naturalia* en *artificialia*, zoals G.E. Rumphius' *D'Amboinsche Rariteitkamer* uit 1705, een beschrijving van de 'natuurlyke en konstige frayigheden' van vissen, schelpen, mineralen en stenen uit Ambon (afb. 137).[171] Het was aan de verzamelaars Simon Schijnvoet en Hendrik d'Acquet te danken dat dit boek posthuum werd gepubliceerd.[172] Ook bezat Van Mollem het *Wondertooneel der Nature* van de doopsgezinde verzamelaar Levinus Vincent uit 1706 (afb. 136).[173] De objecten in diens kabinetten waren vaak op een hoogst ornamentale wijze gegroepeerd om de kunstwaarde van de natuur te verhogen door menselijke ordening. Ook bij deze doopsgezinde speelde het religieuze motief een belangrijke rol. Het verzamelen stimuleerde onderzoek naar de natuur en diende om de grootheid van de 'Opperkunstenaar' te bewijzen, zoals Vincent in zijn opdrachtsverzen schrijft. Dat Van Mollem zich aan deze fysico- (of natuurlijk-)theologische instelling in samenhang met de beoefening van de wetenschap verwant heeft gevoeld, blijkt wel uit de verschillende werken

---

aan de gecompliceerde relatie die natuur en kunst met elkaar in de tuin onderhouden. In de tuin wordt zowel de kunst als de natuur, God en de mens een scheppend vermogen toegekend die in symbiose elkaar versterken.

167 *Hofdicht*, 19/20.

168 Poole 1743, 86–92. Zijn beschrijving is interessant omdat er ook uit blijkt hoe de grotten van binnen voorzien waren van fonteinen: (Poole vervolgt) 'It was ornamented with a great and most beautiful Variety of Shells, Coral Stones, etc. strongly cemented together, hard like a Rock. The Roof of the House was adorn'd round about with a Variety of Figures, and Faces of various Forms and Complexions, to represent the Human Species; among which was one old Man's Face, with a long Beard, very curious, and all done with shells, etc. Besides which, there were many Flowers, that look'd very natural, and are of exquisite Beauty, adhering round about to the House, which still greatly adds to the Variety of its Beauty and Ornament, and are all done with Shells, Coral, little

Stones, etc. There are also two Couches with Canopys over them, done in Shells, etc. with surprizing Beauty. Thus the whole House, Roof and all, was cover'd in a Manner so exquisitely beautiful, as can't well be express'd; which was also furnish'd with a Variety of Water-Works, that play'd in different Manners, as the Cocks were differently turn'd, and afforded a very agreeable Amusement. On the other Side of a Canal, opposite to this, was another Grotto-House, of somewhat a different Form, and differently adorn'd; which, though exceeding beautiful, yet I Think, was rather inferior, in several Respects, to that first describ'd. The Roof of this was ornamented with a Variety of Looking-Glasses, among the rocky Ornaments, which still added to the Beauty of its Variety. It was also furnish'd with Variety of Water-Works, which play'd in different Manners, as they were affected by the turning of different Cocks.' Op een van De Beijers tekeningen, De Jong/Snoep 1981, cat. nrs 39 en 40, kan men zelfs de waterleiding naar de mineralengrot zien, die, om verval te kunnen ge-

ven, hoog langs een latwerk naar de grot toegevoerd werd.

169 *Hofdicht*, 18. De inv. van 1796, fol. 43 R en Vo vermeldt reservemateriaal voor de grotten (schelpen en zeegewassen), opgeborgen in drie verschillende kasten. Daaronder bevonden zich ook zes grote schotels en een kleine schotel van schelpen. Mogelijk behoorde deze collectie al aan David van Mollem.

170 Bergvelt en Kistemaker 1992 A, 316. Ibidem voor de algemene achtergronden van het verzamelen in deze periode en voor de schelpen in het bijzonder H.E. Coomans, 'Schelpenverzamelingen', 192–203.

171 Engel 1986, 233–234 en Bergvelt en Kistemaker 1992 B, cat. nr 54.

172 Schijnvoet was naast ontwerper van tuinen een verwoed verzamelaar van naturaliën (insekten, schelpen en koralen) en artificialia (antiquiteiten, schilderijen, tekeningen en grafiek), Bergvelt en Kistemaker 1992 A, 327. Een van Schijnvoets kunstboeken met tekeningen van

136. Een naturaliënkabinet,
plaat VI in L. Vincent,
Wondertooneel der Nature,
Amsterdam 1706.

137. Een verzameling exoti-
sche schelpen plaat XXXII
(Fol. 104), uit G. Rumphius,
D'Amboinsche Rariteitkamer,
Amsterdam 1705.

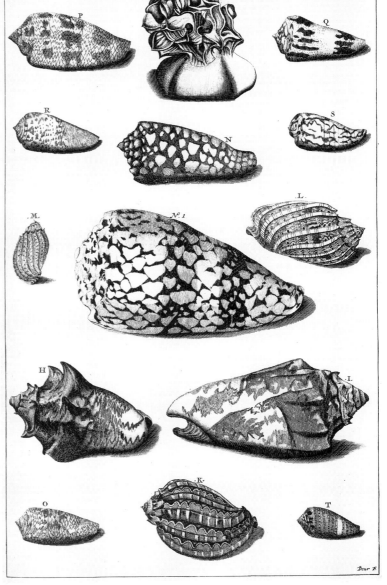

138-A. J. Cresant, Tuinvaas
met een voorstelling van
Flora als allegorie op het
Voorjaar (de achterzijde
toont Chronos als de Win-
ter), wit marmer 1714.

138-B. J. Cresant, Tuinvaas
met een voorstelling van
Ceres als allegorie op de
Zomer (de achterzijde toont
Bacchus als de Herfst), wit
marmer, gesigneerd I. Cressant. F. Anno 1714.

139. S. della Bella, De
Medici Vaas in de tuin van
de Villa Medici te Rome,
ets 1656 in *Livre de vases de
divers Maitres.*

140. Titelpagina van A.
Poirters, *Het Masker vande
Wereldt Afgetrocken*, Ant-
werpen 1649.

in zijn bibliotheek van vroeg achttiende-eeuwse wetenschappers als Willem 's Gravesande, Petrus van Musschenbroek en Bernard Nieuwentijt. Zij verdedigden allen het standpunt dat het hoofddoel van de natuurwetenschap het kennen van de almacht en de wijsheid van God en diens zorg voor zijn schepselen was.[174]

'EEN DAVID ONZER TYDEN'

Beelden en vazen in de tuin weerspiegelen eveneens deze visie op de wereld. Tijd en Eeuwigheid, Hemel en Aarde, de Vier Seizoenen, de Vier Delen van de Dag en het bijna voltallige pantheon van klassieke natuurgoden, de meeste daarvan prominent geplaatst op de hoofdas, visualiseerden de opbouw van de schepping. Samen met de geometrische ordening van de tuin presenteerden zij de tuin als een microkosmos. Geleerdheid, Landbouw, Zeevaart (Handel) en Krijgsdeugd vertegenwoordigden de belangrijkste maatschappelijke beroepen in de wereld. Zoals de trofeeën achter de triomfboog aangaven, brachten zij door arbeid overvloed, een overvloed die overeenkomstig doopsgezinde overtuigingen alleen door een vredessituatie gegarandeerd kon worden.[175]

Wat was de plaats van Van Mollem in dit alles? Op Verkolje's portret geeft het tuinbeeld rechts in de haag de teneur aan. Het is de Gladiator Borghese, die nooit op Zijdebalen heeft gestaan, maar die in een van Van Mollems boeken, *Het Kabinet der Statuen* van Wybrand de Geest uit 1702, werd geïnterpreteerd als de 'grootmoedigheid van

gemoedt'.[176] In de tuin herinnerde het beeldhouwwerk aan de ijdelheid van het menselijk bestaan. De twee marmeren ovalen aan de triomfboog met de geknakte bloem en het zaaiende kind interpreteerde Hoogvliet als 'troostrijk' zinnebeeld: de broosheid van het bestaan en de hoop op leven na de dood. Het leven als 'vanitas' sprak ook uit de beeldengroep van Vrouw Wereld, bespot en beweend door de klassieke filosofen Democritus en Heraclitus. We kennen geen afbeelding van deze groep, maar de veilingcatalogus van 1819 beschrijft de buste van Vrouw Wereld als 'une femme au regard malin tenant un masque' (een vrouw met een kwaadaardig gezicht dat een masker voorhoudt) en dat komt overeen met hoe zij in de 17de eeuw vaker werd afgebeeld.[177] We vinden haar bijvoorbeeld op de titelpagina van Adriaan Poirters' *Het Masker van de Wereldt Afgetrocken* (1649), een boek waarover ook Van Mollem beschikte (afb. 140).

Deugdzaam leven bereidt de mens het beste voor op de dood en het is deze boodschap die Van Mollem op verschillende plaatsen in zijn tuin liet aanbrengen. Zijn belangeloze beschermheerschap van de kunsten, die verzinnebeeld werd in de beeldengroep van Mercurius (de Handel), die Minerva (de Kunsten) met een lepel voedde, kreeg een plaats in het theater (afb. 126).[178] Een tweede allegorie op de handel, spil van Van Mollems activiteiten, stond opgesteld in het laantje naar het Speelhuis, waar Vlijt haar rug als opstapje aanbood aan de Handel om te kunnen reiken naar de hoorn des overvloeds.[179] Wijsheid fungeerde als secondant in dit tafereel dat aan jonge kooplui als

planten door C. Lintheimer, Alida Withoos en monogrammist J.B. bevindt zich in de Springer-collectie, Speciale Collecties Landbouw Universiteit Wageningen.

173 Engel 1986, 1603 en Bergvelt en Kistemaker 1992 A, 330 voor biografische gegevens en pag. 34 en 35 over ondermeer zijn boek.

174 Voor de boeken zie de inv. 1746, fol. 90 en voor deze wetenschappers zie A.J. Kox en M. Chamalaun, *Van Stevin tot Lorenz*, Amsterdam 1980, hoofdstuk 7 en 8, en R.H. Vermeij, *Secularisering en natuurwetenschap in de zeventiende en achttiende eeuw: Bernard Nieuwentijt*, Amsterdam/Atlanta, Rodopi, 1991. Van Mollems opdracht voor portretbustes van vier wetenschappers, waaronder Van Musschenbroek (zie noot 69), moet misschien ook in het licht van deze belangstelling begrepen worden. Hoogvliet schreef overigens in zijn *Mengeldichten* uit 1738, 52–55 en 511–517 gedichten op de *Doorzichtkunde van den Heere Antoni van Leeuwenhoek*' en een lofzang op Antoni van Leeuwenhoek, waaruit eveneens de fysico-theologische

benadering blijkt. Hoogvliet maakt hier emblematische observaties op de natuur die overeenkomen met wat hij in het Hofdicht over de zijderups heeft op te merken. Onder Van Mollems wetenschappelijke vrienden bevond zich ook Peter Burman, de Utrechts/Leidse latinist die ook met Van Velthuysen, Heer van Heemstede bevriend was. Hij wordt (als 'P.B. von Leyden') genoemd in het reisverslag van Menoza uit 1746 [bezoek in 1725/26].

175 Zie voor deze vredesiconografie ook hoofdstuk 1 en 2 en De Jong 1979.

176 In de inv. van 1746: W. de Geest, *Het Kabinet der Statuen ons van d' aaloudheid nagelaten [...]*, Amsterdam 1702, 26–27, 'deze Schermer dreigende eenen slag te geven, terwijl hy eene afweert, tonende hier door de grootmoedigheid van zyn gemoedt; want Seneca zeid, dat de edelheid des menschen is een grootmoedig gemoedt'. Het beeld was een zeer populair tuinbeeld en kon in de 18de eeuw worden aangetroffen in Engeland (in de tuin van Wilton House en Hampton Court), in Berlijn (Charlottenburg), Leningrad (Peterhof)

en verder in Nederland in de tuin van kasteel Amerongen. Zie ook Haskell en Penny 1981, nr 43.

177 Veilingcatalogus van 1819, nr 36. Voor de traditie van Vrouw Wereld, zie E. de Jongh, 'Vermommingen van Vrouw Wereld in de 17de eeuw', *Album Amicorum J.G. van Gelder*, Den Haag 1973, 198–207. Voor de traditie van Heraclitus en Democritus: A. Blankert, 'Heraclitus en Democritus, in het bijzonder in de Nederlandse Kunst van de 17de Eeuw', N.K.J. 18(1967), 31–123.

178 Veilingcatalogus van 1819, nr 56, waar Minerva beschreven wordt met de attributen van Schilderkunst, Beeldhouwkunst en Mathematica (slaat deze laatste op de Tuinkunst?).

179 Veilingcatalogus 1819, nr 38. Vlijt met uurwerk en spoor ontleend aan Ripa/Pers 1644, 346. Van Mollem beschikte over een groot aantal embleemboeken, waaruit hij voor de samenstelling van zijn beelden kon putten, ondermeer Ripa's *Iconologia* in de editie Pers uit 1644, *Emblemata Horatiana* van Otto van Veen (in een editie

zedespiegel voorhield 'Langs welke Deugden best het Koopgeluk wil ryzen!'

De vazen bij de Grote Kom speelden een hoofdrol in de plaats die Van Mollem in dit theater van natuur en kunst was toegewezen. Hoogvliets uitvoerige beschrijving correspondeert met de wijze waarop De Beijer één van de vazen nadrukkelijk laat bekijken en met verslagen van bezoekers waarin de vazen expliciet bewonderd worden (afb. 125).[180] Het waren ook ware kunststukken, 'koninklijke vazen' volgens Hoogvliet. Evenals de twee andere vazen van Cresant met de vier seizoenen, waren ze geïnspireerd op de Borghese- en op de Medici-vaas in Rome, de twee meest bewonderde antieke marmeren vazen uit de Oudheid (afb. 139).[181] Op hun reliëfs had Cresant echter geen klassieke voorstellingen aangebracht, maar bijbelse. Een uitzonderlijk gegeven omdat in de Westeuropese tuintraditie bijbelse voorstellingen zelden of nooit een plaats in de tuin kregen toegekend.[182]

De vaas die de bezoekers op de tekening van De Beijer bewonderen, was de zogeheten Davidvaas, met scènes uit het Bijbelboek Samuel.[183] Aan de ene zijde was Abigael afgebeeld, bij koning David pleitend ten behoeve van Nabal, die tegen de wet schapen geschoren en geslacht had. De andere scène liet koning David zien, die door Abisai aangespoord wordt de slapende Saul te doden, maar dit weigert en Saul spaart omdat hij een van God gezalfde is. Deze scène had ongetwijfeld Van Mollems voorkeur, want hij stond ook achter hem afgebeeld op het schilderij van Verkolje (plaat 10). Op de tegenhanger van de Davidvaas stonden voorstellingen van de deugdzame Esther afgebeeld.[184] De teneur is duidelijk: Van Mollem is 'een David onzer tyden'. Ook bij hem 'draagt de rede altyt een' breidel voor de driften'.[185] Dat de vaas sterk met Van Mollem persoonlijk was verbonden, blijkt uit de inventaris van 1796. De Davidvaas staat dan samen met zijn pendant opgesteld in de triomfboog op de plaats van de seizoenvazen. Tussen de twee medaillons die de broosheid van leven en de hoop op onsterfelijkheid symboliseerden, hadden de twee vazen, waarschijnlijk al direct na Van Mollems dood, een toepasselijke, nieuwe betekenis gekregen.[186]

Deugd die Kwaad overwint was ook het thema van de Hercules en Cacusgroep in de droge kom (afb. 130), een iconografie die aan het eind van de zeventiende eeuw nog was voorbehouden aan de stadhouder.[187] Specifieker waren deugden als Zuivere Liefde en Grootmoedigheid. Hiernaar verwezen de voorstellingen op de twee vazen aan het begin van het laantje naar het Speelhuis, de een met het afscheid van Hector en Andromache en de ander met Scipio Africanus, die een slavin teruggeeft aan haar minnaar (afb. 131).[188]

Het is Hoogvliet die in een religieuze interpretatie van het Horatiaanse *beatus ille*-thema de functie van Van Mollems persoonlijke deugden in het grote geheel van de tuin aangeeft:

'Gelukkigh is de Mensch, die, buiten heerschappy,
Van waerelzorgen, en van magere armoê vry,
Door staatzucht, zelfbelang, noch eigenmin gedreven,
Van niemant, dan van Godt afhanglyk, stil kan leven;
Maar nogh gelukkkiger, die in die lieve rust
Den Geest in weetlust weidt, de schoone Wysheit kust,
En, kussende, wordt door haar' adem aengeblazen,
Wiens ambergeur hem doet op wetenschappen azen;
Maar allerzaligst, die zyn rust en wetenschap
Door deugt en godtvrucht voert tot op den hoogsten trap;
Die zich bestiert en kent, en op de booze tochten,
De zonde en d'ydelheit, de zege heeft bevochten,
En met d'olyven van Gods vrede in zyne hant,
Zyn zege van en voor den troon der Godheit plant'

In dit kleine, groene universum stonden deugd en godsvrucht centraal. Zij bepaalden het wereldbeeld van Van Mollem, en zij fungeerden als bron voor alle andere deugden. Voor Gastvrijheid, Vriendschap en Beleefdheid, die Hoogvliet in de grot hoogstpersoonlijk waren verschenen en op de titelpagina van het hofdicht, omringd door handel en nijverheid, de Dichtkunst in de tuin ontvangen (plaat 13).[189] Zachtaardigheid, Menslievendheid en Billijkheid behoorden

---

van 1684), *Bellerophon, Of Lust tot Wysheyt: Door Sinne-Beelden leerlijck vertoont* (editie van 1681), *Emblemata of Sinnewerck* van Johannis de Brune (editie van 1661), *Tafreel van Overdeftige Zinnebeelden* door P. Zaunslifer (editie van 1722), *Zederyke Zinnebeelden* door E. Verryke (editie van 1712) en een incompleet deel van Poots *Groot Natuur- en zedekundig Werelttoneel* (editie van 1726, Deel Twee verscheen pas in 1743)

180 Zie de reisverslagen van Harry Peckham,

die uitvoerig de voorstellingen beschrijft (bezoek in 1771), en Xavier de Feller (bezoek in 1775).

181 Haskell en Penny 1981, nrs 81 en 82.

182 MacDougall 1972 en 1985.

183 Zie I Samuel, 25:1–44 en I Samuel, 26:7–11. De voorstellingen worden beschreven in het *Hofdicht*, 8 en in de veilingcatalogus 1819, nummer 66.

184 Met voorstellingen van Esther en Haman (Boek Esther, 7:15–16) en Esther en Ahasverus

(Boek Esther, 7:1–4). Vergelijk de veilingcatalogus 1819, nr 66.

185 *Hofdicht*, 8

186 Inv. 1796, fol. 48; de twee seizoenvazen stonden opgesteld in een van de lanen.

187 Zie het hoofdstuk over de tuinen van Het Loo.

188 De veilingcatalogus, nr 39 identificeert het afgebeelde abusievelijk als Darius met zijn zoon en als Hector met een gestolen geliefde.

ook tot de reeks deugden, die de doopsgezinde zijdehandelaar vooral jegens zijn arbeiders op de fabriek in acht nam.[190] Naar het schijnt hadden de Van Mollems wat hun naasteliefde betreft in heel Utrecht een grote reputatie.[191]

Voor die faam vormde de tuin het decor. Goddelijke schepping en persoonlijke wereld van handel en nijverheid, kunst en wetenschap, godsdienst en deugd vielen er samen. De natuur van de tuin leerde religieuze en morele lessen, en Van Mollem kon met zijn creatie aangeven dat hij zich van hun strekking wel bewust was. Hoogvliet eindigt zijn gedicht met het toespreken van de buitenplaats:

'Lang wandel' d'eedle Deugt door uw geschoren dreven!
Lang moet' de Welvaart en de Vrede door uw paan,
Met Voorspoet, Overvloet en Vreugt ten reie gaan:
Ja zelfs, zoolang deze Aarde, en all' de Hemelkringen,
't Verbazend Kunstwerk van den Schepper aller dingen,
Met all' de waerelden en zonnen, dagh en nacht
Door invloet draaien der zelfstandige Oppermaght;
Zoolang moet ook het radt uws Zydehandels draaien,
En all' zyn Raders en zyn spillen ommezwaaien,
Door invloet van 't vernuft van David, uwen Heer'.

189

189 *Hofdicht*, 21. Dat Hoogvliet deze verschijning in grot krijgt, heeft te maken met de traditie van de tuingrot, die vanouds bedoeld was als oord van inspiratie, hierover Miller 1982, hoofdstuk II en III.
190 De lijkrede op Van Mollem door Marten Schagen, leraar der doopsgezinden in Utrecht, noemt als deugden: Redelijke Deugd, Grootmoedigheid, Zachtaardigheid, Menslievendheid, Matigheid, Billijkheid, Eerlijk Leven, Nijverheid,

Edelmoedigheid en Vriendschap. De Openbaring van de Goddelijke Glorie is de kroon en het loon van Redelijke Deugd. Zie: *Lykzangen over den welëdelen Heere David van Mollem, Overleden te Utrecht*, 'Zedezang by de begraving' in: Van de Pollstichting, Zeist, *Familie-archief Van der Mersch* nr 48h.
191 Muller 1912 en Snoep in Snoep/De Jong 1981. Een mooi voorbeeld van de 'caritas'-traditie van de familie Van Mollem is het bericht van de

viering van het eeuwfeest van de zijdehandel in 1781 (*Utrechtse Courant* 1781, nr 31). Alle zeventig werknemers kregen een kostbare maaltijd, de mannen bovendien een zilveren gesp, de vrouwen een zilveren beugel.

Hoofdstuk 6. *Hortus Sanitatis*

De hortus botanicus en de hortus medicus als wetenschappelijke tuin

I DE TUIN IN DE STAD: TOT LERING EN VERMAAK

Kunsthistorische aandacht voor de tuinarchitectuur uit de tweede helft van de 17de en het begin van de 18de eeuw richt zich gewoonlijk op ontwerpen die innoverend zijn. Deze behoefte aan originaliteit doet echter weinig recht aan die tuinen die een sterk utilitair karakter droegen, zoals de warmoestuinen, waar groenten werden verbouwd. Zij zijn het beste voorbeeld van de stelling dat de tuin na voltooiing niet een statisch object is, maar onderworpen blijft aan een proces van verandering. Hun ontwerp was meestal eenvoudig en hun betekenis lag vooral in het voortdurende, intensieve gebruik, waar natuurlijke groei door menselijke arbeid werd begeleid en geperfectioneerd. Men kan naast deze groente- en bloemtuinen ook denken aan tuinen die sterk met een beroep verbonden waren, zoals de kruidhoven van stadsapothekers. De kweek van geneeskrachtige planten was noodzakelijk voor de bereiding van medicijnen en de particuliere kruidtuin vormde daarom een onmisbaar element in de stedelijke samenleving. Door stadsbesturen werd de belangrijke functie hiervan terdege onderkend, zeker als er een Illustere School of Universiteit aanwezig was, waar artsen werden opgeleid. Hun kennis en kunde, maar ook die van apothekers en chirurgijns, kon worden ondersteund met de aanwezigheid van een *hortus medicus*, een tuin waaruit de noodzakelijke planten konden worden betrokken en waarin de eigenschappen van kruiden door aanschouwelijk onderwijs aan leerlingen in het vak konden worden gedemonstreerd. Een dergelijke activiteit vinden we in scène gezet op de titelpagina van Caspar Commelins publikatie over de zeldzame planten van de Amsterdamse Hortus uit 1701, waar een in klassiek gewaad gehulde leraar zijn leerlingen onderwijst over een *Leucadendron argenteum*: de tuin fungeert als openbare collegezaal

(afb. 141).[1] Leiden was aan het einde van de 16de eeuw de eerste stad die overging tot de aanleg van een dergelijk praktisch handboek van de natuur (afb. 151). Dienstbaar aan de wetenschapsbeoefening van de in 1579 opgerichte universiteit groeide in Leiden de *hortus medicus* al snel uit tot een *hortus botanicus*, een tuin waarin naast geneeskrachtige planten ook zeldzame, buitenlandse siergewassen werden verzameld zowel ten dienste van onderwijs en onderzoek, als ter lering van de ontwikkelde burgerij.[2] Als *hortus botanicus* werd de medische tuin tot een sieraad van de stad en voorwerp van stedelijke trots.

Na Leiden wilde men ook elders in de Republiek een *hortus medicus* binnen de stadsgrenzen, zoals in Breda, Groningen en Amsterdam. In deze laatstgenoemde stad ontvingen burgemeesters en bestuurders van de stad in 1618 een rekest van artsen en apothekers met het verzoek 'een medicinalen Cruythoff' te stichten 'tot vermakinghe ende cieraet, maer oock tot groote nut voor den gheenen die de Medicine van noode hebben'.[3] Pas nadat de medische professies zich in 1638 verenigd hadden in een *Collegium Medicum* werd de beschikking over een onderwijstuin echte noodzaak.[4] Nadat de plantenliefhebber Johannes Snippendael op kosten van de Illustere School tot prefect van de tuin was benoemd, groeide de bescheiden *hortus medicus* binnen tien jaar uit tot een rijk voorziene *hortus botanicus*. Verbondenheid met de academische discipline werd door het Amsterdamse stadsbestuur kennelijk op dat moment in navolging van Leiden essentieel geacht voor de status van de tuin en zijn gebruikers, al had Snippendael geen medicijnen, maar filosofie gestudeerd. In Haarlem zien we aan het einde van de eeuw iets dergelijks gebeuren. Daar nam het in 1692 opgerichte Collegium Medico-Pharmaceuticum in 1696 het initiatief tot de aanleg van een *hortus medicus* die bedoeld was 'tot vermaak, lee-

Ik dank Dr Leslie Tjon Sie Fat en Dr A.J.F. Gogelein, Leiden, voor hun hulp bij het onderzoek naar de Leidse Hortus, en prof. dr M.J. van Lieburg en drs Jos van Heel, documentalist, beiden Sectie Medische Geschiedenis, V.U. Amsterdam, voor suggesties betreffende de Haarlemse Hortus.

1 C. Commelin, *Rariorum Plantarum Horti Medici Amstelodamensis Historia*, Amsterdam 1701, titelpagina van Deel II. De leraar zou een verwijzing kunnen zijn naar klassieke botanici als Theophrastus of Dioscorides. *De Leucadendron argenteum* (L.) R. Br, afkomstig van Kaap de Goede Hoop, was door Adriaan van der Stel, directeur van de Hortus aldaar, aan de Amsterdamse Hortus geschonken, zie Wijnands in Hunt/De Jong 1988, cat. nr 125c.

2 Voor dit onderscheid zie Seters 1954.

3 Voor de tekst van dit rekest en de verdere geschiedenis van de Amsterdamse Hortus zie Seters 1954, 36, Wijnands 1983, E. van der Pool-Stofkoper, *Een reconstructie van de Hortus Medicus Amstelodamensis 1782–1800*, doctoraalscriptie Universiteit van Amsterdam 1984, voor een deel gepubliceerd in 'De Artzeny-Hoff van de Stad Amsterdam' in *Nederlandse Tuinen in de Achttiende Eeuw*, Amsterdam/Maarssen, 117–124. Voor de Bredase

ring en eerlijke oeffening' van artsen, apothekers, chirurgen, en als wandelplaats voor de Haarlemse burgerij (afb. 142).[5] In de Spaarnestad ontbraken een Illustere School en Universiteit, maar de academische, wetenschappelijke status die het *Collegium Medicum* zichzelf toedichtte werd uitgebreid gevisualiseerd in het decoratieprogramma van de tuin, ontworpen door Romeyn de Hooghe. Ook hier was de tuin kennelijk verbonden met de positie die de gebruikers zichzelf toeschreven. Ook al droeg de *hortus medicus* een privé-karakter, het vormde als groenvoorziening een belangrijk onderdeel van de openbare stedelijke ruimte.

Voordat we echter nader ingaan op de betekenis van de *hortus botanicus* in Leiden en, iets minder uitvoerig, op de *hortus medicus* van Haarlem, dienen we ons daarom eerst af te vragen hoe het eigenlijk in het algemeen met het groen in de Hollandse stad was gesteld.

BOMEN IN DE STRAAT

Ook al dankte de tuinkunst veel aan de met behulp van klassieke modellen vormgegeven polarisatie van stad en land, in het Hollandse stadsleven waren de tuin en de beplantingen langs de grachten niet weg te denken.[6] De Nederlandse stad vormde daarmee een gunstige uitzondering op de rest van West-Europa.[7] Buitenlandse, vooral Engelse, bezoekers aan Nederland benadrukten keer op keer in hun reisverslagen de rijkdom aan groen in de Hollandse stad. John Evelyn merkte in 1641 in Amsterdam op dat niets hem méér aangenaam was dan de rechte, uniforme straten 'especialy, being so frequently planted and shaded with the beautifull lime trees, which are set in rowes before every mans house, affording a very ravishing prospect'.[8] Reizigers na hem bevestigden deze indruk. William Aglionby vroeg zich in 1669 in Leiden vanwege de beplantingen langs de grachten af of 'Leyden was in a wood, or [a] Wood in Leyden'. Dertig jaar later vergeleek Maximilian Misson de straten in dezelfde stad met 'so many Alleys of a well-adorn'd Garden'.[9]

Juist de verwachting dat de reiziger bomenlanen niet in de stad, maar in een tuin of in het landschap dacht aan te treffen, maakte deze vergelijking aantrekkelijk. Zij zullen zich er niet van bewust zijn geweest dat *stad* (in de vorm van het Engelse 'town') en *tuin* in hun ge-

meenschappelijke etymologische herkomst van het Oudhooggermaanse 'tun' (omheining) inderdaad het een en ander met elkaar te maken hebben.[10] Ook Huygens speelde met het idee van de inwisselbaarheid van stad en tuin, toen hij in zijn lofdicht uit 1621 op de lindenlaan op het Haagse Voorhout dichtte 'Yemand sal my konnen thoonen / Of meer huysen, of meer houts, / Maer waer sagh men oyt bewoonen / Soo veel Stads, in soo veel wouds?'.[11] In Huygens' *Voorhout* is de groenvoorziening een wezenlijk onderdeel van de traditionele lof op de stad geworden. Natuurlijk is 'zijn' Voorhout mooier dan Amsterdam. Geestig vergelijkt hij de naar de hemel reikende bomen in Den Haag met het 'Averechte Mastenwoud', het omgekeerde bos van Amsterdam, waar de pijnbomen met hun top de grond in zijn geheid om als fundament voor de stad te dienen. Een beeld dat Huygens in deze context niet gebruikte, maar dat zich naar aanleiding van zijn vergelijking wel opdringt, is dat van de verzameling gereefde schepen in de haven, een letterlijk 'mastbos' drijvend op het water. Het was de Fransman Misson die in 1688 deze observatie maakte naar aanleiding van Rotterdam. De nokken van de huizen, de takken van de bomen en de wimpels aan de masten brachten hem in verwarring of hier nu sprake was van een vloot, een stad of een bos: zee, stad en platteland werden voor hem in één beeld gecombineerd.[12]

HET GROEN ALS 'CIERAAD'

De diverse vergelijkingen tussen stad en tuin herinneren ons eraan dat het idee van een groene tuin niet alleen was voorbehouden aan villa's op het land. Ook al hadden de stadsbesturen de hele 17de eeuw door geen vastomlijnd programma op het gebied van de groenvoorziening, de beplanting langs grachten, uitvalswegen en op pleinen werd terdege serieus genomen omdat ze als 'cieraad' tot de openbare ruimte behoorden. Ze leverden bescherming tegen wind, gaven schaduw, brachten kleur en geur en verleenden, door hun verticaliteit, regelmaat en sier aan straat en plein.

Hoe wezenlijk de rol van het groen werd beschouwd, blijkt uit de ontwerpen voor nieuwe stadsuitbreidingen uit de tweede helft van de 17de eeuw. Hier lag een mogelijkheid om, naar het idee van de 'ideale stad', gracht, straat, bomen en huizen met hun erven in samenhang te

Hortus zie Seters 1953, voor Groningen zie C.H. Andreas, *In en om de botanische tuin Hortus Groninganus 1626–1966*, Groningen 1976. Voor onderwijstuinen in het algemeen, zie: Kuijlen e.a. 1983.

4 Wittop Koning 1947.

5 Volgens nr 4 van de hofwetten die op een bord in deze tuin stonden opgesteld, zie Leegwater 1706, 108 en verder (zie hieronder noot 181 voor de volledige tekst).

6 Zie bijvoorbeeld Kooy 1972.

7 Hennebo 1979, 129. Nederland heeft op dit gebied zelfs invloed gehad in Duitsland en Engeland, zie hiervoor ook Hennebo paragraaf 3.7 en Hunt in Hunt/De Jong 1988.

8 J. Evelyn (ed. E.S. De Beer), 27 (4 Augustus 1641).

9 W. Aglionby, *The present State of the United Provinces of the Low-Countries*, Londen 1669, 248

en Maximilian Misson, *A New Voyage to Italy [...]*, Londen 1699 (2de editie), 13–14. Ik dank deze verwijzingen aan J.D. Hunt.

10 Van Erp-Houtepen 1986, 228.

11 Huygens 1621, *Voorhout* (ed. Strengholt), 6.

12 Voor het 'mastenwoud' zie Huygens, *Voorhout* (ed. Strengholt), 4. F.M. Misson, *Nouveau voyage d'Italie fait en l'année 1688*, Den Haag 1691, Deel I, 6.

ontwerpen. Tot het groen moeten ook de moestuinen buiten de stads-wallen gerekend worden, waar groente en fruit werden verbouwd voor gebruik in de stad. Stevin realiseerde zich al ca. 1600 hoe de groenvoorziening van belang was voor gezondheid en ontspanning van de stedeling. In zijn *Vande oirdeningh der steden*, dat aan het begin staat van de Nederlandse theorie over de stedebouw, schreef hij dat het centrum van de stad en de stadspoorten niet te ver uit elkaar moesten liggen 'Voor de geheene die daer daghelicx van buyten moe-ten brengen versche cruyden, fruyten en ander leeftocht, oock voor inghesetens die dickwils buyten de Stadt gaen in haer Thuynen en Speelhuysen, of die int groen willen gaen wandelen om hemlien te vermaken'.[13] Dit delicate spanningsveld tussen stenen stad en groene ruimte zou in de 17de- en vroeg 18de-eeuwse stad een belangrijke rol blijven spelen, zij het met wisselend succes. Zo gaf het (niet uit-gevoerde) voorstel van burgemeester Moreelse tot stadsuitbreiding van Utrecht, zijn uit 1664 daterende *Deductie*, ruime aandacht aan de beplanting als een belangrijk onderdeel van het woonideaal dat hij te verkopen had (plaat 14).[14] Aan alle grachten en wateren zouden dub-bele rijen eiken en beuken geplant moeten worden.[15] De Rijngracht zou 'een heerlycke ende welrieckende laen van twee ryen lindeboo-men' moeten worden. De bomen, in vast geometrisch verband te planten, dienden een geheel te vormen met de heldere, mathema-tische proporties van straat, gracht en gevelwand en de achter de hui-zen gelegen erven en tuinen. Langs de stadsbuitensingel, op de hoog-te van de nieuwe buitenwijk, moest eveneens een dubbele laanbeplan-ting komen.[16] Deze classicistische wijze van ordening is zeer verwant aan de wijze waarop de tuin bij een buitenplaats regelmaat en orde op-legde aan het landschap. Van de populariteit die buitenleven en tuin-architectuur juist in de jaren zestig genoten, is Moreelse zich terdege bewust geweest, want in zijn *Deductie* hoopt hij zelfs dat de ruime par-cellering van zijn voorstel tot stadsuitbreiding potentiële kopers zal afhouden van kostbare investeringen in buitens langs de Vecht.[17] In Haarlem betekenden bomen langs de grachten in de nieuwe stadsuit-leg van 1671 niet alleen een verfraaiing, maar zij speelden tegelijker-tijd een belangrijke rol ter breking van de wind: 'dat voor soo veel de eerste en de tweede graft tot nogh toe doorgaens met geen boomen sijn beplant sulcx met de eerste gelegentheijt ten wedersijden werde gedaen omme van tijt tot tijt meerder Louwte omtrent deselve te crij-gen, die daer ten hoogste van nooden is, want door gebreck vandien, de nieuw gemaeckte huijsen haer daecken telckens, bij harde winden beschadigt werden' (afb. 142).[18]

GEZONDHEID EN VERMAAK

Binnen de jurisdictie van de stad betekende groen meestal open ruim-te, al stond open ruimte zeker niet altijd gelijk met groenvoorziening. Bomen, beplante erven, parterres en fonteinen vertegenwoordigden in de stad fragmenten uit de wereld van de tuin. De stenen stad van wonen en werken vond in het groen een tegenhanger ten dienste van gezondheid en vertier.

Voor de stedelijke bevolking vormde beplanting een uitnodiging tot het scheppen van frisse lucht, het zoeken van schaduw op het heetst van de zomer, of een wandeling als fysieke excercitie. Verschil-lende herbergen en kroegen, die zich vaak in de onmiddellijke nabij-heid van groenvoorzieningen vestigden, voorzagen in de genoegens van drank en vrouwen.

Nergens werd dit beter zichtbaar dan in de omgeving van de stads-wallen. Hier bevond zich het overgangsgebied tussen stad en land, waar al sinds de 16de eeuw moes- en kruidtuinen en boomgaarden waren aangelegd om aan de steeds sterker wordende vraag naar groente en fruit van een groeiende stedelijke bevolking te kunnen voldoen.[19] In Leiden en Delft betekende dat in de 16de eeuw zelfs het ontstaan van de commerciële tuinbouw, die zich in de 17de eeuw uit-breidde naar het Westland, de omgeving van Beverwijk en Amster-dam.[20] Langs de wegen en paden die de stad uit leidden waren ook buitentjes, herbergen en uitspanningen gevestigd. Deze laatste waren soms voorzien van een siertuin met een paviljoen dat uitzicht gaf over het water of landerijen. Sommige bezaten een kolfbaan, zoals de Pau-wentuin aan de Amstel in Amsterdam, van oorsprong de tuin van de dichter Spiegel, maar vanaf 1623 tot ver in de achtiende eeuw in ge-bruik als uitspanning voor Amsterdammers op hun wandeling buiten

13 Taverne 1978, 48.
14 Zoals valt af te leiden uit zijn *Deductie*, zie Taverne 1978, hoofdstuk 6, 263.
15 Geciteerd naar Taverne 1978, 263.
16 Taverne 1978, 263.
17 Taverne 1978, 264 en noot 70.
18 Jan de Meter in 1687 geciteerd naar Taver-ne 1978, 399. Al in 1676 en 1679 werd in Haarlem gesproken over het planten van bomen op wallen, langs grachten en op het plein, Taverne 1978, 384/

384.
19 Harten 1978, 114 en verder.
20 Sangers 1952, 36, 45, 46, 58, 59 en 65–77 en Harten 1978, 120–122.
21 Voor de geschiedenis van de Pauwentuin De Roever 1893, 53–59 'Iets over buitenplaatsen en over den Pauwentuin'.
22 Van den Brink en Grabandt-Pieging 1984, 72 en verder.
23 Breen 1908, V, 126–131.

24 Vgl. Breen 1908, V, 131. Voor het probleem van het buitentimmeren in Amsterdam en Haar-lem vgl. Taverne 1978, ondermeer 157–162 en 289. Voor de situatie in Haarlem zie ook Sliggers 1984, 97 en verder.
25 Voor deze geschiedenis Roegholt 1982, 1–17. Voor de botanische betekenis Wijnands 1983.
26 Dit valt goed te zien aan Pieter Mols *Nieu-we Kaart van de Plantagie geleegen binnen de Stats mueren van Amsterdam* uit 1772, voor een afbeel-

192

de veste (afb. 143).[21] Geliefd bij Haarlemmers en ook bij veel Amsterdammers, die daarvoor speciaal afreisden naar Haarlem, was de combinatie van het stadsbos de Haarlemmerhout met talloze kroegen en logementen, een vrolijke vermenging die herhaaldelijk de spreekwoordelijke rust van het buiten toeven logenstrafte.[22]

Stedelijke groei zorgde voor gebrek aan ruimte binnen de stad. Het gebied buiten de stad Amsterdam werd om die reden al in de 16de eeuw zo populair dat de Amsterdamse stadsbestuurders regels moesten afkondigen tegen het 'buytentimmeren', het oneigenlijk gebruik van grond ten behoeve van handel, nijverheid of de aanleg van tuinen, dat schadelijk werd geacht voor de stadsveiligheid en de stedelijke inkomsten.[23] Met name de voorgenomen uitbreidingen tegen het einde van de 16de eeuw en in de 17de eeuw gaven aanleiding tot het ontwerpen van maatregelen, die ervoor moesten zorgen dat grondbezitters buiten de stadswallen een gezonde ontwikkeling van de stad niet konden belemmeren. Zelfs na de laatste stadsuitbreidingen rond 1660 bepaalden ordonnanties uit 1664 en 1666 dat alleen met toestemming van het stadsbestuur molens, lakenramen, blekerijen en warmoestuinen buiten de wallen mochten worden opgericht of aangelegd. Het zijn bepalingen die niet onderdoen voor de reglementen van de moderne volkstuinen. In warmoestuinen van meer dan 300 roeden groot mochten alleen afdakjes worden geplaatst tot berging van gereedschap. Kennelijk was men bevreesd voor een permanentere bewoning of het gebruik van de grond als buitengoed met siertuin. Ook voor Haarlem kennen we dergelijke voorschriften die de hele 17de eeuw door het gebruik van de buiten de muren, maar binnen de jurisdictie van de stad, gelegen grond aan banden probeerde te leggen. Ze konden bewoning buiten de overbevolkte stad misschien wel verhinderen, maar niet de bloei van tal van kwekerijen en bloemisterijen en uiteindelijk ook niet de aanleg van een reeks buitens langs het Spaarne (afb. 116).[24]

Voor Amsterdam moeten we de maatregelen na 1660 in een iets ander licht zien, immers grote delen binnen de muren van de stad bleven tegen de verwachting in onbebouwd. Dat gold vooral voor het gebied in het oosten van de stad, vóór de Muiderpoort. Van deze nood maakte het stadsbestuur een deugd door in 1682 deze grond te bestemmen voor de verhuur van tuinen en de oprichting van een nieuwe en grotere *Hortus Medicus*, die als botanische tuin een belangrijke rol zou gaan vervullen bij de kweek en studie van exotische planten (afb. 141 en 163).[25] Met de Nieuwe Plantage werd een uitgebreid tuinengebied integraal onderdeel van het stedelijk weefsel. Met een 'meenichte van Schoone allées' moest het tot 'merkelijke cieragie, vermaek ende verbeteringe' van de stad dienen. Doorsneden door twee lanen in lengterichting (waarvan de Plantage Middenlaan de belangrijkste was) en vier dwarslanen, viel de stedebouwkundige indeling hier samen met een lanenpatroon afkomstig uit het ontwerpvocabulair van de geometrische landschapsarchitectuur.[26] Woonhuizen waren hier verboden, wel mocht een speelhuis binnen de met tweeënhalve à drie meter hoge schuttingen afgezette ruimte worden neergezet; bedoeling van de verhuurde grond was enkel het gebruik als moestuin of tuin van 'vermaak'. Neringen en herbergen werden daarom tot een minimum beperkt en door het stadsbestuur gecontroleerd, al blijkt uit de keuren van 1693 dat de stadsvoorschriften op dit gebied herhaaldelijk met voeten werden getreden. Erven werden onderverhuurd, speelhuizen gebruikt als woonhuis of als kroegje annex bordeel.[27] Groen, tuin en het vertier van drank en erotiek hingen kennelijk voor velen met elkaar samen en vormden een aantrekkelijke combinatie voor particulier ondernemerschap, een verschijnsel dat ook in andere steden is aan te treffen.[28] Hoe tuin en stad zich tot elkaar verhielden, blijkt uit een vergelijking tussen de literaire werkelijkheid van Daniël Willinks gedicht *Het Amsterdamse Tempe of Nieuwe Plantagie* uit 1712 en de realiteit van de vele keuren. De dichter vatte naar de traditie van de hofdichten de Plantage met tuinen op als een natuuridylle (hij spreekt over 'veele reegels hooge boomen', 'welgeordende planteryen' en 'allerlei weergalooze boomen'); zijn poëtische impressies zouden op het land misschien niet hebben misstaan, maar in de stad staan ze in schril contrast tot de vele verbodsbepalingen van na 1683.[29] Vooral de bomen in de Plantage moesten het ontgelden: men sneed erin, trok er takken af, hing er was in op, gooide er stenen naar en plaste er tegen aan.[30] Veelal waren niet de tuinbezitters voor

ding zie Roegholt 1982, 22. Ook de Amsterdamse Jordaan (naar het Franse 'Jardin') is natuurlijk een mooi voorbeeld van de wijze waarop een bestaande landschappelijke parcellering het patroon van straten van de stad bepaalde, zie Taverne 1978, 156.

27 Roegholt 1982, 16.

28 Zoals bijvoorbeeld de geschiedenis van de Utrechtse Maliebaan aangeeft. Deze werd in 1637 ten behoeve van het maliespel aangelegd en was bedoeld als exercitieplaats voor studenten en bewoners van de stad, tegelijk 'tot cieraet' van de stad als geheel. Net als langs de uitgaanswegen vestigden zich hier herbergen en werden er buitentjes gebouwd, waarin onder andere Descartes enige tijd woonde. W.A.G. Perks, *Geschiedenis van de Maliebaan*, Utrecht 1970.

29 De *Handvesten; ofte privilegien ende Octroyen mitsgaders Willekeuren, Costuimen, Ordoynantien ende Handelingen der Stad Amstelredam*, Amster-

dam 1748, Boek I, Derde Deel, 744, Veertiende Hoofdstuk 'Tegens het beschadigen van de Boomen', paragraaf 6 en verder, bevat vele verordeningen tegen wangedrag in de Plantage uit 1684, 1693 en 1700. Vgl. Roegholt 1982, 15.

30 *Handvesten; ofte privilegien ende Octroyen mitsgaders Willekeuren, Costuimen, Ordoynantien ende Handelingen der Stad Amstelredam*, Amsterdam 1748, Boek I, Derde Deel, 744, Veertiende Hoofdstuk 'Tegens het beschadigen van de Boo-

dit vandalisme verantwoordelijk, maar passanten, want de Plantage Middenlaan was tevens verkeersweg naar het Gooi. Dergelijke situaties deden zich ook in andere steden voor, zodat we moeten concluderen dat de groenvoorzieningen nauwelijks bestand waren tegen het intensieve gebruik en misbruik door stedelingen. Daarnaast waren de met lanen beplante wallen van de vestingwerken rond de stad erg in trek, omdat men daarvandaan fraaie uitzichten had op zowel stad als landschap (vergelijk afb. 142). Deze beplantingen hadden in eerste instantie een militair doel: in tijden van oorlog kon het geboomte omgehakt worden en tot een beschermende wand van palissaden dienen.[31] Maar in vredestijd boden zij de burgers het genoegen van een beschaduwde en beschutte wandeling, alhoewel uit verschillende keuren blijkt dat we ons dat vermaak niet altijd als aangenaam moeten voorstellen. Ook hier viel het geboomte herhaaldelijk ten prooi aan moedwillige beschadigingen. Zoals in 1661 in Leiden, waar de nieuwe singels en de weg buiten de Hoogewoertse poort beplant waren met 'Boomen / tot groote kosten deser Stede / en tot cieraet vande selve / en vermaeck vande goede Burgeren', maar door keuren beschermd moesten worden tegen vernieling.[32] Leiden had wat betreft het stadsgroen een reputatie te verliezen, want al in 1631 fungeerde de stad als voorbeeld voor Zierikzee, dat mr Anthony de Jonge in 1631 op eigen kosten wilde 'vercieren met schoone en vermaeckelijke boomen en plantagiën evenals zulks te Leijden, Middelburg en Delft gedaen is'.[33]

EEN TUIN IN DE STAD

Wie het geluk had in de stad een stuk grond achter het eigen huis te bezitten, kon er een tuin aanleggen. De particuliere erven achter Amsterdamse stadshuizen vormden achter de huizen een open, groene gordel, maar waren nogal wisselend van breedte waardoor hun ar-

chitectonische inrichting verschilde.[34] Diverse keuren bonden de bebouwing van deze erven en de hoogtes van schuttingen en speelhuizen aan strenge regels.[35] Veel ruimte om een rijke aanleg te verzorgen bestond dan ook niet. Vaak moest het achtererf nog plaats bieden aan een hoenderhok, buitenkasten, een secreet, een achterhuis met zomerkeuken of een koetshuis annex paardestal (plaat 15). Een combinatie van bleekveld en moestuin met een siertuin met bloemen en misschien een enkel beeldhouwwerk was niet ongewoon. Een tuinpaviljoen of speelhuis, zoals we dat aantreffen op het schilderij dat de doopsgezinde Gerard van de Rijp in zijn stadstuin afbeeldt, ontbrak meestal niet, evenmin als de galerij die huis en speelhuis verbond (afb. 144).[36] De galerij vervulde soms, naast het geven van beschutting tegen wind, regen of zon, ook een woonfunctie. De schilder De Lairesse raadt zelfs aan gaanderijen evenals tuinmuren met voorstellingen te beschilderen.[37] Het speelhuis werd in bijna iedere stadstuin onmisbaar geacht. Bij Van de Rijp treffen we nog een eenvoudig rechthoekig gebouwtje aan. Aan het einde van de zeventiende en vooral gedurende de achttiende eeuw zouden deze speelhuizen zich in de middenas van de tuin tot koepels van grote allure ontwikkelen. Het speelhuis was vooral voor samenzijn bedoeld, waar men in 'de hitte des zomers zijn vermaak neemt met een zoet gezelschap, en colationeert, meest onder manvolk'.[38] De beschildering ervan zou dan ook moeten bestaan uit vrolijke bacchanalen, herdersspelen, dansende figuren en fonteinen. Echte fonteinen waren zeldzaam in de Amsterdamse stadstuin. Philips Vingboons ontwierp er in 1639 een voor de tuin van het huis Singel 548 en Justus Vingboons in 1663 voor de tuin van het Trippenhuis.[39] De watertoevoer van deze fonteinen vormde een probleem: meestal werd er gebruik gemaakt van regenwater, dat op de zolder van de huizen in bakken werd opgevangen.[40] Alleen zó kon voor het benodigde verval en de vereiste spuitdruk ge-

men', paragraaf 6 (2 Juny 1684). Er bestonden trouwens al verordeningen tegen het schenden van bomen uit 1525, 1612, 1624, 1631, 1674 en 1679, ibidem, 743, 744.

31 Belonje 1971 en 1972.

32 *Verboth Van Boomen te schenden, ende Wormen te soecken*, gearresteerd door het Gerecht van Leiden, zeven Juli 1661 door G. van Hoogheveen, G.A. Leiden. Het betrof hier een verfraaiing van de stad na de uitleg van 1658, zie Taverne 1978, 223 en verder.

33 C.A. van Swigchem, 'Woonhuizen in Zierikzee', *Bull. KNOB* 70 (1971) 2/3, 65.

34 Voor de Amsterdamse tuinen en erven zie Zantkuyl, Hettema e.a. 1982. Voor de betekenis

van de binnenstadtuin Vera Amende en Addy Stoel, *Wat gebeurt er met de keurblokken. Een inventarisatie van het gebruik c.q. misbruik van de 27 beschermde tuinen – de keurblokken – in de 17e-eeuwse Amsterdamse grachtengordel*, Amsterdam 1979.

35 Breen 1908, VII, 139–141. De verordening van 1663 bepaalde bijvoorbeeld dat iedere eigenaar van een huis aan het einde van zijn erf over de hele breedte een 'speelhuys' mocht zetten, dat echter niet hoger mocht zijn dan twaalf en niet dieper dan negen voeten. Tuinen mochten niet hoger liggen dan de straat, schuttingen werden gebonden aan een hoogte van negen voet.

36 Voor dit schilderij, eigendom van de Kerkeraad van Doopsgezinde Gemeente, Amsterdam,

olieverf op doek, 81 × 98 cm, zie Hunt/De Jong 1988, cat. nr 13.

37 In zijn *Groot Schilderboek* 1740 (2de druk, 1ste druk 1707), I, 376.

38 De Lairesse 1740 (2de druk), I, 73.

39 Philips Vingboons, *Afbeelsels der voornaemste Gebouwen uyt alle die Philips Vingboons geordineert heeft*, Amsterdam 1648 plaat 30–32 en *Het Huys van de Heeren Louys en Hendrick Trip, geordineert door Justus Vingboons*, Amsterdam 1664, vijf gravures met bijschriften, de tuin afgebeeld op de 'Generale Grond (etc.)'.

40 Van der Groen (ed. Oldenburger/Wijnands 1988), C 2 *Van de Fonteynen*.

41 Oldewelt 1942, 'Jan de Bray een kunstschil-

zorgd worden en dan nog was het effect kortstondig. Deze omslachtige situatie heeft de spaarzame toepassing van fonteinen in de stad ongetwijfeld bepaald. Belangwekkend in dit verband is Jan de Bray's uit 1688 daterende grootse voorstel om de Amsterdamse binnenstad door de aanleg van waterreservoirs van goed en zoet water te voorzien. Fonteinbakken wilde hij als paardendrenkplaats aanbrengen op de Beeste- en Botermarkt, het huidige Frederiks- en Rembrandtsplein; op de Dam stelde hij voor een met dolfijnen versierde fontein op te richten.[41] Zijn ingenieuze voorstel doet denken aan de rol die fonteinen voor een stad als Rome speelden. Maar zijn idee is tegelijkertijd ondenkbaar zonder kennis van de fonteintechniek zoals die zich in het kader van de tuinarchitectuur vanaf de jaren twintig ontwikkeld had en in de jaren zeventig aan het stadhouderlijk hof nieuwe impulsen had gekregen.[42]

In tegenstelling tot de erven achter de huizen, die gesloten waren voor de ogen van een nieuwsgierig publiek, waren er voldoende tuinen in de Hollandse stad, die een semi-openbaar karakter droegen. Dat waren de binnenerven van openbare gebouwen, schuttersdoelens, gasthuizen en weeshuizen, veelal beplant met bomen of voorzien van een parterre versierd met vazen, zoals de tuin van het Proveniershof in Haarlem aan het begin van de achttiende eeuw (zie omslag).[43] Soms bleken de erven net als bij de woonhuizen van zo'n functioneel belang, dat de ruimte niet helemaal aan sier kon worden opgeofferd. Een goed voorbeeld is de binnenplaats van het Oude Mannen- en Vrouwengasthuis in Amsterdam, een in 1550 gesticht en in 1600 vergroot armenhuis voor honderdvijftig oude mannen en vrouwen (afb. 145).[44] Op de gravure in Commelins *Beschryvinge van Amsterdam* uit 1693 wordt de tuin omsloten door het één verdieping hoge hoofdgebouw en twee vleugels met een overdekte wandelgalerij. Het noordelijk klimaat stond een open loggia niet toe, maar dat gemis

werd gecompenseerd door leibomen langs de muren. De binnenplaats, tot 1663 slechts met bomen beplant, werd door een stenen pad in een functioneel gedeelte – het bleekveld met een hardstenen pomp – en een decoratief gedeelte – de parterre met beeldjes van putti – gescheiden. De op het middenpad wandelende personen doen vermoeden dat de siertuin alleen bedoeld was om naar te kijken.

DE DOOLHOF ALS STEDELIJKE ATTRACTIE

In de stadscultuur blijkt de rol van de tuin als attractie voor de stedeling vooral uit het particulier initiatief om erven bij herbergen in te richten als een tuin van vermaak, als een Efteling *avant la lettre*. Amsterdam kende in de 17de eeuw doolhoven, die tot in de vorige eeuw voor de bevolking een gewild tijdverdrijf vormden.[45] De Oude Doolhof, gelegen aan de Prinsengracht, hoek Looiersgracht en gesticht in 1620, was hiervan de oudste en bekendste. De Nieuwe Doolhof kwam er een aantal jaren later vlak naast te liggen, en begon zijn bloeiperiode nadat de uit Frankfurt afkomstige David Lingelbach in 1636 als huurder optrad.[46] In 1646 kocht Lingelbach nog een tuin, dit keer aan de Rozengracht waar hij een tweede Nieuwe Doolhof inrichtte. Uit de beschrijvingen van 1648, 1660 en 1678 kunnen we opmaken dat de Oude Doolhof en de Nieuwe Doolhof aan de Rozengracht telkens werden vermeerderd en vernieuwd met attracties. Een slimme manier om blijvend publiek te lokken, die waarschijnlijk ook veel te maken heeft met de omwonende populatie in de Jordaan.[47] De buurt rond Looiers- en Rozengracht onderscheidde zich door een hoog percentage aan bedrijven, ambachtslieden en werkvolk van de meer exclusieve bewoning langs de grachten.[48]

De inrichting van de doolhoven doet denken aan de wijze waarop kermissen, intochten en optochten, tonelen en spelen op jaarmarkten en feestdagen de stedelijke bevolking amusement boden. Humor en

der-technicus uit de zeventiende eeuw', 167–71.

42 Zie hiervoor de inleiding.

43 Zantkuyl, Hettema e.a. 1982. Voor het schilderij van de tuin van het Proveniershuis zie *Cat. Stadsgezicht Haarlem 1750–1850*, Frans Halsmuseum Haarlem 1978, 27, cat. nr 7 (doek, 91.5 × 118 cm, Frans Halsmuseum Haarlem cat. nr 77).

44 De Jong in Hunt/De Jong 1988, cat. nr 14.

45 Oldenburger-Ebbers 1988, 10–11 en Waal 1923.

46 Voor de Oude Doolhof (die bestond tot 1862) zie Witkamp 1869, Meijer 1883 I en II, Vriese 1964; voor de Nieuwe Doolhof (in bedrijf tot 1717) zie De Roever 1888 en Vriese 1964.

Andere doolhoven worden behandeld door Vriese 1965.

47 Vergelijk voor de Oude Doolhof bijvoorbeeld de *Verklaringe [...] Van verscheyden kunst-rijcke wercken* 1648 en *d'Oprechte Aenwijser, tot verscheyde Kunst-rijcke Wercken [...] in het Oude Doolhof* 1674. Voor de Nieuwe Doolhof aan de Rozengracht: *Dool-hof, Staende op de Roose-Gracht, by de derde Brugh.* Mijns inziens valt de eerste beschrijving van deze doolhof ca. 1648 te dateren. Meestal wordt de datering van deze editie verward met die van *Den Nieuwen en vermaeckelijcken Dool-Hof [...]*, die van ca. 1660 (en voor 1673, het sterfjaar van Philips van Lingelbach, sinds 1653 voor de helft, na 1671 volledig eigenaar) moet dateren:

de doolhof is dan immers aanzienlijk met bezienswaardigheden vermeerderd, zoals ook vermeld door Melchior Fokkens in zijn *Beschrijving van Amsterdam* uit 1662, 305 en F. von Zesens, *Beschreibung der Stadt Amsterdam* uit 1664, 213 en verder. De twee edities betreffende de Nieuwe Doolhof hebben een 'Aen den leser' ondertekend door Crispijn de Passe, zogenoemd II, ca. 1597– ca. 1670, uit wiens school de illustraties lijken te stammen, vgl. D. Francken, *L'Oeuvre Gravé des Van de Passe*, 1881, 307; deze werken worden niet genoemd in Hollstein XIV (*De Passe*, door J. Verbeek en I.M. Veldman, ed. door K.G. Boon), 134– 142 en 143–155–196.

48 Voor de inrichting van de Jordaan zie on-

het opwekken van verbazing en verwondering vormden belangrijke ingrediënten die tegen het decor van een herberg als plaats van drank en vrolijkheid extra goed tot hun recht kwamen. Zij vormden de aantrekkelijke verpakking voor moralistische opvattingen, op een wijze die nog het beste vergeleken kan worden met de functie van het volksboek en de centsprenten.[49] Evenals volksboek en centsprent vertegenwoordigden de attracties in de doolhoven over het algemeen de smaak van de gebruiker en bevestigden ze hem in zijn opvattingen over politiek, geloof, werk, liefde of deugdzaamheid.

De thematiek van het spektakel in de doolhoven was overwegend traditioneel; het thema zelf van de doolhof kon bogen op een lange geschiedenis. In de Oude Doolhof passeerde men na de herberg eerst een open plaats met een fontein, beschaduwd door geboomte en een tot een groen 'kabinet' geschoren lindeboom waarin verschillende mensen konden zitten drinken. Ernaast trof men een vierkant labyrint van groene hagen aan, met in het midden de beeldengroep van Theseus en de Minotaurus (afb. 146).[50] De Nieuwe Doolhof lokte de bezoeker naar een doolhof met cirkelvormige gangen (afb.147), waarvan de zoektocht naar het midden en vervolgens terug naar de uitgang in de beschrijving vergeleken wordt met 'een voorbeelt van des Menschen Leven / die oock naer veel moeyte moet komen in sijn rustplaets / ende wederkeeren van waer hy gekomen is'.[51] Het dwalen was een oude metafoor van de pelgrimstocht door het leven en van de lief-

de met al zijn listen en lagen; het tuinlabyrint was, in de woorden van Jacob Cats uit 1625: 'Een hof vol bitter soet, vol aengename lagen,/ Een hof vol bange vreught, en duysent vreemde slagen'.[52]

Zo traditioneel als de thema's waren, zo nieuw was vaak hun presentatie: watergevende fonteinen of beelden die met behulp van kunstig geconstrueerde uurwerkmechanieken konden bewegen en zelfs geluiden voortbrachten. David Lingelbach, evenals zijn zoon David horlogemaker, heeft voor het bedenken van zijn bewegende fonteinen en beelden (ook wel 'automata' genoemd), zeker gebruik gemaakt van het in 1615 in zijn geboortestad gepubliceerde werk van Salomon de Caus, bekend om zijn kennis van de mechanica (afb. 30).[53] De 'automata', al uit de Oudheid bekend en in de 16de eeuw vaak toegepast in Italiaanse tuinen, waren vooral populair bij de elite, zoals in Den Haag waar Jacques de Gheyn op het Buitenhof in de jaren twintig van de 17de eeuw voor Prins Maurits een kunstmatige grot ontwierp met waterspelen en artificiële muziek.[54] Hun introductie in de Amsterdamse doolhoven betekende dus een snelle toepassing van exclusieve en ook moderne technologie.[55]

De aantrekkelijkheid voor de bezoeker was natuurlijk het vermaak dat het in werking stellen van de beelden opleverde 'met haer beweeginghe, verroeringe doende elck Beelt, zijn actie of het leefde, tot verwonderingh en vermaeck der aenschouwers'.[56] In Lingelbachs Nieuwe Doolhof kon de bezoeker een fontein zien, die versierd was met

dermeer Taverne 1978, 168 en verder.

49 Vgl. voor de betekenis van volksboek, literatuur en stadscultuur, die zich sinds de late middeleeuwen en in de 16de eeuw van vergelijkbare thema's bedienden, de opmerkingen bij Van Deursen 1986, Pleij 1988. Voor de centsprenten Van Veen 1976.

50 d'Oprechte Aenwijser, tot verscheyde Kunstrijcke Wercken [...] in het Oude Doolhof 1674, de titelpagina en de inleiding.

51 Den Nieuwen en vermaeckelijcken Dool-Hof [...] ca. 1660, 'De Eerste Vertooningh, Des vermaeckelijcken Dool-Hof'.

52 Voor het thema van de pelgrimage: S. Chew, The pelgrimage of life, New Haven 1962 en Kern 1983, Hoofdstuk XIII.
Het citaat van Cats in Cats, Alle de Wercken ed. 1700, 235. Deze passage afkomstig uit Houwelick, Dat is, Het gansche Beleyt des Echten-Staets (eerste editie 1625), geïllustreerd met een kopergravure (pag. 240, door Adriaan van der Venne?) van een door groene hagen gevormd, rond liefdeslabyrint

bij het hoofdstuk 'Wegh-wyser ten Houwelick uyt den Dool-hof der Kalver-liefde'.

53 S. de Caus, Les Raisons des forces Mouvantes avec diverses Machines. Tant utilles que plaisants, Frankfurt 1615, Livre Second, Ou sont Desseignés plusieurs Grotes, et Fontaines propres pour l'ornement des Palais Maisons de plaisances et Jardins. Voor De Caus zie C.S. Maks, Salomon de Caus, Parijs 1935.

54 Zie Van Regteren Altena 1970 en de beschrijving door Evelyn (ed. De Beer), 25 (19 Augustus 1641).

55 In de jaren twintig en dertig van de 17de eeuw was er in Nederland een algemene, wetenschappelijke belangstelling voor fonteintechniek en mechanisch aangedreven 'automata'. Zie hiervoor Van Berkel 1983, ondermeer 30, 68, 72 en 168. Het beste kan men het effect van deze techniek inschatten in de vroeg 17de-eeuwse tuin van Hellbrunn bij Salzburg (Oostenrijk), waar de apparatuur van fonteinen, waterspelen en waterorgels nog volledig werkzaam is.

56 Ontleend aan de beschrijvende titel van Den Nieuwen en vermaeckelijcken Dool-Hof [...] ca. 1660.

57 Ook in het Oude Doolhof vormde een fontein de eerste bezienswaardigheid, hier versierd met beelden van Bacchus en Ariadne, zie d' Oprechte Aenwijser, tot verscheyde Kunst-rijcke Wercken [...] in het Oude Doolhof 1674, 'Tot verdere verklaringe van de Triumph [...]', een gedicht ondertekend door Jan Vos, dat echter in zijn werken (Dichtkunst van Jan Vos, Amsterdam 1658 en Alle de Gedichten, Amsterdam 1662) niet is terug te vinden.

58 Den Nieuwen en vermaeckelijcken Dool-Hof [...], ca. 1660, 'De Derde Vertooningh'. In de eerdere editie (Dool-hof, Staende op de Roose-Gracht, by de derde Brugh ca. 1648) is de uitleg expliciet dat door jaar, dag, uren en minuten verbeeld wordt dat 'elk op zijn bestemde Tijd in zijn Werk voortgaan'. Voor deze thematiek vgl. Pleij 1988, 324. Voor de implicaties van de visualisering van de tijd: G. Dohrn-van Rossum, Die Geschichte der

141. Titelpagina van
C. Commelin, *Rariorum
Plantarum Horti Medici
Amstelodamensis Historia*,
Amsterdam 1701, Deel II.

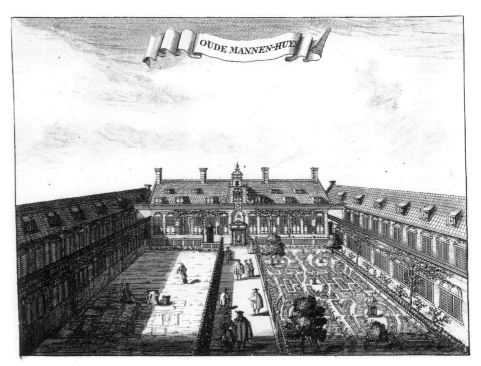

145. De tuin van het Am-
sterdamse Oude Mannen-
en Vrouwenhuis, gravure in
C. Commelin, *Beschryvinge
van Amsterdam*, Amsterdam,
1693, II.

142. A. Spinder, *Plattegrond
van Haarlem*, Amsterdam,
Isaak Tirion 1742. Zichtbaar
is de Nieuwe Uitleg met
bomen langs de Nieuwe
Gracht (rechts), beplantingen op de bolwerken, de
Hortus Medicus (beneden)
en tuinen buiten de wallen.

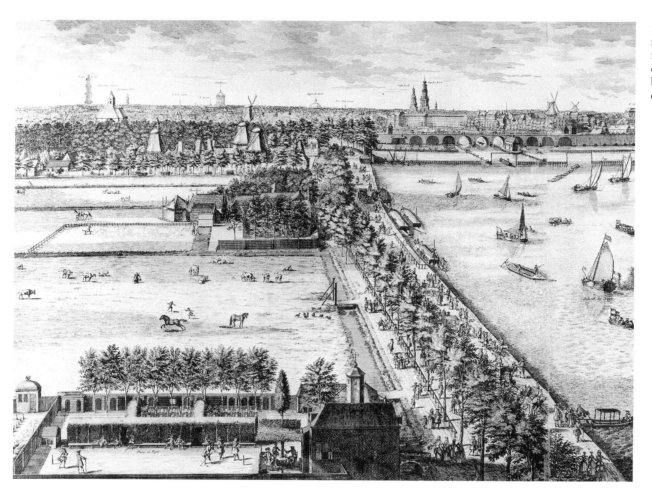

143. A. van der Laan, Gezicht op Amsterdam met rechts de Amstel en links onder de Pauwentuin, gravure, begin 18de eeuw (detail van een groter aanzicht).

144. Anonieme schilder, Gerard van der Rijp in zijn stadstuin, olieverf op doek, ca. 1700.

beelden van de vier deugden en ondeugden, bekroond door een Sint Christoffel en door hun eigen waterkracht rondbewegend (afb. 147).[57] In een galerij stond een kunstig horlogewerk, dat de loop van maan, zon en planeten aanschouwelijk maakte. Ook visualiseerde het uurwerk het verstrijken van de wereldse kalendertijd en de opkomst en neergang van vorsten en tirannen (afb. 148). Figuren, waaronder de klassieke filosoof Democritus die om de wereld weende en zijn collega Heraclitus die om de wereld lachte en kinderen die ieder uur een zandloper omkeerden en 'historien' schreven, brachten het verstrijken van de tijd op een allegorisch niveau. De levenstijd van de mens is kort en eindig, en iedereen, vorst of ambachtsman, wordt geroepen door de kraaiende haan, die bovenop het uurwerk herinnerde aan het Laatste Oordeel. Uitgerekend hier werd de bezoeker voorgehouden dat hij in godsvrucht en met hard werken zijn tijd moest doorbrengen. Door het lui verspelen van zijn tijd kon hij immers zijn economische heil én zielerust wel vergeten.[58] Hard werken was van belang voor de onafhankelijkheid van de Republiek en het stedelijk ondernemerschap. Zij werden voorgesteld door de tiran Alva, wiens onderdrukking van de Nederlanden kennelijk nog tot de verbeelding sprak, en door 'twee Scheepen al zeylend' door de Baeren,/ Beduydt d'Hollandts macht, en alle haer welvaren:/ Die in de Schipvaert leyt, en maeckt het Neêrlant rijck,/ Dat Vorst noch Potentaet, hier in is haer gelijck'.[59] De galerij bood verder bewegende voorstellingen van een harpspelende David, wiens ogen levensecht bewogen en wiens handen muziek voortbrachten, gesimuleerd door een wind- of waterorgel.[60] Van oudtestamentische herkomst was ook de geschiedenis van Ahasverus en Esther, waarbij we ons moeten voorstellen dat een gids een explicatie gaf van deze vertelling van vrouwelijke deugd en godsvrucht. De positie van de vrouw kwam op een heel andere wijze aan bod in de klucht van de Strijd om de Broek. Het levendige toneeltje met bewegende poppen stelde voor: 'seven Wyven,/ Die om eenes Mansbroeck seer heftig staen en kyven'. De moraal luidde hier ongetwijfeld 'Men vint ter werlt ghien meerder Gecke Dan die haer Wijfs die Broeck antrecken'.[61] Ronduit vrolijk was de voorstelling met musicerende herders en herderinnen in een tuin, omringd door een fladderende koekkoek, blatende lammetjes en loeiende kalfjes en vergezeld door de vijf zintuigen (afb. 149).[62] Vrees God, werk hard en wees een goede huisvader of -moeder, maar geniet tegelijkertijd met alle zintuigen van de idylle van de natuur en maak plezier: dat is de leidraad die de bezoeker voor het volgen van de doolhof van zijn eigen leven lijkt mee te krijgen. Dit samengaan van plezier en moraal maakt de doolhoftuin tot een wezenlijk onderdeel van de volkscultuur. De tuin als openbare plek van samenkomst, waar gedronken en gelachen werd, waar men zich verbaasde en tegelijkertijd werd beleerd, loopt deels vooruit op, deels parallel aan de ontwikkeling van de veel exclusievere (tuin)cultuur in het regentenmilieu. Met zijn mythologische

Stunde. Uhren und moderne Zeitordnungen, München/Wenen 1992.

59 *Den Nieuwen en vermaeckelijcken Dool-Hof* [...] ca. 1660, 'Eer-dicht, Over de konstighe wercken die in den nieuwen Dool-Hof, Op de Roosegracht by de derde Brugh; Gepractiseert zijn door David Lingelbach van Franck-Fort'. Dit soort politieke iconografie, met nadruk op het belang van Oranje en protestantisme kon men ook in de Oude Doolhof vinden, met ondermeer wassen beelden van de protestantenhaters Alva en Cromwell en de voorvechters van protestantisme als Willem van Oranje en Willem II. In tegenstelling tot het antiorangistische beleid van de Amsterdamse regenten, lijkt de sympathie van de Amsterdamse volksmoraal in het Doolhof uit te gaan naar de Oranjestadhouders. Dit soort vorstenportretten waren misschien deels geïnspireerd op door De Passe gegraveerde series vorstenportretten; diens bemoeienis met het Nieuwe Doolhof kan er door aan betekenis winnen, vgl. J. Verbeek, 'Zeldzame vorstenportretten door De Passe in het Rijksprenten-

kabinet', *Bulletin van het Rijksmuseum* X (1962), 76–84 en een aanvulling van dezelfde schrijver in idem XII (1964), 28–30.

60 *Den Nieuwen en vermaeckelijcken Dool-Hof* [...] ca. 1660, 'De Vierde en Vijfde Vertooningh.'.

61 *Den Nieuwen en vermaeckelijcken Dool-Hof* [...] ca. 1660, 'Eer-dicht, Over de konstighe wercken die in den nieuwen Dool-Hof, Op de Roosegracht by de derde Brugh; Gepractiseert zijn door David Lingelbach van Franck-Fort'. De moraal is afkomstig van een centsprent uit 1555, vgl. Van Veen 1976, 92 nr 13.

62 Hiervan sleep het Gevoel neuzen, het Gehoor smeedde oude wijven jong, het Gezicht werd verbeeld door mannetjes met een bril en verrekijker en de Smaak door ventjes die in een appel beten en uit een kannetje dronken. De herders moeten misschien gezien worden in de laat-middeleeuwse traditie van de goede herder, met zijn simpele, goede verstand de natuurmens bij uitstek. Vgl. Pleij 1988, 244 en verder. Deze belangstelling voor de pastorale werd geactualiseerd door de Ne-

derlandse vertalingen en bewerkingen van Guarini's *Il Pastor Fido*, en de pastorale elementen in Hoofts *Granida* uit 1605 (P.E.L. Verhuyl, *Battista Guarini's Il Pastor Fido in de Nederlandse dramatische literatuur*, Assen 1971, 123/124 en 447–448). In de Oude Doolhof waren bewegende tonelen te zien, gebaseerd op de karakters in Hoofts *Granida*; de tekst van de samenspraak tussen Granida en Daiphilo staat in het boekje op naam van Jan Vos (*d'Oprechte Aenwijser, tot verscheyde Kunst-rijczke Wercken* [...] in het Oude Doolhof 1674, 'De Derde Vertooninge'; in de editie van 1648 vormt dit toneel de tweede vertoning en zijn de gedichten nog niet ondertekend met J. Vos). Hoezeer de voorstellingen aansloten bij een veronderstelde belevingswereld blijkt wel uit de Rode Doolhof, vlak bij de Ossenmarkt, waar beelden opgesteld stonden van een koe, een hert, een schaap, een kalf en een hond, die hun koppen en ogen bewogen en hun natuurlijke geluid konden voortbrengen. Voor de boeren en veekopers waren deze beesten kennelijk heel wat aantrekkelijker dan de mytho-

146. Het Oude Doolhof in
Amsterdam afgebeeld op de
titelpagina van *d'Oprechte
Aenwijser, tot verscheyde
Kunst-rijcke Wercken [...] in
het Oude Doolhof*, Amsterdam 1674.

147. De binnenplaats van
de Nieuwe Doolhof op de
Rozengracht met fontein,
uurwerk en doolhof (rechts),
ets uit *Den Nieuwen en vermaeckelijcken Dool-Hof,
Staende op de Roose-Gracht,
by de derde Brugh*, Amsterdam ca. 1660.

148. Het bewegende uur-
werk in de Nieuwe Doolhof
op de Rozengracht, ets uit
*Den Nieuwen en vermaecke-
lijcken Dool-Hof, Staende op
de Roose-Gracht, by de derde
Brugh*, Amsterdam ca. 1660.

150. I. de Moucheron, De volière bij de herberg Blauw Jan, gravure ca. 1700.

149. Het toneel met de musicerende herders, hun dieren en de vijf zintuigen in de Nieuwe Doolhof op de Rozengracht, ets uit *Den Nieuwen en vermaeckelijcken Dool-Hof, Staende op de Roose-Gracht, by de derde Brugh*, Amsterdam ca. 1660.

151. W. Swanenburgh (naar J. Cornelisz Woudanus), Vogelvlucht van de Leidse Hortus met het Ambulacrum, gravure 1610.

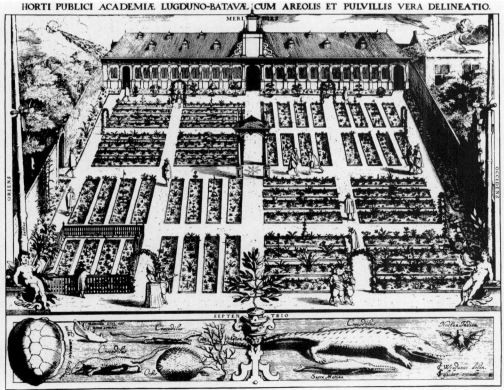

en bijbelse voorstellingen is het Doolhof veel meer 'down to earth' dan het eveneens openbare stadhuis op de Dam met zijn politiek-ideologisch bepaalde decoratieprogramma of het in humanistische idealen verpakte buitenleven op de privé-buitens langs Amstel en Vecht.

Later in de tweede helft van de 17de eeuw kregen deze doolhoven in de tuinen bij herbergen concurrentie van nieuwe attracties. Het wonder van mechanische imitatie werd hier vervangen door echte 'wonderen der natuur'. Opgezet of levend, verbaasden zij de bezoeker door hun vorm, kleur en fraaie of bizarre uiterlijk. Bij de herberg Blauw Jan op de Kloveniersburgwal bijvoorbeeld, gesticht in 1675 door Jan Barentsz Westerhof, kon men zich verbazen in een kamer vol wonderlijke, opgezette zaken zoals een krokodil, een zaagvis, een paradijsvogel, schelpen en mineralen, die overigens ook al door wetenschappers en regenten in collecties werden verzameld.[63] Daarnaast beschikte de herberg over een verzameling levende have, waaronder apen, een tapir, een struisvogel, een pelikaan en diverse exotische zangvogels.[64] De huisvesting van de vogels was ronduit spectaculair: twee colonnades, ieder met zeven zuilen voorzien van klassieke borstbeelden, begrensden een atrium (afb. 150). Daarin bevond zich een octogonale kooi met koepel, die het middelpunt vormde van een wandelruimte voor vogels. Deze opzet was ontleend aan de twee beroemde beschrijvingen van een vogelverblijf, die de Romein Varro (116–27 voor Chr.) in zijn boek over de landbouw had gegeven.[65] Met zijn klassieke herkomst zorgde deze architectuur voor een curieus contrast met de exotische dieren die hun bijzonderheid ontleenden aan het feit dat ze door de diverse reizen van de Oost- en West Indische Compagnie nog maar recent bekend waren geworden.

In deze context van het stedelijke stadsgroen speelde de *hortus medicus* of *hortus botanicus* een belangrijke rol: zij waren een levend kruidboek, een *hortus sanitatis* waarin gewaakt werd over de gezondheid van de stedelingen en het welzijn van de stad.

De Hortus Botanicus van de Leidse universiteit had sinds 1590 een prominente plaats gekregen in de dichtbebouwde binnenstad van Leiden. Als open, door bebouwing omringde ruimte fungeerde de tuin in de stad als een 'kijkdoos', waar men wandelend in de open lucht kon rondkijken (afb. 151 en 152).[66] De Leidse Hortus vormt slechts één voorbeeld van een tuin die door het intensieve gebruik ten behoeve van studie en wetenschap telkens veranderingen onderging en gewikkeld was in een soms langzaam, soms dynamisch maar in ieder geval continu proces van aanpassing, al naar gelang de stand van het wetenschappelijk inzicht en de veranderende denkbeelden over het functioneren van een hortus. Die veranderingen hadden betrekking op architectuur en inrichting, maar ook op de inhoud van de tuin als verzameling planten die telkens met nieuwe specimina werd aangevuld.

In 1677 was de tuin, getuige het verslag van de Italiaanse broers Guido en Giulio de Bovio, nog steeds de bezienswaardigheid die hij vanaf de oprichting was geweest.[67] Zij vonden de Hortus een bezoek waard vanwege de talloze planten die uit de verste landen hier verzameld waren. Voor de twee broers was de Hortus Botanicus echter meer dan alleen een tuin, want als onderdeel ervan bezochten zij ook een galerij, 'nobile per le rarità', 'aanzienlijk vanwege de zeldzaamheden'. De tuin was een verzameling waarin zowel elementen uit de verschillende rijken der natuur waren samengebracht (planten, mineralen en dieren), als objecten door de mens gemaakt. Als zeldzaamheden troffen ze niet alleen een goed geconserveerd nijlpaard, een

logische en bijbelse figuren in de Nieuwe Doolhof. Vgl. Vriese 1965.

63 Engel, 30 no 150 en P.H. Witkamp, 'Het Natura Artis Magistra onzer voorouders', *Jaarboekje van het Koninklijk Zoologische Genootschap Natura Artis Magistra*, 1874, 151–156; I.H. van Eeghen, 'Notaris Hendrik de Wilde en de exotische dierenwereld', *Maandblad Amstelodamum*, XLIX (1962), 150–159 en Pieters/ Mörzer Bruyns 1988, 197–202. Een belangrijke bron voor de inhoud van deze tuin is het van vele tekeningen voorziene manuscript van Jan Velten, *Wonderen der Natuur [...]*, Artis Bibliotheek, Amsterdam, ca.

1700, waarin ook de kamer staat afgebeeld.

64 Zie Pieters/Mörzer Bruyns 1988, 19 voor een reconstructie van het bezit aan exotische zoogdieren en vogels.

65 De plattegrond en opzet laat zich reconstrueren door een vergelijking te maken van De Moucherons afbeelding (originele tekening voor de gravure in G.A. Amsterdam, Top. Atlas, coll. Dreesman) en de plattegrond van Blauw Jan gemaakt door Thornhill in 1711 (bij Fremantle 1975, schets op fol. 105 en pag. 100) met de beschrijving bij Varro, *De Agricultura* III, V, 447–455. Zijn beschrijving van één van de vogelkooien

als een rechthoek met colonnades ter linker en ter rechter zijde van een façade en een tholos of rond, bekoepeld gebouw vormen de essentiële elementen die een grote gelijkenis vertonen met de opzet van Blauw Jan.

66 Voor de geschiedenis van de Leidse Hortus zie Veendorp/Baas Becking 1938, Terwen-Dionisius 1980, 1981 en 1989, Karstens en Kleibrink 1982 en de bijdragen aan Fat/De Jong 1991. Deze tekst is een bewerking van mijn bijdrage aan deze bundel.

67 Zie Gogelein 1990, 19 en de vertaling van de Italiaanse tekst op 48. Zij waren Italiaanse di-

152. C. Hagen, De Leidse
Hortus in 1670, gravure.

153. J. Androuet du Cer-
ceau, De tuin met galerij in
Vallery ca. 1549–1559
uit zijn *Les Plus Excellents
Bastiments de France*, 1576–
79.

154. Titelpagina van C. Clusius' *Exoticorum Libri Decem*,
Leiden, Plantijn, 1605.

155. G. Wingendorp, Titelpagina van *Musei Wormiani
Historia*, Leiden 1655.

156. Titelpagina van C. Clusius' *Rariorum Plantarum
Historia*, Antwerpen 1601.

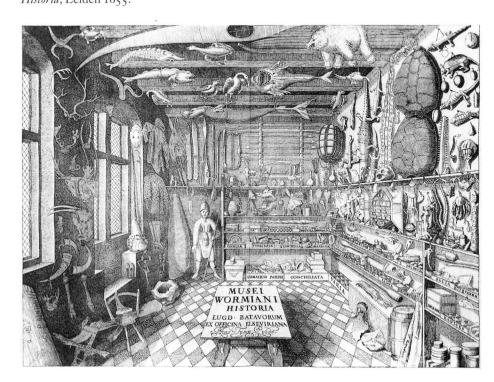

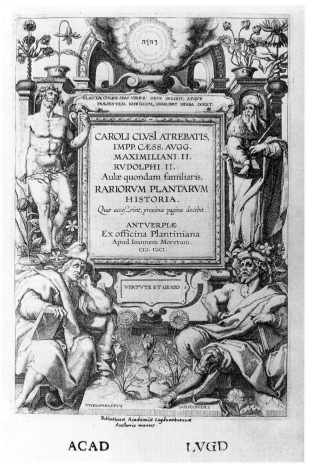

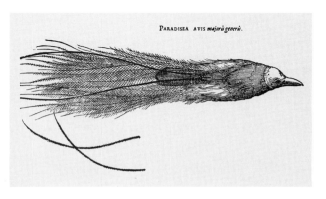

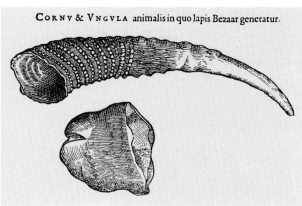

157. Een paradijsvogel uit
C. Clusius' *Exoticorum Libri
Decem*, Leiden, 1605 Boek
V.

158. Hoorn en klauw van de
geit waar de bezoarsteen in
groeit, uit Clusius' *Exoticorum Libri Decem*, Leiden
1605 Boek VII.

neushoorn en verschillende opgezette, zeldzame vogels aan, maar ook curiositeiten uit China. Aan de andere kant van de tuin bezochten zij nog een tweede galerij, gevuld met zeldzame planten uit Azië en de beide Indiën (Oost-Indië en Noord- en Zuid-Amerika). Al deze objecten werden door Giulio en Guido de Bovio 'un erudito ogetto ai riguardanti' genoemd, een geleerd object voor de toeschouwer. Daaruit kunnen we opmaken dat hun nieuwsgierigheid weliswaar werd geprikkeld door het nieuwe en vreemde, maar dat zij niet altijd wisten te onderscheiden wat er aan deze objecten nu bijzonder of belangwekkend was. Kennelijk zagen zij deze verzameling als een typisch domein voor wetenschappers, die deze objecten wel konden doorgronden.

DE MUZEN

Als een 17de-eeuwse bezoeker het Leidse Academiegebouw naderde, dan liep hij, net voordat hij door de poort ging die toegang gaf tot de universiteit en de Hortus, over een cirkelvormige inscriptie in het plaveisel op het Rapenburg. Het betrof een versregel uit Horatius' *Carmina*: 'Musa Coelo Beat', 'De Muze schenkt [de mens] de hemel'. Orlers, in zijn *Beschrijvinghe der Stadt Leyden* van 1614, illustreert de locatie van deze inscriptie; de tekst zelf kennen we uit een notitieboekje van de oud-student Ernst Brinck uit ca. 1606.[68]

Wat was er meer toepasselijk dan op deze plek de Muzen te evoceren als *Genii Loci*, de beschermsters en bestuursters van deze eerbiedwaardige plaats van wetenschap, die in zo'n korte tijd één van Europa's beroemde universiteiten was geworden? Beschermd door Minerva, die haar plaats op het universiteitszegel innam, en geleid door de Muzen, werden hoogleraren en studenten op een directe wijze geconfronteerd met de klassieke traditie van kennis en inspiratie.

In 1575 waren de negen Muzen ook echt aanwezig geweest tijdens de festiviteiten ter gelegenheid van de stichting van de universiteit.[69] Vergezeld door Minerva's broer en hulp Apollo, werden ze per boot

over het Rapenburg geroeid naar het eerste Auditorium van de universiteit, toen gehuisvest in het voormalige Barbara-klooster. Eenmaal aan land, trad een compagnie van de schutterij (dat daarmee zijn dappere optreden in herinnering bracht bij de bevrijding van de stad tegen de Spanjaarden het jaar ervoor) de Muzen tegemoet, gevolgd door vier groepen met allegorische figuren op paarden. Zij stelden ieder één van de Faculteiten van de universiteit voor: Theologie, Recht, Medicijnen en Letteren. *Sacra Scriptura* kon men hier zien met de vier evangelisten, *Iustitia* met Julianus, Papinianus, Tribonius en Ulpius, *Medicina* met Galenus, Hippocrates, Theophrastus en Dioscorides, terwijl Minerva voorafging aan Aristoteles, Plato, Cicero en Vergilius.[70]

Bij de ontmoeting tussen de twee rijk uitgedoste groepen hielden Neptunus en Apollo een redevoering in het Latijn, die gecomponeerd was door Jan van der Does, hoofd van het College van Curatoren.[71] In de woorden waarmee de Muzen en de Faculteiten werden toegesproken, leest men tal van ideeën die verwijzen naar het doel en de betekenis van het stichten van de Leidse universiteit. Zo werd toepasselijkerwijze het vervoer van de Muzen over water naar de universitaire gemeenschap gezien als de terugkeer van de vrede in een stad die de gruwelen van de Tachtigjarige Oorlog nog vers in het geheugen lag.[72] Nu Mars en zijn metgezellen gevlogen waren, konden de Muzen en dus de Vrije Kunsten opnieuw tot bloei komen.[73] Bij het maken van zijn Latijnse speech kan Jan van der Does gedacht hebben aan Cicero's bekende *dictum* 'Cedant arma togae', dat hier in de context van de Leidse Academie toepasselijk vertaald kon worden met: 'Mogen de wapenen hun plaats afstaan aan de toga's der geleerdheid'.[74]

In de speech was een speciale plaats ingeruimd voor woorden aan het adres van de medische faculteit. De artsen werd gevraagd de burgers te genezen van honger en pest door onderwijs te geven in de helende krachten van bomen en kruiden. Inderdaad, welk ander beeld

plomaten in het gevolg van de nuntius die betrokken was bij de vredesonderhandelingen tussen Frankrijk en Nederland in Nijmegen. Voor bezoekers aan de Hortus en het Ambulacrum zie de lijst bij Engel 1986, nr 907 op pag. 155.
68 Orlers Dl. I, IX, 128. Voor Brinck zie Gogelein 1990, 15. Voor de inscriptie 'Caelo Musa Beat': Horatius *Carmina* IV 8 29. Het is niet duidelijk van wanneer de inscriptie dateert, wellicht van na 1581, toen het (nu nog steeds bestaande) auditorium werd gehuisvest in de kapel van het Witte Nonnenklooster aan het Rapenburg.
69 Vgl. Luttervelt 1958, Snoep 1975 en *Leidse*

Universiteit 400 cat. nrs A44–A45, 36/37.
70 De rest van deze triomfale cortège bestond uit curatoren en hoogleraren van de Universiteit, de gouverneur, burgemeesters en schout van de stad Leiden en anderen. Zie de kopergravure van deze cortège door een anonieme kunstenaar uit het vierde kwart van de 16de eeuw, vgl. *Leidse Universiteit 400*, cat. nr A44.
71 Voor deze tekst zie de vertaling bij Orlers 1614, 133–141.
72 Orlers 1614, 139: 'Nu Musae zijt goets / moets, Mars selfs U / plaets gaet maken / Want hy heeft niets / gemeen met U / gheruste zaken /.'

73 Dit thema was kort tevoren nog uitgebeeld door Antwerpse schilders als Maarten de Vos en Lucas de Heere. Luttervelt 1958 veronderstelt een nauwe relatie tussen de beeldtaal van de Leidse cortège en Antwerpse kunstenaars. Het schilderij van Maarten de Vos (1532–1603) *Apollo en de Musen* (Brussel, Museum voor Schone Kunsten) draagt het opschrift *Musae loco belli* (De Muzen in plaats van de oorlog). Het schilderij van Lucas de Heere (1534?–1584) bevindt zich in de Galleria Sabauda, Turijn en stelt de slapende Muzen in oorlogstijd voor, net op het moment dat ze door Mercurius, die de vrede aankondigt, worden ge-

dan dat van een tuin, gevuld met medicinale planten, kon beter de gedachte aan vrede oproepen (afb. 160); of van een Gouden Eeuw die na de oorlog opnieuw haar intrede deed als onderdeel van de eeuwige cyclus van vrede en geweld?[75] Zelfs al ging in 1575 de gedachte nog niet uit naar de aanleg van een kruidhof voor de medici, het idee dat zo'n hortus midden in de Leidse stad een verlangen naar vrede zou kunnen symboliseren, kan niet ver uit de gedachten van de stichters van de universiteit zijn geweest. In de renaissance legde men graag de relatie tussen tuin en paradijs; de *hortus medicus* of *botanicus*, met zijn kruiden, planten, dieren en mineralen, gold in die gedachtengang als herschepping van deze verloren natuur (afb. 160).[76]

Was ook de natuur, zoals Plinius en Varro vertelden, niet de woonplaats van de Muzen?[77] Dit verklaart waarom de beroemde humanist Lipsius, zelf een begeesterd tuinier, zijn tuin in Leiden betitelde als 'Et Musarum hic locus est', 'Dat is het huis van de Muzen', wat blijkt uit de *Lex Hortorum*, de tuinwetten, die hij er in 1587 liet aanbrengen.[78] Deze omschrijving ontleende hij aan zijn uit 1584 daterende boek *De Constantia*, waarin hij zijn hof ook nog betitelde als 'de oefenschool van mijn wijsheid'.[79] Na Lipsius' vertrek in 1591 was het zijn tuin die in 1593 tijdelijk dienst deed als studietuin voor de Leidse doktoren en apothekers terwijl men bezig was met de voorbereidingen voor de aanleg van de Hortus Botanicus aan het Rapenburg.[80]

Dat de open ruimte achter het Academiegebouw voor de Leidse humanisten een Muzentuin, een vredestuin, symboliseerde, blijkt uit twee Latijnse inscripties op de buiten- en binnenzijde van de toegangspoort tot de Hortus, die in 1769 opgetekend werden door een

Zweedse bezoeker. Hier is de tuin eigendom van Pallas Athene, 'een gift gewijd aan de Muzen'. 'Hortus amat pacem' luidt een van de versregels, 'de tuin bemint de vrede en vreest de straffe werktuigen van de razernij [van de oorlog]'.[81]

DE TUIN ALS 'MUSAEUM'

Niet alleen in figuurlijke zin was de Leidse Hortus een oord van de Muzen, de tuin kan zelfs heel letterlijk als een 'musaeum' geïnterpreteerd worden, dat wil zeggen als een plaats waar diverse collecties waren samengebracht. Het is aannemelijk dat zij die betrokken waren bij de stichting van de Hortus deze functie vanaf het allereerste begin hebben voorzien, al zou het enige tijd duren voordat de tuin deze rol optimaal kon vervullen. Refereerde 'musaeum' als institutie oorspronkelijk niet aan de beroemde bibliotheek van Alexandrië, centrum van geleerdheid in de klassieke wereld? En bood het museum niet een systeem waarmee geleerden de wereld konden onderzoeken en interpreteren? Doordat het museum zich in de 16de eeuw ontwikkelde als model voor verzamelingen, beantwoordde het bij uitstek aan de doelstellingen van humanistisch onderzoek en aan de intellectuele activiteiten van een toenemend aantal onderzoekers.[82]

Het inzicht dat de tuin van de Hortus als een museumcollectie niet alleen een nuttig instrument zou kunnen zijn voor de studie van de medicijnen, maar ook voor de wetenschapsbeoefening in het algemeen, zal bij de oprichting hebben meegespeeld. Alleen op die manier kon de betekenis van de Hortus haar instructieve functie als driedimensionaal leermiddel overstijgen en van belang worden voor

wekt. Zie ook de opmerkingen over de iconografie van het thema van oorlog en vrede bij De Jong 1980.

74 Cicero, *De Officiis*, Bk I, XXII, 77.

75 Voor deze cyclus-gedachte zie De Jong 1980. Pieter Paauw in zijn *Prefatio* tot de *Hortus Publicus* van 1601, refereert tweemaal aan de (Tachtigjarige) oorlog en de daaruitvoortkomende problemen als contrast met de pogingen van curatoren van de Universiteit om desondanks de botanische tuin aan te leggen en daarmee roem te verwerven voor de Universiteit. De Leidse Universiteit werd ook wel 'Praesidium Libertatis', 'Burcht van Vrijheid' genoemd.

76 Zie bijvoorbeeld Comito 1979. Voor denkbeelden over de *hortus botanicus* vooral Prest 1981.

77 Vgl. Findlen 1989, 60.

78 Voor Lipsius' tuin in Leiden gedurende zijn verblijf van 1578 tot 1591 zie Witkam 1970, 15–17

en Heesakkers 1988. Ik dank prof. Heesakkers voor zijn toestemming gebruik te mogen maken van zijn ongepubliceerde manuscript. Voor de tekst van Lipsius' tuinwetten zie Rapinus 1672, toegevoegd na de *Hortorum Libri IV*.

79 Lipsius 1584, editie P.H. Schrijvers, 92. Daar sloeg het 'huis van mijn Muzen' met name op het kunstig begroeide prieel in zijn eigen tuin. Voor Lipsius' ideeën over de tuin in relatie tot zijn stoïcijnse filosofie: Morford 1987.

80 Witkam 1970, 17

81 We weten niet van wanneer deze inscripties dateren, mogelijk van 1613, de bouwdatum van de poort, die na 1800 werd afgebroken. Overigens is niet geheel duidelijk of het hier om de poort aan het Rapenburg gaat die leidde naar een open plaats voor het Auditorium; bedoeld kan ook zijn de tweede poort die direct de tuin inleidde (zie afb. 152). De vredes-iconografie, die voortborduurt op

de inwijding van de universiteit in 1575, en het noemen van degens in de tweede inscriptie lijken ook te pleiten voor een vroege datering. Ze werden opgetekend door Johan Henrik Lidén, een Zweedse historicus; vgl. Gogelein 1990, 30–32; boven de poort aan de buitenkant stond:
'*Scire studes morbis quicumque levamen ab Herbis,*
Ingredere, addisces quidquid in arte latet.
Hic oculos castae recreant spectacula florae
Et reficit cerebrum suavior aura tuum.
Tum digesta suo cernes simul ordine cuncta
Sparsa su cernes simul ordine cuncta
Sparsa per immensum quae bona Terra parit.
Summis quae cuperent alii spectare periclis
Ut videas tuto Palladis hortus habet.
Ecce patet gratis Batavorum munere Patrum
Publica qui Musis haec sua dona sacrant
(in de vertaling van Gogelein: 'Gij die door

206

het aanzien van universiteit, stad en Republiek.

In het verleden is de Hortus vooral bestudeerd vanwege de planten die er in groeiden. Minder aandacht is uitgegaan naar de rol van de galerij in dit geheel. Gelegen op het zuiden van de tuin was zij meer dan een aantrekkelijk decor. Architectuur en functie van de galerij waren onlosmakelijk met de tuin verbonden en haar opzet was gebaseerd op contemporaine opvattingen over de inhoud van een 'musaeum'.

EEN HORTUS BOTANICUS

In 1587 reserveerden curatoren van de Leidse Universiteit achter het Academiegebouw een 'ledige plaetse' voor de aanleg van een 'Cruydhof' (afb. 151 en 152).[83] Een dergelijke *hortus medicus* met geneeskrachtige en giftige planten en kruiden behoorde tot de belangrijke wetenschappelijke innovaties van de 16de eeuw. De hoogleraar botanie en medicijnen kon in deze geseculariseerde kloosterkruidhof zijn studenten aanschouwelijk onderwijs geven in de *materia medica*: het omgaan met geneesmiddelen vereiste kennis van hun natuurlijke, plantaardige, dierlijke of minerale oorsprong en van de bereiding en toepassing daarvan. Op 12 mei 1592 belastte men professor Pieter Paauw, die in 1589 de opdracht had gekregen het onderwijs in de *materia medica* en de anatomie te verzorgen, met de voorbereidingen voor de aanleg van de tuin.

Het zou echter tot 1593/94 duren voordat de tuin werd gerealiseerd. Een reden voor deze vertraging was dat men zocht naar een *praefectus horti*, een directeur van de tuin met internationale faam. Dat zou uiteindelijk Carolus Clusius (1526–1609) worden, ontwerper van een *hortus medicus* voor keizer Maximiliaan II in Wenen (van 1573 tot 1588), bereisd botanicus en auteur van verschillende belangrijke studies. Hij zou worden bijgestaan door de Delftse apotheker Dirck Outgaertszn Cluyt, die de dagelijkse zorg van de tuin op zich zou nemen.[84] Clusius' internationale contacten zouden garant staan voor de verwerving van een belangrijke verzameling planten uit verschillende delen van Europa zoals Oostenrijk, Hongarije, Transsilvania en de mediterrane gebieden, met name Kreta. Clusius arriveerde in het najaar van 1593. Uit het jaar daarop dateert het manuscript met de titel *Index Stirpium*, de eerste genummerde lijst met planten van de Hortus, vergezeld van een gedetailleerde plattegrond.[85] Hieruit blijkt dat de nagenoeg vierkante tuin, ca. 35 meter breed en 40 meter diep, was ingericht met vier *quadrae* of compartimenten, op hun beurt onderverdeeld in rechthoekige bedden of *areae*. In het midden van de tuin was een met obelisken versierd prieel opgericht (afb. 151, 152).[86] De *areae* bestonden uit *pulvillae*, kleine genummerde vierkanten, zodat de tuin 'playsant ende cierlicken gheordonneert ende gheleyt' was.[87] Uit de *Index* blijkt dat met Clusius' komst de opzet van de tuin als traditionele *hortus medicus* veranderde in die van een *hortus botanicus*. Zo waren alle belangrijke medicinale planten aanwezig, maar tweederde van de totale collectie was bedoeld om uit puur plantkundig, botanisch oogpunt bestudeerd te worden. Het betrof hier vooral pas bekend geworden planten uit Amerika en bollen, zoals de tulp, uit het Midden-Oosten. Bovendien waren de planten, zo leert recent onderzoek, geordend en geclassificeerd volgens een overzichtelijk sys-

207

---

kruiden verwacht te kunnen verlichten de kwalen,/ Treed in de hof en gij leert wat houdt verborgen de kunst./ Hier verheugt u het oog d'aanblik der zedige Flora,/ En een lieflijke geur strijkt met een zucht langs uw hoofd./ Zien zult ge alles geordend in eigen soorten en klassen/ Wat d'alvoedende aard voortbrengt verspreid overal. / Anderen om dit te zien niet duchten de grootste gevaren,/ Pallas' tuin toont het u veilig en op uw gemak. / Zie, het staat open om niet, het geschenk der Hollandse vaad'ren,/ Die deze nuttige gift hebben den Muzen gewijd.')

Binnen de poort het opschrift:

'Europae hic Asiae vides miracla, superbit
Africa, resplendent quae novus orbis habet.
Ergo oculos invito Tuos, naresque sagaces
Attentumque animum, qui mea sacra colat.
At caveas quaeso caras mihi laedere plantas,
Nec rapias avida semina carpta manu.

Dumque per angustos calles speculator oberras
Ne gladius noceat retro cavere velis.
Hortus amat pacem, saeva instrumenta furoris
Horret, ut expertus, saepe nocere sibi.

(in de vertaling van Gogelein: 'Wonderen kunt ge hier zien van Azië en die van Europa, / Afrika pronkt, schoon blinkt wat de Nieuwe Wereld ons biedt. / Daarom nood ik uw ogen, uw scherp onderscheidende reukzin, / en uw opmerkzame geest, die mijn waardigheid eer' / Maar bid ik u, pas op, beschadig niets aan mijn planten, / Noch ook roof van het zaad, grijpend met gretige hand./ Ook wanneer gij, bezoeker! langs smalle paadjes soms ronddwaalt,/ Dat niet uw degen, zie toe, achter u planten verniel'/ Vrede bemint deze tuin, het straffe werktuig der woede / Vreest hij als een die ervoor dat hem dit altijd weer schaadt.')

Het 'saeva instrumenta furoris / Horret' kan niet anders dan verwijzen naar de daden van de

oorlogsgod, Mars Furor. Vgl. De Jong 1980.

82 Voor deze aspecten heb ik veel gehad aan het artikel van Findlen 1989. Zie ook Impey/MacGregor 1985.

83 Voor de geschiedenis van de Hortus maakte ik gebruik van de Leidse Universiteitsarchieven op de U.B. te Leiden (zie Hardenberg, AC I nrs 14, 18–36, 38–83 en 100), Orlers 1614, Kroon 1911, Hardenberg 1935, Veendorp/Baas Becking 1938, *Leidse Universiteit 400* 1975, *Universiteit en Architectuur* 1979, Terwen-Dionysius 1981, Karstens/Kleibrink 1982 en de bijdragen van Leslie Tjon Sie Fat en Florence Boom in Fat/De Jong 1991.

84 Voor hem zie Hunger 1923/1943.

85 Fat in Fat/De Jong 1991 voor de meest recente inzichten en een afbeelding van de plattegrond.

86 Orlers 1614, 142.

87 Orlers 1614, 142.

teem dat verrassend modern overkomt.[88] De organisatie van de tuin in *pulvillae* en *areae* weerspiegelde dus ook de wetenschappelijke ordening van Clusius. Op dit kleine grondgebied zouden verschillende generaties botanici hun werkterrein hebben, na Clusius ondermeer vader en zoon Vorstius, Florens Schuyl, Arnold Seyen, Paulus Hermann en, in de achttiende eeuw, Herman Boerhaave.[89] Ieder van hen bracht zijn eigen expertise, contacten en planten in zodat de Leidse Hortus aan het einde van de 17de eeuw beschikte over een van de belangrijkste verzamelingen in de Noordelijke Nederlanden, met planten uit Zuid-Afrika, Noord- en Zuid-Amerika, Europa en Oost-Indië.

EEN GALERIJ VOOR DE TUIN

Toen vanaf 1587 de noodzaak voor de aanleg van een Hortus duidelijk werd en het stuk land achter het Auditorium voor dat doel van 1590 tot 1593 bouwrijp werd gemaakt, deed de apotheker Dirck Outgaertszn. Cluyt als dagelijks opzichter in 1594 een verzoek aan curatoren een galerij of schuur te mogen bouwen om kwetsbare planten te kunnen beschermen. Er werd alleen maar een schuur gebouwd. Deze voldeed aan de vraag van Cluyt, totdat Paauw, na de dood van Cluyt in 1598 tot 'praefectus horti' benoemd, bij curatoren een pleidooi hield om een galerij te mogen construeren 'sulx als in voortyden was geraempt was geweest daerinne des somers de Professoren studenten ende andere den Hoff versoeckende voor den regen zig souden mogen vertrecken [= vertreden] en des winters geset worden de cruyden die in de lugt nyet en mogen blijven staen.'[90] Deze keer gaven curatoren toestemming tot de bouw, die meestertimmerman Jan Ottensz. van Zeyst van eind 1599 tot augustus 1600 op zich nam.[91] Zo-

wel Jacques de Gheyn in 1601 als Willem Swanenburgh in 1610 (naar een tekening door Jan Corneliszn Woudanus) beeldden de galerij af in hun gravures van de tuin, zij het niet geheel accuraat (afb. 151).[92]

De één verdieping hoge galerij strekte zich uit langs de zuidzijde van de Hortus met een lengte van 41,5 m. en werd geleed door twintig dubbel beglaasde ramen en drie ingangen. Een monumentale frontispice boven de centrale poort bevatte de *Lex Hortorum*, waarvoor de tuinwetten van Lipsius tot voorbeeld dienden. Zij plaatsten tuin en galerij in een 16de-eeuwse traditie, die voorschreef dat deze locatie niet alleen bestond ten behoeve van privé-genoegens of professioneel belang, maar tevens open moest staan voor bezoek van een veel groter publiek.[93] Dit is er vast en zeker de reden van dat de Leidse Hortus vaak en niet zonder trots *Hortus Publicus* werd genoemd, een tuin die bedoeld was voor het algemeen welzijn.[94]

De stijl van de galerij was een primitieve versie van de Hollandse renaissancestijl, misschien geïnspireerd op modelboeken van Vredeman de Vries, maar vooral ingegeven door Lieven de Key's recent voltooide façade voor het Leidse stadhuis.

Over het interieur is weinig bekend, maar uit de archieven weten we dat de galerij in 1612 werd geplaveid. Orlers geeft in 1614 een korte beschrijving van wat hij 'een schone ende heerlicke Galerie ofte wandelplaetse / onder een scalyen [= leien] dak' noemt: van binnen is 'dese wandel plaetse verciert ende behangen met vele ende verscheyden Caerten ende Land-tafelen / desghelijcken met eenige vreemde gedierten ende ghewassen / de welcke uyt beyde de Indien ende andere plaetsen alhier ghebracht zijn'.[95] Verschillende van deze curiositeiten worden geïllustreerd door Swanenburgh (afb. 151), waaronder krokodillen, een zwaardvis, het schild van een schildpad, de kaak van

88 Men kan hier ook denken aan het 'simul ordine cuncta sparsa', 'naar orde alles ingedeeld', zoals het opschrift op de poort vermeldde. Voor deze ordening zie Fat in Fat/De Jong 1991, 7. Dit is des te opmerkelijker omdat onze moderne nomenclatuur is gebaseerd op het Linneaanse systeem uit 1753.

89 Veendorp/Baas Becking 1938, hoofdstuk IV en V.

90 Archief van Curatoren nr 20 (niet nr 19 zoals bij Terwen-Dionisius 1981, noot 19), Res. Cur. fol. 57, 8 Febr. 1599. Zie ook Archief Curatoren no 103, fols 49r–50r, 57r–58v en 83r–84v. Clusius wijdde zich in deze periode geheel aan wetenschappelijk onderzoek.

91 Verkoop van de materialen van het bestaande schuurtje droeg bij in de financiering van het

project. Archief Curatoren 41 Bijlage Res. Cur. 1599. Voor de galerij zie Terwen-Dionisius 1981 en *Universiteit en Architectuur* 1979, 11–34.

92 De Gheyns plattegrond van de Hortus behoorde bij de eerste plantencatalogus door Pieter Paauw, *Hortus Academiae Lugduno-Batavae*, Leiden 1601. De Swanenburgh/Woudanus gravure behoorde tot een serie van vier afbeeldingen die naast de Hortus, de bibliotheek, het Theatrum Anatomicum en de schermschool illustreerden. Terwen-Dionisius 1981, 38–39 behandelt de onnauwkeurigheden. Woudanus, bijvoorbeeld, vergat er rekening mee te houden dat bij het afdrukken van de plaat op papier, hij de situatie op de plaat zelf in spiegelbeeld moest weergeven. Het aantal traveeën is ook niet correct aangeduid. Het bouwwerk werd herhaaldelijk gerepareerd en ver-

anderd totdat het in 1908 werd afgebroken om plaats te maken voor het Botanisch Laboratorium.

93 Voor deze traditie zie Coffin 1982. Orlers, 1614, geeft een Nederlandse vertaling. Van Mieris 1770, Deel II, 155 geeft de Latijnse inscriptie:
Usui, ornamento Academiae/Curatt. et coss. jussu / Structum opus / Anno a nato Christo 1600 / Hortum ingressus, ad subscripta / Respicito / I. Statuta a Praefecto hora Hortum ingredi fas esto; examine finito, egreditor./II. Ingressis, stirpes videre licet, odorari licet: tenellas, succrescentesve tractare laedereve non licet./ III. Ramos, flores, semina decerpere: scapos confringere: bulbos, radicesve evellere; hortum injuria afficere, nefas esto./IV. Pulvillos, areolasve ne conculcato, transilitove. /V. Nihil invito Praefecto attentato
Vertaling door Orlers:
Tot ghebruyck ende Verciering / van de / Uni-

een ijsbeer uit Nova Zembla, een stuk koraal, een vleermuis, een zee-egel en twee staken bamboe.

Uit de archiefstukken en Orlers' beschrijving blijkt dat het bouwwerk bedoeld was als wandelplaats tijdens felle zon of regenval; daaraan dankt het ook zijn naam: Ambulacrum of 'wandelgalerij'.[96] Maar natuurlijk diende het wandelen ook een ander doel, namelijk de bezoeker, net als in de tuin, te instrueren en hem verwondering bij te brengen bij het zien van de verzameling kaarten, curiositeiten en *naturalia*, hier samengebracht als onderdeel van de *materia medica* die de studenten dienden te bestuderen.[97]

Er is wel beweerd dat ambulacrum noch galerij geschikte termen waren om de functie van het gebouw aan te geven, omdat het zijn functie als wandelplaats niet echt vervuld zou hebben. Ook zou het niet expliciet bedoeld zijn geweest om een collectie te huisvesten.[98] In de context van het vroege, 16de-eeuwse verzamelwezen was de Leidse galerij als type juist bedoeld voor niets anders dan voor het tentoonstellen van objecten. Als schuilplaats voor regen en zon combineerde het fysieke excercitie met een afleiding voor en oefening van oog en geest.

DE GALERIJ ALS MUSEUM

Verschillende tradities kwamen samen in de aanleg van een tuin met een galerij. Allereerst was de galerij een bouwtype dat zich in de Franse architectuur van de 16de eeuw ontwikkeld had tot een belangrijke en representatieve constructie. Het was dus een betrekkelijk recent fenomeen.[99] Als zodanig werd het beschouwd als een vinding van Franse bodem, reden waarom de Italiaanse architect Serlio het 'un luogo da passegiare che in Francia si dice galeria' noemde, 'een wan-delplaats die in Frankrijk galerij heet'.[100] Opgenomen in een groter bouwcomplex vervulde de galerij de functie van verbindingsgang tussen verschillende vertrekken, en ontwikkelde zij zich van daaruit tot een wandel- en excercitieplaats, met name in gebruik bij slecht weer. Tegelijkertijd onderkende men dat deze ruimte zeer geschikt was voor representatieve doeleinden, zoals het meest bekende voorbeeld, de Galerie François I in Fontainebleau uit 1528–1540, goed laat zien. Hier werd de verbindings- en wandelfunctie gecombineerd met een rijk allegorisch programma op de wanden en een verzameling van afgietsels naar antieke beelden: de galerij als kunstverzameling was geboren.

Galerijen bestonden echter ook als afzonderlijk gebouw, meestal in combinatie met een tuin. In Androuet Du Cerceau's van 1576 tot 1579 gepubliceerde boek *Les Plus Excellents Bastiments de France*, vinden we bijvoorbeeld een galerij met eigen tuin bij de kastelen van Gaillon (uit 1502) en Vallery (1550) (afb. 153).[101] Het samengaan van tuin met galerij moet extra aantrekkelijk zijn geweest, want het kon Vitruvius' beschrijving van een *Ambulatio* in herinnering roepen, een Romeinse wandelplaats waarvan de muren beschilderd waren met landschappen.[102] Dat leidde tot de gelukkige omstandigheid dat men in de Franse versie van een galerij met tuin in plaats van naar landschappen op de muur naar het echte landschap van de tuin kon kijken.[103]

Uit een Nederlandse reisbeschrijving uit 1600 weten we dat ook deze Franse tuingalerijen gebruikt werden om verzamelingen te herbergen. Jan Martenszoon Merens zag in de galerij van Gaillon verschillende schilderingen, terwijl de tuin hem wapenrustingen te zien gaf en inscripties, een triomf van de keizer van Rome, een dans van

---

versiteyt / Door het bevel / van de / HH. Curateurs ende Burgermeesters / Ghebout in het Iaer nae de Gheboorte Christi / MCCCCCC / Inden Hoff komende, nemt acht op 't / ghene hier onder / gheschreven staet / I. Het is geoorloft in desen Hoff te gaen, op die uyre die bestemt is by de Oversten deses Hoffs: ende daer wederomme uyt te vertrecken, als de onderwisinghe ghe-eyndigt is. / II. Die inden Hoff komt, is gheoorloft de Planten te sien ende te ruycken: Maer het is verboden die Cruyden te handelen, die teer zijn ende eerst beginnen te spruyten. / III. De Tacken, telgen, bloemen, ende saeden aff te plucken ende wortelen uyt te rucken: ofte den Hoff eenige schade aen te doen, is ongheoorloft ende verboden. / IV. Niemant ist geoorloft over de Bedden te springen ofte met voeten te betreden. / V. Niet teghen den wille van-

den Oversten deses Hoffs, inden Hoff aen te rechten.

94 Aan een exemplaar van de gravure van Willem Swanenburgh uit 1611 (gedrukt te Leiden, bij Andreas Cloucquius) is een Duitse, Franse en Latijnse beschrijving toegevoegd, waarin deze publieke functie sterk wordt benadrukt. Een afbeelding bij Kroon 1911, tussen 70 en 71. Vgl. ook de inscriptie op de toegangspoort (zie noot 81): 'Ecce patet gratis Batavorum munere Patrum'.

95 Orlers 1614, 142–146.

96 De term 'galery' wordt meestal gebruikt in de archivalische documenten; *ambulacrum* treffen we aan in bijvoorbeeld P. Paauws voorwoord tot zijn *Hortus Publicus* uit 1601, in de eerste gedrukte catalogus van de collectie (zie Appendix) en in P. Hermanns *Horti Academici Lugduno-Batavi Catalo-*

gus, Leiden 1687, Dedicatio.

97 Deze verschillende functies worden allemaal genoemd door Pieter Paauw in zijn voorwoord tot zijn catalogus *Hortus Publicus* uit 1601.

98 Zie *Universiteit en Architectuur* 1979, 33 en Terwen-Dionisius 1981, noot 11. De nieuwe oranjerie uit het midden van de 18de eeuw wordt meestal beschouwd als het eerste gebouw dat werd neergezet met het oog op een 'museale' functie.

99 Prinz 1970 en 1985, 157–167.

100 Prinz 1985, 158 (noot 60).

101 Zie Thomson 1988, 149–163 (Gaillon) en 107–119 (Vallery).

102 Prinz 1970, 57. Vitruvius, *De Architectura* VII, 5.2; vgl. ook Plinius *Naturalis Historia* XXXV, 112.

103 Overigens was de galerij van Fontaine-

mannen en vrouwen, dieren en een schip, 'alles seer schoon' uit buxus geknipt.[104] In de beste traditie van de renaissance vervulden dergelijke galerijen en tuinen een 'toonfunctie' met de bedoeling de nieuwsgierigheid en interesse van de bezoeker op te wekken of te toetsen door de aanwezige planten, beeldhouwwerken, schilderingen, fonteinen, grotten en volières. Ze confronteerden de bezoeker met de vaak gevarieerde en gecompliceerde wisselwerking tussen natuur en kunst, een wisselwerking die ook fundamenteel is voor het begrijpen van vorm en inhoud van de encyclopedische verzamelingen die in de 16de en 17de eeuw door vorsten, geleerden en burgers werden samengesteld in hun kunst- en wonderkamers. Het gevoel van verwondering dat de bezoeker moet hebben ondergaan bij zijn bezoek aan tuin of galerij, komt het beste tot ons door de reisverslagen te lezen. Merens' nieuwsgierigheid wordt tot regelrechte verbazing en verwondering als hij in de Hortus van Pisa geconfronteerd wordt met hem onbekende exotische planten en als hij door de fameuze wondertuin van Pratolino in Toscane wandelt.[105]

Een tweede verklaring voor de specifieke vorm en het gebruik van de Leidse galerij vormen de contemporaine ideeën over museale ruimten. Nu waren die in deze periode nog niet gedefinieerd, en het is daarom de moeite waard te kijken naar één van de vroegste geschriften die spreken over de methodologie van het verzamelen.

In een poging zijn gedachten over het verzamelwezen te ordenen, probeerde de Antwerpse medicus Samuel Quiccheberg in zijn *Inscriptiones* van 1565 te komen tot een adequate definiëring van wat hij een *Theatrum Sapientiae* noemde, een theater van wijsheid, waarin voortbrengselen uit de natuurlijke wereld, skeletten, prenten, instrumenten, topografische afbeeldingen en etnografica samengebracht dienden te worden.[106] In het hoofdstuk *Digressiones* constateerde hij dat 'theater een niet onbruikbare naam is', want het betreft een groot gebouw, gewelfd of ovaal van vorm. Maar het 'theatrum' zou ook 'ad

formam ambulacri' kunnen zijn, in de vorm van een ambulacrum of wandelgalerij die het liefst aan vier zijden rond een binnenplaats zou moeten lopen, open naar de vier windrichtingen. Deze open middenruimte kon ook voor de aanleg van een tuin bestemd zijn: Quiccheberg realiseerde zich dat dit een prachtige mogelijkheid bood om daar als onderdeel van het *Theatrum* een verzameling levende planten bijeen te brengen, terwijl de gedroogde specimina binnen konden worden bewaard.[107]

Quicchebergs *Theatrum* is nauw verbonden met de intellectuele en wetenschappelijke activiteiten van de geleerde. Hij streefde met zijn boek naar de definitie van een encyclopedische verzameling van kennis die tegelijk kon fungeren als een visueel lexicon, allereerst ten behoeve van de vroeg-moderne wetenschapper voor wie observatie van de natuur het fundament van zijn wetenschapsbeoefening vormde. Ook Quiccheberg was van beroep arts. Vele wetenschappers die in de 16de en 17de eeuw fundamentele bijdragen leverden aan de ontwikkeling van de natuurwetenschappen hadden immers de geneeskunde, die zich bezig hield met de studie van natuur en mens, als achtergrond.[108] Maar ook de lekenbezoeker die zijn *Theatrum* zou bezoeken moest er van kunnen profiteren: zien is kennen.

In deze vroege fase van het verzamelwezen bestond nog geen vastomlijnde terminologie: *museum*, *theatrum*, *ambulacrum* en *arcus* of ark werden als synoniemen gehanteerd. Men kan er nog definities aan toevoegen als *studio*, *microcosmo* of *archivio*, allemaal verwante termen die de verschillende doeleinden van verzamelingen konden aangeven. Belangrijker dan deze naamsverschillen zijn de overeenkomsten in opzet, structuur en locatie van deze geleerde collecties, die over het algemeen ten dienste stonden van onderzoek en kennisverwerving.[109] Zo is *museum* voor Clusius in zijn *Exoticorum* een standaarduitdrukking telkens wanneer hij een verzameling beschrijft die voor hem iets bevat dat voor hem de moeite waard is.[110]

Het Leidse ambulacrum met de ervoorliggende tuin, is nauw aan

bleau ook naar de tuinen georiënteerd. Een interessant Italiaans voorbeeld in onze context is de galerij met loggia voor antieke sculpturen in de tuinen van de Villa Medici in Rome, gebouwd in 1580–1584.

104 Merens 1937, 83.

105 Merens 1937, 120 en 128–133.

106 Voor Quiccheberg zie, met verdere literatuur, Hajos 1958; Von Schlosser 1978, 119; Scheicher 1979, 68

107 Quiccheberg 1565, *Digressiones et Declarationes secundum ordinem inscriptionum*: 'Theatri etiam nomen hic assumito non improprie, sed vere

pro structura grandi, vel arcuata, vel ovali, vel ad formam ambulacri, cuius generis in basilicis aut coenobiis circuitus ab ipsis incolis vocantur, ad quattuor latera altis contiguationibus extructum, in quorum medio hortus, aut cavea sit relicta (ita enim Bavaricum theatrum artificiosarum rerum spectatur) ut quatuor maximae aulae, ad quatuor coeli regiones, latissime pateant, unde et accomodari aliquo modo amphitheatri nomen ipsi posset'.

108 Vgl. Rothshuh 1978 en Van Berkel 1985, hoofdstuk I–III

109 Vgl. Findlen 1989, 70.

110 Bijvoorbeeld *Exoticorum* Bk VI cap. xx,

135–36, als hij Jacobus Plateau bezoekt 'qui museum omni rerum exoticarum copia instructissimum habet'. Een vergelijkbare opvatting bij Joachim Camerarius II, arts in Neurenberg en oude vriend van Clusius, die in de catalogus van zijn tuin schreef dat een Hortus een museum zou moeten zijn als plaats van instructie en als sieraad op zichzelf, J. Camerarius, *Hortus Medicus et Philosophicus*, Frankfurt 1588, in het voorwoord. Vgl. Boom in Fat/De Jong, 29, noot 15.

111 Deze gedachte is geïnspireerd op Liebenwein 1977, hoofdstuk IV, die de overgang van het geleerdenvertrek (de studiolo) naar verzamel-

dit soort ideeën verwant, lijkt er zelfs voor een groot deel door geïnspireerd. Als een collectie voor onderzoek door artsen, apothekers, chirurgijns, botanici en liefhebbers was het eigenlijk een openbaar studeervertrek geworden, een klein geleerdenvertrek of studio in de Italiaanse traditie. Studieruimte viel hier samen met het museum als studiecollectie, waar natuur, kunst en wetenschap elkaar ontmoetten. Tuin en ambulacrum vormden een afspiegeling, een microkosmos van de schepping en de wereld.

De onderzoeker werd hier niet met boeken, maar direct met zijn veld van onderzoek geconfronteerd, het 'Theatrum totius Naturae', het theater van de hele natuur dat telkens van inhoud veranderde, al naargelang het onderzoek vorderde, nieuwe materialen aandroeg of aangeboden kreeg.[111] Vinden we misschien een echo van dit alles ook terug in Swanenburghs kopergravure van de tuin, waarop hij zo nadrukkelijk de vier windrichtingen aangeeft? Suggereren de twee zachtblazende winden dat het hier om een microkosmos gaat, om een samenvatting van, zoals de inscripties op de poort vermeldden, alles wat de windstreken te bieden hebben?[112] Al werd Quicchebergs ideaal van een doorlopende galerij rond de tuin niet helemaal uitgevoerd, van 1610 tot 1612 werd nog een galerij gebouwd aan de noordzijde van de tuin, die daartoe in 1608 werd uitgebreid. Met de glazen vensters op het zuiden gelegen was het bedoeld als oranjerie om gedurende de winter exotische planten te huisvesten (net zichtbaar rechts op afb. 152).[113]

In al deze opzichten is de Hortus een product van het humanistische studie-ideaal van de Leidse hoogleraren. Een ideaal dat een van Erasmus' meest populaire *Colloquia* in herinnering roept, 'Het Goddelijke Feest' (uit 1522), waarin een aantal vrienden een geleerd gesprek voeren over de christelijke ethiek. De locatie wordt gevormd door een tuin, waarin een aan drie zijden door beschilderde wandelgalerijen omgeven kruidtuin het hoogtepunt vormt.[114] Ook Lipsius laat in zijn *De Constantia* het gesprek over noodlot en standvastigheid

voor een deel plaats vinden in een tuin. Voor hem en zijn vriend Langius is de tuin een heilzame toevlucht, de plaats waar de geest het voedsel van de rust vindt en inspiratie tot nieuw leven opdoet. Aan de tuin, zo beschrijft Lipsius, danken we de werken over natuur en menselijke zeden van de oude wijsgeren. Deze groene leerschool inspireerde hen tot hun natuurfilosofie en tot hun wijsheden over leven en dood. Het ware gebruik en doel van de tuin voor deze neostoïcijnse humanist is: rust, afzondering, denken, lezen en schrijven.[115] In vele opzichten heeft de kleine Leidse Hortus deze functie als 'oefenschool van wijsheid' zeker twee eeuwen lang vervuld.

Stellig kenden de Leidse geleerden de combinatie van een botanische tuin annex collectie uit Italië en Frankrijk. Een dergelijk geheel kon privé-ensembles betreffen of onderdeel uitmaken van een publieke instelling.[116] De beroemde naturalist Ulisse Aldrovandi stichtte in 1568 de botanische tuin van Bologna en bracht in zijn eigen huis een museumcollectie bij elkaar vol met *naturalia* en *artificialia*. Paus Gregorius XIII (1572–1582) stichtte in 1576 een universiteitsmuseum ten behoeve van de medische faculteit van de pauselijke universiteit in Rome, die voor het onderwijs al de beschikking had over een in 1514 gestichte *hortus medicus*.[117] In Padua voorzag Girolamo Porro, in zijn uit 1591 daterende beschrijving van de botanische tuin aldaar, buiten de bestaande cirkelvormige ommuring de constructie van wat hij beschreef als een 'meraviglioso Museo', een 'picciolo Theatro, quasi in un picciol mondo si sarà spettacolo di tutte le meraviglie della Natura', 'een wonderlijk museum, een klein theater, waarin als in een wereld in het klein alle wonderen der natuur getoond zullen worden'.[118] Ook de hortus van Pisa, waarmee men in Leiden net als met die van Padua veel contacten onderhield, beschikte in 1597 over een belangrijke verzameling.[119] Goed bekend met de situatie in Leiden beschreef in 1602 Outgert Cluyt, zoon van Dirck Cluyt en genomineerd om op een zeker moment in de voetstappen van zijn vader te

---

ruimte aan het einde van de 16de eeuw behandelt.

112 Zie noot 81.

113 Vgl. de beschrijving bij Orlers 1614, 146 en de opmerkingen bij Terwen-Dionisius 1980/81 Dl. I, 44–48. De galerij werd verlengd in 1642. Het originele uiterlijk is ons niet overgeleverd, maar Orlers vermeldt dat het gebouw niet zo mooi was als de eerste galerij. Commelin 1676 geeft een afbeelding van het interieur van deze kas (Nr 1 Fol. 39, 'Winter-plaats In den Hoff van d Academie Tot Leyden.')

114 Voor het *Convivum religiosum* zie Thompson 1965, 46–79.

115 Lipsius 1584, Hoofdstuk 3, 90–92.

116 Een analyse van de opsomming van tuinliefhebbers door Jacob Vlug in zijn lofrede aan het adres van Pieter Paauw (zie Paauws *Hortus Publicus* uit 1601) is bijzonder instructief ten aanzien van de oriëntatie van de Leidse geleerden. Zo worden ondermeer Porro in Pisa en Aldrovandi in Bologna genoemd.

117 Dit 'Museo di Storia Naturale' werd gesticht door het hoofd van de botanische tuin Michele Mercati en verzamelde mineralen, planten en dieren, zie E. Carano, *La botanica in Roma e nel Lazio*, Rome 1933, 10.

118 Porro 1591, 'Ai Studiosi Lettori'; zie ook Azzi Visentini 1984, 111 en verder. Porro geeft tevens een opsomming van alles wat uit de zee, de lucht en van de aarde hierin ondergebracht zou moeten worden. Voor deze Italiaanse tradities zie ondermeer Laura Laurencich-Minelli, 'Museography and Ethnographical Collections in Bologna during the Sixteenth and Seventeenth Centuries' in Impey/ MacGregor 1985, 17–23.

119 Tongiorgi Tomasi 1980 en 1991.

120 Leiden U.B. B.P.L. 1886, brief van 30 november 1602. Zie ook Van Molhuysen 1913, 436–437.

treden, vanuit Frankrijk in een brief aan Paauw de hortus van Montpellier. Hij voegde er een klein, geannoteerd schetsje aan toe met een tekening van het ambulacrum dat hij daar had aangetroffen.[120]

Galerij en tuin in Leiden staan op deze wijze in verband met tradities uit uiteenlopende landen, en dit bewijst eens te meer hoe internationaal georiënteerd de Leidse geleerden waren. Door hun netwerk van contacten werden niet alleen planten en exotica in Leiden geïntroduceerd, maar ook tal van nieuwe ideeën en architectonische oplossingen.[121]

DE INHOUD VAN DE GALERIJ

Behalve Orlers' beschrijving van het interieur van het Ambulacrum bestaan er meer gegevens die ons over de inhoud van de galerij kunnen inlichten, al beschikken we helaas niet over een inventaris van de vroegste collectie.

Drie geschreven inventarissen, één uit 1617 en twee uit 1659 en geschreven in het Latijn en Nederlands, stellen ons, samen met ander materiaal, in staat een beeld te vormen van datgene wat de vele bezoekers voor ogen kregen tot ca. 1680, de datum van de eerste gedrukte catalogus.[122]

De inventaris van 1617 instrueert ons waarschijnlijk niet over het volledige aantal bezienswaardigheden omdat deze een opsomming geeft van die objecten in de oude en nieuwe galerij (beide kennelijk in gebruik als 'museum') die behoorden tot het bezit van de dat jaar overleden Pieter Paauw. Dit geeft aan hoe weinig onderscheid men maakte tussen een privé-collectie en een officiële universiteitsverzameling. De lijst somt tweeëntachtig nummers op voor beide galerijen (zie de Appendix). De twee lijsten uit 1659 zijn identiek en waren bedoeld als gids voor de verzameling ten behoeve van bezoekers. Hier

tellen we honderdentien nummers, waarvan slechts drieëntwintig uit de lijst van 1617 te herkennen zijn, al wordt deze identificatie nogal bemoeilijkt door het gebrek aan systematische terminologie, kenmerkend voor de toenmalige stand van wetenschap op dit gebied. We worden uit deze situatie gewaar hoe de verzameling telkens van inhoud veranderde doordat objecten door slechte conserveringsmethoden verloren gingen, als nieuwe aanwinsten werden toegevoegd, als privé-eigendom terugkeerden naar de oorspronkelijke eigenaar óf ondergebracht werden bij andere collecties binnen de universiteit.

In veel oudere literatuur wordt de Ambulacrumcollectie wel een 'museum van natuurlijke historie' genoemd. De objecten uit de natuurlijke wereld waren inderdaad ver in de meerderheid; daarnaast waren er ook bezienswaardigheden met een historisch en etnografisch karakter. De collectie was daardoor zeer divers. Een analyse van een verzameling als deze vanuit onze moderne wetenschappelijke specialisaties bemoeilijkt een juist begrip van dit onsystematische, maar langzaam groeiende *Theatrum Sapientiae*. Als er al een verzamelfilosofie ten grondslag lag aan de verschillende objecten, dan waren dat wellicht de vier elementen. Zij figureren prominent op de titelpagina van Clusius' *Exoticorum*, samen met *Natura*, geflankeerd door de Aarde en door Atlas met zijn wereldbol (afb. 154).[123]

Op het eerste gezicht moet de inhoud van het Ambulacrum, na de geordende diversiteit van planten in de *areae* en *pulvilli* van de tuin, zijn overgekomen als een vreemde en wonderlijke mengeling van hangende en staande opgezette en gedroogde dieren van land, uit zee en lucht, in hun geheel of in onderdelen aanwezig. Daarnaast waren er dozen met mineralen, schelpen, noten, kruiden en eieren. Het geheel laat zich goed vergelijken met de presentatie van Ole Worms

121 Pieter Paauw en Joannes Heurnius, beiden arts, hadden hun studies in Italië voltooid. Italiaanse modellen hadden zij ook in 1598 voor ogen bij hun voorstel aan de stad Leiden om het St Ceciliaklooster te transformeren tot een gekken- en pesthuis. Zij projecteerden daartoe een zeer Italiaans aandoende galerij langs drie zijden van de binnenplaats, die echter nooit werd uitgevoerd. Zie Van Oerle, 1941 en *Leidse Universiteit 400*, 91–93.

122 Zie de Appendix voor een transcriptie en reconstructie. De lijst in het Latijn, gedateerd 1659, werd aangetroffen als los blad in het reisjournaal van Johann Victor Besenval de Brunstatt uit Solothurn (Zwitserland), die in mei 1661 vanuit Parijs begon aan een reis door Europa. Hij arriveerde in Leiden op 13.6.1661, waar hij de Hortus bezocht. Het is niet duidelijk of hij, of iemand anders, de lijst kopieerde die vanaf 1659 in het Ambulacrum ter beschikking van de bezoeker lag. De lijst werd onder de aandacht gebracht van de Leidse U.B. door Th. Schneider, Bazel, die een editie van het reisjournaal voorbereidde (zie zijn brief U.B. Leiden, d.d. 11 april 1989).

123 De vier elementen als classificatieprincipe werden ook gebruikt door Joris Hoefnagel (1542–1600) in zijn vier boeken met miniaturen, ontworpen als natuurlijke historie voor Rudolf II in 1575–1582. Zie Koreny 1985, 124.

124 *Musei Wormiani Historia*, Leiden, Elsevier, 1655 met een titelpagina door G. Wingendorp. Zie ook *Leidse Universiteit 400*, cat. D. 25. Ook Ole

Worm was een medicus vgl. de *Oratio in Exessum Viri Summi Olai Wormii* in H. Witten, *Memoriae Medicorum Nostri Seculi Clarissimorum Renovatae Decades Quattuor*, Frankfurt 1676–1677, 163–188. Voor Worm, die een groot deel van de collectie van de Enkhuizense arts Paludanus in bezit kreeg, zie H.D. Schepelern, 'Natural Philosophers and Princely Collectors: Worm, Paludanus, and the Gottdorp and Copenhagen Collections' in Impey/MacGregor 1985, 121–128.

125 Veendorp/Baas Becking 1938, 65. Theophrastus en Dioscorides fungeren prominent op de titelpagina van Clusius' *Rariorum Plantarum Historia*, Antwerpen, Plantijn, 1601 (zie afb. 156). Zij golden als de klassieke grondleggers van de botanie, Dioscorides (50–70 na Chr.) met zijn *De*

Museum in Kopenhagen uit 1655, waarvan een afbeelding bewaard is gebleven (afb. 155).[124] Aan de wand hingen landkaarten, terwijl boeken geraadpleegd konden worden door studenten. Deze lagen aan kettingen zodat ze niet meegenomen konden worden: de klassieke studies van Dioscorides met het commentaar van Petrus Andreas Matthiolus, Theophrastus' studie over planten met de commentaren van Julius Caesar Scaliger en natuurlijk Plinius' *Naturalis Historiae*.[125]

In dozen werden *simplicia* of drogerijen bewaard ten dienste van het onderwijs in de *materia medica*. Onder de vele *naturalia* kon de bezoeker grote en kleine krokodillen aantreffen, schilden van schildpadden, Indiaanse vleermuizen, een zwaardvis, bamboe, eieren (van krokodillen, vogels en slangen), de voet van een casuaris, verschillende vruchten, planten en vissen uit Oost-Indië, koralen, schelpen, een watervogel uit Noorwegen, tanden van een nijlpaard, onderdelen van walvissen en de potvis, hoeven en het scheenbeen van de eland, hertegeweien, een papagaai, Indiaanse hagedissen, een brandgans, een armadil en een miereneter, verschillende dierehuiden en paradijsvogels (afb. 157).

Meer etnografisch van karakter waren exotische voorwerpen van de Indianen uit West-Indië, zoals een halssnoer van tanden, een Indiaans voorschoot, een afgodsbeeld, pijlen en bogen en een hangmat; verder waren opvallend de kledij van een pygmee, papier met Chinese karakters en afbeeldingen van planten, en kleding afkomstig uit Rusland en Japan (vgl. afb. 159).[126] Een lokale, historische curiositeit was papiergeld, gemaakt tijdens het beleg van Leiden.

De meeste van deze objecten waren in de eerste plaats verbonden met de studie van de *materia medica*, evenals de planten in de tuin. Vandaar ook de naslagwerken van Dioscorides, Theophrastus en Plinius, zo vol kennis en overlevering. Hertshoorn, bijvoorbeeld, werd

beschouwd als een nuttige remedie tegen vergif, de hoef van de eland als een probaat middel tegen epilepsie en de brandgans, waarvan men dacht dat hij uitgebroed werd uit schelpen die op bomen of drijfhout groeiden, was zeer gezocht vanwege zijn vet, dat lamheid zou kunnen genezen, en vanwege zijn bloed dat als antigif werd gebruikt.[127] Veel items die men in het Ambulacrum kon zien of bestuderen, vond de student overigens niet terug in de aanwezige handboeken, omdat ze pas recentelijk bekend waren geworden als gevolg van de ontdekkingsreizen in de 16de eeuw. In zijn *Exoticorum* laat Clusius zien met hoeveel interesse deze nieuwe objecten, vanwege hun mogelijk medische belang, werden bestudeerd en beschreven.[128] Tegelijkertijd werden ze bewonderd om hun vreemde vormen, kleuren en textuur, en om hun ongewone, maar overtuigende schoonheid.

Clusius herkende in de schoonheid van de hem onbekende voorwerpen en objecten de voorzienigheid Gods en de rijkdom van de schepping. Dat blijkt bijvoorbeeld uit de titelpagina van de *Rariorum Plantarum Historia* (Antwerpen, Plantijn, 1601, afb. 156) dat als opschrift onder het Tetragrammaton heeft: 'Plantae cuique suas vires Deus indidit, atque/ praesentem esse illum, quaelibet herba docet' ('Aan iedere plant heeft God de eigen levenskracht meegegeven en iedere plant onderwijst ons Zijn aanwezigheid').[129] Tot ver in de achttiende eeuw zou het wetenschappelijk onderzoek naar de natuur verbonden blijven met een religieuze houding: de natuur zag men als het boek van Gods schepping en studie van dit boek kon bijdragen tot kennis van die schepping en bewijzen leveren voor het bestaan van God. Men trachtte deze houding te verzoenen met de toenemende wetenschappelijke nieuwsgierigheid naar en kennis van Gods eigen 'Bijbel der natuur'.[130] 'Curiositas' leidde immers tot nieuwe inzichten in de werking van de natuur en tot zelfstandige oordeelsvorming. Die

Materia Medica (het commentaar van Petrus Andreas Matthiolus verscheen in 1554 in Venetië), Theophrastus (371–286 voor Chr.) met zijn *Historia Plantarum* en *De Causis Plantarum*. Plinius' *Naturalis Historiae* was geen botanische of 'wetenschappelijke' studie maar een verzameling van allerlei wetenswaardigheden over de natuur gebaseerd op wetenschap, overlevering, folklore en bijgeloof.

126 Vgl. Clusius 1605, Lib. VI, cap. XXXII, waar hij spreekt over 'Sinensibus characteribus expressi'. Deze boeken met afbeeldingen van planten met toelichtingen in het Chinees waren volgens hem afkomstig van Sumatra en in 1603 naar Leiden gebracht. Clusius' beschrijving geeft mooi aan hoe er met dergelijke aanwinsten werd omge-

sprongen: zelf houdt hij twee exemplaren, drie gaan er naar Scaliger, één komt in het bezit van Paauw.

127 Vgl. Murray 1904, 58–61 en 73–77.

128 Portugese artsen als Da Orta en Acosta en de Spanjaard Monardes waren Clusius al voorgegaan in het beschrijven van deze mogelijk nieuwe geneesmiddelen, aangevoerd via de pas ontdekte scheepsroutes naar het Verre Oosten en Amerika. Zij betekenden een welkome aanvulling op de wat verstarde medische kennis. Clusius was door zijn vertalingen in het Latijn van deze in de landstaal geschreven studies goed bekend met hun inhoud. Vgl. Hunger Deel I (1927).

129 Vgl. Hopper in Fat/De Jong 1991, 19.

130 Voor de laat 16de- tot en met vroeg 18de-

eeuwse traditie waarin natuur en Bijbel als boek van Gods schepping worden gezien, vgl. Van Veen 1960, 29 en 180 (en vele andere passages). Du Bartas, van grote invloed op de Nederlandse natuurgedichten met zijn *La Sepmaine* (1578) schreef: 'Le monde est un grand livre, où du souverain maistre /L' admirable artifice on lit en grosse lettre./ Chasque oeuvre est un page.' (Van Veen 1960, 180). Huygens, in *Hofwyck* (1653) spreekt van de natuur als 'Het Boeck van alle dingh, / Van alles dat hy eens in 't groote Rond beving, / Het wonderlicke Boeck van sijn' sess wercke-dagen' (vers 1599–1601). Dit idee blijft tot in de 18de eeuw bestaan: vgl. bijvoorbeeld J. Swammerdam, *Bybel der Natuure of Historie der Insecten*, Leiden 1737, 2 Dln. Naast deze opvatting, was het boek voor Huygens

konden leerstelligheden van zowel katholieke als protestantse theologie doorkruisen, zoals Descartes merkte, die op basis van zijn nieuwe natuurfilosofie door zijn Utrechtse opponent Voetius van atheïsme werd beschuldigd. Wie Clusius' gedetailleerde beschrijvingen leest, vaak gebaseerd op zijn observaties in het Leidse Ambulacrum, realiseert zich hoezeer deze analyse van nieuwe zaken de reputatie en autoriteit van de klassieke schrijvers inzake de medische kennis ondermijnde. Tuin en ambulacrum boden een nieuwe manier om de natuur te 'lezen'. Ook kan men begrijpen dat het niet altijd eenvoudig geweest moet zijn zich van hun invloed, laat staan van geaccepteerde religieuze wereldbeelden, los te maken. Zelf zien werd inderdaad zelf kennen. Het leidde niet altijd tot volledig begrip, maar de individuele observatie opende een heel nieuw perspectief op de natuur en de wereld en leidde tot een persoonlijk en meer onafhankelijk gezichtspunt. Hoe moeilijk het was niet meer te geloven in traditionele opvattingen, zo vaak vermengd met klassieke en laat middeleeuwse folklore, blijkt wel uit het feit dat de Leidse collectie ook de huid van een zeemeermin tentoonstelde.[131]

Wat men in het Ambulacrum had samengebracht, was modern voor die tijd. Afhankelijk van Pieter Paauws en Clusius' internationale en nationale contacten, was de Hortus in staat objecten te verwerven die overal in Europa zeer gewild waren door hun zeldzaamheid, zoals de paradijsvogel, de *Paradisea Avis* (afb. 157).[132] De ontdekking van deze vogel en de introductie ervan in Europa in 1522 zorgden voor een sensatie, niet alleen vanwege het vreemde uiterlijk (omdat bij de preparatie van de vogel de inlandse bevolking skelet en poten had verwijderd, iets wat de Europeanen voor grote raadsels stelde), maar vooral vanwege zijn schoonheid. Clusius, die beschrijft hoe lang het duurde voordat hij eindelijk beslag op een exemplaar kon leggen, beschrijft in zijn *Exoticorum* het exemplaar uit de Leidse Hortus. Kritisch laat hij zich uit over het recente onderzoek naar de vogel, maar tegelijkertijd

bewondert hij de buitengewone elegantie ervan en de schitterende verentooi.[133]

Soms lijkt het alsof men in Leiden er niet in slaagde bepaalde verlangens vervuld te krijgen. Zo beschikte men tijdens de 17de eeuw niet over de beroemde bezoarsteen, een kostbaar artikel, dat in bijna geen enkele Europese vorstelijke *Wunderkammer* ontbrak als tegengif en als middel tegen melancholie.[134] Als troost beschikte het Ambulacrum wel over de grillige hoornen van de geit, waar deze steen in groeide (afb. 158).

Pure curiositeiten waren de objecten afkomstig van Indianen, al werden ze vooral van belang gevonden vanwege de wijze waarop natuurlijke materialen ten dienste waren gesteld van de mens. Zij getuigden, sinds de ontdekkingen eerder in de 16de eeuw, van de recente interesse in de bewoners van de Nieuwe Wereld. De vele, vaak tegengestelde berichten over hun gewoonten en gedrag, zoals hun kannibalisme, of juist de vermeende paradijselijke onschuld van hun samenleving, vergrootten bij vele verzamelaars het verlangen artefacten zoals hangmatten, wapens en kledingstukken te bezitten. In dit opzicht was de Leidse verzameling even goed voorzien als de tuin met planten van Amerikaanse herkomst.[135] De geleerde bezoeker beschouwde een en ander in het licht van Clusius' Latijnse vertaling van Hariots *A briefe and true report of the new found land of Virginia* uit 1590. De minder geleerde bezoeker had misschien wel over de Indiaanse gewoonten, handel en godsdienst gelezen in de werken van de Enkhuizenaar Jan Huyghen van Linschoten, die in 1596 de eerste Nederlandse beschrijving van Amerika in Amsterdam publiceerde, net enkele jaren voordat het Ambulacrum werd gebouwd.[136] Samen met de kleurrijke papegaai en de armadil boden deze Indiaanse objecten nieuwe modellen van kennis en getuigden ze van een zich verbredend wereldbeeld.

De kaarten in de galerij hebben dit nieuwe beeld van de wereld gevisualiseerd. Het is verleidelijk te denken dat een van deze wandkaar-

214

en anderen als teken van kunsten, wetenschap en letteren nauw verbonden met het buitenleven en de tuin, zie Van Veen 1960, 30. Voor godsdienst en natuurwetenschap zie Dijksterhuis 1980, IV ii G, 419 en verder (naar aanleiding van Galileï) en III E, 444 en verder en H, 485 en verder (naar aanleiding van Descartes en Boyle). Voor de *curiositas* als instrument voor nieuwe kennis en doorkruising van theologische wereldbeelden zie Blumenberg 1973, VIII en M. Foucault, *The Order of Things. An Archeology of the Human Sciences*, New York 1973, met name Dl. I, hoofdstuk 5, pag. 125–166.

131 Vgl. Grabner 1973, voor de invloed van de folklore.

132 Koreny 1985, 100–134.

133 Clusius 1605, *Exoticorum* Bk V, Cap. I Manucodata, waar de paradijsvogel 'avem elegantissimam' wordt genoemd en 'rex elegantis e venustis coloris'.

134 Vgl. Scheicher 1979, 16.

135 Voor de betekenis van de Indiaanse cultuur en dit soort artefacten zie Honour 1975.

136 Voor Clusius' vertaling zie Hunger 1927, 178. De titelpagina hiervan toont verschillende Indianen met juist die kledingstukken die zo met graagte werden verzameld, zie Hunger, ibidem

179. Voor Van Linschoten zie Kern 1934, Dl. III. Van Linschotens beschrijvingen van Oost-Indië confronteerden de Hollandse lezer ook voor het eerst in de Nederlandse taal met exotica zoals de paradijsvogel.

137 Zie Kern 1957, Eerste Stuk, lii–lv en het Derde Stuk, ook Kern 1939, Dl. IV (ed. J.C.M. Warnsinck), xix. We weten dat Pieter Paauw geïnteresseerd was in het verzamelen van kaarten. Dit blijkt uit zijn correspondentie met Orlers in 1594 (zie: J. Prinsen JLzn, 'Eenige Brieven van Professor Pieter Pauw aan Orlers', *Oud-Holland* 23 (1905), 167–189). Verschillende keren refereert

ten Petrus Plancius' kaart *Orbis terrarum typus* uit 1594 zou kunnen zijn geweest. Deze vergezelde Van Linschotens editie van zijn *Itinerario*.[137] In de vier hoeken van deze kaart worden de vier delen van de wereld geïllustreerd en onder de diverse attributen vinden we heel wat vogels, dieren en exotische artefacten die in werkelijkheid in het Ambulacrum te zien waren (afb. 159).

DE SCHOONHEID DER NATUUR

In Clusius' benadering van de natuurlijke wereld speelt de schoonheid van de door hem bestudeerde objecten een belangrijke rol. In zijn *Exoticorum* gebruikt hij bij zijn beschrijvingen herhaaldelijk de woorden *pulcher* (mooi), *elegans* (sierlijk) en *venustas* (bekoorlijkheid). Vaak vormt de schoonheid van een plant één van de criteria om tot studie en beschrijving ervan over te gaan.[138] De mogelijk medische waarde van plant of dier, die bijvoorbeeld nog centraal stond in Dodonaeus' *Cruydeboeck* uit 1555 (in 1608 nogmaals door Clusius zelf bezorgd, afb. 160), wordt door hem minder belangrijk geacht dan de studie van de plant als een verschijnsel op zich. Clusius' methodische beschrijving en analyse van soorten legde het fundament voor de wetenschappelijke plantkunde en het is deze benadering die van de Leidse tuin eerder een *hortus botanicus* dan een *hortus medicus* maakt.[139]

Dit kan verklaren waarom de inscriptie boven de ingangspoort van de Hortus de voor een tuin misschien raadselachtige zin bevatte 'Treed in de hof en gij leert wat de kunst verborgen houdt'.[140] Kunst moet hier begrepen worden in een dubbele betekenis. Enerzijds als de beheersing, die kennis, wetenschap en arbeid konden uitoefenen op de natuur, ingrijpend in haar processen door ordening en correctie, zoals *Medicina Ars*, de Geneeskunst, dat doet. Zo was de tuin aangelegd met behulp van de geometrie en werden de planten door menselijke technieken en kennis gekweekt en verwerkt tot medicijnen. Anderzijds kon kunst worden aangetroffen in de voortbrengselen van de natuur zelf, in kleur, vorm en textuur van planten, dieren en minera-

len, die daarmee de perfectie van de menselijke maaksels benaderden. Erasmus doelt op dit spanningsveld tussen natuur en kunst als hij in zijn colloquium *Het Goddelijke Feest* opmerkt dat het tot plezier strekt om een geschilderde plant in competitie te zien met een echte. In de één bewonderen we het vernuft van de natuur, in de ander de inventiviteit van de schilder en in beide de goedheid van God.[141] Ook Lipsius beschreef kelk, schede, knop en stralende tinten van bloemen, die een kunstig penseel wel kan navolgen, maar niet evenaren.[142] Van Linschoten, die de diversiteit van de schepping uit eigen aanschouwing kende, formuleerde in zijn *Itinerario* van 1596 dat hij vele redenen zou kunnen noemen waarom men de eigenheid en de verscheidenheid van de natuur zou willen bewonderen. Voor hem bootst de overvloedige natuur het handwerk van de mens na en brengt zij van alles voort waaraan perfectie niet ontbreekt.[143] In deze renaissancevisie kent de natuur een hoge graad van kunstzinnigheid, die rivaliseert met de door de mens voortgebrachte kunst, terwijl de kunst de natuur tot uitgangspunt neemt, door haar te imiteren, te perfectioneren en te exploiteren.[144] Niet alleen schoonheid en perfectie waren onderdeel van de *curiositas* naar deze samenhang tussen natuur en kunst. Even sterk was de aandacht voor alles wat afweek, voor het andere, voor monstruositeit en aberratie. Vele exotische planten en dieren, en Indiaanse voorwerpen als pijlen, weefwerk en afgodsbeelden werden juist interessant gevonden omdat de natuur zich hier op een vreemde, grillige of wonderlijke wijze vermengde met kunst. De grootste plaat in Clusius' *Exoticorum* is niet gewijd aan een object uit de natuur, maar aan een zeldzame kokosnoot in een kunstige setting, een kostbaar stuk voor een *Wunderkammer* (afb. 161).[145] Het is in de Leidse Hortus waar deze gecompliceerde verhouding tussen natuur en kunst voor het eerst in Nederland zo duidelijk werd geëxploreerd.[146]

VERZAMELEN

Items voor de verzamelingen voor het 'heiligdom van Apollo', zoals

Paauw aan recentelijk gepubliceerde, Engelse, *mappae mundi*. Ik dank deze verwijzing aan Kees Zandvliet, A.R.A., Den Haag.

138 Vgl. Florence Hopper in Fat/De Jong 1991, 15.

139 Vgl. ook de opmerkingen bij Heniger 1973, 30.

140 Zie noot 81.

141 Thompson 1965, 52.

142 Lipsius 1584, 89. De invloed van deze denkwereld is mede bepalend geweest voor de ontwikkeling van de botanische illustratie, zoals bijvoorbeeld de bloem- en natuurstudies die Jac-

ques de Gheyn vanaf 1595 in Leiden maakte, zie Florence Boom in Fat/De Jong 1991, 13–36, met verdere literatuur.

143 'te meer siende, dat oock de natuer in haer overvloyende schoot der menschen hantwerck soo nae bootst, ende uyt haer selfs voortbrenght, dat aende volmaecktheyt in't zyne weynich ofte niet bevonden wert t'ontbreken', Van Linschoten in Kern 1955, Dl. I, LXXXVII (zijn adres aan de Staten Generaal).

144 Vgl. voor deze problematiek ook Tayler 1964 en Battestin 1974.

145 Clusius *Exoticorum* Bk VII *Aromatum*

Historia, cap. xxvi, 'De Nuce Indica', 193 (zijn Latijnse vertaling van Garcia da Orta's *Coloquios dos simples [...]* uit 1563).

146 Vgl. ook de opmerkingen over de relatie tussen natuur en kunst (met literatuur) in de inleiding.

147 Zie Hunger 1927 Dl. I, 265–269. Voor het 'Phoebum Penetrale' (heiligdom van Apollo) zie het gedicht van Jacob Vlug in P. Paauw 1601. Apollo was de vader van Asklepios, mythisch genezer uit de Oudheid. Beiden waren genezende goden, met heiligdommen in Griekenland, Schouten 130.

het Ambulacrum eenmaal werd betiteld, kwamen van diverse kanten, ondermeer via het internationale netwerk van geleerden.[147] Sommige objecten, zoals Clusius beschrijft in zijn *Exoticorum*, werden geschonken door zeevaarders uit Amsterdam, die op eigen initiatief naturalia hadden meegenomen van de eerste scheepvaart naar de Oost onder leiding van Cornelis Houtman in 1595–1597. Voorwerpen van deze reis, en van de tweede uit 1598/1599, zag Clusius ook in Leiden in de verzamelingen van medici en apothekers als Paauw, Vorstius, Joseph Plateau en Christiaan Porretus.[148] Verrijking van de universitaire collectie kwam ook van de kant van studenten, zoals Nicolaus Gaef, die de Hortus in 1599 een krokodil ten geschenke gaf.[149]

Het zijn de twee eerste reizen, die Clusius en Paauw een honger naar meer hebben gegeven.[150] Waarschijnlijk hebben zij samen in de zomer of het najaar van 1599 het plan opgevat een wetenschappelijke reis te organiseren, waarop systematisch verzameld kon worden. Daartoe ging een verzoek uit naar de curatoren van de universiteit om met steun van de Staten van Holland en Westfriesland de bewindhebbers van de Oude Oost-Indische Compagnie te vragen een volgende reis uit te rusten met een deskundige aan boord op het gebied van planten.[151] Dat werd de arts Nicolaas Coolmans, die van 1599 tot 1601 met een geschreven instructie van Paauw op reis zou gaan, een reis waarvan hij niet levend zou terugkeren.[152] Van de door Coolmans verzamelde zaken heeft Clusius de meest interessante in zijn *Exoticorum* beschreven, waaronder de bamboe, die zo prominent figureert op de Swanenburgh/Woudanus gravure (afb. 151).[153]

Het belang dat men aan het verzamelen hechtte, blijkt vooral uit het feit dat toen in 1591 curatoren van de Leidse universiteit dachten over de aanleg van een Hortus, zij probeerden om Bernardus Paludanus als 'praefectus horti' te krijgen. De Enkhuizense arts was een zeer bereisd man, had gestudeerd in Padua, was correspondent van Clusius en adviseur voor zijn stadsgenoot Van Linschoten inzake alle curiositeiten die deze van zijn grote ontdekkingsreis had meegenomen.[154] In Enkhuizen bezat hij zijn 'ark', een tuin met een grote collectie planten, onderdeel van zijn beroemde verzameling van *naturalia* (waaronder veel mineralen en dieren) en *curiosa* (waaronder objecten uit China, Egypte en Amerika).[155] Paludanus was niet ongenegen naar Leiden te komen, hij ontwierp zelfs een plattegrond voor de nieuwe Hortus, gebaseerd op die in Padua.[156] Ondanks het feit dat hij uiteindelijk van de onderneming afzag, maakt deze geschiedenis duidelijk dat curatoren een verzameling van *naturalia* en *artificialia* van het begin af aan als een geïntegreerd onderdeel van de tuin als studieplaats voor ogen hebben gehad. Zonder Paludanus' collectie, maar geholpen door de recente ontdekkingsreizen, kon het Ambulacrum op geen geëigender moment gebouwd worden dan in 1600. Net als Paludanus' verzameling in eerste instantie bedoeld als een medische collectie, groeiden ook hier tuin en galerij uit tot een geheel dat het medisch belang ver oversteeg.

Vooral Paauw heeft daarbij een grote rol gespeeld. De geschiedenis van de Hortus is in belangrijke mate verbonden met de bouw van het *Theatrum Anatomicum* die hij in 1591 in de Fagibelijnenkapel ondernam waar zich ook de bibliotheek bevond, niet ver van de Hortus aan de andere zijde van het Rapenburg gelegen (afb. 162). Aanvankelijk werd alleen studiemateriaal voor onderricht in de anatomie verzameld, net als de botanie wezenlijk onderdeel van de *praxis* van de

---

148 Vgl. bijvoorbeeld Clusius' opmerkingen in het voorwoord en het aan de lezer van zijn *Exoticorum* en voor voorbeelden aldaar Lib. I, 19–15, Lib. II, 26–27 en cap. xv, Lib. V, 96–100, Lib. VI, 127–129, Lib. VI, 133–135, 139. Voor de vroege ontdekkingsreizen zie ook Gaastra en Van den Bogaart 1980

149 Zie *Catalogus Principum* 1597(!), 56 met beschrijving.

150 Zij kunnen ook nog begeesterd zijn geraakt door de beschrijvingen van Jan Huygen van Linschoten, die van 1579 tot 1592 onder Portugese vlag naar de Oost voer en zijn *Itinerario* in 1596 publiceerde. Zie de editie van Kern, 1910/1939 en 1955/57.

151 Vgl. Heniger 1973. Hij geeft in zijn Bijlage I de tekst van het verzoek van de Staten van Holland en Westfriesland aan de bewindhebbers

van de Oude Oost-Indische Compagnie (29 november 1599). Men vraagt Indiaanse kruiden, zaden, bloemen, wortelen, gommen, specerijen, drogerijen en mineralen te verzamelen op basis van een instructie van Paauw.

152 Ibidem. Deze instructie is niet bewaard gebleven, maar zal niet veel hebben verschild van de instructie die Clusius in 1601 schreef voor de reis van 1602, zie Clusius' voorwoord in zijn *Exoticorum* en Hunger 1927, Dl. I, 267 en Heniger 1973, Bijlage II. Clusius vraagt hierin expliciet om ook de inheemse namen van de planten en de wijze waarop ze gebruikt worden te verzamelen. Het liefst ziet hij ook het uiterlijk van de plant getekend met indicatie waar vrucht en bloem zich bevinden. Deze informatie ontbrak nogal in het summiere verslag van Coolmans uit 1600.

153 Voor een inventaris van deze planten zie

Heniger 1973, 39–43.

154 Voor de briefwisseling tussen Clusius en Paludanus zie de aanwezige correspondentie in de U.B.Leiden. De idee dat het zien van dingen kennis impliceert, en bijdraagt tot het bewustzijn dat iets echt bestaat, blijkt ook uit Van Linschotens *Itinerario*. Herhaaldelijk refereert hij namelijk aan objecten in Paludanus' collectie als een illustratie van zijn beschrijving (zie bijvoorbeeld Kern, 1955, Dl. I, 24ste capittel, 106 en 107).

155 Clusius in zijn *Exoticorum* (1605), 10 noemt objecten die hij gezien had in Paludanus' 'amplissimo, e omnium peregrinarum exoticarumque rerum varietate e copiâ instructissimo museo'. Clusius ontving van Paludanus ook objecten om te beschrijven (zie ook Bk II, cap. xx).

Voor Paludanus zie Hunger 1934. Vergelijk ook H.D. Schepelern, 'Natural Philosophers and

geneeskunde. Al gauw groeide het anatomisch theater uit tot een museum waarin niet alleen skeletten van mensen en dieren (zoals die van koe, aap, wolf, rat, geit, adelaar en zwaan), een menselijke huid, pathologische preparaten en medische instrumenten waren te zien, maar ook prenten en etnographica.[157] Na Paauws dood in 1617 voegde zijn opvolger Otho Heurnius daar nog archeologische, vooral Egyptische, voorwerpen aan toe.[158]

Deze verzamelingen waren, net als die van het Ambulacrum, in beginsel bedoeld als ondersteuning van het medisch onderwijs en van het onderzoek naar de natuur. Daarom is het niet eenvoudig een onderscheid te maken tussen de wetenschappelijke, medische en biologische doeleinden op zich en de functie van het geheel van deze verzameling zeldzaamheden. Voor Paauw en Heurnius vertegenwoordigde het anatomisch theater met zijn collectie een visie op leven en wetenschap met een sterk allegorische en moralistische betekenis. Christelijke ethiek en humanistische levenshouding vloeiden in hun verzameling samen. Opschriften bij de skeletten verwezen naar de ijdelheid van het menselijke bestaan, terwijl sommige prenten de bezoekers hun verlossing door Christus voorhielden.[159] De levende adelaar die verschillende bezoekers in een kooi in de tuin aantroffen zouden we misschien ook in dit licht kunnen zien. Volgens bijbelse traditie stond hij voor vernieuwing en verjonging en daarmee was deze vogel een treffend symbool voor de geneeskunde.[160]

Omdat Paauw de lessen in het Theatrum Anatomicum en in de tuin organiseerde, ligt het voor de hand een nauwe relatie tussen de twee te veronderstellen. Die relatie blijkt ook wel uit het feit dat verschillende objecten telkens van het Theatrum naar het Ambulacrum

en terug werden verplaatst.[161] Voor deze niet-statische opstelling was ook een praktische reden. Als in de zomer het Theatrum Anatomicum vanwege het snelle bederf van de lijken was gesloten en de collectie skeletten op de banken stond opgesteld, studeerden de studenten in de tuin. Als het Theatrum in de winter gebruikt werd voor anatomische ontledingen, zochten de studenten het Ambulacrum op voor studie en afleiding. Uit een puur opvoedkundig en functioneel standpunt vulden beide collecties elkaar aan. Ze moeten daarom ook als één geheel beschouwd worden. Dat maakt het aannemelijk dat beide collecties stamden uit een totaalconcept dat Paauw voor ogen stond, een concept dat nauwe verwantschap vertoont met Quicchebergs *Theatrum*, omdat in zijn boek skeletten, naturalia, prenten, instrumenten, topografie, etnographica en planten ook allemaal worden opgevat als specifieke categorieën binnen één geheel.

Het verzamelbeleid zou nog gedurende de hele 17de en 18de eeuw worden voortgezet. De verzameling planten groeide van de *Index Stirpium* uit 1594 met 1060 soorten uit tot een collectie met 1100 planten in 1600 (nog onder Clusius en Paauw), 1500 planten in 1675 (onder A. Vorstius), 3000 planten in 1685 (onder Paulus Hermann) en 7000 specimina in 1740 (onder Boerhaave).[162] De 82 objecten uit het Ambulacrum in 1617 werden aangevuld tot een geheel van 110 curiosa in 1659 en tot 290 nummers in de gedrukte catalogus van 1680. In 1745 zou de Hortus nog onderdak gaan bieden aan een belangrijke collectie antieke sculpturen.[163]

De Hortus is in dit opzicht een goede graadmeter voor het belang dat men in de 17de-eeuwse Republiek aan dit soort verzamelingen ging toekennen, en de belangrijke rol die de tuin als resultante van

Princely Collectors: Worm, Paludanus, and the Gottdorp and Copenhagen Collections' in Impey/MacGregor 1985, 121–128. Een portet van hem (door Hendrick Gerritsz. Pot) bevindt zich in het Frans Halsmuseum Haarlem (cat. nr 242), waaronder S. Ampzing een lofdicht schreef, waarin we ondermeer lezen '[…] Wat Hoven, en wat steen [steden], wat landen, en wat lien,/En heeft hij niet besocht, doorreist en doorgesien? […]'. Het bezoekersboek van zijn 'arcus' (Den Haag, Koninklijke Bibliotheek) geeft aan hoe bekend zijn collectie was. Delen van zijn verzamelingen kwamen terecht in de Deense koninklijke verzameling van zeldzaamheden (nu in het Nationalmuseet, Kopenhagen). Men zou Paludanus' collectie kunnen vergelijken met die van de Engelse vader en zoon Tradescant (respectievelijk 1570–1638 en 1608–1662). Beiden waren tuinier en eigenaar van

een belangrijke tuin annex grote verzameling *naturalia* en *artificialia*, The Ark geheten, in South Lambeth, Londen. Hun collectie zou de basis gaan vormen voor het Ashmolean Museum in Oxford, het eerste openbare museum in Engeland. Zie hiervoor de studie van Prudence Leith-Ross 1984.

156 Deze werden nog niet zo lang geleden teruggevonden door Else Terwen-Dionisius, zie haar artikel uit 1989.

157 Zie Lunsingh Scheurleer 1975. Voor een inventaris van deze rijke collecties: Barge 1934.

158 Stricker 1948.

159 Zie Lunsingh Scheurleer 1975.

160 De adelaar wordt als zodanig genoemd in Psalm 102, 5: 'Renovabitur ut aquilae iuventus tua'. Vgl. Schouten, 121; beschrijving van de adelaar ondermeer door Brereton, 6 juni 1634, zie

Gogelein 1990, 17.

161 Vgl. ook de opmerkingen in de Appendix. Een deel van Clusius' eigen collectie werd na zijn dood in 1609 opmerkelijk genoeg niet geplaatst in het Ambulacrum, maar in het *Theatrum Anatomicum*. Hieronder bevond zich de vleugel van een vliegende vis en verscheidene *simplicia*, door een opschrift op twee houten planken aangeduid als bezit van Clusius (zie Hunger Dl. II, 11/12 en Barge 1934, 70 no 15). Een ander gedeelte zijn verzameling werd nagelaten aan Otho Heurnius.

162 Zie voor de gedrukte plantencatalogi Veendorp en Baas Becking, 63–65.

163 De collectie van antieke sculpturen van Van Papenbroek werd aan de Hortus toegevoegd in een nieuwe oranjerie in een nieuw gedeelte van de tuin in 1745. Zij waren voor een groot deel afkomstig uit de tuin en de buitenplaats Papenburg

natuur en kunst daarbij heeft gespeeld. Het Leidse initiatief mag zelfs een van de belangrijkste voorlopers van deze verzamelwoede heten.[164]

Maar terwijl deze verzamelingen zich ontwikkelden van een institutioneel naar een meer persoonlijk karakter, was de keuze om een universiteitstuin met een galerij aan te leggen bewust bedoeld om wetenschappelijk en publiek belang met elkaar te verenigen. Het geleerdenvertrek en het statische museumkabinet werden hier getransformeerd tot een voor iedereen toegankelijke open ruimte, waar men doorheen kon wandelen, kijkend, bestuderend, zich verwonderend. Tuin en ambulacrum visualiseerden de wetenschap van de natuur 'tot gebruik en ornament' van een groter publiek dan alleen de eigen studiosi en academici en verwierven daarmee een roem buiten de eigen stadsmuren.[165] *Virtus* (Deugd) en *Honor* (Eer), zo nauw verbonden met de samenstelling van vorstelijke verzamelingen, werden hier overgebracht op de universiteit en de stad Leiden.[166] Als 'musaeum' zou de Hortus na 1800 het 'moedermuseum' worden van de vele musea die Leiden nu rijk is: moderne wetenschappelijke specialisatie leidde ertoe dat de tuin als een *Theatrum Sapientiae* overbodig werd.

III DE HAARLEMSE HORTUS MEDICUS

EEN COLLEGIUM MEDICUM

De samenhang tussen stad, universiteit en hortus zorgde in Leiden

voor een unieke combinatie, die de hele 17de eeuw door vooral zo geslaagd was omdat men gerenommeerde wetenschappers wist aan te trekken. De tuin, zo zou men kunnen zeggen, visualiseerde daarmee ook de maatschappelijke status van geneeskundigen en natuuronderzoekers in de Republiek.[167] Leiden was hierin een voorloper, en door de aanwezigheid van de Academie uniek. Anders dan aan de universiteiten was de uitoefening van de geneeskunde in de stedelijke praktijk dermate vaak onderworpen aan concurrentie, dat alleen een organisatie in gildeverband, een *Collegium Medicum*, duidelijkheid verschafte. De drie beroepsstanden, gepromoveerde artsen, chirurgijns en apothekers, vonden hierin bescherming niet alleen onder en tegen elkaar, maar ook tegen beunhazen en kwakzalvers.[168] Door het houden van toezicht op elkaars beroepsuitoefening, op leerlingen en kandidaten en door de controle op doktersbullen, speelde een *Collegium* een belangrijke rol in het professionaliseringsproces van de verschillende leden. Een te stichten *hortus medicus* kon de wil tot saamhorigheid van dit corporatieve verband symboliseren, leverde de apothekersleerlingen en -kandidaten de mogelijkheid tot aanschouwelijk onderwijs over de natuur en was tegelijkertijd een sieraad voor de stad. Het feit dat artsen meestal afkomstig waren uit de gezeten burgerij en de chirurgijns en apothekers uit de middenstand, maakte dit verbond tussen beroepsuitoefening en stadsbelang alleen nog maar sterker.

EEN HORTUS MEDICUS

Zo althans laat zich de stichting van een *hortus medicus* in 1696 in

ten westen van Velzerbroek in Kennemerland. Zie Karstens/Kleibrink 1982, 40–41, *Universiteit en Architectuur* 1979, 34–36 en vooral Van Regteren Altena en Van Thiel 1964, 7–56.

164 Zie hiervoor ook de recente tentoonstelling *De wereld binnen handbereik. Nederlandse kunst- en rariteitenverzamelingen 1586–1735*, en de gelijknamige catalogus en bundelstudies onder redactie van E. Bergvelt en R. Kistemaker, Zwolle, Waanders, en Amsterdam, Amsterdams Historisch Museum, 1992, verschenen tijdens de voorbereiding van dit manuscript. De Leidse Hortus komt ook hier aan bod, maar niet zo uitvoerig als men zou verwachten.

165 Voor 'usus' en 'ornamentum' zie de *Lex Hortorum*, noot 93.

166 Voor het thema van publiek en privé zie Findlen 1989. Voor de deugd als belangrijk ideaal zie Scheller 1969 en Giuseppe Olmi, 'Science-Honour-Metaphor: Italian Cabinets of the Six-

teenth and Seventeenth Centuries' in Impey/MacGregor 1985, 5–17.

167 Zie hiervoor Frijhoff 1983.

168 Frijhoff 1983, 384–389. Ook het navolgende is op dit artikel gebaseerd.

169 Daems, 1943, 7 en verder. Deze auteur geeft in zijn bijlagen een overzicht van de relevante archiefstukken die op de stichting betrekking hebben.

170 Vastgelegd in de 'Keur en Ordonnantien' van 1692, afgedrukt bij Daems 1943, Bijlage 5. De keur werd afzonderlijk gepubliceerd door de stadsdrukkerij. De 36 paragrafen geven een bijzonder goed beeld van de poging zoveel mogelijk de eigen taken en bevoegdheden van de professie van arts en apotheker vast te leggen (met name de artikelen 30 tot en met 33). Dat deze afspraken niet zonder slag of stoot tot stand kwamen blijkt wel uit het feit dat de artsen in opstand kwamen tegen het verbod dat zij niet langer medicijnen

mochten verkopen of afgeven, noch hun eigen voorschriften mochten samenstellen (Daems 1943, 8). De vaststelling van het betreffende artikel in de keur betekende dus een overwinning voor de apothekers.

171 Bijvoorbeeld de *Pharmacopoea et Hortus ad usum pauperum rei publicae Leydensis*, Leiden 1638. De samenstelling van een farmacopee was oorspronkelijk een verzoek van de Haarlemse artsen (volgens hun rekest aan de stad van 15 augustus 1692, Daems 1943, Bijlage 4). Omdat er zoveel apothekers voorhanden waren, deden zij lang over hun voorraden, die zo aan geneeskracht inboetten. Dit rekest was de aanleiding tot het stichten van het *Collegium*. Voor de geschiedenis en voorlopers van de Haarlemse farmacopee zie uitvoerig Daems, 12–26.

172 *Pharmacopoea Harlemensis senatus auctoritate munita*, Haarlem/Amsterdam 1693. Het manuscript bevindt zich in het *Archief van het Collegi-*

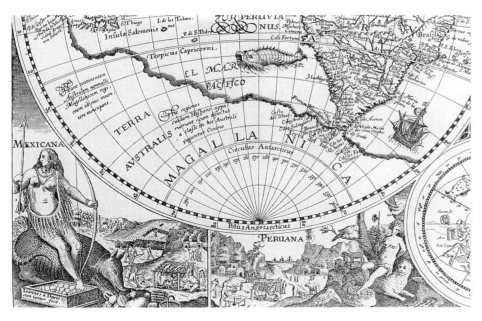

159. Detail uit P. Plancius,
Orbis terrarum typus 1594
met personificaties van de
werelddelen Mexicana en
Peruana, omgeven door
exotica.

161. Een in zilver gevatte
kokosnoot uit de Maldiven
uit C. Clusius' *Exoticorum
Libri Decem*, Leiden 1605
Boek VII.

160. Titelpagina van het
Cruydt-Boeck van
R. Dodoens, Leiden 1608.

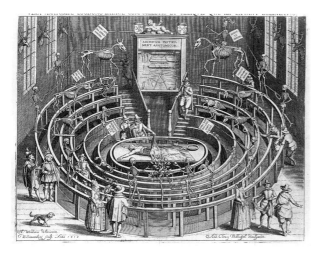

162. J.W. Swanenburgh
(naar J. Cornelisz Wouda-
nus), Het *Theatrum Anatomicum* in Leiden, gravure
1610.

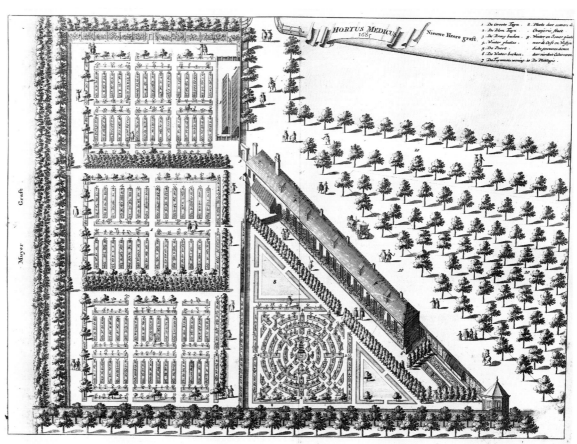

163. Plattegrond van de
Hortus Botanicus te Am-
sterdam, gravure door
B. Stoopendaal 1685, uit
C. Commelin, *Beschryvinge
van Amsterdam*, Amsterdam
1693.

Haarlem verklaren. In augustus 1692 was daar de stichting van het *Collegium Medico-Pharmaceuticum* aan vooraf gegaan. Aan een dergelijke instelling bestond grote behoefte omdat er tussen artsen en apothekers een vinnige concurrentie bestond. Voorschriften ontbraken, zodat artsen hun eigen geneesmiddelen bereidden, terwijl apothekers niet schuwden tal van medische handelingen, waartoe alleen de artsen bevoegd waren, uit te voeren.[169] Het *Collegium* had ondermeer tot taak het regelen van de examens voor de aanstaande apothekers, de verdeling van taken en het houden van toezicht op de naleving daarvan.[170] Het samengaan moest allereerst resulteren in een eigen *farmacopee*, een officieel handboek voor de samenstelling van geneesmiddelen en de eisen waaraan deze moesten voldoen. Gebaseerd op de kennis van planten, mineralen en dieren werd een dergelijk boek toepasselijkerwijze ook wel een *Hortus* genoemd.[171] De Haarlemse farmacopee werd in 1693 gepubliceerd. Romeyn de Hooghe maakte de titelpagina die beheerst wordt door de allegorische figuur van *Salus*, het Algemeen Welzijn.[172] De steviger positie van artsen en apothekers deed de chirurgijnen besluiten zich eind 1693 bij het *Collegium* aan te sluiten, dat voortaan *Collegium Medicum* heette.[173] Daarmee waren de drie beroepsgroepen verenigd: de academisch gevormde geneesheer, die de interne geneeskunde behartigde, de chirurgijn met zijn technische handvaardigheden, bevoegd tot de uitwendige geneeskunst, en de apotheker, die als bereider van de hulpmiddelen de dienstbare geneeskunde vertegenwoordigde.[174]

Een dergelijk instituut kon niet zonder *hortus medicus*. De studie van kruiden en planten vond plaats in particuliere tuinen, zoals die van de apotheker De Koocker.[175] In mei 1696 stelde het *Collegium Medicum* het stadsbestuur dan ook voor om een tuin met 'Camer' aan te mogen leggen, waarop de Burgemeesters al in juni gunstig reageerden. Hun beslissing werd in een akte van 13 september neergelegd.[176] Het *Collegium* kreeg, tegen een jaarlijks te bepalen som gelds, een groot, nog braak liggend stuk grond toegewezen in het noord-westen van de nieuwe uitleg van 1671, begrensd door de Kraaienhorsterstraat, de Korte Rosestraat en de stadswal, inclusief één van de bastions (afb. 142).[177] Kennelijk zagen de bestuurders van Haarlem, onder het mom van stadsverfraaiing, hierin een uitweg uit de moeizame besluitvorming omtrent het inrichten van de nieuwe stadsuitbreiding.[178] De uitgekozen plek lag wat dat betreft bijzonder fraai, want van de stadswallen zou men op de tuin kunnen neerkijken: als symbool van genezing en publiek welzijn bood de tuin een opvallend contrast met de op oorlog ingestelde verdedigingsarchitectuur.

Voor het *Collegium* en de drie Commissarissen, die voor het toezicht op de Hortus waren aangesteld, bleek de financiering van de aanleg niet makkelijk. Het duurde tot 1699 voordat de tuin, onder leiding van een speciale commissie in het *Collegium*, werd aangelegd.[179] Nadat een hortulanus was aangesteld en een paar jongens uit het kindertehuis als knecht in dienst waren genomen, kon het werk een aanvang nemen. Uit het kasboek van het *Collegium* kunnen we opmaken dat er eind 1699 en in 1700 veel uitgaven waren bestemd als arbeidsloon voor tuinman, knechten en wiedsters. Op de lijst figureren ook

um Medico-Pharmaceuticum, G.A. Haarlem onder nr 18a. Voor de titelpagina van De Hooghe zie het zelfde archief nr 5a, *Resolutiën (met afschrift) van Deken en Assesoren (Oppercommissarissen)* 1692–1806, 1693, 28 februari, 12 maart en 11 april (verder geciteerd als *Archief Coll. Med. Res. 5a*). De Hooghe had al al eerder het zegel voor het Collegium ontworpen, zie ibidem 15 februari. Vgl. Daems 1943, Bijlage 8 c en e en afb. pag. 10. De Hooghe had al in 1672 een titelpagina voor een farmacopee ontworpen, de *Pharmacopoeia Augustana* van Johannes Zwelfer (Dordrecht 1672), Landwehr 1970, nr 25.

173 Voor hun voorgeschiedenis in Haarlem zie ook Daems 1943.

174 Frijhoff, 385. De arts, die het universitaire vak vertegenwoordigde, was van de meer ambachtelijke en in gilden ondergebrachte vakken van chirurgie en apotheker (de 'snijdende' en 'mengende' dienst) niet alleen in werksfeer, maar vaak ook in sociaal opzicht gescheiden. Binnen de twee groepen van chirurgijns en apothekers vond men verder nog gezellen, knechten en leerlingen. Ook de vroedvrouwen behoorden tot de groep erkende beroepsbeoefenaren.

175 *Archief Coll. Med. Res. 5a*, 2 april 1697, waar Gillis De Koocker aanbiedt zijn collectie gewassen over te brengen naar de *hortus medicus*.

176 Zie *Archief Coll. Med. Res. (minuut) 4a*, 29 mei, 6 juni. Op 16 september 1696 wordt deze akte in het Collegium besproken. Voor de algemene geschiedenis van de tuin zie Bitter 1914, die excerpten geeft uit de notulenboeken van het Collegium, zij het niet altijd accuraat en zonder vermelding van de plaats. Zijn werk is wel belangrijk omdat het notulenboek (*Archief Coll. Med. Res. 5a*) na zijn publicatie sterk beschadigd is geraakt. Vgl. ook Kuijlen e.a. 1983, 24–25.

177 De enige kaart die ons over de ligging inlicht is die van Adriaan Spinder, Geadmit. landme-

ter, Grondtekening van Haarlem, in *Toneel der Vereenigde Nederlanden*, Amsterdam, Isaak Tirion 1742, Deel IV, 361 (Haarlem, Gemeentearchief, Topografische Atlas, hier afb. 142) Zichtbaar is de Nieuwe Uitleg met bomen langs de Nieuwe Gracht (rechts), beplantingen op de bolwerken, tuinen buiten de wallen en de plaats van de Hortus Medicus inclusief het bolwerk (beneden). De indeling van het ommuurde gebied is echter niet meer die van de hortus, deze werd in 1721 verplaatst naar het Prinsenhof.

178 Voor deze kwestie zie Taverne 1978, 393–401.

179 Vgl. *Archief Coll. Med. Res. (minuut) 4a*, 16 september 1696 en 17 oktober 1696, waar besloten wordt te wachten met de bouw van de 'camer' en in plaats van een stenen muur (genoemd in de resolutie van de burgemeesters) een houten omheining aan te leggen. Wel zal de tuin worden 'bearbeid' en aangelegd; ibidem 27 maart voor het in-

bomen, bollen, planten, zaden, mest, schoppen, snoeimessen en kleine en grote potten, gekocht van de pottenbakker.[180] In 1702 wordt een concept-reglement voor de Hortus opgesteld, dat als de hofwet een plaats op een groot bord in de tuin krijgt.[181] De hofwet schreef voor dat de aanleg niet alleen voor de leden van het *Collegium* was bedoeld, maar ook voor de burgers van de stad tot 'vermaak/leering en eerlijke oeffening'. Het is een betrekkelijk voorspoedig begin, ook financieel want het *Casboek* noteert regelmatige inkomsten uit de verkoop van kruiden, wortelen en zaden.

Leegwater geeft in zijn stadsbeschrijving een indruk van de architectuur en inrichting van de tuin, al is zijn beschrijving niet op alle punten duidelijk.[182] De hof was besloten van opzet: rondom stonden schuttingen, vijftien stadswoningen lagen langs de Rozestraat, en bomen op de bastions en een doornenhaag aan de binnenzijde van de wal garandeerden een beschut klimaat.[183] Ook binnen in de tuin waren rondom boomsingels geplant, waarschijnlijk bestaande uit beuken en berken. Voor de wallen van het bastion dat tot de Hortus behoorde, lag een ronde waterkom, waar waterplanten groeiden en vissen met brood gevoerd konden worden. Liguster- en taxushagen begrensden de kom als een groen 'kabinet', waarin ook nog planten en bol- en zaadgewassen groeiden. Het stuk grond van de eigenlijke *hortus* was niet symmetrisch. Leegwaters beschrijving dat zich in het *midden* een 'rond' bevond met een ster van acht lanen, betekent dat de tuin nòg meer restruimten zal hebben gehad, die een overzichtelijke indeling onmogelijk maakten.[184] Wellicht moeten we ons de situatie enigermate voorstellen als bij de Amsterdamse Hortus, die op een vergelijkbaar onregelmatig stuk grond was aangelegd (afb. 163). Net als daar zal ook in de Haarlemse tuin in een van de hoeken een vierkant siergedeelte gelegen hebben. Hierin kruisten acht paden elkaar op een open centrum, het 'rond', waar volgens Leegwater rondom en naast de ingangen van de paden 'staan gemaakt te worden' zestien 'termes of geschilderde Borst Beelden van oude kunst-liefhebbers en geleerden'.[185] De rest van de tuin was ingedeeld met vierkante perken (de *quadrae*) of vakken met een onregelmatiger vorm, gedicteerd door de situatie; deze vakken waren rondom afgezet met een rabat (een ornamentale strook bedoeld voor bloemen).[186] De vakken zelf waren ingedeeld met *areae*, tot een totaal van acht en dertig, ieder door lage hagen omgeven.[187] De verschillende tuinvakken werden van elkaar gescheiden door elzenhagen.[188] Eén van de *areae* was met 314 soorten gewassen beplant ten behoeve van het onderwijs: stokjes met nummers verwezen naar de gedrukte catalogus in het Nederlands en Latijn.[189] Dit doet vermoeden dat de Haarlemse Hortus in de andere

---

stellen van de commissie, 3 april voor het schoonmaken en bewerken van de grond van de hortus, 7 mei voor het verzoek aan de Commissarissen bij de burgemeesters om een fonds te vragen waarmee de hortus in stand gehouden kan worden. Een financiële regeling werd bij resolutie getroffen door de Burgemeesteren op 25 augustus 1699. In *Archief Coll. Med. Res. (minuut) 5a* kunnen we lezen dat op 1 april 1699 besloten was de tuin 'sodanigh te leggen en te beplanten als ons de tekeninghe daer af getoont waere'.

180 *Archief Collegium Medicum nr 20*: Contra Cassa voor den Thesaurier van 't Collegium Medicum 1699 nov. 1/Cas Boek van t Collegium Medicum van 1699 tot 1707 (als: *Casboek*). Op 15 aug. 1700 worden ook botanische werken opgevoerd: *Pinax Bauhin* en *Commelin* (Gaspard Bauhin, *Pinax theatri botanici*, Basel 1623 of 1671 en [?] J. Commelins *Horti Medici Amstelodamensis rariorum plantarum descriptio et icones*, Amsterdam 1697 Deel I, 1701 Deel II door C. Commelin). *Archief Collegium Medicum nr 17e en b* bewaart de manuscript catalogi van de inheemse en exotische gewassen in de hortus; de eerste *Catalogus Plantarum Usualium* werd gedrukt in 1702. In het *Casboek*

treffen we ondermeer aan de aanschaf van leliebollen, berk, beuk, rozebomen, hagedoorn, cichorij, elstbomen, kornoeljes, sparren, majoraan, thijm, salie, lichnis.

181 *Archief Coll. Med. Res. (minuut) 4a* 27 april 1702. Leegwater 1706, 108, geeft de *lex hortorum* als volgt: 'Hof-Wetten/Alle die in desen Hof willen sich moeten gedragen/naar de Ordonnatie door de Eedele Groot Achtbare Heeren Burgemeesteren deser Stad op den selven gemaakt./*Ten Eersten*. Den Ingang zal voor een iegelyk tot 's avonds ten ses uuren vry en open wesen/doch niemant later als tot seven uuren daar in mogen blyven/betalende yder daar voor aan den hove-nier twee stuyvers/*Ten Tweeden*. Alle Doctoren, Apothekers, en Chyrurgyns, sullen des Maandags en Donderdags naar middag van twee tot vier uuren/daar vryen ingang hebben/vertonende hunne genommerde Penningen: ende de knechts der Apothekers en Chyrurgyns op deselve dagen van vier tot ses uuren/mede na het vertonen hunner Penningen./*Ten Derden*. Den Hof zal des Sondags voor een yder geslooten blyven./*Ten Vierden*. Niemand sal vermogen eenige wanorde of onbehoorlijkheid te pleegen; over Bedden te stappen/te springen/of te lopen/ofte den Hovenier kwalijk te bejegenen/noch te zich te verstouten om eenige Bomen of Haagen te schenden; Planten of Gewassen te Steelen, Takken, Bloemen, Vruchten of Zaaden af te Plukken. Alles op peene van aanstonts uyt den Hof geleyd/en die voor altoos ontsegd te worden/dewijl deselve eeniglijk tot vermaak/leering en eerlijke oeffening is aangelegt.'

De stempel voor de penningen waarvan sprake is, werd gesneden door Romeyn de Hooghe.

182 Leegwater 1706, 105–110, 'Korte Beschryving vanden Hortus Medicus'. Ik combineer zijn beschrijving met de gegevens uit *Coll. Med. Res. 5a*, 7 september 1709, helaas slecht leesbaar vanwege de beschadigde pagina's.

183 De doornenhaag behoorde als beplanting tot het systeem van de vestingwerken, evenals de bomen op de wal, vgl. Belonje, 92. De tuinman van de hortus lijkt de zorg voor deze groene elementen op zich te hebben genomen; in *Coll. Med. Res. 5a*, 28 mei 1708 ontvangt de hortulanus Abraham Trioen een extra toelage voor het omspitten en beplanten van de wal.

184 Leegwater spreekt over een fraai rond, waarop acht kruispaden uitkwamen 'alle van bo-

vakken medicinale planten voor de verkoop kweekte, en daarnaast een groot gedeelte voor siergewassen had bestemd.[190]

ROMEYN DE HOOGHE

Uit Leegwaters beschrijving kunnen we opmaken dat er in 1706 sprake was van ontwerpen voor zestien borstbeelden in de tuin, die echter nog uitgevoerd moesten worden. Wie anders dan Romeyn de Hooghe kan voor deze ontwerpen verantwoordelijk zijn geweest? Al eerder had hij als belangrijk kunstenaar en gerespecteerd Haarlems burger voor het *Collegium* opdrachten vervuld. Ook woonde hij vlak bij de Hortus, aan de Nieuwe Gracht, waar hij in 1688 met toestemming van het stadsbestuur drie erven had gekregen voor de bouw van een monumentaal woonhuis. Hier had hij een kleine 'academie' gevestigd, waar hij enkele dagen les gaf, de eerste dag in het tekenen van 'Patroonen, kanten, parterres, Cyffers, Damast, caffaes of andere cieraad teekening', de tweede dag in perspectief, architectuur, beeldhouwen, boetseren en drijven, en op een derde dag schilderen, tekenen en etsen oefende.[191] Deze 'konstwerkplaats' beschikte ook over een ruimte om grote beelden te houwen, een tuin waarin geoefend kon worden met het ontwerpen van parterres, de studie van bloemen en bomen en tenslotte over een studieverzameling met onder andere

'Anticque beelden', prenten, medailles en schilderijen. Deze unieke opzet viel samen met De Hooghe's drukke werkzaamheden voor Het Loo, waar hij geconfronteerd werd met een grote behoefte aan kunstenaars die nieuwe modellen en ideeën konden leveren en waar hij vooral het belang kon gadeslaan van een goede organisatie bij ontwerp en inrichting van interieurs en tuinen. De beelden die De Hooghe voor Het Loo ontwierp, werden naar alle waarschijnlijkheid gehouwen op de steenwerf, die hij eind 1689, begin 1690 in mocht richten op het bolwerk aan de oostzijde van het Spaarne, buiten de Amsterdamse Waterpoort.[192] De Hooghe had zichzelf dus bijzonder goed georganiseerd en kon, naast al zijn andere talenten op het gebied van de kunsten, gelden als een specialist in het ontwerpen van tuinbeelden.

HET DECORATIEPROGRAMMA

Voor de Hortus bedacht hij een ambitieus decoratieprogramma met beelden en architectuur. Er is gesuggereerd dat De Hooghe al vanaf het begin bij het ontwerp van de Hortus was betrokken en wat betreft een ontwerp voor de plattegrond van de tuin zou dat goed mogelijk kunnen zijn.[193] Wat de beelden aangaat geeft de financiële positie van het *Collegium*, dat eerst de tuin moest aanleggen en beplanten, aanlei-

---

ven door groene Togen of halve Ronden gedekt'.

185 In de Amsterdamse Hortus was dit de 'Blom Tuyn', waarin, opvallend genoeg, ook acht assen de vorm bepalen, zie de gravure door B. Stoopendaal (gedateerd 1685, het ontwerp dateerde van 1682) in C. Commelin, *Beschryvinge van Amsterdam*, Amsterdam 1693. Vgl. Hunt/De Jong 1988, cat. nr 121.

186 Van vierkanten en rabatten is sprake in *Archief Coll. Med. Res. 5a*, 7 september 1707.

187 Leegwater: '38 vakken of perken die eerstelijk door verschillende hoge hagen gedekt en dan van binnen meest alle door bysondere leege hagen omringt zijn.' Deze lage hagen waren samengesteld uit verschillende gewassen als taxus, beuk, brem, roos, berberis, buxus en laurier.

188 Vgl. *Archief Coll. Med. Res. 5a*, 7 september 1707. Bomen als scheiding tussen de vakken en sierranden rond de *quadrae* met *areae* zien we ook toegepast in de Amsterdamse hortus.

189 Vgl. hiervoor het 'Ordre en Reglement waarna den Hortus Medicus sal werden geregeert', een resolutie van Burgemeesters van 19 mei 1707, opgenomen in het *Archief Coll. Med. Res. 5a*, 7 oktober 1707. In het tweede kasboek (1708–

1720, *Archief Collegium Medicum nr 21a*, als *Casboek II*) vinden we een betaling aan de schilder Jan van Nimwegen voor het verven en nummeren van de stokjes bij de planten (21 maart 1709).

190 Het 'Ordre en Reglement waarna den Hortus Medicus sal werden geregeert', opgenomen in het *Archief Coll. Med. Res. 5a*, 7 oktober 1707, spreekt van de hortus als plaats van 'nut, leeringe van diegene die sig tragten bequaam te maken […] in de geneeskunde', maar spreekt ook enkele keren van 'sieraad'. Een aan te stellen botanicus diende in een boek met alfabetisch register alle in voorraad zijnde sierplanten, zaai- en heestergewassen op te tekenen. Van deze lijst mocht geen kopie worden gemaakt. Neigde de tuin hier naar het karakter van een *hortus botanicus*?

191 H. Miedema, *De archiefbescheiden van het St Lukasgilde te Haarlem*, Alphen aan den Rijn 1980, Dl. I, 310, A152, rekest van De Hooghe van 5 maart 1688. Als leerlingen zou De Hooghe gratis kinderen uit de godshuizen en van behoeftige ouders aannemen. Ibidem, 313, A153, na 5 maart 1688, voor de voorwaarden waarop de stad met het rekest akkoord gaat. Het huis kwam gereed in 1690 (nu Nieuwe Gracht 13), in 1692 de voor de

academie bestemde ruimte aan de zuidzijde van de tuin langs de Ridderstraat. Zie ook Taverne 1978, 399 en noot 272 aldaar en C.J. Gonnet, 'Oude Gebouwen in Haarlem II: De teekenacademie van Mr. Romeyn de Hooghe', *De Vlieger. Weekblad voor Haarlem en omstreken*, 2 (1893) nr 14. Tot één van de uitkomsten van deze academie moet ook een ontwerp voor terracotta tuinvazen met het stadswapen van Haarlem gerekend worden. Exemplaren hiervan (ondermeer Archeologisch museum, Haarlem) moeten ca. 1690, en niet ca. 1650 gedateerd worden.

192 Sliggers, 1986. Ook dit gebeurde met toestemming van het stadsbestuur. In 1696 (H. Miedema, *De archiefbescheiden van het St Lukasgilde te Haarlem*, Alphen aan den Rijn 1980, Deel I, 318, A157, 8 juni 1696) verplaatste De Hooghe zijn 'academie' naar deze steenwerf op het bolwerk, dat na De Hooghe's dood in 1708 weer terugviel aan de stad.

193 Door Bitter 1917, 11 en Ekama 1869, 4. Men maakte dat op uit de vermelding in *Archief Coll. Med. Res. 5a* waar we lezen dat op 1 april 1699 besloten was de tuin 'sodanigh te leggen en te beplanten als ons de tekeninghe daer af' getoond

ding te denken dat een decoratieprogramma pas in een later stadium opportuun werd geacht. Misschien was dat pas in 1706, als Leegwater spreekt van de te maken 'geschilderde Borst Beelden van oude kunstliefhebbers en geleerden'. Kennelijk was hem bekend dat er aan een ontwerp gewerkt werd, maar was de uitvoering nog niet zeker, want de uiteindelijke serie tekeningen van De Hooghe is uitsluitend gewijd aan borstbeelden van geleerden. Zij werden aangevuld met drie standbeelden, vier tuinvazen, een beeld van Laurens Janszoon Coster en een ontwerp voor een classicistische galerij met paviljoen, dat als Gloriette in het bastion was geprojecteerd (afb. 164–176).[194]

Van de opdracht aan De Hooghe ontbreekt in de notulen van het *Collegium* elk spoor, zodat we over de precieze toedracht niet veel te weten komen. Was het idee voor deze rijke versiering afkomstig van het *Collegium* zelf, of van de commissarissen? Had het iets van doen met het nieuwe reglement voor de Hortus van 19 mei 1707, dat een aantal maanden later tijdens een officiële ontvangst van het *Collegium* door de Burgemeesteren in de Hortus was voorgelezen?[195] Of kwam het voorstel van De Hooghe, die een staaltje van eigen kunnen wilde afgeven? Een en ander lijkt beklonken te zijn onder het nuttigen van een goed glas wijn: het *Casboek* noteert voor 14 februari 1707 een bijeenkomst in de Hortus, waar De Hooghe door de commissarissen

getracteerd werd op een glas wijn, gevolgd door een tweede bezoek op 13 april 1707.[196] Pas een jaar later, De Hooghe was op 10 juni gestorven, wordt gedacht over de uitvoering. Jan van Nimwegen neemt in augustus 1708 de opdracht aan naar ontwerp van De Hooghe 'te schilderen alle de 16 termes'.[197] Het nadrukkelijk 'schilderen', de specificatie 'met zeer goede en deugzame en tegens de lugt kunnende verwe' doet vermoeden dat het hier om op planken geschilderde voorstellingen ging. Ondanks zijn voorliefde voor de beeldhouwkunst, heeft De Hooghe deze uitvoering misschien zelf voorgesteld, want hij was goed bekend met de zogeheten 'schroyersels', de driedimensionale of vlak uitgezaagde beelden die werden gebruikt ter decoratie van triomf- en feestarchitectuur.[198] Dat steen voor het *Collegium* te kostbaar was, verklaart ook waarom de vazen, de drie standbeelden en de Gloriette niet werden uitgevoerd.[199] Dit soort bewerkelijk beeldhouwwerk kostte meer dan de honderd gulden die het *Collegium* aan Van Nimwegen betaalde. Zeshonderd gulden waren ze bereid uit te geven aan slechts één beeld, dat van Laurens Janszoon Coster, pas in 1722 naar de ontwerpen van De Hooghe uitgevoerd door Gerrit van Heerstal.[200] Maar toen was de Hortus Medicus al verplaatst naar de veel kleinere Prinsentuin in de binnenstad, waar het Costerbeeld nog steeds te bezichtigen is.[201] Het verlangen van

---

waere'. De Hooghe zou de leverancier van deze tekeningen zijn.

194 De ontwerpen door Romeyn de Hooghe bevinden zich in de Topografische Atlas van het Gemeente Archief, Haarlem en dateren uit 1707. De tekeningen bestaan uit ontwerpen voor 16 borstbeelden (Atlas 9/5, nrs 311–326), drie standbeelden (Atlas 9/5, nrs 328, 329, 331), vier tuinvazen (Atlas 9/5, nrs 330, 332–334), een ontwerp voor de Gloriette (Atlas 9/5, nr 327) en diverse ontwerpen voor het standbeeld (met voetstuk) van Laurens Janszoon Coster (Atlas 9/6, nrs 335–338 en 340–343). Voor dit beeld verwijs ik naar Ekama en Becker/Ouwerkerk 1985 en hun afbeeldingen 8 en 9. Het geheel wordt voorafgegaan door een 19de-eeuwse titelpagina (pen in paars, rood en zwart) met het opschrift: *Afbeeldinghe van den Hortus Medicus tot Haerlem en de Projecten van een Standbeeld voor Lourens Jansz Coster; eigenhandig geteeckent door Romeyn de Hooghe.* De van 1 tot en met 16 genummerde bladen met de ontwerpen voor de borstbeelden hebben als formaat (met kleine afwijkingen) 32,5 cm bij 19,5 cm (hoogte × breedte) en zijn getekend met pen, penseel in bruin en blauwgrijs, en, op één na (nr 9) bewerkt met rood krijt.

195 Het 'Ordre en Reglement waarna den Hortus Medicus sal werden geregeert', opgenomen in het *Archief Coll. Med. Res. 5a*, 7 oktober 1707. Zie ook Bitter 1917, 15 en Ekama 1869, Bijlage B.

196 *Casboek*, 1707; op 14 februari waren de kosten voor dit onthaal *f* 4.12, op 13 april *f* 1.12. Helaas ontbreekt in het *Casboek* opgave van uitgaven tussen oktober 1707 en november 1708, zodat we niet weten wat de eventuele betaling aan De Hooghe is geweest.

197 *Archief Coll. Med. Res. (minuut) 4a*, 1 augustus 1708. Hij zal daarvoor 100 guldens krijgen, 'onder conditie dat deken en vinderen, in cas het werk tot genoegen is uijt gevoerd, op eenige ducatons niet zullen zien'. *Casboek II*, vermeldt op fol.8, 1708, 4 november, een betaling aan Van Nimwegen voor dit schilderwerk ten bedrage van f. 80; op 11 maart 1709 krijgt hij nog 'tot inkorting van zijn tegoed hebbend 20 gl, voor het schilderen van de termen. *f* 10.'

198 Snoep 1975, 11. De Hooghe maakt hiervan uitvoerig gebruik bij zijn ontwerpen voor de intocht van Willem III in Den Haag in 1691, ibidem, 112 en verder. Deze beschilderde planken kwamen trouwens ook elders in tuinen voor, vgl.

de Commedia dell' Arte figuren in het Italiaans Theater op Zijdebalen; dit soort versieringen waren natuurlijk in de buitenlucht snel aan rotting onderhevig; ze worden dan ook na 1709 nergens meer in het archief genoemd. De 16 termen voor de hortus zijn allemaal nogal frontaal getekend en dat zou kunnen betekenen dat De Hooghe al vanaf het begin met te beschilderen schotten rekening heeft gehouden. Beeldhouwers, zo ze er waren, kunnen in het *Casboek* van de hortus niet worden getraceerd omdat opgave van uitgaven tussen oktober 1707 en november 1708 ontbreekt.

199 Het ontwerp suggereert dat het de bedoeling was de Gloriette te maken van latwerk, dat door klimplanten begroeid moet raken.

200 *Archief Coll. Med. Res. 5a*, 15 oktober 1708, waarin het contract staat vermeld met Rochus Verbeek. Het belang dat men aan het Costerbeeld toekende blijkt uit het gedetailleerde contract met Verbeek over de uitvoering ervan in bentheimer steen. Zie Ekama 1869, 12/13.

201 Deze verhuizing vond plaats in 1721. Voor de verdere lotgevallen van de hortus zie Bitter 1917, 20 en verder. Voor het Costerbeeld: Ekama 1869 en Becker/Ouwerkerk 1985.

202 Ze stellen voor (onder verwijzing naar on-

het *Collegium Medicum* naar een grootse Hortus als symbool van hun nieuwe professionele kader was maar van korte duur geweest.

EEN GELEERDENTUIN

Hun ambitie om de tuin meer dan een utilitair instrument te laten zijn, wordt echter duidelijk uit De Hooghe's ontwerpen. Een analyse daarvan laat zien dat de keuze voor de voorgestelde geleerden, vazen en standbeelden overeenkwam met de drie beroepsgroepen die in het *Collegium* waren vertegenwoordigd.

De zestien borstbeelden laten zich groeperen in vier groepen, met een gelijke verdeling tussen personages uit de Oudheid en de moderne, 16de en 17de eeuw.²⁰² De eerste groep (de nrs 1, 2, 3 en 4) was gewijd aan bekende artsen: Hippocrates (afb. 164), Galenus, Forestus (afb. 165) en Fernelius. De tweede groep (de nrs 5, 6, 7 en 8) bestond uit Theophrastus, Vesalius, Clusius (afb. 166) en Dodonaeus. Hier heeft De Hooghe zich waarschijnlijk vergist, want als we Vesalius, de anatoom, vervangen door nr 12, Dioscorides (afb. 167), krijgen we een gezelschap van vier botanici. De nrs 9, 10, 11 en 6 groeperen zich als geleerde anatomen: Herophilus (afb. 169), Democritus, Spigelius en Vesalius (afb. 168). Via deze illustere voorgangers konden artsen, apothekers en chirurgijns zich ieder met hun eigen beroepsethos

identificeren. De verschillende disciplines werden samengebonden door vier natuurfilosofen, beroemd om hun wetenschappelijke methode, de nrs 13, 14, 15 en 16: Aristoteles (afb. 170), Plato, Cartesius (Descartes) (afb. 171) en Boyle. Drie standbeelden en drie van de vier schitterende tuinvazen hadden het karakter van de drie beroepsgroepen in het *Collegium* verder moeten illusteren: dat van *Medicina* (afb. 172) en de vaas *Archiatria* de artsen, dat van *Pharmacopoea* en de vaas *Chymia Botanica* de apothekers en dat van *Chirurgia* en de vaas *Anatomica* de chirurgijns (afb. 173). De vierde tuinvaas, met het opschrift *Philosophia* behoorde bij de natuurfilosofen: zij beeldt de *Philosophia Naturalis* uit, de natuurfilosofie als moeder der wetenschap (afb. 174). Als overkoepelend denksysteem trachtte zij verklaringen te geven voor de opbouw en de werking van de natuur in meest brede zin, en om deze reden was zij met de medische zienswijze op natuur, mens en wereld ten nauwste verbonden.

Waar De Hooghe dit programma in de tuin had willen uitvoeren, weten we niet. De borstbeelden waren kennelijk bedoeld voor het open rond, midden in de siertuin, hetzij volgens de aangegeven nummering per groep, of geplaatst naar de oneven nummers, zodat twee figuren van dezelfde groep elkaar zouden aankijken.²⁰³ De standbeelden en vazen waren misschien een plaats toebedacht in de Gloriette

---

dermeer gegevens ontleend aan Charles Coulston Gillespie (ed.), *Dictionary of Scientific Biography*, New York, 1970–1975, 12 Delen en hier afgekort als DSB met deelnummer) in volgorde van nummering op de bladen:

1 *Hippocrates* (Griek, 460–370 voor Chr., genoot in de Oudheid al faam als arts; maakte school met zijn diagnose op basis van observatie, DSB V, 418–431)

2 *Galenus* (Griek, 129/130–199/200 na Chr., werkzaam op het gebied van de medicijnen, anatomie en fysiologie, condenseerde veel van de medische wetenschap uit de Oudheid, DSB V, 227–237)

3 *Forestus* (Pieter van Foreest, 1521–1597, stadsmedicus van Delft, de 'Hollandse' Hippocrates en hoogleraar te Leiden, zie: H.L. Houtzager (ed.), *Pieter van Foreest. Een Hollands medicus in de zestiende eeuw*, Amsterdam 1989, Stichting Historia Medicinae no 3)

4 *Fernelius* (Jean Francois Fernel, 1497(?)–1558, Franse medicus, schrijver van het invloedrijke *De naturali parte medicinae* uit 1542 en het tekstboek *De Medicina* 1554, DSB IV, 584–586)

5 *Theophrastus* (leerling van Aristoteles, 371–286 voor Chr., botanicus, schrijver van de *Historia*

Plantarum en *De Causis Plantarum*, P. Edwards, *The Encyclopedia of Philosophy*, New York/Londen 1967, VIII, 99–100)

6 *Vesalius* (Vlaams arts, chirurg en grondlegger van de anatomie, 1514–1564; hoofdwerk *De Humani Corporis Fabrica Libri VII*, Basel 1540–1543, voor hem zie het werk van Wolf-Heidegger/Cetto 1967)

7 *Clusius* (Charles de l'Ecluse geboren in Arras, Frankrijk, 1526–1609, botanicus, DSB VIII, 120–121 en Hunger 1923/1943)

8 *Dodonaeus* (Rembert Dodoens, 1516–1585, Vlaams botanicus en schrijver van het Cruydeboek uit 1554, DSB IV, 138–139)

9 *Herophilus* (4de eeuw voor Chr. Bithynia, Klein Azië, bijdragen op het gebied van de (vergelijkende) anatomie, DSB VI, 316–318)

10 *Democritus* (Griekenland, 5de eeuw voor Chr., de 'lachende filosoof'; bestudeerde de physica en wiskunde, ontwikkelde de 'atomen'leer, DSB IV, 30–34)

11 *Spigelius* (Adriaan van der Spiegel, 1578–1625, Vlaming, vanaf 1605 hoogleraar anatomie en chirurgie te Padua, zie W. Haberling e.a., *Biographisches Lexikon der hervorragender Aertze aller Zeiten und Völker*, Berlijn/Wenen 1934, V)

12 *Dioscorides* (50–70 na Chr., Grieks schrijver van de *De Materia Medica*, kenner van pharmacie, medicijnen, chemie en botanie, DSB IV, 119–122).

13 *Aristoteles* (Grieks wijsgeer, 384–322 voor Chr., invloedrijk op het gebied van de methodologie van de wetenschap, werkzaam op het terrein van de fysica, fysische astronomie, psychologie en biologie, DSB I, 250–281)

14 *Plato* (Grieks wijsgeer, 427–348/347, kennistheoreticus, werkzaam op het gebied van mathematica, astronomie, muziektheorie, medicijnen en fysiologie, DSB XII, 22–31)

15 *Cartesius* (Renée du Perron Descartes) (1596–1650, beoefenaar van de natuurfilosofie, de wetenschappelijke methode, de optica, de mathematica, de mechanica en de fysiologie, DSB IV, 51–65)

16 *Boyle* (Richard Boyle, 1627–1691, Engels experimenteel natuurfilosoof, een van de stichters van de Royal Society in Londen, DSB II, 377–382)

De drie tuinbeelden (formaat 32 bij 19 cm, pen en penseel in bruin, blauwgrijs voor de voetstukken) stellen voor *Medicina*, *Pharmacopoea* en *Chirurgia*. De vier tuinvazen (32,5 bij 19 cm, pen,

164. R. de Hooghe, Borstbeeld van Hippocrates voor de Hortus Medicus te Haarlem, tekening met pen, penseel in bruin en blauwgrijs en krijt in rood, 1707.

165. R. de Hooghe, Borstbeeld van Forestus (Pieter van Foreest) voor de Hortus Medicus te Haarlem, tekening met pen, penseel in bruin en blauwgrijs en krijt in rood, 1707.

166. R. de Hooghe, Borstbeeld van Clusius voor de Hortus Medicus te Haarlem, tekening met pen, penseel in bruin en blauwgrijs en krijt in rood, 1707.

167. R. de Hooghe, Borstbeeld van Dioscorides voor de Hortus Medicus te Haarlem, tekening met pen, penseel in bruin en blauwgrijs en krijt in rood, 1707.

168. R. de Hooghe, Borstbeeld van Vesalius voor de Hortus Medicus te Haarlem, tekening met pen, penseel in bruin en grijs en krijt in rood, 1707.

169. R. de Hooghe, Borstbeeld van Herophilus voor de Hortus Medicus te Haarlem, tekening met pen, penseel in bruin en blauwgrijs, 1707.

170. R. de Hooghe, Borstbeeld van Aristoteles voor de Hortus Medicus te Haarlem, tekening met pen, penseel in bruin en blauwgrijs en krijt in rood, 1707.

171. R. de Hooghe, Borstbeeld van Cartesius (Descartes) voor de Hortus Medicus te Haarlem, tekening met pen, penseel in bruin en blauwgrijs en krijt in rood, 1707.

172. R. de Hooghe, Standbeeld van *Medicina* voor de Hortus Medicus te Haarlem, tekening met pen, penseel in bruin, 1707.

175. R. de Hooghe, Ont-
werp voor een Gloriette in
de Hortus Medicus te Haarlem, tekening met pen, penseel in bruin en blauwgrijs,
1707.

176. R. de Hooghe, Schets
achterop de tekening met
het borstbeeld van Dioscorides (zie afb. 167), 1707.

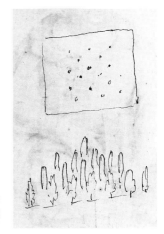

227

177. Titelpagina van C. Bartholinus, *Institutiones Anatomicae*, Leiden 1641.

173. R. de Hooghe, Tuin-
vaas met een voorstelling
van de *Anatomica* voor de
Hortus Medicus te Haar-
lem, tekening met pen, penseel in bruin (de vaas),
blauwgrijs en krijt in rood
(de piëdestal), 1707.

174. R. de Hooghe, Tuin-
vaas met een voorstelling
van de *Philosophia* voor de
Hortus Medicus te Haar-
lem, tekening met pen, penseel in bruin, blauwgrijs (de
vaas), krijt in rood (de piëdestal), 1707.

(afb. 175).[204] Het Costerbeeld, zo weten we, diende in het 'midden' van de Hortus geplaatst te worden, omringd door de borstbeelden.[205]

Achter op een van de tekeningen krabbelde De Hooghe een schetsje (afb. 176), waarin we een van de vierkante perken van de tuin herkennen. Zestien puntjes in de plattegrond komen overeen met het aantal borstbeelden. Het aanzicht eronder kent zeventien verticale elementen, wellicht de borstbeelden plus het Costerbeeld, gegroepeerd op een heuvel. Stond De Hooghe de opzet van een Parnassusberg voor ogen, geliefd motief in 16de- en 17de-eeuwse intochten en tuinen in Italië en Frankrijk, hier opgevat als monument ter ere van de Genius van de Geneeskunst en die van de Boekdrukkunst?[206] De combinatie was niet zo vreemd. De boekdrukkunst had immers voor de verspreiding zorggedragen van de kennis van de hier verzamelde geleerden, waarvan vijf demonstratief met een boek werden afgebeeld (afb. 164, 165, 166 en 167).[207]

DE TUIN ALS BOEK
De Hooghe maakte voor zijn decoratieprogramma gebruik van specifieke beeldtradities: die van het geleerdenvertrek en het geleerdenportret. Illustraties uit medische boekwerken vormden een andere bron. Afbeeldingen van geleerden behoorden volgens de antieke traditie tot series van *viri illustri*, een reeks van beroemde mannen. In de vorm van twee- of driedimensionale portretbusten luisterden zij 'studiolo's', studeervertrekken, op.[208] In Nederland zou die traditie uitmonden in universitaire verzamelingen van geleerden-portretten.[209] Maar ook particulieren, zoals Gerard van Papenbroek (1673–1743), legden dit soort collecties aan.[210] Dit sloot goed aan bij het gebruik om in tuinen reeksen borstbeelden van keizers of filosofen op te stellen, als onderdeel van een decoratieprogramma.[211] De borstbeelden in de Haarlemse hortus, geschilderd als halffiguren, maar bedoeld als gebeeldhouwde tuinhermen, functioneerden in de open lucht als portretten in een studiolo. De ruimte van de tuin was, net als in Leiden, het 'boek der natuur', een openbaar studeervertrek waar boekenkennis met de praktijk van de natuurstudie werd gecombineerd.[212]

Het geleerdenportret functioneerde vaak op de titelpagina's van boeken.[213] Eminente artsen en anatomici als Hippocrates, Vesalius,

penseel in bruin en blauwgrijs en rood krijt) zijn allegorieën op *Philosophia*, *Archiatria*, *Chymia Botanica* en *Anatomica*. Het ontwerp voor de Gloriette meet 20 bij 32,5 cm en heeft als techniek eveneens pen en penseel in blauwgrijs en bruin.

203 Deze reconstructie houdt rekening met de vervanging van nr 6, Vesalius, met nr 12, Dioscorides. Ik kan geen systematiek ontdekken in de wijze waarop de bustes elkaar aankijken.

204 Het kan ook zijn dat de Gloriette gedacht was als een alternatief voorstel, waarin het moest dienen als een galerij voor de beelden, vazen en de termen van geleerden: een soort klassieke 'stoa'. De vier galerijen beschikken samen precies over 16 pijlers waar de termen tegenaan gezet hadden kunnen worden, zie afb. 36. De Hooghe's ontwerp verraadt zijn ervaring met het ontwerpen van architectuur voor triomftochten.

205 *Archief Coll. Med. Res. 5a*, 15 oktober 1708.

206 De Hooghe's schetsje bevindt zich op de achterkant van tekening nr 12 met de voorstelling van Dioscorides. Met de verticale elementen op de laagste rij kunnen ook bomen bedoeld zijn geweest. Vergelijk voor de iconografie van de Parnassus en de genie-cultus in het laat 17de-eeuwse Frankrijk, Colton 1979, 64 en verder. Vooral de overeenkomst met de Parnassusberg van Pratolino valt in het oog, zie ibidem afb.60. De Hooghe kende zeker de Parnassusberg in Bentincks tuin Zorgvliet, maar deze was niet voorzien van beelden, zie Hunt/De Jong 1988, cat. nr 45 en afb.46.

207 Op de Hooghe's ontwerpen voor het voetstuk van het Costerbeeld diende dan ook nadrukkelijk in een inscriptie aangegeven dat 'Lourens Costerus, primos promsit in orbe libros' (tekening Atlas, G.A.H. 9/6 335) of '[…] primos ex cortice Libros Edidit; […] Laurens Coster, opus mirum hoc Orbe stupente, dabat. Stannea faginam sequitur, mox area, matrix. Coster, et inventor primis et auctor erat.' (tekening Atlas, G.A.H. 9/6 336).

208 Liebenwein 1977, 84–96. Het bekendst is de studiolo in het Palazzo Ducale in Urbino uit ca. 1476, waar ondermeer portretten van Cicero, Boethius, Euclides, Hippocrates en Homerus waren samengebracht. De hortus van Pisa beschikte over haar eigen portrettengalerij van botanici, waaronder Clusius, die werd samengesteld aan het einde van de 16de en het begin van de 17de eeuw, vgl. Tongiorgi Tomasi 1991, 141 en verder, en afb. 120.

209 Vergelijk *Icones Leidenses* 1973 en Van Regteren Altena/Van Thiel 1964. De Leidse verzameling beschikte ca. 1600 al over een aantal portretten, waaronder dat van Clusius uit 1585 (ibidem nr 19). De Utrechtse Universiteit was in 1684 de eerste die op systematische wijze de pas voltooide senaatskamer wilde tooien met hoogleraarsportretten.

210 Van Regteren Altena/van Thiel 1964. Deze collectie hing op het huis Papenburg, bij Velzen, in Kennemerland en werd in 1743 aan het Amsterdamse Athenaeum Illustre geschonken. Het bevatte ondermeer beeltenissen van Erasmus, Ariosto, Luther, Scaliger, Calvijn, Coornhert, Lipsius, Hooft, Vondel en Descartes.

211 De Hooghe kan bijvoorbeeld gedacht hebben aan de verschillende tuintermen in Versailles, in het bijzonder de Filosofenreeks met ondermeer bustes van Plato (door Rayol, 1686) en Theophrastus (door Hurtrelle, 1686–1688), Francastel 1930, 247. De Hooghe kende ongetwijfeld ook het Asclepius beeld in de tuin van Duin en Kruidberg, jacht- en buitengoed van Willem III bij Haarlem sinds 1681, zie de ets van C. Decker, een leerling van De Hooghe, in J. Westerhoven, *Den Schepper Verheerlijkt in zijn Schepselen*, Amsterdam 1685.

212 Vgl. de aantekening in noot 130.

213 Voor de relatie tussen titelblad, geleerdenportret en studiolo zie ook de opmerkingen bij Liebenwein 1977, 93.

214 Joh. Sambuccus, *Veterum aliquot ac recentium Medicorum Philosophorumque Icones*, Antwerpen, Plantijn, 1603, met ondermeer portretten van Hippocrates, Plato, Aristoteles, Theophrastus, Galenus, Dioscorides, Fernelius en Vesalius. Artsenportretten komen ook voor in *Icones ad vivum deli-*

Galenus en Spigelius vinden we bijvoorbeeld als halffiguren in een randversiering op het titelblad van C. Bartholinus' *Institutiones Anatomicae*, gedrukt in Leiden in 1641 (afb. 177). Er bestonden zelfs publikaties, waarin enkel portretten van medici en filosofen waren afgebeeld, meestal als buste of halffigurig. Het vroegste boekwerk op dat gebied was van Johannes Sambuccus uit 1603, gevolgd door een groot aantal andere biografieën.[214]

Voor de uitbeelding van zijn portretten en de voorstellingen op de vazen ging De Hooghe dan ook bij dit soort boeken en bij publikaties die te maken hadden met geneeskunde, botanie en chirurgie te rade. Clusius en Dodonaeus (afb. 166) kopieerde hij regelrecht van de titelpagina van Dodonaeus' *Cruydt-boek* (afb. 160). Voor Vesalius (afb. 168) sloeg hij diens *De Humani Corporis Fabrica Libri VII* (1543) op, waaruit hij Jan Stephan van Calcars portret van de beroemde anatoom kopieerde.[215] Het attribuut voor Vesalius (het blad in zijn hand) en dat van Herophilus en Democritus (de opengelegde schedels, afb. 169), nam hij ook uit Vesalius' boek over.[216] De bol waar Aristoteles zijn hand op legt (afb. 170) koos De Hooghe wellicht als het symbool

voor de aarde, die volgens de wijsgeer verantwoordelijk was voor de stoffelijke substantie van planten.[217]

Bij het ontwerpen van de beelden en vazen ging De Hooghe ook op een allegorische manier te werk. *Medicina* bijvoorbeeld (afb. 172), rustte hij uit met de slangenstaf van Asklepios, symbool voor de geneeskunde, en de kolf, teken voor de chemie (de farmacie). Op haar kleed bracht hij de vijfpuntige ster aan, het pentagram, dat stond voor *Salus*, Algemeen Welzijn.[218] De vazen hadden uitgevoerd moeten worden door een kundig beeldhouwer want de scènes op de friezen waren gecompliceerd qua figuren en reliëf. Die van de *Anatomica* (afb. 173) is een van de meest spectaculaire met zijn voorstelling van de *Anatomica Porci*, de analyse van de anatomie van een zwijn, die herinnert aan de wijze waarop anatomen in de 16de eeuw naar het voorbeeld van Galenus de vivisectie ontdekten; de grondslag voor anatomisch onderzoek.[219] De bekroning van de vaas door het menselijk skelet levert tegelijkertijd een indringende vanitasvoorstelling op, die sterk doet denken aan de skeletten in het Leidse *Theatrum Anatomicum* (afb. 162). De Hooghe koos ervoor het abstracte begrip van de

neatae et expressae, virorum clariorum qui praecipue scriptis Academiam Lugduno Batavam illustrarunt, Leiden 1609, hierin ondermeer naast Heurnius en Hadrianus Iunius, Forestus, Dodonaeus en Clusius; P. Castellanus, *Vitae illustrium medicorum qui toto orbe, ad haec usque tempora floruereunt*, Antwerpen 1617 geeft geen portretten maar in chronologische volgorde geschreven *vitae* van ondermeer Vesalius, Aristoteles, Democritus, Galenus, Hippocrates, Fernelius, Dodoens en Theophrastus; H. Witten, *Memoriae Medicorum Nostri Seculi Clarissimorum Renovatae Decades Quattuor*, Frankfurt 1676–1677, geeft uitvoerige levensbeschrijvingen van Clusius en Descartes; Roel. Roukema, *Naamboek der Beroemde Genees en Heelmeesters van Alle Eeuwen*, Amsterdam 1706, beschrijft zonder illustraties alle geleerden uit De Hooghe's serie behalve Theophrastus, Vesalius, Spigelius en Plato.

215 Merkwaardig is de keuze voor het portret van Theophrastus, dat niet op de beeldtraditie voor hem lijkt terug te gaan (vgl. de titelpagina van Clusius' *Rariorum Plantarum Historia*, Antwerpen 1601 (hier afb. 156) en *Theophrasti Eresii. De Historia Plantarum Libri Decem*, Amsterdam 1644). Wel lijkt zijn kop op die van de 16de-eeuwse arts Paracelsus, ook wel Theophrastus Bombastus van Hohenheim genoemd, zie zijn portret in *Der Buecher und Schriften des Edlen / Hochgelehrten und Bewehrten Philosophi und Medici Philippi Theophrasti*

Bombast von Hohenheim Paracelsi genannt, Basel 1589). Was hier bewust een 'sous entendu' bedoeld? De Hooghe gebruikt ook losse portretprenten, zoals voor de buste van Descartes, waarvan de compositie terug gaat op Jonas Suyderhoefs spiegelbeeldige gravure naar het schilderij van Frans Hals uit 1650 (Hollstein XXVIII, 233 nr 74). Het feit dat Descartes tussen 1637 en 1640 in Santpoort, bij Haarlem, woonde, kan een extra aanleiding zijn geweest om hem zo'n prominente plaats in de Haarlemse hortus te gunnen.

216 Zo is de tekening in Vesalius' hand de *Prima Musculorum Tabula*, uit Boek II, 170 in Vesalius' *De Humani Corporis*. De opengesneden koppen verbeelden de eerste en tweede sectie naar de afbeeldingen in ibidem, *Liber Septimus. Cerebro animalis facultatis sedi e sensuum organis dedicatus [...]*, *Prima (en) Secunda Septimi Libri Figura*. De luchtpijp op het voetstuk van Democritus vinden we ook terug bij Vesalius, de afbeelding in Boek III, 301.

217 W. Pagel, *Paracelsus. An introduction to Philosophical Medicine in the Era of the Renaissance*, Basel 1982, 240. De Hooghe is niet altijd overtuigend in zijn keuze voor de attributen. Voor het voetstuk van Spigelius ontleende hij symbolen aan de tekens in de farmacopee voor koper, lood, staal goud, tin, spiesglas en zilver, maar deze zouden toepasselijker zijn geweest op de piëdestal van

Theophrastus.

218 Schouten, 133 en verder. Het pentagram komt als attribuut van Asklepios, bijvoorbeeld voor op de titelpagina van Gerard Blasius', *Ontleeding des Menschelijken Lichaems*, Amsterdam 1675; *Salus*, als teken bedoeld om kwade invloeden af te weren, was sterk verbonden met Hygieia, de dochter en vrouw van Asklepios: zij stond voor de preventieve geneeskunde. Beiden staan als tuinbeelden in de Leidse Hortus op de titelpagina van H. Boerhaave, *Index Plantarum Horti Lugduno Batavi*, Leiden 1710. De *Pharmacopoea* gaf De Hooghe als attributen de klisteerspuit, de spatel, een potje met panacea (het ideale middel dat alles geneest) en een stookketel gekoppeld aan de distilleerkolf met gesloten helm, duidend op de mengkunst van de apothekers. Chirurgia, omringd door een open schedel en delen van een skelet, is uitgerust met haar lancet, amputatiezaag, trepaan (boor); zij draagt een zogeheten 'trousse', een zak met instrumenten. De Hooghe werkte al eerder met dit soort attributen in zijn ontwerp voor de titelpagina van J. Munnicks, *De Re Anatomica*, Utrecht 1697, gegraveerd door J. van Vianen (Wolf-Heidegger/Cetto 1967, cat. nr 197).

219 De Hooghe's voorstelling zou kunnen teruggaan op de initiaal Q in Vesalius Boek I, 81. Zie ook: R. Toellner en N. Tsouyopoulos (eds.), *Illustrierte Geschichte der Medizin*, Salzburg 1980,

natuurfilosofie, die in de 17de eeuw door het natuurwetenschappelijk onderzoek aan heel wat nieuwe inzichten was blootgesteld, te illustreren met traditionele symbolen. Hij gebruikte de veelborstige Diana van Ephesus, omringd door Apollo, vader der geneeskunst, en de Tijd, als personificatie van de rijke Natuur, het onderwerp van de studie van de *Philosophia Naturalis* (afb. 174).[220] De schelpen op de onderste rand van de vaas, de festoenen met planten, de mineralen op de deksel en de adelaar, die staande op bliksemschichten de hemelbol draagt, verzinnebeelden hemel en aarde en de vier elementen, tegelijkertijd ook plant, dier en mineraal als de drie rijken van de natuur.[221]

Al werd het totale programma niet uitgevoerd, een bezoek aan de Hortus was in meer dan één opzicht instructief. Niet alleen deed men er tijdens een wandeling kennis op van de siergewassen en medicinale planten die de basis vormden voor de praktijk van de geneeskunde. Voor leden en leerlingen van het *Collegium* verwezen de borstbeelden van medici, botanici, chirurgen en natuurfilosofen, deze 'kinderen der natuur', naar de geschiedenis en de theorie van hun vak.[222] Ze boden als 'leraren' stof tot gesprekken en bespiegelingen over de inzichten in de geneeskunde uit de Oudheid en het recente verleden; over de bouw en functies van het lichaam, het belang van ervaring, medische observatie en kennis van individuele feiten als basis van voortgang in de verschillende takken van geneeskunde; over de waarde van classificatie en beschrijving in boeken en het kennen van deze publikaties. Men kon zich zelfs verbeelden dat een jongere generatie geleerden in gesprek was met zijn voorgangers over de ontwikkelingen binnen de natuurfilosofie, die in de 17de eeuw nogal diep hadden ingegrepen.[223] Zo had Descartes een geheel andere richting gegeven aan de erfenis van Aristoteles, Democritus en Galenus en daarmee was de afhankelijkheid van klassieke leermeesters in de toen moderne wetenschap in een ander licht komen te staan. De natuurverschijnselen dienden volgens hem gededuceerd te worden op de wijze van de wiskunde. De fysieke organisatie van dier en mens vergeleek hij met een goed geoliede machine; beide zijn in staat tot complex gedrag en onderhevig aan diverse, onbewust uitgevoerde functies, met dit verschil dat de mens beschikte over een rede en een ziel, een combinatie van materie en intellect die het dier miste. Bij zijn redeneringen speelde de a priori door de rede opgestelde hypothese voor Descartes een grotere rol dan observatie en toetsing door middel van het experiment. Zijn nieuwe, mechanistische visie op de natuur, waarin Descartes naar voren bracht dat God op veel manieren de wereld tot stand had kunnen brengen en dat het daarom eenieder vrij stond aan te nemen op welke wijze de schepping was gerealiseerd, tastte de positie van God als bewuste schepper der natuur aan. Een diepgaande discussie tussen hem en de Utrechtse hoogleraar Voetius groeide uit tot een heftige controverse, die de wetenschappelijke wereld lange tijd in haar ban hield. Het was overigens te danken aan de invloed van Boyle, die het doen van waarnemingen en proeven wél van groot belang achtte, dat in Nederland voor het experiment toch een plaats werd ingeruimd in het universitaire natuurkunde-onderwijs.[224] De portretten lieten ook andere associaties toe: Forestus (Pieter van Foreest), de 16de-eeuwse stadsgeneesheer van Delft, vond hier zijn leermeester Vesalius terug en illustreerde de belangrijke positie van het stadsmedicinaat. Samen met Clusius, Dodonaeus en Descartes bracht hij tevens in herinnering wat er in binnen de grenzen van de Republiek aan bijdragen op het gebied van geneeskunde, botanie en natuurfilosofie was geleverd. Ook Laurens Janszoon Coster speelde in die gedachte een rol, misschien naar idee van De Hooghe en het *Collegium* wel de belangrijkste. Want deze beroemde stadsgenoot had met zijn uitvinding de basis gelegd voor de verspreiding en ontwikkeling van kennis

Dl. V door E. Leclainche, *Die Veterinärmedizin vom Mittelalter bis zum Ende des 18 Jahrhundert*, 1808 (voor een vergelijkbare scène maar dan met een paard in C. Ruini's, *Anatomia del Cavallo*, Venetië 1618/ Parijs 1647).

220 Zo paste hij haar als personificatie van de Natuur ook toe op de titelpagina van Antonie van Leeuwenhoeks *Ondeckte Onsigtbaar-Heeden. Ontledingen en Ontdekkingen Van levende Dierkens in de Teel-Deelen Van Verscheyde Dieren, Vogelen en Visschen [...]*, Leiden 1686, Landwehr nr 69. De Diana van Ephese kwam in Italie als tuinbeeld voor, het mooiste exemplaar van deze 'Dea della Natura' (1568/69) staat in de tuin van de Villa d'Este, C. Lamb, *Die Villa d'Este in Tivoli*, München 1966,

pag. 53 en afb.15.

221 De compositie van de friezen op de twee andere middenvazen is min of meer identiek: een centrale middenfiguur omringd door anderen. Ze lijken qua opzet erg veel op een voorstelling op de titelpagina van Th. Willis, *Opera Omnia*, Amsterdam 1682, ontworpen door Adriaan Schoonebeeck, een leerling van De Hooghe (Wolf Heidegger/ Cetto 1967, cat. nr 193). Op de vaas *Chymia Botanica* staat Flora, met achter haar een tuinherme, aan haar voeten de vier werelddelen die planten aanbieden, op een wijze die doet denken aan de titelpagina van J. Commelin, *Horti Medici Amstelodamensis Rariorum Plantarum Historia*, Amsterdam 1697, Dl. I. Rechts van Flora staat een draagbare,

antieke kweekkas. Archiatria heeft als hoofdscène het doktersbezoek met de aanreiking van medicamenten en het piskijken. De scène slaat natuurlijk op het toezicht houden op de uitoefening van de geneeskunde, van vitaal belang voor het *Collegium Medicum*. De harp en de neergeslagen draak op de voet van de vaas referen naar Apollo als oppergod van de geneeskunde; op de deksel verwijst Atlas met de hemelbol en het Salus-teken naar de Tuin der Hesperiden, het paradijs zonder ziekte en verderf.

222 Het begrip 'kind der natuur', voor de natuuronderzoeker, vindt men in het onderschrift dat Jonas Suyderhoefs gravure van Descartes siert, naar het portret van Frans Hals (Hollstein XXVIII)

en wetenschap. Zijn centrumpositie temidden van de geleerden en in het midden van de tuin had het belang moeten illustreren van de tuin voor de stad Haarlem in haar semi-academische ambities ten opzichte van Leiden en Amsterdam.[225] Hier werd de verantwoordelijkheid voor de *hortus sanitatis* immers niet genomen door een Academie, zoals in Leiden, maar door het stadsbestuur en een *Collegium Medicum*. De tuin illustreerde hun inzet voor het algemeen welzijn, de *salus publica*, op een wetenschappelijke en geprofessionaliseerde grondslag.

233, nr 74, 1650): 'Talis erat vultu NATURAE FILIVS: unus / Qui Menti in Matris viscera pandit iter. / Assignansque suis quavis miracula causis, / Miraculum reliquum solus in orbe fuit.' Deze tekst is van de hand van Christiaan Huygens en fungeert ook in de necrologie van Descartes in H. Witten, *Memoriae Medicorum Nostri Seculi Clarissimorum Renovatae Decades Quattuor*, Frankfurt 1676/1677, 588, 'In Cartesii Effigiem'.

223 Dijksterhuis 1980, hoofdstuk IV en Van Berkel 1985, hoofdstuk II en III.

224 Vgl. Dijksterhuis 1980, IV iii E, 444 e.v.; Van Berkel 1985, hoofdstuk II, 38 ev. en Jean Galard, 'Descartes en Nederland', in: *La France aux Pays-Bas. Invloeden in het verleden*, Vianen 1985, 51–89; meer specifiek voor Descartes' bijdrage op het gebied van de geneeskunde: G.A.Lindeboom, *Descartes and Medicine*, Amsterdam 1978.

225 Dit blijkt allereerst uit het feit dat dit het enige beeld was dat in steen uitgevoerd diende te worden volgens de voorwaarden in de contracten die daarvoor werden gesloten. Het blijkt vervolgens duidelijk uit de opschriften die Romeyn de Hooghe voor het voetstuk van het Costerbeeld ontwierp; hierin wordt niet alleen gezinspeeld op zijn uitvinding van de boekdrukkunst, maar ook op de Haarlemmerhout (bezit van de stad Haarlem!) waarin zijn uitvinding plaats zou hebben gevonden. Voor de sokkel op de tekening in Atlas G.A.H. 9/6, 335, ontwierp De Hooghe een reliëf dat Coster voorstelt, die een letter uit een boomstam snijdt; het silhouet van Haarlem vertoont zich op de achtergrond. Op het ontwerp (Atlas G.A.H. 9/6, 336) is de relatie met Haarlem nog duidelijker: boven een inscriptie diende de stadsspreuk 'Harlemo Vicit Vim Virtus', een tweede inscriptie diende de namen van de Burgemeesters te bevatten. Voor de rol van de Coster-iconografie voor de stad Haarlem, zie Becker-Ouwerkerk.

Appendix

Er bestaat geen originele inventaris van de collecties in de galerij van de Hortus uit ca. 1600. Om een beter begrip van de verzameling te krijgen, worden hier drie van de vroegste inventarissen in handschrift, een van kort na 1617 en twee uit 1659, opgenomen.

De eerste beschrijft 82 objecten in het *Ambulacrum* (of 'ouwe gaalderij' – de oude galerij uit 1599/1600 aan de zuid-zijde van de tuin) en de 'nieuwe gaalderij', of nieuwe galerij, de oranjerie die in 1610–1612 aan de noordzijde van de Hortus werd gebouwd. Deze lijst werd opgesteld na de dood van Pieter Paauw op 1 augustus 1617, wellicht naar een oudere lijst van diens hand, om vast te stellen welke objecten in de twee galerijen behoorden tot Paauws persoonlijk bezit.

De volgende twee lijsten uit 1659, die ieder 110 objecten in het Nederlands en Latijn beschrijven, komen exact met elkaar overeen en hebben zeer zeker gefunctioneerd als verklarende lijsten die beschikbaar werden gesteld aan de geïnteresseerde leek of geleerde bezoeker (Zacharias von Uffenbach beschrijft nog in 1711 tijdens zijn bezoek dat hem in het Ambulacrum een Latijnse en Nederlandse verklaring ter hand wordt gesteld, vgl. de passage bij Gogelein 1990, 22).

Waar mogelijk, wordt verwezen naar Clusius' *Exoticorum Libri Decem: Quibus Animalium, Plantarum, Aromatum, aliorumque peregrinorum Fructuum historiae describuntur*, Leiden 1605; *EX gevolgd door Boek-, hoofdstuk- en paginanummer betekent dat een object uit de Ambulacrum collectie wordt beschreven door Clusius, cf EX gevolgd door een paginanummer verwijst naar *vergelijkbare* objecten behandeld door Clusius. Dit is overigens moeilijk vast te stellen door het gebrek aan systematische, 16de- en vroeg 17de-eeuwse terminologie. Het is verder niet altijd duidelijk of de objecten die Clusius beschrijft als in het bezit van Paauw tot diens eigen collectie behoorden of tot de inhoud van het Ambulacrum. Ook hield Clusius waarschijnlijk zelf veel objecten die hij beschrijft en die hem door anderen waren gegeven. De uitwisseling van objecten uit de collecties van het Ambulacrum en het Theatrum Anatomicum vormt een andere complicerende factor bij de reconstructie van de inhoud van het Ambulacrum.

Verwijzingen worden gemaakt naar Clusius' eigen exemplaar van de *Exoticorum* (Leiden U.B. nr 755 A3), dat annotaties van zijn hand heeft en waarin verschillende capita (met name zijn oorspronkelijke *Auctarium ad Exoticorum Libros* op pag. 357 tot 378) zijn herschikt en hernummerd door Clusius zelf (zie Clusius' annotatie op pag. 355). De lijsten van 1659 worden vergeleken met de eerste, gedrukte catalogus van het Ambulacrum, de *Res Curiosae et Exoticae, In Ambulacro Horti Academici Lugduno-Batavi conspicuae* (Leiden U.B. 2676 E 25). Deze catalogus bevat 122 objecten, ongelukkigerwijs opnieuw in andere bewoordingen gesteld. Aan deze lijst met curiositeiten is nog een lijst toegevoegd van een *Theca, in qua asservantur variae aves indigenae e exoticae, aliaque rariora* (48 nummers) plus een opsomming van 120 nummers onder *Animantia Varia utriusque Indiae Nativa facie, liquori Balsamico innatantia*, zodat in totaal 290 objecten in het Ambulacrum te zien waren. Deze twee laatste collecties van zeldzaamheden (vogels en op sterk water gezette dieren, met allerlei soorten uit Brazilië en Ceylon) lijken te zijn toegevoegd aan de bestaande verzameling door P. Hermann, van 1680 tot 1695 'praefectus horti'. Dit feit dateert de eerste gedrukte catalogus na 1680.

Op een later tijdstip werden alle collecties in één lijst opgenomen, de *Index Musaei Indici [...] In ambulacro Horti Academici Lugduno Batavi* (zie de ingebonden band met inventarissen, U.B. Leiden 2676 E 25).

Tot slot wordt dit materiaal vergeleken met de zeldzaamheden op de gravure van Willem Swanenburgh/Jan Cornelisz. Woudanus (zie afb. 151). Enkele objecten die niet in de inventarissen te lokaliseren zijn, maar waarvan bekend is dat ze wel in de verzamelingen hebben thuisgehoord, worden ook nog toegevoegd.

Haakjes in de eerste inventaris verwijzen naar (mogelijk) hetzelfde object in de 1659 inventarissen (zie gevolgd door nummer betekent dat het waarschijnlijk om hetzelfde object gaat, cf gevolgd door een nummer indien dit minder plausibel is). Verwijzingen naar de *Exoticorum* worden hier alleen gegeven als een object in de 1659-lijst niet terugkeert.

I

Inventaris van de Rariteyten opde Anatomie en inde twee gallerijen van des Universiteyts Kruythoff / Archief van de Curatoren van de Leidse Universiteit no 228 (kort na 1617).

Inventaris van t'gene hangende is of bevonden wert inde twee galerijen vande Universiteijt mitsgaders inde Anatomiplaets, toekomende den sterfhuijse van Sal: Dr Paauw, naer uijtwijsen desselfs handt, alhoewel eenighe veranderinghe wert bevonden van sommighe partijen minder, ende van sommighe meerder

Inde ouwe gaalderij

1. Vespertilio Indicus dentatus (zie 3)
2. Tres tibiae integrae alcis
3. Corii pars ex tergo alcis (cf 69)
4. Serra piscis Serrae (zie 4)
5. Exuviae Crocodili (zie 77)
6. Serra piscis cum sua serra (zie 4)
7. Arundo Indica habens 19 internodia (*EX Bk I, cap. xix, pag. 18, zie 40?)
8. Arundo Indica habens 19 internodia (*EX Bk I, cap. xix, pag. 18, zie 40?)
9. Twee Indiaensche hanghende koordebeddens (zie 35)
10. Crocodilus maior (zie 48?)
11. Caput Cervi cum cornibus (zie 52)
12. Cornua Cervi maiora
13. Corallum album marinum (zie 8)
14. Exuviae Lacertae longae palmos octo
15. Exuviarum serpentis pars (zie 66)
16. Maxilla ursae magnae habens dentes 12 (zie 12)
17. Crocodilus minor (zie 48?)
18. Dentes van een walrus
19. Crocodilus minor (zie 48?)
20. Clava Indica ex ebeno
21. Crocodilus minimus (zie 48?)
22. Dorsum cum ventre testudinis
23. Portio arundinis Indicae longa pedes duos (cf 40)
24. Crocodilus maior (zie 48?)
25. Echinus maximus (zie 19)

Inde nieuwe gaalderij

26. Corallum marinum (*EX Bk VI, cap. i, pag. 119–120)
27. Quercus marina (cf EX Bk VI, cap. iv, pag. 121–122)
28. Planta retiformis (cf EX Bk VI, cap. iii, pag. 121)
29. Pseudocorallum nigrum
30. Polypodium Indicum (*EX Bk IV., cap. xvii, pag. 88–89)
31. Pes Casuarii (zie 43)
32. Cucurbita Indica (cf 55?)
33. Capsula, in qua guttegommu et aliquot extracta
34. Sacculus hartaccus in quo mastix, hypocystis et acatia
35. Calcei Norevagici
36. Dua picae marinae referunt anates (cf 99?)
37. Fructus guanobami (cf EX Bk VIII, cap. xi, pag. 231–232)
38. Fructus peregrinus tetragonos
39. Capsa constans 64 distinctis receptaculis, in quibus reposita quaedam mineralia, et multa alia admodum rara
40. Lobus Santome
41. Lobus ex Virginia
42. Acus marinae
43. Lagenulae Americae (cf EX Bk II, cap. viii, pag. 29)
44. Penis walrus, cuius pulvis commendatur ad calculum rerum
45. Ungula alcis (zie 14)
46. Macer (cf EX Bk IX, cap. xii, pag. 264–265 en Bk IV, cap. iv, pag. 79) 47. Erica marina (cf EX Bk VI, cap. v, pag. 122)
48. Due mergi
49. Anas artica (cf EX Bk V, cap. xvi, pag. 104–105)
50. Capsa constans 64 receptaculis, in quibus reposita mineralia et quaedam gummata
51. Capsa in qua gummata, resina, succi concreti, et panes pere grini (cf EX Bk IV, cap. vi–viii, pag. 80–82)
52. Calcei Indici
53. Dens equi marini (zie 27)
54. Testudo integra (zie 94)
55. Concha imbricata
56. Een snoer van tanden uijt Indien
57. Een Indiaens inktkokerken
58. Een beck van een vreemde vogel
59. Murex
60. Pinna marina
61. Vespertiliones Indici duo (zie 3)
62. Lapis amiantis
63. Crocodilus cum suo ovo in Hollandia repertus
64. Capsa in qua ova et multa alia
65. Aliquot capsae cum rarioribus
66. Rami ex arbore coralloides (zie 42?)
67. Twe Indiaensche almenacken, de een van hout, ende d'ander van been (zie 16)
68. Ocreae Indicae
69. Cancer maximus (*EX Bk VI, cap. xiv, pag. 127–129)
70. Caput Ceti minoris cum dentibus (zie 30) (cf EX Bk VI, cap. xviii, pag. 131–132)
71. Sacculus in quo dentes Ceti (zie 30)
72. Verscheijden Chinees papier, gehele witte bladen, ende ook beschreven bladen (*EX Bk VI, cap. xxxii, na pag. 144)
73. Een wintsack om opt water te drijven
74. Vestimentum Pigmaeorum
75. Een toom van een ree
76. Twee noortsche schuijten
77. Een Indiaens werpnet
78. Twee pinguijns (cf EX Bk V, cap. ix, pag. 101)
79. Een Indiaensche rok
80. Een steur
81. Galeus piscis
82. Acht Laden daerinne zijn verscheijdene soorten, ende fatsoenen van hoornen, conchijlien, histrices, cruijden, planten, noten, ende veel schonen rariteijten

[volgt een lijst van objecten 'In Loco Anatomico', van planten 'In horto' en een opsomming van bollen en planten aan Paauw gegeven door Jan van Hout. Deze opsomming geeft aan hoe de inventaris van galerij, tuin en anatomisch theater tot één collectie behoort. De inventaris eindigt met een 'memorie' voor timmerwerk gedaan voor Paauw op zijn kosten 'in de huijsinge van de universiteijt']

We kunnen concluderen dat van de 82 nummers, er bij benadering 23 geïdentificeerd kunnen worden met objecten in de 1659-lijsten. Dat betekent dat de rest of in het bezit is gebleven van de erfgenamen van Paauw, of dat objecten verplaatst zijn naar de verzamelingen van het Theatrum Anatomicum. Nummers 12 en 72 bijvoorbeeld kunnen worden geïdentificeerd met objecten in de *Inventaris der Anatomie* uit de jaren 1620. Verder onderzoek is nodig om te begrijpen in hoeverre de collecties van de universiteit telkens werden verplaatst, vgl. hievoor J.A.J. Barge, *De oudste inventaris der oudste academische anatomie in Nederland*, Leiden 1934.

II

Lijst van curiositeiten in het *Ambulacrum* van de Leidse Hortus gedateerd 1659.

Eerst de Nederlandse versie van 1659: *Verscheyden Rariteyten, Inde Galderije des Universiteyts Kruyt-Hoff / tot Leyden Anno 1659*, Rijksarchief Gent, België, Raad van Vlaanderen F.51 (transcriptie U.B. Leiden, no 1392 B9). Als tweede volgt een Latijnse vertaling, aangetroffen in een Zwitsers reisverslag uit 1661, maar ook gedateerd 1659: *Res Curiosae & Exoticae Quae in Ambulacro Hortj Academiae Leydensis Curiositatem amantibus offeruntur Ao 1659*, in: J.V. Besenval De Brunstatts *Jähriger layss Beschreibung*, 1661, Zentralbibliothek Solothurn, Switzerland, Ms S 67 (transcriptie door Th. Schneider, Basel). De verblijfplaatsen van deze lijsten verklaren hoe zij functioneerden als gids voor bezoekers aan het Ambulacrum.

Waar mogelijk wordt verwezen naar Clusius' *Exoticorum* (zie hierboven), gevolgd door een verwijzing naar de eerste gedrukte catalogus *Res Curiosae [etc]* van ca. 1680 (als RC gevolgd door nummer). De gedrukte catalogus verwijst overigens ook af en toe naar Clusius' *Exoticorum* en naar andere publikaties.

1. Adelaer of Arent / Aquila (RC 1)
2. Inglans vrucht als een Neut / uyt Candie / Juglans Canadensis (RC 3)
3. Indiaensche Vleer-muys / Vespertilio Jndica (cf EX Bk V, cap. iiii, pag. 94–96) (RC 5)
4. Sweert-visch / Piscis Serratus (cf EX Bk VI, cap. xx, pag. 135–136)(RC 6)
5. Vreemde Schulp / Cochleae majores binae (RC 7?)
6. Ribbe van een Rhenoceros / Costa Rhinocerotis (cf EX Bk VII, cap. xiv, pag. 166) (RC 8)
7. Brasilaens Verckens-huyt / Cutis Porcj Brasilianj (RC 9)
8. Specie van wit Corael / Species Corallj. albj. (RC 10?)

9. Beck van een Zee-Vercken / Aper Jndicus. & maxilla Suis marinj. (RC 11)
10. Vrucht van Ceder-boom / Fructus Cedrj.
11. Vogel uyt Brasil / met hoorns aen de vleugels en op 't hooft / genaemt Mitu / Avis Brasil: jnstar Pauonis, cornu oblongum candidum fronte gerens, Singula ala duobus cornibus albis ornata, Mitu vocata (RC 12)
12. Schoft / Beck en Voeten / van een Beer / Virga Vrsj Albj, ossa pedes, & maxillae (RC 14)
13. Visch genaemt Blaesert / Piscis Blasaertus dictus (RC 15)
14. Elants-Poot ofte Been / Vngula Alcis (RC 27)
15. Stroo Fedel-spel / Jnstrumentum lusorium Tramineum (RC 21)
16. Indiaensche Almanack / Calendarium Jndicum
17. Vischken / dat een Schip tegen=hout / Remora
18. Paradijs=Vogels / Auis Paradisi (*EX Bk V, cap. i, tussen pag. 94–95)(RC 17)
19. Zee-Egel / Piscis Eschinatus
20. Beck van een Vogel Toupan genaemt / Animal Toupan, & rostrum eius
21. Vel van een Wilt Brasils Paert / Cutis Equi Brasil: (RC 13)
22. Een Veer van een Vogel Phenix / Pluma Auis Phaenicis
23. Indiaens Af-godt / Jdolum Jndicum (RC 22)
24. Indiaensche Spinne-kop / Araneus ex India Occidentalj
25. Zee-Vleer-muys / Vespertilio marina
26. Hooft van een Zee-Paert / Hyppopotami Caput (RC 26)
27. Tanden van een Zee-Paert / Hyppopotami Dentes (RC 33)
28. Boogen en Pijlen der Wilden / Arcus cum Sagittis (RC 39)
29. Indiaens Broot / Panis Jndicus
30. Tanden van een Pot-visch / Dentes Piscis Pot Vocati (RC 23)
31. Groote Swam ofte Sponcy / Fungus major (RC 38)
32. Vrucht genaemt Annanas / Fructus Annanas (cf EX Bk IX, cap. xliv, pag. 284–285) (RC 32)
33. Beck van een Vis genaemt Gieb / Piscis Vocatus Gieb
34. Rhenoceros Hoorns / Cornu Rhinocerotis (RC 30)
35. Hamack ofte Bedde der Wilden / Hamack (RC 31)
36. Groote Slange-vellen / Cutis Serpentis magni-

tudinis jngentis (cf EX Bk V, cap. xxvi, pag. 114)
37. Strunck van een Wilde Vijgeboom / Truncus ficus Indic: Silves: (cf EX Bk I, cap. i, pag. 1–4) (RC 48)
38. Brasils Jangde-hout / Capput Jangadae Brasil.
39. Een Hooft van een Vos / Capput Vulpinum
40. Spaens-riet / Arundo Hispanica (cf EX Bk I, cap. xix, pag. 18) (RC 50?)
41. Suycker-riet / Arundo Succharea (RC 43)
42. Zee-gewas / en vreemde Krabbe / Plantae marinae species 4. diversae (RC 37? of 38?)
43. Poot van een Casuaris / Pes Casuarij (RC 40)
44. Visch als een Vercken / Piscis Porcus (RC 41?)
45. Zee=Spinnekop / Araneus marinus (RC 42)
46. Wonderlick Gedierte in een Hennen-Ey / Animal ex Ouo gallinae enatum 4 (RC 45)
47. Pellikaens-Beck / Rostrum Pelicanj (RC 46)
48. Cayman of Crocodil / Crocodilus (cf EX Bk IX, pag. 259) (RC 52)
49. 't Gebit en Rugge-been van een Haey visch / Mandibula, & Spinadorsi Haïyae (RC 51)
50. Beelden uyt Sabba / Statuae ex Zappa (RC 53)
51. Minerael / daermen van de vrucht die daer uyt wast / Linnen kan maken / Lapis Amyanthus e quo pro uenit Byssus (RC 55)
52. Herts-Hooft / Cerui Caput (RC 54?)
53. Brasils Ree-bocx-vel / Pellis Capreoli Brasil: (RC 59)
54. Leuyaerts-vel / Cutis Luyaertis
55. Larvoerde van Brasil / Cucurbita Brasil: (RC 92?)
56. De Passie-blom / gefigueert / Flos Passionis
57. Osse Lever in Leyden gefigueert gevonden / Figura Anseris jnuenta in jecore bouis
58. Een tappoens Trompet / Tuba lignea Tappajeri (RC 67?)
59. De Huyt van een Meer-minne / Cutis Virginis marinae (RC 73)
60. Groote en kleyne Mieren eeter / genaemt Tamandua Peba / Tamandua Peba major & minor formicas edentes (RC 62 and 110)
61. Indiaens Beestken Armadilla genaemt / Armodilla jndica (cf EX Bk V, cap. xvi, pag. 109 en cf EX Bk X, cap. xxxvii, pag. 330) (RC 65)
62. Indiaensche Eghdisse / Lacerta Jndica (*EX Bk V, cap. xxvii, pag. 115) (RC 64)
63. Zee-katte / Felis marina
64. Indiaensche schulp / Cochleae Jndicae
65. Adders Tonge / Lingua Viperae
66. Slangen Eyeren / Oua serpentum

233

67. Olyphants Gehoor / Auditus Os Elephantj (cf EX Bk IX, pag. 260–261) (RC 86)
68. Ratel-Slangh / Serpens ambulando cute crepitans (RC 70)
69. Elants Huyt / Cutis Alcis (RC 74)
70. Indiens Vosken / Lupus Jndicus (RC 69)
71. Draeck / Draco (RC 72?)
72. Een Zee-wolff / Lupus marinus (RC 75)
73. Schilt-visch / Piscis Spilt Vocatus
74. Struys-Eyeren / Oua Strusj (RC 71)
75. Arents-Eyeren / Oua Aquilae
76. Olyphants Tanden / Dentes Elephantj (cf EX Bk VII, cap. xiv, pag. 166)(RC 79)
77. Crocodils Eyeren / Oua Crocodilj
78. Tygers-Vel / Tigris Cutis (RC 85)
79. Klimmende Gewasch / genaempt Cipo / Cipo frutex in longum serpens (RC 81)
80. Vrucht Cassia / Fistula genaemt / Cassla fistula major (RC 82)
81. Appel-Colocijnth-Vrucht / Fructus Colecynthidis Variae Species
82. Bocx-hoornen / Cornua Capri (RC 24)
83. Oorlochs Instrument der Brasilianen / Instrumentum bellicum Brasil (RC 87)
84. Hosen en Schoenen uyt Japon / Caligae ex Jnsula Japan cum calceis (RC 88)
85. Japansche Rock / Tunica Japaniae Chiliarchae
86. Visch-hooft / Water-op-blaser genaemt / Piscis Aquam per foramina duo super nasum in altum eleuans (RC 89)
87. Neut-gewas Pindouas genaemt / Pindouas, & Latrix fructus (RC 96)
88. Bochoornen inde kleynste haer Maech groeyt de Bezaersteen / Cornua Capri, in cuius Ventriculo Lapis Bezoarticus nascitur (cf EX Bk VII, cap. xiv, pag. 216–217, ook Bk IX, cap. xxxvi, pag. 279 en Bk X, cap. xxxiv, pag. 327–329) (RC 24)
89. Een Pruysser-Boer / die een mes inslickte / dat hem uytgesneden / en weder genesen is / Delinatio Rustici Prusiacj cultiuorj
90. Een voet van een Zee Hont / uyt Groenlant / Planta marina (RC 99)
91. Viper-Slangh / Vipera
92. Grain / doer men de Scharlaken Verwe of maeckt / Coccum Siue granum Cocci
93. Dolphijn / Delphinus (RC 102)
94. Schilt-padde uyt Indien / Testudo Jndica (RC 109)
95. Schilt-paden Eyeren / Oua Testudinum (RC 98)
96. Poot van een Vogel-Grijph / Pes Gryphj
97. Walvisch-Schaften ofte Roeden / Virga Balaenae (RC 107)
98. Hooft van een Zee-Leeuw / Caput Leonis marinj (RC 105)
99. Gans in Schotlant op Boomen wassende / Anas in Scotia proueniens in arboribus (RC 104)
100. Pluym-Gras / Gramen plumeum
101. West-Indisch Dier / Jackhals genaemt / Animal Leoni Victum portans [?] Vocatum Jackhals (RC 108)
102. Geremte ofte Gebeente van een Mensch / Sceleton Hominis (RC 122)
103. Rock van de Russen / Tunica Russica
104. Een Pagaey / Psitacus (cf EX Bk V, cap. iii, tussen pag. 94–95)
105. Vel van een Boshont / Cutis jngens Canis Silves: (RC 121)
106. Indiaens Schuytjen uyt een Boom / Nauigolium Jndorum (RC 111)
107. Een Cocus Neut / [Co.s] Cocus nux (cf EX Bk VII, pag. 190–191)(RC 113)
108. Papieren-gelt in 't Leyts Beleg geslagen / Pecuniae Leydenses (RC 118)
109. Een Hooft van een Wolff / Caput Lupinum (RC 117)
110. Groote Neut / Zambucaja genaemt / Zambucaia nux magna (RC 114)

Een vergelijking tussen de lijsten maakt duidelijk dat min of meer dertig objecten niet in de gedrukte lijst terugkeren. Dat kan liggen aan een verschil in beschrijving, slechte conservering en dus verlies of een verandering van plaats (vergelijk nr 89 dat men kan vinden in de eerste gedrukte catalogus van de zeldzaamheden in het Anatomisch Theater uit 1669; vergelijk ook nr 18 waarvan een vogel is geplaatst in de *Theca* onder nr 41 en nr 104 dat we misschien kunnen lokaliseren bij de drie papegaaien in de *Theca* nrs 17–19). De gedrukte lijst bevat zodoende bij benadering tweeënveertig objecten die niet in 1659 in het Ambulacrum te zien waren en dus als nieuwe aanwinsten tussen 1659 en 1680 mogen gelden. Hieronder tellen we een aantal objecten die in de laat 17de-eeuwse reisbeschrijvingen telkens terugkeren zoals het opgezette nijlpaard (nr 77) en een jonge rinoceros (nr 93), een reuzenzwam (nr 25), hoofd en staart van een bever (nr 34), Indische schelpen (nr 68) maar ook door de mens voortgebrachte zaken als een fraaie Chinese schoen (nr 18), een Indiaanse hangmat (nr 31), een tijdskalender uit Lapland (29) en speren en pijlen uit Guinea (nr 44).

Aangezien de lijst van 1659 en de gedrukte lijst respectievelijk 110 en 122 objecten bevatten, kan dit alleen betekenen dat nieuwe aanwinsten, wellicht samen met bestaande voorwerpen uit het Theatrum Anatomicum de weggehaalde of ontbrekende zaken uit de 1659-lijst zijn gaan vervangen. Dat objecten herhaaldelijk werden verplaatst, blijkt wel uit het feit dat veel objecten die in de gedrukte lijst worden genoemd later weer terug te vinden zijn in het *Theatrum Anatomicum*, vgl. bijvoorbeeld Gerardus Blanken, *Catalogus van alle de Principaalste Rariteyten die op de Anatomie-kamer binnen de Stad Leyden vertoont werden*, Leiden 1698.

III

Omdat de afbeelding door Woudanus (zie afb. 151) de vroegste bron is voor de Ambulacrum-collectie, is het belangrijk te zien dat de verschillende objecten die hij afbeeldt bevestigd worden door de latere inventarisen: *testa immanis testudinis* (zie lijst I-22/53 and II-94), *maxilla ursi ex nova zembla* (zie I-16 en II-12?), *crocodilus* (klein, zie I-17/19 en II-48), *orbis* (cf EX Bk VI, cap.xxiiii, pag. 139), *lita phijton* (zie I-26?), *crocodilus* (groot, zie I-10 en II-48), *sarra marina* (zie I-4/6 en II-4), *noctua indica* (zie I-1 en II-3) en *bandus* (2 ×) (zie I-7/8).

IV

Clusius vermeld nog de volgende objecten in zijn *Exoticorum* als onderdeel van de verzamelingen van de Hortus: *Nux aromatica mas* (Bk I, pag. 14–15), *Peregrinus fructus* (Bk II, pag. 26–27), *Exotici fructus* (Bk II, pag. 51), *Echinomelocactus* (Bk IV, pag. 92–93), *Mergus maximus Farrensis sive Arcticus* (Bk V, pag. 102), *Yvana, lacerta genus* (Bk V, pag. 116–117), *Manati Phocaegenus* (Bk VI, pag. 133–135), die vanwege zijn bijzonderheid en grote omvang eerst in Amsterdam werd tentoongesteld en vervolgens 'in Academici horti porticu suspensus fuit Lugduni Batavorum' ('in de portico [het Ambulacrum] van de Leidse Academietuin werd opgehangen').

Summary

Erik de Jong *Nature and Art. Dutch garden- and landscape architecture 1650–1740*

INTRODUCTION

Criticism voiced in the early eighteenth century on Dutch gardening by the early English advocates of the landscape style had a profound effect on our understanding of what was a much loved art-form in the Dutch Golden Age. Advocating new ideals on landscape, gardens and nature, the theories of the landscape style reached Holland through France and Germany in the second half of the eighteenth century and heavily influenced the Dutch understanding of gardens as a landscape too. Dutch writers started to criticize gardens that showed, in style and iconography, the heritage of the seventeenth century tradition of laying out geometric gardens. Smaller Dutch gardens in particular, which abounded in and around Dutch towns, were mocked because of their smallness, decorativeness, their topiary and classical sculptures. The introduction of the landscape garden with its aesthetic of the natural and the picturesque was eventually to sweep away Dutch geometrical gardens. These changing attitudes not only destroyed the gardens themselves, they also influenced nineteenth-century and more modern conceptions of an art on which so much money, work and thought had been spent. Indigenous and foreign literature on Dutch garden history is still in many ways determined by views that oscillate between visions of topiary gardens or gardens which are static, know of no classical traditions, abhor representations of mythological gods and goddesses, and are shaped above all by practical, horticultural and utilitarian standards. Heavily influenced by the technical approach to nature of twentieth century Dutch functionalistic architecture from the twenties and thirties onwards, the idea is quite lost that historic landscapes and gardens were an object of conscious design and the outcome of a conceptual process where the intricate relation between nature and art was considered of vital importance. Instead, art and nature have become opposites and they are generally not considered as values that interact with each other.

Dutch geometrical gardens of the seventeenth and eighteenth centuries are also weighed unfavorably against French models to a degree that every use of a main axis is declared Le Nôtrean, any larger organized garden compared to Versailles, even if gardens predate this complex by many years.

This book opposes such views, trying to reflect on Dutch gardens from within by determining which traditions shaped gardens in a country with a unique geography. A country that also, from a European point of view, offered a unique social stratification of burghers, merchants, officials and a stadholder with his court. Members of all these groups were involved in the laying out of gardens for a variety of reasons.

Based on the assumption that form, content and use cannot be separated, four main gardens are discussed, each created on the initiative of members of four different social groups. At first is treated the garden of Het Loo (near Apeldoorn in the east of Holland), created by stadholder William III from 1684 to 1699 (ill. 44 to 74*); secondly the gardens of Heemstede (near Houten in the province of Utrecht) designed from 1680 to 1700 for Diderick van Velthuysen, a high official in the States of Utrecht (ill. 76 to 108). Thirdly the garden of the country house Zijdebalen along the river Vecht, the property of the rich silk merchant David van Mollem and designed by him from 1709 to 1740 (ill. 109 to 140). The last chapter is devoted to the Hortus Botanicus in Leiden (created from 1590 onwards and in function through the whole of the 17th- and eighteenth-centuries) and the Hortus Medicus of Haarlem (created in 1696 and in existence until 1721), both laid out to support the study and professional activities of physicians, apothecaries and surgeons (ill. 141 to 177). Since none of these gardens exist anymore (except for the reconstructed gardens of Het Loo),

* ill. refers to afb., plate to color plates

in each case remarks are made on the architectural layout and contents of the garden. These are based on the bringing together of archival material, topographical drawings, engravings and maps, descriptions in travel journals, country-house poems and other written documentation. Functions and meanings of these gardens are studied in the light of different aspects of garden culture more specifically and 17th- and 18th-century culture at large. Several themes recur in all four gardens. First of all we encounter the establishing of an order in nature through architectural means. Garden space constructed, it served as an expression of personal ideas, be they political, religious or scientific. The garden also reflected the interest in the manifestations of nature and the love for horticulture more in particular, while the use of sculpture and other garden decorations helped to express ideas and concepts on the relation between man, nature and art. As a walking space it provided the opportunity for physical and mental exercise.

Each of these gardens tells a different story, due to their geographical position and the objectives of their patron. Yet many architectural motives and iconographic themes are to be traced back to the princely traditions introduced by the stadholders; their gardens set a mode which was followed by the court, high officials and burghers, each in their own way.

PART I

CHAPTERS 1 *(country life)* AND 2 *(concepts of nature and art)*

Country life formed the larger framework for the creation of gardens. Dutch archives hold many conveyances dating from the seventeenth century wherein the purchase of a piece of land with outhouses is regulated in view of building a country residence to be surrounded by gardens. They demonstrate how small country estates situated in the flat polder landscape or on a river became gradually very popular among the regents and merchants of Holland, while larger estates were created by the stadholder court. In many cases these estates, consisting of a house, a garden and often also land belonging thereto, were a monetary enterprise, meant as an investment in agricultural lands or intended for hunting purposes, but always confirming a desired higher status. Not least they were actually intended for residence in the country. Inspired by an idyllic view of country life modelled after classical examples and stimulated by the processes of early urbanization in the west of Holland, life in the country offered the larger framework in which many gardens were to be created (ill. 4, 14, 16, 17, 18, 23, 24, 75, 109, 110 and plates 1 and 2).

In his treatise *Den Nederlandtsen Hovenier* from 1672, the gardener to the prince of Orange Jan van der Groen claimed country life to be beneficial not only to the physical condition of the town dweller, but also to be of great value to the moral health and the spiritual life of man (ill. 1, 2, 3). To accentuate his feelings, Van der Groen appealed to the authority of the Dutch country house poets. Their garden poems (or 'hofdichten') embodied not only a complex of literary conventions but also, in their description of flowers, plants and trees, of pruning and grafting, garden ornaments and garden uses a general attitude to gardening as being a highly valued form of culture (plate 13). Poets like Constantijn Huygens and Jacob Cats transmitted through their garden poems a whole body of classical knowledge on gardens, nature and country life, based on their extensive knowledge of Virgil and the *scriptores rei rusticae* (ill. 4, 5). In their poems classical lore fused with a christian, protestant, interpretation of nature as God's second book (ill. 6, 7). Working in the garden was looked upon as a simple and virtuous activity, since it could remind one of paradise and consequently, agriculture at the beginning of civilization. Many writers, poets and gardeners alike, time and again wished to stress the venerable genealogy of the art of gardening. This historical perspective provided gardening with status, and made it acceptable as an object of personal interest for the amateur. The garden served as a space were physical activity and pleasure were combined with knowledge on nature, man and creation.

Essential to understanding Dutch gardens in this period, are the concepts of nature and art.

Nature outside the town was considered wild and in disorder. Only art was seen to be able to perfect nature, arrange it, embellish it, decorate it and make it pleasurable. To Van der Groen and others man could improve on nature through domestication and training, by technique and craftsmanship (ill. 26, 27). This was not only true for nature in the garden: the marble statues, the mathematically ordered parterres and walks, the shells and minerals in grottoes, the rare animals and plants, all these testified in one way or another to he intricate relation between nature and art. This attitude also explains much about the personal love for the study of plants, the collecting of rare flowers, the planting of trees and the development of garden technology (plate 11). The invention of hothouses to master the wet Dutch air and the devising of complicated fountain techniques to make water rise above the flat Dutch landscape made gardens into places of experiment with the sciences (ill. 31, 32).

Dutch geography played an important role in this view on nature. The wet, flat grasslands, the surfeit of water and the strong winds made numerous measures necessary for creating a mild and fruitful garden climate (ill. 13, 16, 17, plate 2). The garden therefore forms an essential object in studying the Dutch approach towards nature in the seventeenth and early eighteenth centuries. It embodies the regulating forces of classicist theories, where geometry and uniformity, taken from the laws of art and architecture, improved on local nature and perfected it. In many respects gardens showed the same technical abilities the Dutch displayed in draining their polders and organizing these large landscapes through geometric, ideal patterns. At the same time these natural conditions of water, wind and the distribution of land heavily influenced the layout and architecture of Dutch gardens. In plan and elevation they gave the Dutch garden a sense of enclosure and an inward-looking orientation (ill. 18, plates 1, 2). A main axis in many cases provided the only perspective on adjoining country side (plate 9 and ill. 44, 75, 76). The Dutch garden offered in these respects a different architectural layout and experience than French gardens did during the second half of the seventeenth century (ill. 11). This is not to say that the French garden did not play an important role in shaping Dutch gardens. The collecting of French treatises and garden prints, the many

travel journals and letters all testify to a great interest in French and also Italian gardening. Yet beside this great admiration, there was the realization that foreign examples could not be introduced and imitated on Dutch soil, except as a general point of reference or in details and ornaments like fountains, parterres and lattice works. French theories had always to be reshaped and adapted to a Dutch situation and a Dutch taste (ill. 22a–b, 40, 41, 102, 103).

Ordering the landscape did not make gardening an art in Holland. The garden architect as a separate profession did not exist, and that explains why so many surveyors played an important part in the layout of gardens: their knowledge of mathematics and surveying formed the technical and scientific basis for the architectural shaping of nature in both landscape and gardens. Furthermore, the cultivation of nature was regarded as belonging to agriculture. Its exercise, as no other human action, turned wilderness into fruitful land. Agriculture, gardens and country life were all combined in the popular Vergilian ideal of the Georgics and could also include biblical examples: did not God make agriculture available to Adam, thereby to regain the earthly garden of Eden by work on the land?

PART II

CHAPTER 3. *The garden of Het Loo as political propaganda*

The history of the construction of Het Loo is closely associated with the personal career of William III (ill. 44). Purchasing Het Loo as a stadholder in 1684, it was meant as a private hunting lodge, away from the residences around The Hague. It provided him with the opportunity to create a complex of house and gardens that was to bear the stamp of his own patronage. Building was started in 1686 on a house and small gardens. As far as we are able to reconstruct there were definite ideas on an iconographical program of statuary, designed by Romeyn de Hooghe, introducing Hercules and Apollo as main figures (plates 3a–b). Work was interrupted by the preparations for the Glorious Revolution. After the coronation of William III and Mary in spring 1689 however works erupted. Bentinck was appointed superintendent of the gardens, Romeyn de Hooghe, responsible for William III's general propaganda machine, supervised iconography and statuary. Not Marot is the creator of these gardens, but a team of specialists, of whom he was but one member (compare ill. 48, 49, 50). Visiting Het Loo in 1691, William III showed his creation to the international guests of the The Hague Assembly: the garden belonged to his political propaganda as much as the many pamphlets, medals, paintings and emblems and his triumphal entry in The Hague that same year (ill. 57, 60, 70, 71). This forms also the explanation why he ordered the garden to be enlarged from 1691 to 1699: it had to match his royal status. Yet he choose not for the grand and the spatial, but for the refined and the enclosed. From letters between him and Bentinck we may conclude that the Trianons and Marly, properties of his great opponent Louis XIV, belonged to the types of gardens most admired by him, offering him the possibility for the creation of a complex with a more personal signature (ill. 52, 53). Unique for Holland were the many statues at Het Loo and above all the fountains, which were fed from natural springs (ill. 54, 58a–b, 61, 62, 64).

The garden was consciously meant to make an edenic impression after travelling the sandy, heather covered Veluwe: the order of the garden was an allegory of political order. No other garden of William III ever had more prints made of it, indubitably for reasons of propaganda. They confirm that Het Loo was not an imitation of Versailles, as often has been said, but an answer to the gardens of his great French rival. Statues and fountains also played their part in this theater of art, nature and politics. River and nature gods symbolized the gardens as a *'locus amoenus'* in the Veluwe-region while four large urns representing Holland, England, Scotland and Ireland referred to his empire; globes of heaven and earth added a macrocosmic level (plate 4 and ill. 58a–b, 62). Under the aegis of Venus, as the central fountain also indicating the qualities of Mary Stuart, the garden reflected a new golden age of prosperity, affluence and fertility under the government of William and Mary (ill.54). Cascades of Arion and Narcissus symbolized the virtues of William III, more particularly the leader who goes forth in the faith of God, defends protestantism and saves his people against foreign intruders (ill. 61, 62). Interestingly enough the choice of this iconography is

closely related to existing imagery used for the Orange dynasty earlier in the century. It is also closely related to the inventions by De Hooghe for pamphlets and medals and his work for the triumphal entry in 1691. The introduction of a Hercules fountain on the main axis finds a parallel in Herculean motives introduced at Hampton Court between 1691 and 1694. As an international princely emblem it was laden with political and dynastic meaning, symbolizing strength and innate virtue: Hercules reigns not at Versailles, but at Het Loo (ill. 64 to 70). The pyramid on the main axis pointed to fame and glory. These were also reflected in the many orange trees in the garden as the living emblems of the garden of the Hesperides, the reward for Herculean efforts. The garden was meant in all respects to function as a 'theatrum politicum' for a great European prince, William III.

CHAPTER 4. *The gardens of Heemstede as a classical landscape*

The fame of the gardens of Heemstede was, and still is, considerable. In both Dutch and foreign literature the design of this garden is listed after Het Loo, Zeist and De Voorst as the highlight in Dutch garden art. Heemstede owes this renown above all to Daniël Stoopendaal's glorious aerial view, made after a study by Isaac de Moucheron (ill. 76). As with so many garden prints from this period, also this view has greatly influenced our understanding of garden art from this period. Its sharp lines have made us believe that these garden landscapes were truly artificial. One may argue whether this engraving is a trustworthy source for interpreting the reality of the garden, but this seems to miss the point the engraving and the series of views belonging to it want to make. In many ways the birds eye view and the series of watercolors and engravings by Isaac de Moucheron, made in the period 1700–1703, correct the real situation as it is known from a contemporary map and registry maps of a later date (ill. 76, 77, 78, 81, 82, 84 to 88 and plates 5 to 8). Yet it presents the garden as a timeless ideal, as an organized classical landscape and as such it offers us an invaluable clue to the meaning the garden must have had for its owner, Diderick van Velthuysen. The organization of the garden according to classical principles is matched by Van Velthuysens choice of De Moucheron to

document the garden. He was known for his interpretation of classical, Italian landscapes and architecture (ill.81).

The purchase of the manorial residence of Heemstede in 1680 (the house was built in 1645, ill. 77) must have meant much for the status-seeking patrician, one of the more successful higher civil servants in the province of Utrecht. The house had lordly privileges attached to it and the most important one concerned the right to hunt. A game reserve stretched along the north-east of the gardens main axis. Privileges to hunt were overseen by William III, who in the province of Utrecht owned the hunting lodge of Soestdijk (see also ill. 80, 88). Part of this object of status, was the investment in the planting of trees solely for decoration and pleasure. Utrecht being almost deforested at that time, the possession of trees took on a special significance. This becomes especially clear from the different penalties ordained by Van Velthuysen as member of the States of Utrecht on the theft and mutilation of trees.

Van Velthuysen added land to his property from 1680 to ca. 1685 and on this he created his garden, perhaps making use of an existing layout around the house. His new axial design has different sources. It is close to the then recently remodelled Tuileries in Paris. Its emphasis on uniformity and variety must have found a source in Mollets *Jardin de Plaisir* from 1651, the most important treatise of that time used in the Netherlands (ill. 83). In many ways Heemstede must have been inspired by the nearby gardens of Zeist (begun in 1677, plate 9). It could not, however, be organized according to theory as Zeist was. Because of the given position of the house, axial entrance, parterres and bosquets had to be combined in an unorthodox way. The large birds eye view however, tries to restore all these elements to their ideal position and creates the illusion of a true classical garden. Classicism reigns in the parts along the deep axis. Berceaux in the form of amphitheaters, classical sculptures, urns with representations of Diana (goddess of hunting and trees) and a classical tomb adorned the garden (ill.82 to 95).

The variety of different trees, treated architecturally or a in a more free way, the proximity of the deer, all these elements come close to the concept of the ideal, classical landscape in for example De Lairesse's *Groot Schilderboek* from 1707. Two poets, Reets and Rotgans, writing their garden poems in honor of Van Velthuysen, emphasize in their work the classical atmosphere in this garden and enliven it with classical gods and pastoral figures. In the choice for the architecture and decoration of his garden, Van Velthuysen pursued a conscious desire to emulate William III and his court. This is proven by the use of the exedra for his outdoors orangery, also used to skillfully hide imperfections due to the asymmetrical position of the garden in the landscape (ill. 96). The exedra shows great similarity with the orangery at Zorgvliet, or the 'anse de panier' at Zeist. The grotto, added ca. 1699, is in many ways connected with the grottoes erected at Het Loo, Dieren and Zorgvliet (ill. 97 to 108). But the grotto also expressed knowledge of the satiric mode to be found in Vitruvius, or concepts on art and nature to be found in Ovid. The exedra, the highlight of the garden, referred to the classical theater. It therefore formed the appropriate decor for the inclusion of four marble busts of the princes of Orange in the hedges around the parterre, which centered on a fountain of Hercules.

This image of princely virtue, to be seen on the main axis at Het Loo and Bentincks Zorgvliet, must be interpreted as a profound desire to prove loyalty to William III (ill. 100 and 51, 64, 67). Even the choice of Rotgans as a poetic commentator of the garden is explained by this attitude. It was Rotgans who had dedicated his epic poem on William III from 1699 to no one else than Van Velthuysen himself. As a member of the States of Utrecht, the lord of Heemstede had all reason to be concerned for loyalty. The position of the States had not improved after the invasion of the Netherlands by Louis XIV in 1672: the city of Utrecht in particular had permitted entrance to the French troops too swiftly. The appointment of new burgomasters and members of the States was ratified by William III personally. In addition Van Velthuysen had personal reasons for loyalty: his grandfather had been the private physician of William II. Architecture and decoration of the gardens of Heemstede were the expression of status visualized as a classical ideal and a personal manifesto of allegiance to the stadholder and his court.

CHAPTER 5. *The gardens of Zijdebalen.*
Nature and virtue

Visiting the Low Countries, most visitors travelled by water. Doing so, they were struck by the many villa's and gardens adorning the rivers Vecht, Amstel and Spaarne and others (ill.75, 109, 110, 111, plate 2). Balthasar Neumann, the great Bavarian architect, commented favorably on Dutch garden architecture in 1740 and thought it could teach him more than Dutch architecture. This Dutch version of the international fashion of villa life and laying out gardens had started in the 1620ies, when the first merchants and members of the city elite started transforming farms into classical country houses with gardens. The outcome of this fashion is well illustrated in the prints published in the book *De Zegepraalende Vecht* from 1719 (ill. 110, 111, 113). Here the Amsterdam merchants are described as 'kings in offices' and the prints of their gardens are likenened to those done of gardens belonging to the court of Willam III and the stadholder himself.

Amongst the groups possessing country houses along the Vecht in the period 1650–1740, the mennonites took pride of place. They often owned the most beautiful houses and gardens financed with money earned in the silk trade. For the modern spectator this greatly contradicts the mennonite requirement of simplicity. Yet their great interest in classicism must be explained by the rich, but sober effects that could be produced by this style. Their special love of gardens, by all means an expensive investment, may be explained along similar lines. Where else than in a garden could one better be confronted with the variety, beauty and wonder of Gods creation? Financial investment in the creation of the garden was justified and made acceptable by the religious and moral character of such an enterprise. Even more so when one had been involved in the design of the garden oneself, as was the mennonite David van Mollem, who created his garden Zijdebalen (literally 'Bales of Silk') along the river Vecht near Utrecht from 1709 to 1740 (ill. 112, 113, 114 and plate 10). As a member of a second generation of wealthy silk merchants, he invested his money in the lay out of a garden, next to the silk factory created by his father. From his library inventory and other contemporary evidence we may conclude Van Mollem himself was a dilettante and designed his gar-

den with the help of books (amongst others Dezaillers *Théorie et Pratique du jardinage* from 1709) and artists. The small garden was enlarged after 1719 with a deep main axis, a novelty among the gardens along the river Vecht and most certainly designed in imitation of gardens like Het Loo and Heemstede (ill. 120, 121, 128). The many travel descriptions testify the garden became one of the great curiosities in the Netherlands.

Our main sources are a long garden poem by Arnold Hoogvliet from 1740, two series of drawings of the garden by Jan de Beijer from 1745 and 1746, several inventories describing the contents of house and garden from 1746 and 1796 and a sale catalogue of 1819 (ill. 121 to 135 and plates 12 and 13). The garden was rich in curiosities: many sculptures, rare plants (450 in pots in the inventory of 1746), an Italian Theater (ill. 126), painted perspectives (ill. 127), a triumphal arch (ill. 129, 130), fish ponds, a deer park, an aviary, a labyrinth and, above all, a shell and a mineral grotto (ill. 132 to 135). Hoogvliet, in his poem, interprets the garden as the 'Eden of our times'; here nature testifies to God's wisdom and the wonder of Creation. Even the classical beatus ille-theme is pulled towards a religious interpretation: the peace of country life has to be devoted to studies of the manifold creation, because these induce virtue and love of God. In doing so, Hoogvliet, renowned for his religious epics and a personal friend of Van Mollem, must have followed the religious views of his patron. His poem is therefore closely related to what was to be seen in the garden, where Van Mollem had carefully devised walks and experiences. Sculptures demonstrating the vanity of life were set up at different places (compare ill. 140). Scenes that alluded to Van Mollem's virtuous protection of the arts were also to be seen. Two large urns near the triumphal arch depicted scenes from the Old Testament (ill. 125). Here Van Mollem was a new David, also with him 'reason bridled temper'. True Love and Magnanimity the visitor could behold on other urns depicting Hector and Andromache and Scipio freeing a slave.

The significance of what could be called the garden program, centering on industrious Van Mollem himself, is again best voiced by Hoogvliet, when he stated that 'he who fights sin and vanity, through virtue and fear of God, reaches the highest step'. To Van Mollem his garden had to represent a microcosm of Creation. To this also pointed the statues of Time and Eternity, Heaven and Earth, the Four Parts of the Day and two urns with the Four Seasons, most of them placed on the garden's main axis (ill. 123, 124, 128, 138a–b). The idea is also addressed by Hoogvliet's poem. There we find the recurrent theme of nature perfected by the laws and order of art. These notions underlaid in the eighteenth century the composition of cabinets of curiosity in which the diversity of God's creation was brought together as a microcosm of rarities (ill. 136, 137). The garden of Zijdebalen with its rare plants, animals, minerals, shells, statues and architecture was also such a cabinet of nature and art. Yet it was one outdoors: the garden was its own collection and a true reflection of the diversity and wonder of Gods creation. Van Mollem wanted his garden to represent a collection of God's wondrous works, with himself at its center as a god-fearing and virtuous mennonite who wanted to show he had listened to Nature's religious and moral lessons.

CHAPTER 6. *Hortus Sanitatis.*
The Hortus Botanicus of Leiden and the
Hortus Medicus of Haarlem

Notwithstanding the classical polarity between town and country, gardens and trees played an important role in the Dutch city. As part of the notion on the ideal city, already early in the seventeenth century the function of trees and gardens as an ornament for public life was remarked upon (plate 14). Trees lined canals, sometimes to such a degree that foreigners were amazed and commented on cities being like a wood. Gardens were to be found behind houses, often providing room for a diversity of functions (plate 15 and ill. 144, 145). Favorite were the walks on the tree-lined fortifications, which afforded views on the city and the country side. Trees in these public spaces often suffered from mutilation by diverse groups of people, as is shown by the regular prohibitions against this practice issued by city governments. Outside the city walls were smaller gardens, mostly vegetable gardens, their layout strictly regulated by city councils in order to prevent people to start living there permanently. Here also many inns were found, with gardens and pleasure grounds: the garden offered beer, shade, relaxation, sometimes a collection of rarities, a golf court and the compa-

ny of friends (and sometimes women) (ill. 143, 150). In Amsterdam several inns in the city offered pleasure in their labyrinths. Here galleries offered the visitor distraction and moral instruction by way of 'automata', moving allegorical puppets and scenes constructed with ingenious mechanical devices. These evoked wonder and amusement, at the same time instructing the viewer on life, work, trade, fate, religion, politics and the relation between men and women (ill. 146 to 149).

A special place was reserved for the medical gardens. These were 'horti sanitatis', gardens were the health and well-being of citizens was being taken care of by physicians, surgeons and apothecaries. It is not so much their architecture which demands our attention, since they were simple, practical gardens. It is more their continuous function that makes them important for general garden culture. They offered the plants for medication while at the same providing a place for instruction to students on the medical qualities of plants (ill. 141). The first medical garden in Holland was the one created by the young university of Leiden in 1590 and in use during the next two centuries (ill. 151, 152). It was a scientific garden for specialists and students in medicine and anatomy as well as a public garden for the citizens of Leiden, an ornament for the town.

Under the guidance of famous Carolus Clusius, the garden became soon a hortus botanicus, a garden were rare plants from all over the world could be studied in their own right. Clusius was as much interested in their medical value as in their botanical importance. And often he was moved by their beauty, in which he saw the artfulness of nature. Much of his scientific approach towards nature was stimulated by the recent voyages of discovery: the garden became a collection of the known and unknown and a powerful instrument for the assembling of new knowledge on natural phenomena. In Leiden the garden as a collection, an outdoor museum, was enhanced by the building of a gallery in 1599/1600. It provided an attractive backdrop for the garden and was throughout the 17th century used to bring together rarities from the natural and the human world, from eggs and stuffed animals to Indian and Chinese objects (see Appendix, and ill. 151, 155, 157 to 158, 161). Together with the garden the gallery transformed the static studio of the scientist into a veritable museum were one could go about studying, wonder-

ing, learning and reading the book of nature and art. Closely related to early theories of collecting (such as S. Quicchebergs *Inscriptiones* from 1565), the garden was a real place of the Muses, a realm of peace and health and nature and art. As such it was celebrated in inscriptions on the porch leading to the garden.

That the Leiden garden was not an exception, is shown by the example of the Hortus Medicus in Haarlem (ill. 142). It was founded in 1696 by the recently founded Collegium Medicum, in which physicians, surgeons and apothecaries had united themselves. The garden was to function as a symbol of their newly organized professions. The active interest of the city government took in their organization and the way they responded to the demand by the Collegium for a garden, proves the great value attached to public health or Salus Publica.

It was Romeyn de Hooghe who designed the garden in the newly laid out part of Haarlem, where he also owned his own house. He had founded a small academy there in 1688, where amongst other activities, garden designs and designs for garden sculpture were practiced in combination with his experience at Het Loo. De Hooghe was the right man to deliver the concept for a sculptural program in the medical garden in 1707 (ill. 164 to 176). He designed sixteen herms, to be grouped as follows: Hippocrates, Galen, Forestus and Fernel as examples of classical and modern physicians; Theophrastus, Dioscorides, Clusius and Dodonaeus as botanists; Herophilus, Democritus, Spigelius and Vesalius as anatomists (ill. 164 to 169). To these scientists, each group referring to the professions in the Collegium Medicum, he added four great philosophers of nature famous for their scientific method: Aristotle, Plato, Descartes and Boyle (ill. 170, 171). These herms were to be enhanced by three large sculptures and three magnificent urns, to be grouped as Medicina with the urn of Archiatria, Pharmacopoea with the urn of Chymia Botanica and Chirurgia with the urn of Anatomica (ill. 172, 173). A fourth urn, named Philosophia belonged to the philosophers who studied philosophia naturalis as the mother of science (ill. 174). A large statue of Laurens Janszoon Coster was to be placed in the center of this all: his invention of the art of printing in the Wood near Haarlem had after all provided the essential instrument for the spread of learning. Most of the statues therefore held books in their hands. For his iconography, De Hooghe used several illustrations from medical books, while at the same time his program was inspired by the traditional series of viri illustri, adorning studiolo's or studies (ill. 177).

The space of the Haarlem garden was, as in Leiden, meant as the book of nature, a study were knowledge of books was combined with actual research. Even though only the portraits of scientists were executed as painted boards and were set in a circular space in the garden, the hortus medicus took on a profound significance in the context of the city. It symbolized the study of nature and its use for the well-being of citizens, visualized the importance of the professions united in the Collegium Medicum, and provided, as a walking space, an ornament for the city. It also illustrated the fundamental value of the art of printing, a discovery made, so the city proudly emphasized, in Haarlems public Wood.

Bibliografie

GEBRUIKTE AFKORTINGEN

A.N.D.: Archief Nassause Domeinen 1.08.11. Hingman Ordonnantieboeken inv. nr 741/742/743
A.R.A.: Algemeen Rijksarchief
B.L.: British Library, Londen
B.N.CdE: Bibliothèque Nationale, Parijs, Cabinet des Estampes
Bull. KNOB: Bulletin van de Koninklijke Nederlandse Oudheidkundige Bond
G.A.A.: Gemeente Archief Amsterdam
G.A.H.: Gemeente Archief Haarlem
G.A.U.: Gemeente Archief Utrecht
J.G.H.: *Journal of Garden History*
J.W.C.I.: *Journal of the Warburg and Courtauld Institutes*
K.H.A.: Koninklijk Huisarchief, 's-Gravenhage
N.D.A.: Nassausch Domein Archief [Hingman]
N.K.J.: *Nederlands Kunsthistorisch Jaarboek*
R.A.G.: Rijksarchief Groningen
R.A.NH.: Rijksarchief Noord Holland
R.A.U.: Rijksarchief Utrecht

Teksten van klassieke auteurs zijn in de noten, tenzij anders vermeld, geciteerd naar de edities in de Loeb Classical Library. Voor volledige bibliografische gegevens zie deze lijst.

Aalbers, J. 1982, 'Reinier van Ginckel en Frederik Willem van Reede van Athlone. Kanttekeningen bij de levenssfeer van een adellijke familie, voornamelijk gedurende de jaren 1722–1742', *Jaarboek Oud-Utrecht* 1982, 91–151.

Adams, William Howard 1979, *The French Garden 1500–1800*, New York 1979.

Alciati, Andreae 1531, *Emblematum Liber*, Augsburg 1531.

Architekt und Ingenieur. Baumeister in Krieg und Frieden, Herzog August Bibliothek, Wolfenbüttel 1984.

Asbeck, J.B. van en A.M.L.E. Erkelens 1976, 'De restauratie van de Lusthof Het Loo', *Bull. KNOB* 75 (1976) 3/4, 119–148.

Asbeck, J.B. van en N.C.G.M. ter Rijt 1973, *Onderzoeksrapport van de interieurs en constructie van Heemstede*, Driebergen 1973.

Aurenhammer, H. 1956, 'Ikonographie und Ikonologie des Wiener Belvedere Gartens', *Wiener Jahrbuch für Kunstgeschichte* 1956, XVII (XXI), 86–108.

Azzi Visentini, M. 1984, *L'Orto Botanico di Padova e il giardino del Rinascimento*, Milano, Edizioni il Polifilo, 1984.

Balbian Verster, J.F.L. de 1925, 'Christoffel Brants en zijn buitenverblijf Petersburg', *Jaarboekje Nifterlake* 1925, 41–48.

Barbonius, I. 1641, *LVII Morale Sinne-Beelden aen sijne Hoogheydt Den Doorluchtigen ende Hooghgheboren Vorst Frederick Hendrick Prince van Orangien, Grave van Nassauw*, Amsterdam 1641.

Bardet, J.D.M. 1975, *Kastelenboek Provincie Utrecht*, Bussum, De Haan, 1975.

Barge, J.A.J. 1934, *De oudste inventaris der oudste academische anatomie in Nederland*, Leiden/Amsterdam, Stenfert Kroese, 1934.

Battestin, Martin C. 1974, *The Providence of Wit. Aspects of Form in Augustan Literature and the Arts*, Oxford 1974.

Battisti, E. 1972, 'Natura Artificiosa to Natura Artificialis', in: D.R. Coffin (ed.), *The Italian Garden*, Washington, 1972, 1–36 (Dumbarton Oaks Colloquium on the History of Landscape Architecture, I).

Becker, J. en A. Ouwerkerk 1985, '"De eer des vaderlands te handhaven": Costerbeelden als argumenten in de strijd', *Oud Holland* 99 (1985) 4, 229–271.

Belonje, J. 1971, 'Beplantingen op vestingwerken', *Bull. KNOB* 70 (1971), 91–97; idem in *Groen* 1972, nr 6, 141–150.

Berger, R.W. 1984, 'Versailles in Verse: some notes on Claude Denis' Explication', *J.G.H.* 4 (1984) 2, 127–139.

Berger, R.W. 1985, *In the Garden of the Sun King. Studies on the Park of Versailles under Louis XIV*, Washington, Dumbarton Oaks, 1985.

Bergvelt, E. en R. Kistemaker (red.) 1992 A, *De wereld binnen handbereik. Nederlandse kunst- en rariteitenverzamelingen, 1585–1735*, Amsterdam 1992.

Bergvelt, E. en R. Kistemaker (red.) 1992 B, *De wereld binnen handbereik. Nederlandse kunst- en rariteitenverzamelingen, 1585–1735*, Catalogus, Amsterdam 1992.

Berkel, K. van 1983, *Isaac Beeckman (1588–1637) en de mechanisering van het wereldbeeld*, Amsterdam 1983.

Berkel, K. van 1985, *In het voetspoor van Stevin. Geschiedenis van de natuurwetenschap in Nederland 1580–1940*, Meppel 1985.

Bezemer-Sellers, V. 1987, 'Clingendael: an early example of a Le Nôtre style garden in Holland', *Journal of Garden History* 7 (1987) 1, 1–42.

Bezemer-Sellers, V. 1990, 'The Bentinck Garden at Sorgvliet', J.D. Hunt (ed.), *The Dutch Garden in the Seventeenth Century*, Washington 1990, 99–131 (Dumbarton Oaks Colloquium on the History of Landscape Architecture, XII).

Bibliotheca Magna & Elegantissima Zuylechemiana Rarissimorum Exquisitissimorumque Librorum […] D.Constantini Huygens, Toparchae ab Zuylichem, Dum Viveret a Secretis Guiliemi III. etc., Leiden, Balduinis van der AA, 26 sept. 1701.

[Bidloo, Govert] 1692, *Relation du voyage de Sa Majesté Brittanique en Hollande Et de la Réception qui luy a été faite*, A La Haye, Arnout Leers, 1692.

Biema, E. van 1910, 'Een reis door Holland in 1736', *Oud-Holland* 28 (1910), 77–92.

Bienfait, A.G. 1943, *Oude Hollandsche Tuinen*, Den Haag 1943.

Bientjes, Julia 1967, *Holland und der Holländer im Urteil deutscher Reisender 1400–1800*, Groningen, Wolters, 1967.

Bijhouwer, J.T.P. 1943, *Nederlandse tuinen en buitenplaatsen*, Amsterdam 1943.

Bijl, M. van der 1975, 'Utrechts weerstand tegen de oorlogspolitiek tijdens de Spaanse Successieoorlog. De rol van de heer van Welland van 1672 tot 1708', in: *Van Standen tot Staten. 600 jaar Staten van Utrecht 1375–1975*, Utrecht 1975.

Bitter, H. 1917, *De "Hortus Medicus" of Stads-kruidtuin van het Collegium Medico-Pharmaceuticum te Haarlem*, Haarlem 1917.

Blankert, A. 1965, *Nederlandse 17e-eeuwse Italianiserende landschapschilders*, tent. cat. Centraal Museum Utrecht 1965.

Blankert, A. 1967, 'Heraklitus en Democritus, in het bijzonder in de Nederlandse Kunst van de 17de Eeuw', *N.K.J.* 18 (1967), 31–123.

Blankert, A. en R. Ruurs 1975–1979, *Amsterdams Historisch Museum. Schilderijen daterend van voor 1800, voorlopige catalogus*, Amsterdam 1975–1979.

Blijdestein, R. 1983, *Zeist, groei en bouw. Het slot en omgeving*, Zeist 1983.

Blok, G.A.C. 1940, 'De architect Maurits Pietersz.Post en de tuin van het Mauritshuis', *Jaarboekje Die Haghe*, 1940, 60–117.

Blume, Dieter 1986, 'Beseelte Natur und ländliche Idylle', *Natur und Antike in der Renaissance*, cat. Liebieghaus, Frankfurt am Main 1986, 173–180.

Blumenberg, Hans 1973, *Der Prozess der theoretischen Neugierde*, Frankfurt am Main 1973.

Boccage née le Page, M.A. du 1771, *Lettres contenant ses voyages en France, en Angleterre, en Hollande et en Italie, faits pendants les années 1750, 1757 & 1758*, Dresden 1771.

Boogaart, E. van den 1980, 'De Nederlandse expansie in het Atlantisch gebied, 1590–1674', *Algemene Geschiedenis der Nederlanden*, Vol. 7 Nieuwe Tijd, Bussum 1980, 173–220.

Boyceau de la Barauderie, J. 1638, *Traité du jardinage, selon les raison de la Nature et de l'Art*, Parijs 1638.

Breemen, O.J. van 1944, 'Over des burgraven huur te Scheveningen en het buitengoed Zorgvliet', *Jaarboekje Die Haghe*, 1944, 36–96.

Breen, J.C. 1908, 'De Verordeningen op het Bouwen te Amsterdam, vóór de negentiende Eeuw', *Jaarboek Amstelodamum* 6 (1908), 107–149.

Brenninkmeijer-de Rooy, B. 1982, 'Notities betreffende de decoratie van de Oranjezaal in Huis ten Bosch', *Oud-Holland* 96 (1982) 3, 133–191.

Brink, P. van den en J.H. Grabandt-Pieging 1984, 'De herbergen van de Haarlemmerhout', *Haarlemmerhout 400 jaar*, Haarlem, Schuyt & Co CV, 1984.

Brom, G. 1915, 'Een Italiaanse reisbeschrijving der Nederlanden', *Bijdragen en Mededelingen van het Historisch Genootschap Utrecht*, Amsterdam 1915, 81–231.

Broos, B.P.J. 1984, '"Notitie der Teekeningen van Sybrand Feitama" [I]: de boekhouding van drie generaties verzamelaars van oude Nederlandse tekenkunst', *Oud Holland* 98 (1984), 13–39.

Broos, B.P.J. 1985, '"Notitie der Teekeningen van Sybrand Feitama" [II]: verkocht, verhandeld, vereërd, geruild en overgedaan', *Oud Holland* 99 (1985), 110–154.

Brosterhuysen, Joh. 1647, *Inauguratio Illustris Scholae ac Illustris Collegii Auriaci à Celsissimo Potentissimoque Arausionensium Principe, Frederico Henrico in Vrbe Breda Erectorum (etc.)*, Breda, Joannis à Waesberge, 1647.

Brugmans, H.L. 1937, 'Chateaux et Jardins de l'Ile de France d'après un Journal de Voyage de 1655', *Gazette des Beaux-Arts*, 18 (1937), 93–115.

Bruin, C. 1730, *Kleefsche en Zuid-Hollandsche Arkadia*, Amsterdam 1730.

Brummer, H.H. 1970, *The Statue Court in the Vatican Belvedere*, Stockholm 1970.

Buis, J. 1985, *Historia Forestis. Nederlandse bosgeschiedenis*, Utrecht 1985, 2 Delen.

Caneva, C. 1982, *The Boboli Gardens*, Florence 1982 (Biblioteca De "Lo Studiolo").

Carswell, J.P. 1969, *The Descent on England: A Study of the English Revolution of 1688 and its European Background*, London 1969.

Cartari, Vicenzo 1647, *Imagini Delli Dei De Gli Antichi*, Venetië 1647 (Herdruk Graz 1963, inleiding W. Kochatzky).

Catalogus 1597, *Catalogus Principum, Civitatum et Singulariorum Lugduni Batavorum*, 1597.

Catalogus 1688, *Catalogus der Bibliotheek van Constantijn Huygens [...] 1688, uitgegeven naar het eenig overgebleven exemplaar*, 's-Gravenhage, W.P. van Stockum en Zoon, 1903.

Catalogus 1749, *Catalogue des Livres de la Bibliothèque de S.A.S. Frédéric-Henri Prince d'Orange*, Den Haag 1749.

Catalogus 1819, *Catalogue d'un ensemble somptueux de grandes figures et de vases magnifiques, en marbre statuaire et autres. Ainsi que de quelques morceaux en peinture. Le tout ayant fait l'ornement des Jardins et de la Maison très renommée dite Zyde Baalen, à Utrecht. Lesquels objets seront vendus, au dit lieu Vendredi, le 26 Février*, 1819.

Catalogus 1930, *Catalogus van de Bibliotheek der Nederlandsche Maatschappij tot Bevordering van Geneeskunst*, Amsterdam 1930.

Cato, Marcus Porcius, en Marcus Terentius Varro, *De Re Rustica*, translated by W.D. Hooper en H.B. Ash, Cambridge, Mass./London, 1979.

Cats, J. 1700, *Alle de Wercken*, Amsterdam en Utrecht 1700.

Cats, J. 1862, *Alle de Wercken*, bezorgd door Dr J. van Vloten, Zwolle 1862.

Caus, S. de 1615, *Les Raisons des forces Mouvantes, avec diverses Machines, Tant utilles que plaisants [...]*, Frankfurt 1615 en 1624.

Cause, D.H. 1676, *De Koninklycke Hovenier*, Amsterdam 1676.

Cecil, E. (Lady Rockley) 1910, *A History of Gardening in England*, Londen 1910.

Chevalier, Nicolaas 1692, *Histoire de Guillaume III Roy d'Angleterre, D'Ecosse, De France et D'Irlande, Prince d'Orange ec. Par Medailles, Inscriptions, Arc de Triomphes et autres Monuments Publics*, Amsterdam 1692.

Clifford, D. 1966, *Geschichte der Gartenkunst*, z.pl. 1966.

Clusius, C. 1605, *Exoticorum Libri Decem: Quibus Animalium, Plantarum, Aromatum. aliorumque peregrinorum Fructuum historiae describuntur*, Leiden, Plantijn, 1605 (herzien exemplaar door Clusius in Leiden, U.B. nr 755 A3).

Coffin, D.R. 1979, *The Villa in the Life of Renaissance Rome*, Princeton, N.J., 1979 (Princeton Monographs in Art and Archeology XXXIV).

Coffin, D. 1982, 'The "Lex Hortorum" and Access to Gardens of Latium During the Renaissance', *Journal of Garden History* 2 (1982) 3, 201–233.

Coffin, D. 1991, *Gardens and Gardening in Papal Rome*, Princeton, N.J., 1991.

Colonna, C. 1980, *Hypnerotomachia Poliphili*, ed. criteria e commento a cura di G. Pozzi e L.A. Ciapponi, Padua 1980.

Colton, Judith 1979, *The Parnasse François. Titon du Tillet and the origins of the monument to genius*, New Haven/Londen 1979.

Columella, Lucius Junius Moderatus, *De Re Rustica Libri XII*, translated by H. Boyd, Cambridge, Mass./London, 1977.

242

Colvin, H.M. (gen. ed.) 1976, *The History of the King's Works*, London, Her Majesty's Stationery Office, 1976.

Comito, Terry 1979, *The Idea of the Garden in the Renaissance*, Hassocks, the Harvester Press 1979.

Commelin, J. 1676, *Nederlantze Hesperides. Dat is, Oeffening en gebruik van de limoen en oranje-boomen gestelt na den aardt, en climaat der Nederlanden*, Amsterdam 1676.

Cornelissen, J.D.M. 1940, 'Marnix en de tuinbouw', *Historisch Tijdschrift* XIX (1940), 223–251.

Coulston Gillespie, Ch. (ed.) 1970–1975, *Dictionary of Scientific Biography*, New York, 1970–1975, Deel I–XII.

Court van der Voort, Pieter de la 1763, *Byzondere Aenmerkingen over het aanleggen van Pragtige en Gemeene Landhuizen, Lusthoven, Plantagien en Aenklevende Cieraeden*, Amsterdam 1763 (eerste druk 1737).

Curtius, E.R. 1973, *European Literature and the Latin Middle Ages*, Bollingen Series XXXVI, Princeton University Press 1973.

Daems, W.F. 1943, *Uit de geschiedenis van de Pharmacie te Haarlem*, Haarlem 1943 (Artsenijkunde 1 (1943) nrs 22 en 23).

Dennerlein, I. 1981, *Die Gartenkunst der Régence und des Rokoko in Frankreich*, Worms 1981.

Den Nieuwen en vermaeckelijcken Dool-Hof, Staende op de Roose-Gracht, by de derde Brugh; Alwaer vertoont worden verscheyden seer konstige Wercken, soo van Fonteynen als Astronomische Uurwercken. uytbeeldende eenige wonderlijcke Geschiedenissen, oock Herderskluchten, Mascaraden met haer beweeginghe, verroeringe doende elck Beelt, zijn Actie of het leefde, tot verwonderingh en vermaeck der aenschouwers, gepractiseert door Meester David Lingelbach van Franckfort, als mede door sijn Soon Philips van Lingelbach, Amsterdam ca 1660.

Desjobert, L. 1778, 'Voyage au Pays-Bas en 1778', *De Navorscher* LIX (1910), 340–344.

De Stadhouder-Koning en zijn tijd 1650–1950, Catalogus Rijksmuseum Amsterdam 1950.

De tuinen van Het Loo, geheel nummer van *Groen* nr. 12 (1977).

De tuin van Rijksmuseum Paleis Het Loo, Groen 40 (1984) nr. 6 (geheel nummer).

Deursen, A. Th. van 1986, 'Volkscultuur in wisselwerking met de elitecultuur in de vroegmoderne tijd', in G. Rooijakkers en Th. van der Zee, *Religieuze volkscultuur. De spanning tussen voorgeschreven orde en de geleefde praktijk*, Nijmegen 1986, 54–71.

Devapriam, E. 1990, 'A double portrait by Thomas De Keyser in the National Gallery of Victoria', *Burlington Magazine*, CXXXII (1990), 710–712.

Devises / Sur le Soleil / ou / L'Histoire de Guillaume III / Roy d' Angleterre, de France d'Ecosse, e / d'Irlande etc. / De ce qui s'est passé de plus memorable pendent sa / Vie, mais particulièrement depuis son avenement a / La Couronne, par raport aux effets du soleil. Dedié a la Reine. Par Guillaume du Busc, peintre et mignare et Maitre de dessein / a Londres 1694. Koninklijk Huisarchief, EL 10 B 973.

Dezailler d'Argenville, A.J. 1709, *La Theorie, et la Pratique du Jardinage*, Parijs 1709.

Dezailler d'Argenville, A.J. 1739, *La Theorie, et la Pratique du Jardinage*, Den Haag 1739.

Diedenhofen, W. 1979–1, 'Die Klever Garten des Johann Moritz', *Soweit der Erdkreis Reicht. Johan Moritz von Nassau-Siegen 1604–1679*, Kleef 1979, 165–188.

Diedenhofen, W. 1979–2, 'Johan Maurits and his gardens', E. van den Boogaert (ed), *Johan Maurits van Nassau-Siegen 1604–1679, A Humanist Prince in Europe and Brazil*, Den Haag 1979, 197–236.

Diederiks, H.A. 1976, 'Stedeling en Buitenplaats', *Jaarboek van het Genootschap Amstelodamum* 68(1976), 114–120.

Dijksterhuis, E.J. 1980, *De mechanisering van het wereldbeeld*, Amsterdam, Meulenhof, 1980.

Dominicus-van Soest, Marleen 1988, *Van Hofstede tot Lusthof. Zorgvliet onder Cats en Bentinck*, Doctoraal Scriptie Kunstgeschiedenis Vrije Universiteit 1988.

Dominicus-van Soest, Marleen 1990, 'Poliphilus in Holland. Invloed van Hypnerotomachia Poliphili op de tuinkunst in de kringen van Constantijn Huygens', *Kunstlicht* 11(1990) 2/3, 13–18.

Donkersloot-de Vrij, M. 1981, *Topografische Kaarten van Nederland voor 1750*, Groningen 1981.

Dool-Hof, Staende op de Roose-Gracht, by de derde Brugh, Alwaer vertoont worden verscheyden seer konstige Wercken, soo van Fonteynen als Astronomische Uurwercken. uytbeeldende eenige wonderlijcke Geschiedenissen: oock Herderskluchten, met

haer Beweging en Verroeringe, doende elck Beeldt sijn Actie of het leefde, tot Verwonderingh en Vermaeck der Aenschouwers, gepractiseert door Mr David Lingelbach van Franckfort, als mede door sijn Soon Philips van Lingelbach*, Amsterdam ca 1648.

Driessen, F. 1928, *De reizen der De La Courts 1641, 1700, 1710*, Leiden 1928.

Drossaers, S.W.A. en Th.H. Lunsingh Scheurleer 1974, *Inventarissen van de inboedels in de verblijven van de Oranjes en daarmede gelijk te stellen stukken 1567–1795*, Den Haag 1974, R.P.G. Grote serie Nr 27.

Droste, C. 1879, *Overblyfsels van Geheugchenis [...]*, Leiden, Brill, 1879, 2 Delen.

Eeghen, I.H. van 1958, 'Het 18de eeuwse Amsterdamse reisgezelschap Semper idem', *Amstelodamum* 45 (1958), 97–105.

Ekama, C. 1869, *Romeyn de Hooge en de Hortus Medicus met het Standbeeld van L.Jsz. Coster*, Haarlem 1869.

Elias, J.E. 1903, *De vroedschap van Amsterdam 1578–1795*, Haarlem 1903.

Emblematum Ethico-Politicorum Centuria. Iulii Guilielmi Zincgreffii I.C. [...], Heidelberg 1666.

Engel, H. en P. Smit 1986, *Hendrik Engel's Alphabetical List of Dutch Zoological Cabinets and Menageries*, Amsterdam, Rodophi, 1986 (2de druk, verzorgd door P. Smit).

Erp-Houtepen, Anne van 1986, 'The etymological origin of the garden', *J.G.H.* 6 (1986) 3, 227–232.

Errard, Ch. 1670, *Recueil de Divers Vases Antiques*, Parijs 1670.

Evelyn, John 1959, *The Diary of John Evelyn*, edited by E.S. de Beer, Londen/New York/Toronto, Oxford University Press, 1959.

Everdingen, L. van 1984, *Het Loo, de Oranjes en de Jacht*, Haarlem 1984.

Fagiolo, M. 1980–1, 'Effimero e Giardino: il teatro della città e il teatro della natura', in: cat. *Il potere e lo spazio. La scena del principe*, Florence 1980.

Fagiolo, M. 1980–2, *La Citta Effimera e l'Universo Artificiale del Giardino*, Rome 1980.

Falkenburg, R. 1989, 'De betekenis van het geschilderde Hollandse landschap van de zeventiende eeuw: een beschouwing naar aanleiding van enkele recente interpretaties', *Theoretische*

Geschiedenis, 16(1989) nr 2, 131–153.

Fat, Leslie Tjon Sie en E. de Jong 1991, *The Authentic Garden*, Leiden, Clusius Foundation, 1991

Faugère, A.P. 1899, *Journal du Voyage de deux jeunes Hollandais à Paris en 1656–1658*, Paris 1899.

Findlen, P. 1989, 'The Museum: Its Classical Etymology and Renaissance Genealogy', *Journal of the History of Collections* 1 (1989) 1, 59–78.

Fock, C.W. 1973, 'Willem van Mieris als ontwerper en boetseerder van tuinvazen', *Oud-Holland* 87 (1973), 27–47.

Forster, K.W. 1971, 'Metaphors of Rule. Political Ideology and History in the Portraits of Cosimo I de Medici', *Mitteilungen der Kunsthistorischen Institutes in Florenz* 15 (1971), 91–9.

Francastel, Pierre 1930, *La sculpture de Versailles. Essai sur les origines et l'evolution du gout français classique*, Parijs 1930.

Frank-van Westrienen, A. 1983, *De Groote Tour. Tekening van de educatiereis der Nederlanders in de zeventiende eeuw*, Amsterdam, Noord-Hollandsche Uitgeversmaatschappij, 1983.

Fremantle, K. 1970, 'A Visit to the United Provinces and Cleeves in the time of William and Mary. Described in Edward Southwell's Journal', *N.K.J.* 21 (1970), 39–69.

Fremantle, K. (ed.) 1975, *Sir James Thornhill's Sketch-book Travel Journal of 1711. A visit to East-Anglia and the Low Countries*, Utrecht 1975.

Frijhoff, W. 1983, 'Non satis dignitatis… Over de maatschappelijke status van geneeskundigen tijdens de Republiek', *Tijdschrift voor Geschiedenis* 96 (1983), 379–408.

Frisch-Tutein, Pauline Dorothea 1816, *Reise durch Teutschland, Holland, Frankreich, die Schweiz und Italien in den Jahren 1797, 1803, und 1804*, Altona 1816.

Gaastra, F.S. 1980, 'De VOC in Azië tot 1680' *Algemene Geschiedenis der Nederlanden*, Vol. 7 Nieuwe Tijd, Bussum 1980, 173–245.

Gabbema, S.A. 1686, *Friesche Lustgaarde ofte Boom- Heester- Bloem- en Kruyd-Warande […]*, Leeuwarden 1686.

Galinsky, G. Karl 1972, *The Herakles Theme. The Adaptions of the Hero in Literature from Homer to the Twentieth Century*, Oxford 1972.

Ganay, E. de 1962, *André le Nôtre*, Paris 1962.

Garampi, Giuseppe 1889, *Viaggio in Germania, Baviera, Svizzera, Olanda en Francia compiuto negli anni 1761–1763, Diario […]*, G. Palmiere (ed.), Roma 1889.

Garbari, F. en L. Tongiorgi Tomasi, A. Tosi 1991, *Giardino dei Semplici. l'Orto botanico di Pisa dal XVI al XX secolo*, Pisa 1991.

Geest, W. de 1702, *Het Kabinet van Statuen ons van d'Aaloudheid nagelaten*, Amsterdam 1702.

Gelder, H.E. van 1959, 'Koning-Stadhouder Willem III in de penningkunst', *De Geuzenpenning* 9 (1959) 4, 41 en verder.

Gelderblom, A.J. 1986, 'Observaties op de buitenplaats', in: H.Duits, A.J.Gelderblom, M.B. Smits-Veldt (red.), *Eer is het Lof des Deuchts. Opstellen over renaissance en classicisme aangeboden aan dr. Fokke Veenstra*, Amsterdam 1986, 178–191.

Gelderblom, A.J. 1988, 'Allegories in the Garden', *Style* 22 (1988) 2, 230–237.

Geyl, P. 1939, *Oranje en Stuart 1641–1672*, Utrecht 1939.

Gids Rijksmuseum Paleis Het Loo, 1985.

God en de Goden, catalogus Rijksmuseum Amsterdam/Staatsuitgeverij Den Haag 1981.

Goekoop, A. 1953, 'Het Catshuis "Sorgvliet" 300 Jaar', *Jaarboekje Die Haghe*, 1953, 1–36.

Gogelein, A.J.F. 1990, *Hortus Horti Horto. Een bouquet notities uit 17e en 18e reisverslagen van vreemdelingen, die de Universiteitshof en zijn musea bezochten in Leiden*, Leiden 1990.

Gollwitzer, G. 1974, 'The influence of le Nostre on the European Garden of the Eighteenth Century', in: E.B. MacDougall en F. Hamilton Hazlehurst, *The French Formal Garden*, Washington 1974, 69–87 (Dumbarton Oaks Colloquium on the History of Landscape Architecture, III).

Gombrich, E.H. 1978, 'Botticelli's Mythologies: A Studie on the Neo-Platonic Symbolism of his Circle', *Symbolic Images. Studies on the Art of the Renaissance*, Oxford, New York 1978, 31 en verder.

Gonnet, L.J. 1893, 'Oude gebouwen in Haarlem II: De teekenacademie van Mr. Romeyn de Hooghe', *De Vlieger. Weekblad voor Haarlem en omstreken* 2 (1893), No. 14.

Gool, J. van 1750, *De Nieue Schouburg der Nederlantsche Kunstschilders en Schilderessen*, 's-Gravenhage 1750, Deel I.

Goris, G. 1953, *Dorp aan de Vliet. Geschiedenis van Voorburg*, Scheveningen 1953.

Gothein, M.L. 1928, A *History of Garden Art*, London/Toronto, Dent, 1928, 2 Delen.

Grabner, E. 1973, '"Drachenblut" als Heilsmittel. Volksmedizinisches und Kulturhistorisches um das "Sanguis Draconis" bei Carolus Clusius', *Festschrift anlässlich der 400 jährigen Wiederkehr der wissenschaftlichen Tätigkeit von Carolus Clusius (Charles de l'Escluse) im Pannonischen Raum* (Burgenländischen Forschungen V), Eisenstadt 1973.

Graft, C.C. van der 1943, *Agnes Block. Vondels nicht en vriendin*, Utrecht 1943.

Groen, Jan van der 1670, *Den Nederlantsen Hovenier, Zijnde het I. Deel van het Vermakelijk Landleven. Beschrijvende alderhande Princelijke en Heerlijke Lust-hoven en Hofsteden […]*, Amsterdam, 1670.

Groen, Jan van der (ed. Oldenburger/Wijnands 1988), *Den Nederlandtsen Hovenier met een voorwoord door Carla S. Oldenburger-Ebbers en een plantenlijst van D. Onno Wijnands*, Utrecht, Matrijs, 1988.

Groenveld, S. e.a. 1980, *Wederdopers, Menisten, Doopsgezinden in Nederland*, Zutphen 1980.

Hajos, E.M. 1958, 'The concept of an engravings collection in the year 1656: Quicchelberg, Inscriptiones Vel Tituli Theatri Amplissimi', *The Art Bulletin* XL (1958), 151–156.

Haley, K.D.H. 1953, *William of Orange and the English Opposition 1672–74*, Oxford 1953.

Halma, F. 1725, *Toneel der Vereenighde Nederlanden en onderhorige Landschappen; vervolgt door Mattheus Brouerius van Nidek*, Leeuwarden 1725.

Hamer, D. en Meulenkamp, W. 1987, 'Nimmerdor en Doolomberg, twee zeventiende eeuwse tuinen van Everhard Meyster', *Bull. KNOB* 86(1987)1, 3–14.

Hamilton Hazelhurst, F. 1956/1980, *Jacques Boyceau, sieur de la Barauderie. The Origins of the French Formal Garden*, Princeton 1956 (University Microfilms International Ann Arbor/Londen 1980).

Hamilton Hazelhurst, F. 1980, *Gardens of Illusion. The Genius of Andre Le Nostre*, Nashville, Vanderbilt University Press, 1980.

Haneveld, G.T. 1979, *Interne geneeskunst in Utrecht. Historisch overzicht van het Academisch onderwijs*, Utrecht 1979.

Hansmann, W. 1983, *Gartenkunst der Renaissance und des Barock*, Keulen 1983.

Hardenberg, H. 1935, *De archieven van senaat en faculteit benevens het archief van de academische vierschaar der Leidsche universiteit*, Zaltbommel 1935.

Harenberg, J. 1981, *De Voorst*, Alphen aan den Rijn 1981.

Harris, J. 1960, 'The Hampton Court Trianon Designs of William and John Talman', *J.W.C.I.* 23 (1960), 139–150.

Harris, J. 1969, 'The Diana Fountain at Hampton Court', *The Burlington Magazine*, CXI (1969), 444–447.

Harris, W. 1699, *A Description of the King's Royal Palace and Gardens at Loo, together with a Short Account of Holland*, Londen 1699.

Harten, J.D.H. 1978, 'Stedelijke invloeden op het Hollandse landschap in de 16de, 17de en 18de eeuw', *Het Land van Holland. Ontwikkelingen in het Noord- en Zuidhollandse landschap*, speciaal nummer van *Holland*, 10 (1978) 3, 114–134.

Haskell, F. en N. Penny 1981, *Taste and the Antique. The Lure of Classical Sculpture 1500–1900*, New Haven, Londen 1981.

Heckscher, W.S. 1962, 'Goethe im Banne der Sinnbilder. Ein Beitrag zur Emblematik', *Jahrbuch der Hamburger Kunstsammlungen* 6 (1962), 34–54.

Hedin, T. 1983, *The Sculpture of Gaspard and Balthasar Marsy*, Columbia, University of Missouri Press, 1983.

Heesakkers, C. 1988, *In de tuin van Lipsius: literaire topiek en realiteit*, niet gepubliceerd manuscript (1988).

Heintze, Helga Freifrau von en Hellmut Hager 1961, 'Athena-Minerva. Ihr Bild im Wandel der Zeiten', *Jahrbuch der Max Planck Gesellschaft zur Förderung der Wissenschaften E.V.*, 1961, 36–127.

Heniger, J. 1973, 'De eerste Nederlandse wetenschappelijke reis naar Oost-Indië, 1599–1601', *Leids Jaarboekje* 65(1973), 27–45.

Heniger, J. 1986, *Hendrik Adriaan van Reede tot Drakenstein (1636–1691) and Hortus Malabaricus. A Contribution to the History of Dutch Colonial Botany*, Rotterdam/Boston 1986.

Hennebo, Dieter 1979, *Entwicklung des Stadtgrüns von der Antike bis in die Zeit des Absolutismus*, Hannover/Berlijn 1979 (Geschichte des Stadtgrüns Band I).

Hennebo, Dieter en Alfred Hoffmann 1965, *Der Architektonische Garten. Renaissance und Barock*, Hamburg 1965 (Geschichte der Deutschen Gartenkunst Deel III).

Hennin, J. de 1681, *De zinrijke gedachten toegepast op de vijf sinnen*, Amsterdam 1681.

Hind, A.M. 1914–1931, *Catalogue of Drawings by Dutch and Flemish Artists in the British Museum*, Londen 1914–1931, Dl. I–IV.

Hoefer, F.A. 1908, 'Mededelingen omtrent het oude Loo en den Cannenburgh', *Werken Vereniging Gelre* VII, Arnhem 1908.

Hollstein, F.W.H. 1949–..., *Dutch and Flemish Etchings Engravings and Woodcuts ca 1450–1700*, 1949–19... (31 Delen).

Hondius, Hondius 1622, *Institutio Artis Perspectivae*, 's-Gravenhage, 1622.

Honour, H. 1975, *The New Golden Land. European Images of America from the Discoveries to the Present Time*, London, Allan Lane, 1975.

Hooft, P.C. 1599–1601, 'Reis-heuchenis, 1599–1601' in *P.C.Hoofts Brieven*, Deel II 1630–1634, Leiden 1856, Bijlage I, 407.

Hoog, Simone 1982, *Louis XIV Manière de montrer Les Jardins de Versailles*, Parijs 1982.

Hoogewerff, G.J. 1919, *De twee reizen van Cosimo de Medici, Prins van Toscane, door de Nederlanden 1667–1667*, Amsterdam 1919.

Hooghe, R. de 1698, *Brieve Description du Chasteau Royal De Loo*, Amsterdam, Pierre Persoy, 1698.

Hoogvliet, Arnold 1738, *Mengeldichten*, Delft, Pieter van der Kloot, 1738.

Hoogvliet, Arnold 1753, *Vervolg der Mengeldichten*, Rotterdam, Philippus en Jakobus Losel, 1753.

Hopper, F. 1981, 'The Dutch Régence Garden', *Garden History* 9 (1981) 2, 118–136.

Hopper, F. 1983, 'De Nederlandse klassieke tuin en Andre Mollet', *Bull. KNOB* 82 (1983) 3/4, 98–115.

Horti, Eugen 1985, *Der Herrenhäuser Garten und seine Statuen: Bedeutung–Symbolik*, Bad Münder 1985.

Hulkenberg, A.M. 1969, 'De grote verkoop van tuinbeelden, groepen en vazen op Keukenhof in 1746', *Jaarboekje voor geschiedenis en oudheidkunde van Leiden en omstreken* 1969, 181–197.

Hunger, F.W.T. 1923/1943, *Charles De l'Escluse (Carolus Clusius). Nederlandsch Kruidkundige 1526–1609*, 's-Gravenhage 1923 (Deel I) en 1943 (Deel II).

Hunger, F.W.T. 1934, 'Bernardus Paludanus (Berent ten Broecke) 1550–1633. Zijn verzamelingen en zijn werk' in: *Itinerario Voyage ofte Schipvaert van Jan Huygen van Linschoten Naer Oost Ofte Portugaels Indien 1579–1592*, Deel III, 's-Gravenhage, Martinus Nijhoff, 1934.

Hunt, J.D. 1986, *Garden and Grove. The Italian Renaissance Garden in the English Imagination: 1600–1750*, London/Melbourne, Dent & Sons, 1986.

Hunt, J.D. 1987, 'Beiträge zu einer Typologie des europäischen Renaissancegartens', *Arx* 9 (1987) 2, 252–258.

Hunt, J.D. en E. de Jong 1988, *De Gouden Eeuw van de Hollandse Tuinkunst/The Anglo-Dutch Garden in the age of William and Mary*, London, Taylor and Francis/Amsterdam Thoth, 1988, Special Double Issue of the Journal of Garden History 8 (1988), nrs 2 en 3.

Huygens, C. 1621, *Voorhout, Kostelick Mal en Oogentroost*, ingeleid door L. Strengholt, Zutphen 1978 (*Klassiek Letterkundig Pantheon* 9).

Huygens den Zoon, C. 1620, 'Constantijn Huygens' Journaal van zijne Reis naar Venetië in 1620', medegedeeld door J.A. Worp, *Bijdragen en Mededelingen van het Historisch Genootschap*, Nieuwe Serie XV (1894), 62–152.

Huygens, L. 1651–1652, *The English Journal 1651–1652*, edited and translated by A.G.H. Bachrach, R.G. Collmer, Leiden 1982.

Icones Leidenses. De portretverzameling van de Rijksuniversiteit te Leiden, Leiden 1973.

Impey, Oliver en Arthur MacGregor (eds.) 1985, *The Origins of Museums*, Oxford 1985.

Inventarisatie Landgoed Heemstede, Nederlandse Jeugdbond voor Natuurstudie 1971 (eindredactie M. van Noordwijk). Exemplaar G.A. Heemstede.

Jacques, David, Arend Jan van der Horst 1988, *The Gardens of William and Mary*, London, Christopher Helm, 1988.

Japikse, N. (ed), 1927–1937, *Correspondentie van Willem III en Hans Willem Bentinck, eersten graaf van Portland*, Rijksgeschiedkundige Publicatien, Kleine Serie, 's-Gravenhage, 1927–1937, 5 Delen.

Japikse, N. 1950, *Prins Willem III. De Stadhouder-Koning*, Amsterdam 1950.

Jashemski, W. 1979, *The Gardens of Pompeji, Herculaneum and the Villas destroyed by Vesuvius*,

New Rochelle, New York 1979.

Jensen, J.N. Jacobsen 1919/1936, *Reizigers in Amsterdam; beschrijvende lijst van reizen in Nederland door vreemdelingen voor 1850*, Amsterdam 1919, supplement 1936.

Jessen, P. 1892, *Das Ornamentwerk des Daniel Marot in 264 Lichtdrucken*, Berlin, 1892.

Jimkes-Verkade, E. 1981, 'De ikonologie van het grafmonument van Willem I, Prins van Oranje' in: *De Stad Delft. Cultuur en Maatschappij van 1572 tot 1667*, Delft 1981, 214–227.

Jones Hellerstedt, K. 1986, *Gardens of Earthly Delight. Sixteenth and Seventeenth-Century Netherlandish Gardens*, catalogus The Frick Art Museum, Pittsburgh, Pennsylvania, 1986.

Jong, E. de 1979, '"Een teycken van den soeten vreed". Zur Interpretation des "Eisernen Mannes" am Springenberg', *Soweit der Erdkreis Reicht. Johann Moritz von Nassau-Siegen 1604–1679*, Kleef 1979, 165–188.

Jong, E. de 1980, *De Slapende Mars van Hendrick ter Brugghen. Een Schilderij Centraal*, Utrecht, Centraal Museum, 1980.

Jong, E. de 1981, 'Virgilian Paradise. A Dutch Garden near Moscow in the early 18th Century', *Journal of Garden History* 1 (1981) 4, 305–344.

Jong, E. de en D.P. Snoep 1981/1982, *Zijdebalen - Lusthof aan de Vecht. Tuin-en tekenkunst uit het begin van de 18e eeuw*, Catalogus Centraal Museum Utrecht, Utrecht 1981/1982.

Jong, E. de 1983, 'Bibliografie van de Nederlandse tuinarchitectuur en aanverwante gebieden over de jaren 1960–1983', *Bull. KNOB* 82 (1983) 3/4, 142–163.

Jong, E. de 1984, 'Loflijkheyt des Landt-Levens. Buitenleven in de Nederlandse 17e eeuw', *Renaissance Studies Utrecht* 3, Utrecht 1984, 47–73.

Jong, E. de 1984–85, 'Flora Batava. Agnes Block op haar buiten Vijverhof', *Kunstlicht* 14 (1984–1985), 22–28.

Jong, E. de 1985, 'Het Loo, van paleis tot museum', *Bull. KNOB* 84 (1985) 5, 235–247.

Jong, E. de 1987-1, '"De jongste zuster der schoone kunsten". Tuinkunst in 18e-eeuws Nederland', *Nederlandse Tuinen in de Achttiende eeuw*, Amsterdam/Maarssen, APA Holland Universiteits Pers, 1987, 1–31.

Jong, E. de 1987-2, 'Kasteel Heemstede in Houten. Een prooi der vlammen', *NRC Handelsblad* 16.1.1987, (CS pag. 7).

Jong, E. de 1988 (zie Hunt, J.D.).

Jong, E. de 1990, 'For Profit and Ornament. Function and Meaning of Dutch Garden Art in the period of William and Mary, 1650–1702', in: J.D. Hunt (ed.), *The Dutch Garden in the Seventeenth Century*, Washington 1990, 13–49 (Dumbarton Oaks Colloquium on the History of Landscape Architecture, XII).

Jong, E. de 1991A, 'A propos des beaux jardins du Duc d'Arenberg. Deux visiteurs de marque: le prince Guillaume III d'Orange et l'architecte Nicodème Tessin (1676 et 1687)', *Annales du Cercle Archéologique d'Enghien* XXVI (1991), 14–24.

Jong, E. de 1991B, 'Nature and Art. The Leiden Hortus as "Musaeum"', *The Authentic Garden*, Leiden, Clusius Foundation, 1991, 37–61.

Jong-Schreuder, S. de 1968, *De tuinen van Het Loo*, ongepubliceerde doctoraalscriptie R.U. Leiden 1968.

Jongh, E. de 1973, 'Vermommingen van Vrouw Wereld in de 17de eeuw', *Album Amicorum J.G. van Gelder*, Den Haag 1973, 198–207.

Jongh, E. de 1986, *Portretten van Echt en Trouw. Huwelijk en gezin in de Nederlandse Kunst van de zeventiende eeuw*, Zwolle/Haarlem 1986.

Journal of a Horticultural Tour through some parts of Flanders, Holland, and the North of France in the Autumn of 1817 by a Deputation of the Caledonian Horticultural Society, Edinburgh 1823.

Journalen van Constantijn Huygens den Zoon (1628–1697). Werken Historisch Genootschap, Nieuwe Serie, 's Gravenhage 1876–1888, 1905–1906 (6 Delen).

Jung, Marc René 1966, *Hercule dans la litterature française du XVIe siècle. De l'Hercule courtois a l'Hercule Baroque*, Genève 1966 (diss.).

Karstens, W.K.H. en H. Kleibrink 1982, *De Leidse Hortus – een botanische erfenis*, Zwolle, Waanders, 1982.

Kern, H. (ed.) 1910–1039/1955–1957, *Itinerario Voyage ofte Schipvaert van Jan Huygen van Linschoten Naer Oost Ofte Portugaels Indien 1579–1592*, 's Gravenhage, Martinus Nijhoff, V Delen 1910–1939 en III Delen 1955–1957 (2de, herziene druk door H. Terpstra).

Kern, H. 1983, *Labyrinthe. Erscheinungsformen und Deutungen 5000 Jahre Gegenwart eines Urbilds*, München 1983.

Kernkamp, G.W. 1910, 'Bengt Ferrner's dagboek van zijne reis door Nederland in 1759', *Bijdragen en Mededeelingen van het Historisch Genootschap te Utrecht*, Deel XXXI, Amsterdam 1910, 314–509.

Kiel, I. 1983, *De Flora (Poetica) in de Nederlandse Hofdichten*, Amsterdam, Nederlandse Vrije Leergangen, 1983 (ongepubliceerde scriptie).

Klaits, J. 1976, *Printed Propaganda under Louis XIV: Absolute Monarchy and Public Opinion*, Princeton 1976.

Knoef, J. 1941, 'De beeldhouwer Jacobus Cresant', *Oud-Holland* 58 (1941), 169–177.

Knuth, J. Ernest von 1780, 'Tagebuch von einer in October 1780 nach Holland gethanen reise' in: *Johan Bernoulli's Sammlung kurzer Reisebeschreibungen*, Berlijn 1782.

Knuttel, W.P.C. 1890–1920, *Catalogus van de Pamfletten. Verzameling berustende in de Koninklijke Bibliotheek 's-Gravenhage 1890–1920* (HES Publicaties Utrecht 1978)(5 Delen).

Koeman, C. 1967–1979, *Atlantes Neerlandici: bibliography of terrestrial, Maritime and celestial atlasses and pilotbooks published in the Netherlands up to 1880*, Amsterdam, Theatrum Orbis Terrarum, 1967–1979.

Kooy, A. 1972, 'Een groen getooide keizerskroon. Vijf eeuwen Amsterdams stadsgroen', *Ons Amsterdam* 24 (1972), 9; hetzelfde materiaal in *Groen* 26 (1972) nr 11, 293–300 (1400–1800).

Koreny, Fritz 1985, *Albrecht Dürer und die Tier- und Pflanzenstudien der Renaissance*, München, Prestel-Verlag, 1985.

Kramm, C. 1851, 'Zijdebalen te Utrecht', *Utrechtse Volks-Almanak 1851*.

Kranenburg-Vos, A.C. 1975, *'t Konings Loo, Bouwgeschiedenis en bewoning*, Deel XXV serie Nederlandse Kastelen, Nederlandse Kastelen Stichting/ANWB 1975.

Kranenburg-Vos, A.C. 1986, *Het Loo. Bouw bewoning en restauratie*, Amersfoort 1986.

Kremer, J.L.A. 1932, *Een vergeten waterwerk uit de 17e eeuw. De vernielde leidingen van Orden en Assel naar het paleis Het Loo*, Apeldoorn 1932.

Kretzulesco-Quaranta, E. 1976, *Les jardins du Songe. "Poliphile" et la Mystique de la Renaissance*, Paris 1976.

Kroon, J.E. 1911, *Bijdragen tot de geschiedenis van het geneeskundig onderwijs aan de Leidsche universiteit 1575–1625*, Leiden, Van Doesburgh, 1911 (diss.).

Kuijlen, J.A. e.a. 1983, *Paradisus Batavus. Bibliografie van plantencatalogi van onderwijstuinen, particuliere tuinen en kwekerscollecties in de Noordelijke en Zuidelijke Nederlanden (1550–1839)*, Wageningen 1983.

Kulterman, Udo 1968, *Gabriel Grupello*, Berlijn 1968.

Kurz, O. 1953–54, 'Huius Nympha loci', *J.W.C.I.* 16/17 (1953–54), 171–177.

Kuyper, W. 1977, 'Schijnvoets "nette schets' van Christoffel Beudekers lustplaats Soelen teruggevonden', *Bull. KNOB* 76(1977), 1–8.

Kuyper, W. 1980, *Dutch Classicist Architecture. A Survey of Dutch Architecture, Gardens and Anglo-Dutch relations from 1625 to 1700*, Delft, University Press, 1980.

Lairesse, G. de 1740, *Groot Schilderboek waar in de schilderkonst in al haar deelen grondig werd onderweezen*, Haarlem, Johannes Marshoorn, 1740 (eerste druk Amsterdam 1707).

Lambert, Audry M. 1971, *The Making of the Dutch Landscape*, Londen en New York 1971.

Lambin, Denis 1979, 'Notes on space and space perception in eighteenth century parks and gardens', in G.C. Rump, *Kunst und Kunstheorie des XVIII Jahrhunderts*, Hildesheim 1979.

Landwehr, J. 1970, *Romeyn de Hooghe 1645–1708 as book illustrator. A bibliography*, Amsterdam 1970.

Lane, A. 1949, 'Daniel Marot: designer of Delft vases and of gardens at Hampton Court', *The Connoisseur* CXXIII (1949), 19–24.

Lange, Liliane 1961, 'La grotte de Thetis et le premier Versailles de Louis XlV', *Art de France* 1 (1961), 133–148.

Langlotz, E. 1954, 'Aphrodite in den Gärten', *Sitzungsberichte der Heidelberger Akademie der Wissenschaften, Philosophisch-Historische Klasse* 1953/54, 2. Abhandlung, Heidelberg 1954.

Lazzaro, Claudia 1990, *The Italian Renaissance Garden*, New Haven/London, Yale University Press, 1990.

Leegwater, Jan Adriaansz. 1706, *Een Korte Beschryvinge Van de Stad Haarlem [...]*, Haarlem, W. van Kessel, 1706.

Leeuwenberg, J. 1973, *Beeldhouwkunst in het Rijksmuseum*. Catalogus, Den Haag, Staatsuitgeverij, 1973.

Leidse Universiteit 400. Stichting en Bloei 1575–ca. 1650, Catalogus Rijksmuseum Amsterdam 1975.

Leith-Ross, Prudence 1984, *The John Tradescants. Gardeners to the Rose and Lily Queen*, Londen, Peter Owen, 1984.

Lemmens, G. Th. 1979, 'Die Schenkung an Ludwig XIV und die Auflösung der Brasilianischen Sammlung der Johann Moritz 1652–1679', *Soweit der Erdkreis reicht. Johann Moritz von Nassau-Siegen 1604–1979*, Kleef 1979.

Lettres et memoires de Marie Reine d'Angleterre Epouse de Guillaume III. Collection de Documents Authentiques Inedits, 's-Gravenhage 1880.

Lewis, C.S. 1973, *The Allegory of Love. A Study in Medieval Tradition*, London, Oxford, New York 1973.

Liebenwein, W. 1977, *Studiolo. Die Entstehung eines Raumtyps und seine Entwicklung bis um 1600*, Berlijn, gebr. Mann Verlag, 1977 (Frankfurter Forschungen zur Kunst, Band 6).

Le Lieu Théatrale à La Renaissance, ed. Jean Jacquot e.a. Parijs 1964.

Lindeboom, G.A. (ed) 1958, *Haller in Holland*, Delft 1958.

Lindeboom, G.A. 1975–1, *A Classified Bibliography of the History of Dutch Medicine*, Den Haag, Nijhoff, 1975.

Lindeboom, G.A. 1975–2, *The letters of Jan Swammerdam to Melchisedec Thévenot*, Amsterdam 1975.

Lindeboom, G.A. 1979, *Inleiding tot de geschiedenis der geneeskunde*, Amsterdam 1979.

Lipsius, Justus 1584, *Over standvastigheid bij algemene rampspoed, vertaald, ingeleid en van aantekeningen voorzien door P.H. Schrijvers*, Baarn, Ambo, 1983.

Lisman, A.J.A.M. 1973, *Heemstede gelegen in de provincie van Utrecht*, Alphen aan den Rijn, 1973.

Livre de vases. Inventé par M.Stella, Chevalier et Peintre de Roy, [Parijs] 1667.

Het Loo, van Paleis tot Museum. Halfjaarlijks rapport over de de restauratie en verbouwing IV, 1979.

Loonstra, M. 1985, *Het Huys int Bosch. Het Koninklijk Paleis Huis ten Bosch historisch gezien*, Zutphen, De Walburg Pers, 1985.

Loosjes, A. 1919, 'Het kasteel Heemstede bij Houten (Utr)', *Buiten*, XIII (1919), 268–72.

Loosjes, A., *Utrecht in Beeld*, Amsterdam s.d., Deel II.

Lunsingh Scheurleer, Th.H. 1962, 'Beeldhouwwerk in Huygens' Haagse huis', *Oud Holland* 67(1962), 181–204.

Lunsingh Scheurleer, Th.H. 1975, 'Un Amphithéâtre d'Anatomie Moralisée', in: Th.H. Lunsingh Scheurleer, G.H.M. Posthumus Meyes (eds), *Leiden University in the Seventeenth Century. An Exchange of Learning*, Leiden, E.J. Brill, 1975, 217–277.

Luttervelt, R. van 1949, *Stichtse Lustwarande*, Utrecht 1949.

Luttervelt, R. van 1958, 'De optocht ter gelegenheid van de inwijding der Leidse Universiteit', *Leids Jaarboekje* 50 (1958), 87–104.

Luttervelt, R. van 1970, *De Buitenplaatsen aan de Vecht*, Lochem, 1970 (2de druk).

MacDougall, E. 1972, 'Ars Hortulorum: Sixteenth Century garden Iconography and Literary Theory in Italy' in: D.R. Coffin (ed.), *The Italian Garden*, Washington 1972, 37–61 (Dumbarton Oaks Colloquium on the History of landscape Architecture, I).

MacDougall, E.B. and F. Hamilton Hazlehurst (eds) 1974, *The French Formal Garden*, Washington 1974 (Dumbarton Oaks Colloquium on the History of landscape Architecture, III).

MacDougall, E. 1975, 'The Sleeping Nymph. Origins of a Humanist Fountain Type', *Art Bulletin* LVII (1975), 357–65.

MacDougall, E. 1985, 'Imitation and Invention: Language and Decoration in Roman Renaissance Gardens', *J.G.H.* 5(1985)2, 119–134.

Malssen, P.J.W. van 1936, *Louis XIV d'après les pamplets repandues en Hollande*, Amsterdam 1936.

Mander, C. van 1603–04, *Het Schilderboek [...]*, Haarlem-Alkmaar, 1603–1604.

Mander, C. van 1604, *Uitleggingh op den Metamorphosis Pub. Ovidii Nasonis [...]*, in het Schilder-boeck, Haarlem 1604.

Marchi, Piero 1981, 'Il Giardino come' luogo Teatrale', *Il Giardino Storico Italiano* ed. Giovanna Ragionieri, Florence 1981.

Marle, R. van 1931, *Iconographie de l'Art Profane au Moyen Age et à la Renaissance*, Den Haag 1931.

Masson, Georgina 1966, *Italian Gardens*, London, Thames and Hudson, 1966.

Mastrocco, M. 1981, *Le Mutazioni di Proteo. I Giardini Medicei del Cinquecento*, Florence 1981.

Mededeelingen van de Vereeniging ter Beoeffening der Geschiedenis van 's-Gravenhage, 's Gravenhage 1876, Deel 2.

Meer, G. van 1976, 'Een penning voor de dichter

Arnold Hoogvliet', *De Geuzenpenning* 26 (1976) 1, 4–7.

Mehrtens, U.M. 1989–90, *Kasteel Heemstede, Houten*, Advies Rijksdienst voor de Monumentenzorg, Afdeling Buitenplaatsen, 1989–90.

Meijer, D.C. 1883, 'Het Oude Doolhof te Amsterdam', *Oud-Holland* 1 (1883) Deel I, 31–36 en Deel II 119–135.

Meischke, R. 1961, 'Slot Zeist', *Bull. KNOB*, 14 (1961) 2, 30–56.

Meischke, R. 1982, 'Inleiding' in: A.J.A.M. Lisman en E. Munnig Schmidt, *Plaatsen aan de Vecht en De Angstel*, Alphen aan den Rijn 1982.

Merens, A. 1937, 'De reis van Jan Martensz. Merens door Frankrijk, Italië en Duitschland anno 1600', *Mededelingen van het Nederlandsch Historisch Instituut te Rome* 2de reeks Deel VII, 's-Gravenhage 1937, 49–166.

Mieris, F. van 1770, *Beschrijving der stad Leyden*, Leiden 1770, Deel II.

Miller, N. 1977, *French Renaissance Fountains*, New York-London, Garland Publishing Inc., 1977.

Miller, N. 1982, *Heavenly Caves. Reflections on the Garden Grotto*, Boston-London-Sidney 1982.

Moerman, J.D. 1934, 'Beken, sprengen en watermolens op de Veluwe', *Tijdschrift van het Koninklijk Nederlands Aardrijkskundig Genootschap*, maart 1934, 1–40.

Molen-den Outer, B. ten 1975, 'Een portret van David van Mollem en zijn familie door Nikolaas Verkolje (1673–1746)', *Antiek* 1975, nr 5, 489–505.

Molhuysen, P.C. 1913, *Bronnen tot de Geschiedenis der Leidsche Universiteit*, Eerste Deel, 's-Gravenhage, Martinus Nijhoff, 1913.

Mollet, A. 1651, *Le Jardin de Plaisir*, Stockholm 1651, editie Parijs, Editions du Moniteur, 1981 met een nawoord door Michel Conan.

Moos, Stanislaus von 1974, *Turm und Bollwerk. Beiträge zu einer politischen Ikonographie der Italienischen Renaissancearchitektur*, Zürich, Atlantis, 1974.

Morren, Th. 1903 en 1904, 'Zorgvliet, Buitenrust en Rustenburg', *Elsevier* 25 (1903), 197–103, 313–329 en *Elsevier* 26 (1904), 12–34.

Morren, Th. 1908, *Het Huis Honselaarsdijk*, Leiden 1908.

Moucheron, I. de 1700–1704, *Plusieurs Belles et Plaisante Veües et la Cour de Heemstede, dans la Province d'Utrecht / Verscheyde schoone en vermaakelyke gezigten van Heemstede, gelegen in de Provintie van Utrecht*, [Amsterdam], Weduwe N. Visscher, 1700–1704.

Mountague, W. 1696, *The Delights of Holland: or a three Months Travel about that and the other Provinces*, Londen 1696.

Muinck, B.E. de 1965, *Een regentenhuishouding omstreeks 1700. Gegevens uit de privé-boekhouding van Mr. Cornelis de Jonge van Ellemeet, ontvanger generaal der Verenigde Nederlanden (1646–1721)*, 's-Gravenhage 1965.

Muller, F. 1863–1883, *De Nederlandsche geschiedenis in platen. Beredeneerde beschrijving van Nederlandsche historie-platen, zinneprenten en historische kaarten*, Amsterdam 1863–1882.

Muller, P.E. 1937, *De dichtwerken van Philibert van Borsselen*, Groningen 1937.

Muller Fzn, S. 1912, 'Zijdebalen', *Bouwkunst* 1912, 1–50.

Murray, David 1904, *Museums. Their History and their Use*, Glasgow, James Maclehose and Sons, 1904, Deel I.

Neurdenburg, E. 1948, *De zeventiende-eeuwsche beeldhouwkunst in de Noordelijke Nederlanden*, Amsterdam 1948.

Niemeyer, J.W. 1961, 'Een bezoek aan Duinrel in het begin van de 18e eeuw', *Jaarboekje voor geschiedenis en oudheidkunde van Leiden en omstreken*, 53 (1961), 77–81.

Nierhoff, A.M. 1971, *Hofstede Saxenburg in Aelbertsberg of Bloemendaal*, Haarlem 1971.

Nierop, H.F.K. 1981, *Van ridders en regenten. De Hollandse adel in de zestiende en de eerste helft van de zeventiende eeuw*, De Bataafse Leeuw, 1981 (*Hollandse Historische Reeks* 1).

Nierop, L. van 1930–31, 'De Zijdenijverheid van Amsterdam historisch geschetst', *Tijdschrift voor Geschiedenis* 45 (1930), 32–35 en 152–169 en 46 (1931), 28–55 en 113–143.

Nucleus Emblematum Selectissimorum, A. Gabriele Rollenhagio Magdeburgense, Keulen 1611.

Obreen, D.O. 1882–1883, *Archief voor de Nederlandse Kunstgeschiedenis*, Rotterdam 1882–1883.

Oerle, H. van 1941, 'De bouw van het St Cecilia Gasthuis in de Camp te Leiden', *Leids Jaarboekje* 33 (1941), 63–82.

Oeuvres Complètes de Christian Huygens, publié par la Sociéte Hollandaise des Sciences, Correspondance, La Haye, 1888–1905 (10 Delen).

Oldenburger-Ebbers, C.S. 1988, 'Doolhoven in Nederland', *Groen* 1988 nr 7/8, 9–15.

Oldenburger-Ebbers, C.S. 1989, *De Tuinengids van Nederland*, Rotterdam 1989.

Oldewelt, W.F.H. 1942, *Amsterdamsche archiefvondsten*, Amsterdam 1942.

d'Oprechte Aenwijser, tot verscheyde Kunst-rijcke Wercken, En haer wonderlijcke beweegingen, gedreven door Oorlogie-werck, nevens eenige aerdige Beelden levensgroote, van eenige voorname Koningen en Princen onser Eeuw. Oock seer uytsteekende Fonteyn-werck, nevens een lustigh Doolhof. Welcke alles kan gesien worden op de hoeck van de Loyersgracht / in het Oude Doolhof / tot Amsterdam, Amsterdam, Alexander Lintman, 1674.

Orlers, I.I. 1614, *Beschrijvinge der Stad Leyden*, Leiden 1614.

Orlin Johnson, K. 1981, 'Il n'y a plus de Pyrénées. The Iconography of the first Versailles', *Gazette des Beaux Arts* XCVII (1981), 29–40.

Outrein, J. d' 1700, *De Roosendaalsche Vermakelykheden, Met een Geestelyk oog Beschouwd, in Digtmaat gesteld en opgedragen Aan de Hoog Welgeborene Heer en Mevrouwe van Roosendaal, en Mevrouwe Douarière van Heiden*, Amsterdam 1700.

Ozinga, M.D. 1938, *Daniel Marot. De schepper van den Hollandschen Lodewijk XIV-stijl*, Amsterdam 1938.

Paauw, P. 1601, *Hortus Publicus Academiae Lvgdvno-Batavae. Eius Ichnographia, Descriptio, Vsvs [...]*, Leiden, Christophorus Raphelengius, 1601.

Panofsky, E. 1930, *Hercules am Scheidewege*, Leipzig 1930.

Panofsky, E. 1969, *Problems in Titian, mostly iconographic*, New York 1969.

Passe, Crispijn de 1614, *Hortus floridus. In quo rariorum & minus vulgarium florum Icones ad vivam veramque formam accuratissimae delineatae*, Utrecht 1614.

Patterson, R. 1981, 'The "Hortus Palatinus" at Heidelberg and the Reformation of the World. Part I: The Iconography of the Garden', *J.G.H.* I (1981) 1, 67–104.

Paulus, Helmut-Eberhard 1982, *Die Schönbornschlösser in Göllersdorf und Werneck. Ein Beitrag zur süddeutschen Schloss- und Gartenarchitektur des 18. Jahrhunderts*, Nürnberg 1982.

Peckham, H. 1772, *The Tour of Holland, Dutch Brabant, the Austrian Netherlands, and a part of France*, Londen 1772.

Pélissier, L.G. 1906, 'Sur quelques documents utiles pour l'histoire des rapports entre la France et l'Italie', *Atti del II Congresso Internazionale di Scienze Storiche*, Rome 1906, Deel III, 173–257.

Pelt, R. van 1981, 'Man and Cosmos in Huygens Hofwijck', *Art History* 4 (1981) 2, 150–174.

Perks, W.A.G. 1974, *Zes eeuwen molens in Utrecht*, Utrecht/Antwerpen 1974.

Peter-Raupp, H. 1980, *Die Ikonographie des Oranjezaal*, Hildesheim-New York 1980.

Peters, C.H. 1914, *Kort geschiedkundig overzicht van het Paleis "Het Loo" met bijbehorend Park*, 's-Gravenhage 1914.

Pieters, F.F.J.M. en M.F. Mörzer Bruyns 1988, 'Menageriën in Holland in de 17e en 18e eeuw', *Holland* 20 (1988) 4/5, 195–210.

Pijzel-Dommisse, H.H. 1978, 'Een 18e eeuwse inventaris van een verdwenen buitenplaats: Ouderhoek', *Jaarboekje 1978 van het Oudheidkundig Genootschap Niftarlake*, 1978, 23–31.

Pleij, Herman 1988, *De sneeuwpoppen van 1511. Literatuur en stadscultuur tussen middeleeuwen en moderne tijd*, Amsterdam/Leuven 1988.

Pleij, Herman 1990, 'Literatuur en natuurgenot in de late middeleeuwen', *Nederlandse literatuur van de late middeleeuwen*, Utrecht 1990, 17–79.

Plinius Secundus, Gaius, *The Letters of the Younger Pliny*, vertaald door B.Radice, Harmondsworth 1977.

Ploos van Amstel, J.J.A. 1984, 'Gerard Ploos van Amstel (1617–1695). Een Stichtse officier in het Staatse leger', *Jaarboek Oud-Utrecht* 1984, 52–99.

Poel, A.A. van der 1964, 'De Munnikenhof te Grijpskerke', *Zeeuws Tijdschrift* 14 (1964), 200–208.

Poelhekke, J.J. 1956, 'Elf brieven van Agnes Blok in de universiteitsbibliotheek van Bologna', *Mededelingen van het Nederlands Historisch Instituut te Rome*, XXXII (1956), 3–28.

Pontoppidon Menoza, E. 1746, *Ein Aziatischer Prinz, welcher die West umhergezogen Christen zu suchen [...]*, Hollstein 1746.

Poole, R. 1743, *A journey from London, to France and Holland: or, the traveller's useful vademecum*, Londen 1743.

Porro, G. 1591, *L'Horto De I Semplici di Padoua*, Venetia, Girolamo Porro, 1591.

Prest, John 1981, *The Garden of Eden. The Botanic Garden and the Re-creation of Paradise*, New Haven/Londen, Yale University Press, 1981.

Prinz, W. 1970, *Die Enstehung der Galerie in Frankreich und Italien*, Berlin, Gebr. Mann Verlag, 1970.

Prinz, W. en R.G. Kecks 1985, *Das französische Schloss der Renaissance*, Berlin, Gebr. Mann Verlag, 1985.

Quarles van Ufford, L.A. 1980, *Gunterstein, een Ridderhofstad aan de Vecht*, Loenen aan de Vecht 1980.

Quarles van Ufford, L.A. 1980, *Gunterstein*, Alphen aan den Rijn 1980.

Quiccheberg, S. 1565, *Inscriptiones vel Tituli Theatri amplissimi [...]*, Munich, A.Berg, 1565.

Rapinus, Renatus 1672, *Hortorum Libri* V, Utrecht, J. Ribbius, 1672.

Reets, Ad. 1699, *Heemstede, Aan den Hoogedelen Welgebooren Heer, Heer Didrik van Veldhuizen, Heer van Heemstede, Williskop, Kort Heeswijk, enz. Kanonik ten Dom, verkozen Raad ter vergadering van de Edele Mog: Heeren Staaten 's-Lands van Utrecht, en der zelver gewoone Gedeputeerden, buitengewoon Raadsheer in 't Edele Provinciaale Hof van Utrecht, Hoogheimraad van den Lekkendijk bovendams enz. enz.*, Utrecht, Willem van Poolsum, 1699.

Regteren Altena, I.Q., en P.J.J. van Thiel 1964, *De portret-galerij van de Universiteit van Amsterdam en haar stichter Gerard van Papenbroeck 1673–1743*, Amsterdam 1964.

Regteren Altena, I.Q. 1970, 'Grotten in de tuinen der Oranjes', *Oud-Holland* 85 (1970), 33–44.

Reinach, S. de 1908, *Répertoire de la Statuaire Grecque et Romaine*, Parijs 1908 6 Delen.

Reitz, J.F. 1744, *Oude en nieuwe staat van 't russische of moskovische keizerrijk [...]*, Utrecht 1744.

Rijn, G. van 1895–1931, *Katalogus der Historie-, Spot-, en Zinneprenten betrekkelijk de geschiedenis van Nederland*, verzameld door A. van Stolk, Amsterdam 1895–1931.

Ripa, C. 1644, *Iconologia of uytbeeldinghe des verstands*, Amsterdam 1644 (editie Pers), uitgave Davaco Publishers, Soest 1971, introductie door Jochen Becker.

Roegholt, R., D. Hillenius e.a. 1982, *Wonen en Wetenschap in de Plantage. De geschiedenis van een Amsterdamse buurt in driehonderd jaar*, Amsterdam, 1982.

Roever, N. 1888, 'Het Nieuwe Doolhof "in de Oranje Pot" te Amsterdam', *Oud-Holland*, 6 (1888), 102–112.

Roever, N. de 1893, 'Iets over buitenplaatsen en over den Pauwentuin', *Uit onze oude Amstelstad*, Amsterdam 1893, Deel IV, 57–59.

Romers, H.J. 1969, *J. de Beijer. Oeuvre-catalogus*, 's-Gravenhage 1969.

Rosasco, B.1983, 'The Sculptures of Marly and the Programme of Versailles: Considerations of their Relationship and Meaning', *J.G.H.* 3 (1983) 4, 301–316.

Rosasco, B. 1984, 'The Sculptural Decoration of the Gardens of Marly: 1679–1699', *J.G.H.* 4 (1984) 2, 95–125.

Rosenthal, Earl 1971, 'Plus Ultra, Non Plus Ultra and the Columnar Device of Emperor Charles V', *J.W.C.I.* 34(1971), 204–229.

Rosenthal, Earl 1973, 'The Invention of the Columnar Device of Emperor Charles V at the Court of Burgundy in Flanders in 1516', *J.W.C.I.* 36 (1973), 198–231.

Rotgans, L. [c.1695], *Stichts landtgezang op Heemstede. Aan den hoogedelen welgeboren Heere, Diderik van Velthuizen, Heer van Heemstede, Williskoop, Kortheeswyk &c. Kanonik ten Dom. geëligeerde Raadt ter vergadering van de Ed: Mog: Heeren Staaten 's-Landts van Utrecht, en wegens hen gecommiteert in die van hunne Ed: Mog: Ordinaris Gedeputeerden. Hoog-heimraadt van den Lekkendyk bovendams. &c.* in: *Poezy, van verscheide mengelstoffen*, Leeuwarden 1715, 265–78.

Rotgans, L. 1698, *Wilhem de Derde, door Gods genade, Koning van Engeland, Schotland, Vrankryk en Ierland, Beschermer des Geloofs, enz. enz. enz.*, Utrecht 1698.

Rothshuh, Karl Ed. 1978, *Konzepte der Medizin in Vergangenheit und Gegenwart*, Stuttgart 1978.

Royaards, C.W. 1972, *De restauratie van het Koninklijk Paleis Het Loo*, 's-Gravenhage 1972.

Rupprecht, B. 1966, 'Villa. Zur Geschichte eines Ideals', in: *Wandlungen des Paradiesischen und Utopischen. Studien zum Bild eines Ideals*, Berlin 1966 (*Probleme der Kunstwissenschaft* Zweiter Band), 210–250.

Russel, M. 1977, 'The Iconography of Rembrandts Rape of Ganymede', *Simiolus* 9 (1977) 1, 1–18.

Saavedra Faxardus, D. 1662/1663, *Christelyke Staetsvorst in Hondert Sinspreuken*, Amsterdam 1662 of 1663 (oorspronkelijk *Idea de un principe* politico christiano. Representada en cien empresas. München 1640).

Sander, H. 1783, *Beschreibung seiner Reisen [...]*, Leipzig 1783.

Sangers, W.J. 1952, *De ontwikkeling van de Nederlandse tuinbouw tot het jaar 1930*, Zwolle 1952.

Saxl, F. 1957, 'The Villa Farnesina', *Lectures*, Londen 1957.

Scamozzi, V. 1615, *Idea dell' Architettura Universale*, Venezia 1615.

Schaik-Verlee, A.M.C. 1968, 'Rotgans' leven op de keper beschouwd', *De Nieuwe Taalgids*. W.A.P. Smit nummer, Groningen 1968, 87–93.

Schama, S. 1988, *Overvloed en onbehagen. De Nederlandse cultuur in de Gouden Eeuw*, Amsterdam, Contact, 1988.

Scheicher, Elizabeth 1979, *Die Kunst-und Wunderkammern der Habsburger*, Wien-München-Zürich, Molden edition, 1979.

Scheller, R.W. 1969, 'Rembrandt en de encyclopedische verzameling', *Oud-Holland* LXXXIV (1969) 2–3, 81–148.

Schijnvoet, Simon, *Voorbeelden van Lusthof-Cieraaden*, Amsterdam s.a. (na 1717).

Schlosser, Julius von 1978, *Die Kunst-und Wunderkammern der Spätrenaissance. Ein Beitrag zur Geschichte des Sammelwesens*, Braunschweig, Klinkhardt & Biermann, 1978.

Schmidt, K. 1977–79, 'Hollands buitenleven in de zeventiende eeuw', *Amsterdams Sociologisch Tijdschrift* 4 (1977/78), 434–49 en 5 (1978/79), 91–109.

Scholten, H.J. 1904, *Musée Teyler à Haarlem. Catalogue raisonné des dessins des écoles francaise et hollandaise*, Haarlem, Loosjes, 1904.

Schouten, J., *De slangenstaf van Asklepios, symbool van de geneeskunde*, Amsterdam/Meppel, z.j. (na 1963).

Schwoerer, Lois G. 1977, 'Propaganda in the Revolution of 1688–'89', *The American Historical Review* 82 (1977) 4, 843–875.

Sellers-Bezemer, V. 1984, 'De onstaansgeschiedenis van een vroege Nederlandse baroktuin: Clingendael onder Philips Doublet III', in: A.R.E. de Heer, M.C.C. Kersten (eds.), *Bouwen in Nederland, Leids Kunsthistorisch Jaarboek*, 76 (1984), Delft 1985, 391–405.

Serlio, S. 1619, *Tutte l'Opere d'Architettura, et Prospetiva*, Venezia 1619.

Seters, W.H. van 1953, 'Prof. Johannes Broster-

huysen (1596–1650). Stichter en Opziener van de Medicinale Hof te Breda', *Jaarboek van de Geschied- en Oudheidkundige Kring van Stad en Land van Breda 'De Oranjeboom'*, VI (1953), 106–152.

Seters, W.H. van 1954, 'De voorgeschiedenis van de eerste Amsterdamse Hortus Botanicus', *Jaarboek Amstelodamum* 46 (1954), 35–45.

Shaw, J. 1709, *Letters to a Nobleman From a gentleman traveling thro' Holland, Flanders and France [...]*, London, 1709.

Sijmons, A.H. 1973, *Nieuwe kaart van den lande van Utrecht*, Alphen aan den Rijn 1973.

Sliggers, B. 1984, 'Buitenplaatsen aan het Zuider Spaarne', *Haarlemmerhout 400 Jaar*, Haarlem, Schuyt & Co, 1984, 97–138.

Slothouwer, D.F. 1945, *De Paleizen van Frederik Hendrik*, Leiden 1945.

Smit, W.A.P. 1983, *Kalliope in de Nederlanden. Het renaissancistisch-klassicistische epos van 1550 tot 1850*, Groningen 1983, 2 Delen.

Snoep, D.P. 1965, 'Honselaersdijk: Restauraties op papier', *Oud-Holland* 84 (1965), 270–294.

Snoep, D.P. 1970, 'Gerard Lairesse als plafond- en kamerschilder', *Bulletin van het Rijksmuseum*, 18 (1970), 159–220.

Snoep, D.P. 1973, '"Virtus post Nummos", Chevaliers Chambre de Raretez en zijn bezoekers' in: *Album Amicorum J.G. van Gelder*, Den Haag 1973, 277–285.

Snoep, D.P. 1975, *Praal en Propaganda. Triumfalia in de Noordelijke Nederlanden in de 16e en 17e eeuw*, Alphen aan den Rijn 1975.

Souchal, Fr. 1977, *French Sculptors of the 17th and 18th Centuries: The Reign of Louis XIV, Illustrated Catalogue*, Oxford 1977.

Southwell, zie Fremantle.

Spieghel, H.L. 1694, *Hert-Spieghel en andere Zede-Schriften*, 't Amsterdam 1694 (eerste druk 1615).

Spies, P. 1984, 'De zeventiende eeuwse tuin van paleis Het Loo', *Heemschut* mei 1984, No. 5, 82–86.

Springer, L.A. 1936, *Bibliographisch overzicht van geschriften, boek-en plaatwerken op het gebied der tuinkunst*, Wageningen 1936.

Staring, A. 1950/51, 'Portretten van de Koning-Stadhouder', in: *Nederlandsch Kunsthistorisch Jaarboek* 3 (1950–1951), 30–45.

Staring, A. 1950, 'Isaac de Moucheron als ontwerper van gevels en tuinen', *Oud-Holland* 65

(1950), 85–104.

Staring, A. 1958, *Jacob de Wit*, Amsterdam 1958.

Steinberg, Ronald M. 1965, 'The Iconography of the teatro dell'acqua at the Villa Aldobrandini', *Art Bulletin* XLVII (1965), 453–463.

Strandberg, R. 1973, 'Het Loo, het ontwerp van Claude Desgots voor het park van Het Loo', *Nieuwsbulletin KNOB* 1973, kolom 77.

Strandberg, R. 1974, 'The French Formal Garden after Le Nostre', in: E.B. MacDougall, F. Hamilton Hazlehurst (ed.), *The French Formal Garden*, Washington, 1974, 41–69 (Dumbarton Oaks Colloquium on the History of landscape Architecture, III).

Stricker, B.H. 1948, 'De correspondentie: Van Heurn–Le Leu de Wilhelm', *Oudheidkundige Mededelingen uit het Rijksmuseum voor Oudheden* XXIX (1948), 43–54.

Strong, R. 1979, *The Renaissance Garden in England*, London 1979.

Struick, J.A.L. 1968, *Utrecht door de Eeuwen Heen*, Utrecht 1968.

Sturm, L.Ch. 1719, *L.CH. Sturm's durch einen grossen Theil von Deutschland und die Niederlanden bis nach Parisz gemachete architectonische Reise-Anmerkungen*, Augsburg 1719.

Sypesteyn, C.H.C.A. van 1910, *Oud Nederlandsche Tuinkunst*, 's Gravenhage 1910.

Taverne, Ed 1978, *In 't land van belofte: in de nieuwe stadt. Ideaal en werkelijkheid van de stadsuitleg in de Republiek 1580–1680*, Maarssen 1978.

Tayler, E.W., *Nature and Art in Renaissance Literature*, New York and Lndon, 1964.

Tegenwoordige Staat der Provincie van Utrecht, Amsterdam 1758–72, Deel II.

Temple, R.C. (ed.) 1927, *The Papers of Thomas Bowrey 1669–1713*, London 1927, Hakluyt Society Deel 2.

Termolen-den Outer, B. 1975, 'Een portret van David van Mollem en zijn familie, door Nicolaas Verkolje (1673-1746)', *Antiek* 10 (1975)5, 489–505.

Terwen, J.J. 1981, 'De tuinen van het Mauritshuis', *N.K.J.* 31 (1980), Haarlem 1981, 104–122.

Terwen-Dionisius, E.M. 1980/1981, 'Vier eeuwen bouwen in de hortus', Deel I (1587–1815) in *Leids Jaarboekje 72* (1980), 35–65; Deel II (1815–1980) in *Leids Jaarboekje 73* (1981), 59–96.

Terwen-Dionisius, E. 1989, 'De eerste ontwerpen voor de Leidse Hortus', in: J.W. Marsilje (ed.), *Uit Leidse Bron geleverd. Studies over Leiden en de Leidenaren in het verleden, aangeboden aand drs B.N. Leverland bij zijn afscheid als adjunct-archivaris van het Leidse Gemeentearchief*, Leiden, Gemeente Archief, 1989, 392–400.

Tessin: zie Upmark.

The Royal Cabinet of Paintings. Illustrated General Catalogue, Den Haag 1977.

Thiel, P.J.J. van, e.a. 1976, *All the Paintings of the Rijksmuseum*, Amsterdam Maarssen 1976.

Thieme, V., F. Becker 1907, *Allgemeines Lexikon der Bildenden Kunstler, von der Antike bis zur Gegenwart*, 1907, 19 Delen.

Thomassin, S. 1695, *Receuil des figures, groupes, thermes, fontaines, vases, statues et autres ornaments de Versailles, tels qu' ils se voyent a present dans le chateau et parc. Gravé d' apres les originaux par Simon Thomassin, graveur du Roy, en francais, latin, italien et flaman*, Amsterdam, Pierre Mortier 1695.

Thomassin, S. 1724, *Verzameling van beelden, groepen, fonteinen, thermen, vasen, en andere pragtige cieradien van het Koninglyke Paleys en Park van Versailles*, Den Haag 1724.

Thompson, Craig R. 1965, *The colloquies of Erasmus*, Chicago/Londen, University of Chicago Press, 1965.

Thomson, David (ed.) 1988, *Les Plus Excellents Bastiments de France par J.A. du Cerceau*, Paris, Sand & Conti, 1988.

Thronus Cupidinis. Verzameling van emblemata en gedichten [etc], [1618 3], Amsterdam 1968, ingeleid door H. de la Fontaine Verwey.

Tongiorgi Tomasi, Lucia 1980, 'Il giardino dei semplici dello studio Pisano. Collezionismo, scienza e immagine tra cinque e seicento', *Livorno e Pisa: due città e un territorio nella politica dei Medici*, Pisa 1980, 514–527.

Tongiorgi Tomasi, Lucia 1991, 'Arte e natura. Il Giardino dei Semplici dalle origini alle fine dell' età medicea', in: F. Garbari, L. Tongiorgi Tomasi, A. Tosi, *Giardino dei Semplici. l'Orto botanico di Pisa dal XVI al XX secolo*, Pisa 1991.

Tromp, H.M.J. 1983, *Elswout te Overveen*, Zeist 1983, Rijksdienst voor de Monumentenzorg. *Bijdragen tot het bronnenonderzoek naar de ontwikkeling van Nederlandse historische tuinen, parken en buitenplaatsen*, Deel 12.

Tromp, H.M.J. 1987, *Het huys Soestdijk. Het koninklijk Paleis Soestdijk historisch gezien*, Zutphen 1987.

Uffenbach, Z.C. von 1753–4, *Merkwürdige Reisen durch Niedersachsen, Holland und Engelland, Ulm en Memmingen 1753–4*, 3 Dln (Nederland in deel II en III).

Uitman, H. 1965, 'Ein Holländisches Hofballet', *Maske und Kothurn, Vierteljahr schrift für Theaterwissenschaft* 11 (1965), 156–163.

Universiteit en Architectuur. Ontwerpen ten behoeve van de Leidse Universiteit 1600–1900, Catalogus Gemeentearchief Leiden 1979.

Upmark, G. 1915, 'Ein Besuch in Holland in 1687, aus den Reiseschilderungen des Schwedischen Architecten Nicodemus Tessin d.J.', *Oud-Holland*, 12 (1915), 401–412.

Utz, Hildegard 1971, 'The Labors of Hercules and other Works by Vicenzo de Rossi', *Art Bulletin* 53 (1971), 356–61.

Valk–Bouman, J.M. van der 1985, *'t Konings Loo. Van Prinselijk Ontwerp tot Koninklijk Paleis*, 's-Gravenhage 1985 (Esso Museumreeks deel 7).

Van Standen tot Staten. 600 jaar Staten van Utrecht 1375–1975, Utrecht 1975.

Varro, zie Cato.

Veen, C.F. van 1976, *Centsprenten. Nederlandse Volks- en kinderprenten*, Amsterdam, Rijksmuseum/Rijksprentenkabinet, 1976.

Veen, P.A.F. van 1960, *De Soeticheydt des Buytenlevens, verghesellschapt met de Boucken. Het hofdicht als tak van een georgische literatuur*, 's-Gravenhage 1960.

Veendorp, H. en L.G.M. Baas Becking 1938, *1887–1937 Hortus Academicus Lugduno Batavus. The Development of the Gardens of Leyden University*, Haarlem, Enschede, 1938.

Veenstra, F. 1968, *Ethiek en moraal bij P.C. Hooft. Twee studies in Renaissancistische levensidealen*, Zwolle 1968.

Ven, D.J. van der 1915, 'Wat het Dierense Hof als voormalig lustslot der Oranjes van oude en jonge tijden te verhalen heeft', *Op de Hoogte*, 12 (1915), 401–412.

Vergilius (Publius Vergilius Maro), *Virgil. Eclogues, Georgica*, Aeneid I–VI, translated by H. Ruston Fairclough, Cambridge, Mass./London, 1978.

Vergilius, *Het Boerenbedrijf. Georgica*, vertaald door dr Ida G.M. Gerhardt, Den Haag, Amsterdam 1969.

Verklaringe Van verscheyden kunst-rijcke wercken en hare bewdeginghe, door Oorlogie-werck ghedreven, benevens een seer schoone Fonteyn, zijnde een Triumph van Bachus en Ariadne. Noch eenige aerdige Beelden, levens=groote, van vermaerde Koninghen en Princen deser Eeuw. Alles te sien in 't Oude Doolhof tot Amsterdam / op de hoeck van de Loyersgracht / 't welcke jaerlijcks meer en meer verbetert wordt, Amsterdam, Tymen Houthaeck, 1648.

Vesalius, Andrea 1543, *De Humani Corporis Fabrica Libri VII*, Bazel 1543.

Vet, J.J.V.M. de 1986, 'Rotgans aan de vooravond van de revocatie', *Documentatieblad Werkgroep Achttiende Eeuw*, XVIII (1986)1, 23–51.

Vinge, Louise 1967, *The Narcissus Theme in Western European Literature up to the Early 19th Century*, Lund 1967.

Visser, I. 1986, *Het Slot Zeist*, Amsterdam-Dieren 1986.

Visser, Piet 1989, 'De artes als zinnebeeld: over doopsgezinden en hun relatie tot kunst en wetenschap', *De zeventiende eeuw* 5 (1989) 1, 93–103.

Vitruvius, *De Architectura*, 2 Delen, vertaald en uitgegeven door F. Granger, Cambride (Mass.)/ Londen 1970.

Vivanti, Corrado 1967, 'Henry IV, the Gallic Hercules', *J.W.C.I.* 30 (1967), 176–197.

Vliet, M. van 1961, *Het hoogheemraadschap van de Lekdijk Bovendams*, Assen 1961.

Vondel, De Werken van, editie J. van Lennep, Amsterdam, Gebroeders Binger, Deel I–XII, 1855–1869.

Vries, W.B. de 1978, 'Hofwijck, lusthof en speelweide: Huygens' spel met het georgisch genre' *De Nieuwe Taalgids*, 71 (1978) 4, 307–317.

Vries, W.B. de 1985, 'Toetsing van een genre: vier onbekende achtiende-eeuwse hofdichten', *De Nieuwe Taalgids* 78 (1985), 110–126.

Vries, W.B. de 1987, 'Onbesproken winst voor onverboden vreughd: Huygens en zijn tweede huis', in: A.Th. van Deursen, E.K. Grootes en P.E.L. Verkuyl, *Veelzijdigheid als levensvorm. Facetten van Constantijn Huygens' leven en werk.* Deventer, Sub Rosa, 1987, 53–65.

Vriese, J. 1964–1, 'Het Oude Doolhof', *Ons Amsterdam* 16 (1964), 268–272.

Vriese, J. 1964–2, 'Het Nieuwe Doolhof', *Ons Amsterdam* 16 (1964), 354–357.

Vriese, J. 1965, 'Nog enkele Amsterdamse dool-hoven', *Ons Amsterdam* 17 (1965), 82–86.

Waal, J.C. 1923, 'Oude doolhoven in Amster-dam', *Buiten* 1923, 568–572.

Waals, Jan van der, *De prentschat van Michiel Hin-loopen*, Den Haag 1988.

Waard, C. de (red.) 1939–1953, *Journal tenu par Isaac Beeckman de 1604 à 1634*, Den Haag 1939–1953 (Deel I–IV).

Water, J. van de 1729, *Groot Placaetboek, vervatten-de alle de Placaten, Ordonnantien en Edicten der edele mogende Heeren Staten 's-Lands van Utrecht*, Utrecht 1729.

Watson, Elkanah 1790, *A Tour in Holland in MDCCLXXXIV. By an American*, Worcester, Mass., 1790.

Watson, P.F. 1979, *The Garden of Love in Tuscan Art of the Early Renaissance*, Philadelphia/Lon-don 1979.

Weber, G. 1981, 'Charles Le Brun's Recueil de Divers Desseins de Fontaines', *Münchener Jahrbuch der Bildenden Kunst*, XXXII (1981), 151–181.

Weber, G. 1985, *Brunnen und Wasserkünste in Frankreich im Zeitalter von Louis XIV*, Worms, Werner'sche Verlaggeselschaft, 1985.

Weech, Fr. von 1899, 'Monsignore Garampi in Holland im Jahre 1764', *Bijdragen en Mededee-lingen van het Historisch Genootschap te Utrecht*, 1899.

Wegwyser door de Heerlijkheid Roosendaal [...], Am-sterdam 1718.

Weigert, R.A. en C. Hernmarck 1964, *Les Rela-tions Artistiques entre la France et la Suède 1693–1718. Nicodeme Tessin le jeune et Daniel Crönstrom. Correspondance (extraits)*, Stockholm 1964.

Weissman, A.W. 1912, 'Het Huis Vredenburgh', *Oud Holland* 30 (1912), 18–31.

Wenzel, W. 1970, *Die Gärten des Lothar Franz von Schönborn*, Berlijn, 1970.

Wevers, L.B. 1990–1, *Heemstede. Architectonisch onderzoek van een zeventiende eeuwse buitenplaats*, Delft 1990 (scriptie T.U. Delft).

Wevers, L.B. 1990–2, 'De interieurs van het ver-brande huis Heemstede te Houten (U)', *Bull. KNOB*, 89 (1990) 1, 7–10.

Wevers, L.B. 1991, *Heemstede. Architectonisch on-derzoek van een zeventiende-eeuwse buitenplaats*, Delft 1991.

Whitman, N.T. 1969, 'Myth and Politics: Versail-les and the Fountain of Latona', in: J.C. Rule (ed.), *Louis XIV and the Craft of Kingship*, Ohio 1969, 286–301.

Wijnands, D.O. 1983, *The Botany of the Commelins*, Rotterdam 1983.

Wilberg-Schuurman, T. 1983, *Hoofse minne en burgerlijke liefde in de prentkunst rond 1500*, Lei-den 1983.

Wilkinson, L.P. 1978, *The Georgics of Virgil. A cri-tical survey*, Cambridge, Cambridge University Press, 1978.

Wilmer, C.C.S. 1982, *Buitens binnen Utrecht*, Via-nen 1982.

Wimmer, C.A. 1985, *Sichtachsen des Barock in Ber-lin und Umgebung. Zeugnisse fürstlicher Weltans-chauung, Kunst und Jägerlust*, Berlijn, Bauver-lag, 1985 (Berliner Hefte 2).

Winter, P.J. van 1957, 'De Hollandse tuin', *N.K.J.* 8(1957), 29–121.

Witkam, H.J. 1970, *De Dagelijkse Zaken van de Leidse Universiteit*, Deel II, Leiden 1970 a.f.

Witkamp, P.H. 1869, *Amsterdam in schetsen*, Am-sterdam 1869.

Wittert van Hoogland, E.B.F.F. 1909, *Bijdragen tot de geschiedenis der Utrechtse ridderhofsteden en heerlijkheden*, 's-Gravenhage 1909.

Wittkower, R. 1975, 'The Vicissitudes of a Dynas-tic Monument. Bernini's Equestrian Statue of Louis XIV', *Studies in the Italian Baroque*, Lon-don 1975, 83–103.

Wittop-Koning, D.A. 1947, 'De voorgeschiedenis van het Collegium Medicum te Amsterdam', *Jaarboek Amstelodamum*, 41 (1947), 51–66.

Woerdeman, T. en W. Overmars 1984, 'Parkbos-sen in de achttiende eeuw' in *Groen* 40 (1984) 1, 19–27 (Deel I) en 40 (1984) 2, 47–53 (Deel II) en 40 (1984) 3, 106–111 (Deel III), 40 (1984) 7/8, 315–318 (Deel IV).

Wolf-Heidegger, G. en A.M. Cetto 1967, *Die ana-tomische Sektion in bildlicher Darstellung*, Bazel/ New York, 1967.

Woodbridge, K. 1986, *Princely Gardens. The ori-gins and development of the French formal style*, London, Thames and Hudson, 1986.

Worp, J.A. 1894, 'Constantijn Huygens' journaal van zijne reis naar Venetië in 1620', *Bijdragen en Mededeelingen van het Historisch Genootschap te Utrecht* XV (1894), 62–152.

Worp, J.A. 1911–1917, *De briefwisseling van C. Huygens 1606–1687*, 's-Gravenhage, 1911–1917, Rijksgeschiedkundige Publicatien, 6 De-len.

Wotton, H. 1624, *The Elements of Architecture*. London 1624 (reprint, Amsterdam/New York, 1970).

Wright, D. 1976, *The Medici Villa at Olmo a Castel-lo: Its History and Iconography*, Princeton Uni-versity, Ph.D. Dissertation, 1976.

Wijck, H.M.W. van der 1973, 'Heemstede bij Houten', *Bull. KNOB*, 72 (1973), 13–22.

Wijck, H.M.W. van der 1974, 'Het Loo, opmer-kingen over Marot en Desgots' plannen voor het Park van het Loo', *Bull. KNOB*, 73 (1974) 1, 33–35.

Wijck, H.M.W. van der 1976, 'Het Loo. Geschie-denis van een Koninklijk Domein', *Bull. KNOB*, 75 (1976) 3/4, 184–249.

Wijck, H.M.W. van der 1977, 'De tuinsculpturen voorheen en thans op Het Loo aanwezig', *Bull. KNOB* 76 (1977) 3, 165–178.

Wijck, H.M.W. van der 1982, *De Nederlandse Buitenplaats*, Alphen aan den Rijn, 1982.

Wijck, H.M.W. van der en J. Enklaar-Lagendijk 1982, *Zuylestein*, Alphen aan den Rijn 1982.

Xavier de Feller, Fr. 1823, *Itinéraire ou voyages en diverses parties de l'Europe*, Parijs 1823 (2de edi-tie).

Zandvliet, K. 1985, *De groote waereld in 't kleen ge-schildert. Nederlandse kartografie tussen de Mid-deleeuwen en de industriele revolutie*, Alphen aan den Rijn 1985.

Zanghieri, L. 1979, *Pratolino. Il Giardino delle mer-aviglie*, Florence 1979, 2 Dl. (Documenti In-editi di Cultura Toscana II).

Zantkyl, H., Cune Hettema e.a. 1982, 'Stedelijke erven en tuinen tot omstreeks 1850', *Erf en tuin in Oud-Amsterdam. De ontwikkeling van het be-sloten erf en de stadstuin in de oude binnenstad*, Ca-talogus Amsterdams Historisch Museum 1982, 9–60.

De Zegepraalende Vecht. Vertoonende verscheidene Gesichten van Lustplaatsen, Heerenhuysen en Dorpen; beginnende van Utrecht en met Muyden besluytende, Amsterdam, Wed. Nic. Visscher, 1719.

Zwaan, F.L. 1977, *Constantijn Huygens' Hofwyck*, Jeruzalem 1977.

Zwollo, A. 1973, *Hollandse en Vlaamse veduteschil-ders te Rome 1675–1725*, Assen 1973.

Registers

255

256

ICONOGRAFISCHE THEMA'S

ZAKEN

259

Herkomst van de afbeeldingen